MEMÓRIAS DE UM SUICIDA

YVONNE A. PEREIRA

MEMÓRIAS DE UM SUICIDA

Pelo Espírito

CAMILO CÂNDIDO BOTELHO

FEDERAÇÃO ESPÍRITA BRASILEIRA

ISBN 978-85-7328-372-3

B. N. 10.427

7ª edição – *Do 29º ao 38º milheiro*

000.01-O; 1/2008

Capa de ALESSANDRO FIGUEREDO

Composição e editoração:
Departamento Editorial e Gráfico – Rua Souza Valente, 17
20941-040 – Rio de Janeiro (RJ) – Brasil
CNPJ nº 33.644.857/0002-84 I.E. nº 81.600.503

Pedidos de livros à FEB Departamento Editorial:
Tel.: (21) 2187-8282, FAX: (21) 2187-8298.

CIP-BRASIL. CATALOGAÇÃO-NA-FONTE
SINDICATO NACIONAL DOS EDITORES DE LIVROS, RJ.

B761m
7. ed.

Botelho, Camilo Cândido (Espírito)
Memórias de um suicida / [pelo Espírito Camilo Cândido Botelho, sob a orientação do Espírito Léon Denis]; [psicografado por] Yvonne A. Pereira. – 7. ed. – Rio de Janeiro: Federação Espírita Brasileira, 2008.
688p.; 21cm

ISBN 978-85-7328-372-3

1. Romance espírita. 2. Espiritismo. 3. Obras psicografadas. I. Denis, Léon (Espírito). II. Pereira, Yvonne A. (Yvonne do Amaral), 1906-1984. III. Federação Espírita Brasileira. IV. Título.

07-1428. CDD 133.9
CDU 133.7

18.04.07 20.04.07 001305

Sumário

Terceira parte

A Cidade Universitária

Introdução

Devo estas páginas à caridade de eminente habitante do mundo espiritual, ao qual me sinto ligada por um sentimento de gratidão que pressinto se estenderá além da vida presente. Não fora a amorosa solicitude desse iluminado representante da Doutrina dos Espíritos – que prometeu, nas páginas fulgurantes dos volumes que deixou na Terra sobre filosofia espírita, acudir ao apelo de todo coração sincero que recorresse ao seu auxílio com o intuito de progredir, uma vez passado ele para o plano invisível e caso a condescendência dos Céus tanto lho permitisse – e se perderiam apontamentos que, desde o ano de 1926, isto é, desde os dias da minha juventude e os albores da mediunidade, que juntos floresceram em minha vida, penosamente eu vinha obtendo de Espíritos de suicidas que voluntariamente acorriam às reuniões do antigo "Centro Espírita de Lavras", na cidade do mesmo nome, no extremo sul do Estado de Minas Gerais, e de cuja diretoria fiz parte durante algum tempo. Refiro-me a Léon Denis, o grande apóstolo do Espiritismo, tão admirado pelos adeptos da magna filosofia, e a quem tenho os melhores motivos para atribuir as intuições advindas para a compilação *e* redação *da presente obra.*

Durante cerca de vinte anos tive a felicidade de sentir a atenção de tão nobre entidade do mundo espiritual piedosamente voltada para mim, inspirando-me um dia, aconselhando-me em outro, enxugando-me as lágrimas nos momentos decisivos em que renúncias dolorosas se impuseram como resgates indispensáveis ao levantamento de minha consciência, engolfada ainda no opróbrio das conseqüências de um suicídio em existência pregressa. E durante vinte anos convivi, por assim dizer, com esse Irmão venerável cujas lições povoaram minha alma de consolações e esperanças, cujos conselhos procurei sempre pôr em prática, e que hoje como nunca, quando a existência já declina para o seu ocaso, fala-me mais ternamente ainda, no segredo do recinto humílimo onde estas linhas são escritas!

Dentre os numerosos Espíritos de suicidas com quem mantive intercâmbio através das faculdades mediúnicas de que disponho, um se destacou pela assiduidade e simpatia com que sempre me honrou, e, principalmente, pelo nome glorioso que deixou na literatura em língua portuguesa, pois tratava-se de romancista fecundo e talentoso, senhor de cultura tão vasta que até hoje de mim mesma indago a razão por que me distinguiria com tanta afeição se, obscura, trazendo bagagem intelectual reduzidíssima, somente possuía para oferecer ao seu peregrino saber, como instrumentação, o coração respeitoso e a firmeza na aceitação da Doutrina, porquanto, por aquele tempo, nem mesmo cultura doutrinária eficiente eu possuía!

Chamar-lhe-emos nestas páginas – Camilo Cândido Botelho, contrariando, todavia, seus próprios desejos de ser mencionado com a verdadeira identidade. Esse nobre Espírito, a quem poderosas correntes afetivas espirituais me ligavam, freqüentemente se tornava visível, satisfeito por se sentir bem-querido e aceito. Até o ano de 1926, porém, só muito superficialmente ouvira falar em seu no-

me. Não lhe conhecia sequer a bagagem literária, copiosa e erudita.

Não obstante, veio ele a descobrir-me em uma mesa de sessão experimental, realizada na fazenda do Coronel Cristiano José de Souza, antigo presidente do "Centro Espírita de Lavras", dando-me então a sua primeira mensagem. Daí em diante, ora em sessões normalmente organizadas, ora em reuniões íntimas, levadas a efeito em domicílios particulares, ou no silêncio do meu aposento, altas horas da noite, dava-me apontamentos, noticiário periódico, escrito ou verbal, ensaios literários, verdadeira reportagem relativa a casos de suicídio e suas tristes conseqüências no Além-Túmulo, na época verdadeiramente atordoadores para mim. Porém, muito mais freqüentemente, arrebatavam-me, ele e outros amigos e protetores espirituais, do cárcere corpóreo, a fim de, por essa forma cômoda e eficiente, ampliar ditados e experiências. Então, meu Espírito alçava ao convívio do mundo invisível e as mensagens já não eram escritas, mas narradas, mostradas, exibidas *à minha faculdade mediúnica para que, ao despertar, maior facilidade eu encontrasse para compreender aquele que, por mercê inestimável do Céu, me pudesse auxiliar a descrevê-las, pois eu não era escritora para o fazer por mim mesma! Estas páginas, portanto, rigorosamente, não foram psicografadas, pois eu via e ouvia nitidamente as cenas aqui descritas, observava as personagens, os locais, com clareza e certeza absolutas, como se os visitasse e a tudo estivesse presente e não como se apenas obtivesse notícias através de simples narrativas. Se descreviam uma personagem ou alguma paisagem, a configuração do exposto se definia imediatamente, à proporção que a palavra fulgurante de Camilo, ou a onda vibratória do seu pensamento, as criavam. Foi mesmo por essa forma essencialmente poética, maravi-*

lhosa, que obtive a longa série de ensaios literários fornecidos pelos habitantes do Invisível e até agora mantidos no segredo das gavetas, e não psicograficamente. Da psicografia os Espíritos que me assistiam apenas se utilizavam para os serviços de receituário e pequenas mensagens instrutivas referentes ao ambiente em que trabalhávamos. E posso mesmo dizer que foi graças a esse estranho convívio com os Espíritos que me advieram as únicas horas de felicidade e alegria que desfrutei neste mundo, como a resistência para os testemunhos que fui chamada a apresentar à frente da Grande Lei!

No entanto, as referidas mensagens e os apontamentos feitos ao despertar, eram bastante vagos, não apresentando nem a feição romântica nem as conclusões doutrinárias que, depois, para eles criou o seu compilador, por lhes desejar aplicar meio suave de expor verdades amargas, mas necessárias no momento que vivemos. Perguntar-se-á por que o próprio Camilo não o fez... pois teria, certamente, capacidade para tanto!

Responderei que, até o momento em que estas linhas vão sendo traçadas, ignoro-o tanto como qualquer outra pessoa! Jamais perquiri, aliás, dos Espíritos a razão de tal acontecimento. De outro lado, durante cerca de quatro anos vi-me na impossibilidade de manter intercâmbio normal com os Espíritos, por motivos independentes de minha vontade. E quando as barreiras existentes foram arredadas do meu caminho, o autor das mensagens só acudiu aos meus reiterados apelos a fim de participar sua próxima volta à existência planetária. Encontrei-me então em situação difícil para redigir o trabalho, dando feição doutrinária e educativa às revelações concedidas ao meu Espírito durante o sono magnético, as quais eu sabia desejarem as nobres entidades assistentes fossem trans-

mitidas à coletividade, pois eu não era escritora, não me sobrando capacidade para, por mim mesma, tentar a experiência. Releguei-os, portanto, ao esquecimento de uma gaveta de secretária e orei, suplicando auxílio e inspiração. Orei, porém, durante oito anos, diariamente, sentindo no coração o ardor de uma chama viva de intuição segredando-me aguardasse o futuro, não destruindo os antigos manuscritos. Até que, há cerca de um ano, recebi instruções a fim de prosseguir, pois ser-me-ia concedida a necessária assistência!

Prosseguindo, porém, direi que tenho as mais fortes razões para afirmar que a palavra dos Espíritos é cena viva e criadora, real, perfeita! em sendo também uma vibração do pensamento capaz de manter, pela ação da vontade, o que desejar! Durante cerca de trinta anos tenho penetrado de algum modo os mistérios do mundo invisível, e não foi outra coisa o que lá percebi. É de notar, todavia, que, ao despertar, a lembrança somente me acompanhava quando os assistentes me autorizavam a recordar! *Na maioria das vezes em que me foram facultados estes vôos, apenas permaneceu a impressão do acontecido, a íntima certeza de que convivera por instantes com os Espíritos, mas não a lembrança.*

Os mais insignificantes detalhes poderão ser notados quando um Espírito iluminado ou apenas esclarecido "falar", como, por exemplo – uma camada de pó sobre um móvel; um esvoaçar de brisa agitando um cortinado; um véu, um laço de fita gracioso, mesmo com o brilho da seda, no vestuário feminino; o estrelejar das chamas na lareira e até o perfume, pois tudo isso tive ocasião de observar na palavra mágica de Camilo, de Victor Hugo, de Charles e até do apóstolo do Espiritismo no Brasil – Bezerra de Menezes, a quem desde o berço fui habituada a venerar, por meus pais. Certa vez em que Camilo descrevia uma tarde de inverno rigoroso em Portugal, juntamente com um interior aquecido por lareira bem acesa, senti invadir-me tal sensação de frio que tiritei, buscando as chamas para aquecer-me, enquanto, satisfeito com a experiência, ele se punha a rir... Aliás, o fenômeno não será certamente novo. Não foi por outra forma que João Evangelista obteve os ditados para o seu Apocalipse e que os profetas da Judéia receberam as revelações com que instruíam o povo.

No Apocalipse, versículos 10 e 11 e seguintes, do primeiro capítulo, o eminente servo do Senhor positiva o fenômeno a que aludimos, em pequenas palavras: "Eu fui arrebatado em Espírito, um dia de domingo, e ouvi por detrás de mim uma grande voz como de trombeta, que dizia: – O que vês, escreve-o em um livro e envia-o às sete igrejas..." *– etc., etc.; e todo o importante volume foi narrado ao apóstolo assim, através de cenas reais, palpitantes, vivas, em visões detalhadas e precisas! O Espiritismo tem amplamente tratado de todos esses interessantes casos para que não se torne causa de admiração o que vimos expondo; e no primeiro capítulo da magistral obra de Allan Kardec –* A Gênese *– existe este tópico, certamente muito conhecido dos estudantes da Doutrina dos Espíritos: "As instruções (dos Espíritos) podem ser transmitidas por diversos meios: pela simples inspiração, pela audição da palavra, pela visibilidade dos Espíritos instrutores, nas visões e aparições, quer em sonho quer em estado de vigília, do que há muitos exemplos no Evangelho, na Bíblia e nos livros sagrados de todos os povos."*

Longe de mim a veleidade de me colocar em plano equivalente ao daquele missionário acima citado, isto é,

João Evangelista. Pelas dificuldades com que lutei a fim de compor este volume, patenteadas ficaram ao meu raciocínio as bagagens de inferioridades que me deprimem o Espírito. O discípulo amado, porém, que, em sendo um missionário escolhido, era também modesto pescador, teve sem dúvida o seu assistente espiritual para poder descrever as belas páginas aureoladas de ciência e ensinamentos outros, de valor incontestável, os quais romperiam os séculos glorificando a Verdade! É bem provável que o próprio Mestre fosse aquele assistente...

Não posso ajuizar quanto aos méritos desta obra. Proibi-me, durante muito tempo, levá-la ao conhecimento alheio, reconhecendo-me incapaz de analisá-la. Não me sinto sequer à altura de rejeitá-la, como não ouso também aceitá-la. Vós o fareis por mim. De uma coisa, porém, estou bem certa: – é que estas páginas foram elaboradas, do princípio ao fim, com o máximo respeito à Doutrina dos Espíritos e sob a invocação sincera do nome sacrossanto do Altíssimo.

YVONNE A. PEREIRA

Rio de Janeiro, 18 de maio de 1954.

Prefácio da segunda edição

Revisão criteriosa impunha-se nesta obra que há alguns anos me fora confiada para exame e compilação, em virtude das tarefas espiritualmente a mim subordinadas, como da ascendência adquirida sobre o instrumento mediúnico ao meu dispor.

Fi-lo, todavia, algo extemporaneamente, já que me não fora possível fazê-lo na data oportuna, por motivos afetos mais aos prejuízos das sociedades terrenas contra que o mesmo instrumento se debatia do que à minha vontade de operário atento no cumprimento do dever. E a revisão se impunha, tanto mais quanto, ao transmitir a obra, me fora necessário avolumar de tal sorte as vibrações ainda rudes do cérebro mediúnico, operando nele possibilidades psíquicas para a captação das visões indispensáveis ao feito, que, ativadas ao grau máximo que àquele seria possível comportar, tão excitadas se tornaram que seriam quais catadupas rebeldes nem sempre obedecendo com facilidade à pressão que lhes fazia, procurando evitar excessos de vocabulário, acúmulos de figuras representativas, os quais somente agora foram suprimidos. Nada se alterou, todavia, na feição doutrinária da obra, como no seu particular caráter revelatório. Entrego-a ao leitor, pela segunda vez, tal como foi recebida dos Maiores que me incubiram da espinhosa tarefa de apresentá-la aos homens. E se, procurando esclarecer o público, por lhe facilitar o entendimento de fastos espirituais, nem sempre conservei a feitura literária dos originais que tinha sob os olhos; no entanto, não lhes alterei nem os informes preciosos nem as conclusões, que respeitei como labor sagrado de origem alheia.

Que medites sobre estas páginas, leitor, ainda que duro se torne para o teu orgulho pessoal o aceitá-las! E se as lágrimas alguma vez rociarem tuas pálpebras, à passagem de um lance mais dramático, não recalcitres contra o impulso generoso de exaltar teu coração em prece piedosa, por aqueles que se estorcem nas trágicas convulsões da inconseqüência de infrações às leis de Deus!

LÉON DENIS

Belo Horizonte, 4 de abril de 1957.

Primeira Parte

Os Réprobos

O Vale dos Suicidas

Precisamente no mês de janeiro do ano da graça de 1891, fora eu surpreendido com meu aprisionamento em região do Mundo Invisível cujo desolador panorama era composto por vales profundos, a que as sombras presidiam: gargantas sinuosas e cavernas sinistras, no interior das quais uivavam, quais maltas de demônios enfurecidos, Espíritos que foram homens, dementados pela intensidade e estranheza, verdadeiramente inconcebíveis, dos sofrimentos que os martirizavam.

Nessa paragem aflitiva a vista torturada do grilheta não distinguiria sequer o doce vulto de um arvoredo que testemunhasse suas horas de desesperação; tampouco paisagens confortativas, que pudessem distraí-lo da contemplação cansativa dessas gargantas onde não penetrava outra forma de vida que não a traduzida pelo supremo horror!

O solo, coberto de matérias enegrecidas e fétidas, lembrando a fuligem, era imundo, pastoso, escorregadio, repugnante! O ar pesadíssimo, asfixiante, gelado, enoitado por bulcões ameaçadores como se eternas tempestades rugissem em torno; e, ao respirarem-no, os Espíritos ali ergastulados sufocavam-se como se matérias pulverizadas, nocivas mais do que a cinza e a cal, lhes invadissem as vias respiratórias, martirizando-os com suplício inconcebível ao cérebro humano habituado às gloriosas claridades do Sol – dádiva celeste que diariamente abençoa a Terra – e às correntes vivificadoras dos ventos sadios que tonificam a organização física dos seus habitantes.

Não havia então ali, como não haverá jamais, nem paz, nem consolo, nem esperança: tudo em seu âmbito marcado pela desgraça era miséria, assombro, desespero e horror. Dir-se-ia a caverna tétrica do Incompreensível, indescritível a rigor até mesmo por um Espírito que sofresse a penalidade de habitá-la.

O vale dos leprosos, lugar repulsivo da antiga Jerusalém de tantas emocionantes tradições, e que no orbe terráqueo evoca o último grau da abjeção e do sofrimento humano, seria consolador estágio de repouso comparado ao local que tento descrever. Pelo menos, ali existiria solidariedade entre os renegados! Os de sexo diferente chegavam mesmo a se amar! Adotavam-se em boas amizades, irmanando-se no seio da dor para suavizá-la! Criavam a sua sociedade, divertiam-se, prestavam-se favores, dormiam e sonhavam que eram felizes!

Mas no presídio de que vos desejo dar contas nada disso era possível, porque as lágrimas que se choravam ali eram ardentes demais para se permitirem outras atenções que não fossem as derivadas da sua própria intensidade!

No vale dos leprosos havia a magnitude compensadora do Sol para retemperar os corações! Existia o ar fresco das madrugadas com seus orvalhos regeneradores! Poderia o precito ali detido contemplar uma faixa do céu azul... Seguir, com o olhar enternecido, bandos de andorinhas ou de pombos que passassem em revoada!... Ele sonharia, quem sabe? lenido de amarguras, ao poético clarear do plenilúnio, enamorando-se das cintilações suaves das estrelas que, lá no Inatingível, acenariam para a sua desdita, sugerindo-lhe consolações no insulamento a que o forçavam as férreas leis da época!... E, depois, a Primavera fecunda voltava, rejuvenescia as plantas para embalsamar com seus perfumes cariciosos as correntes de ar que as brisas diariamente tonificavam com outros tantos bálsamos generosos que traziam no seio amorável... E tudo isso era como dádivas celestiais para reconciliá-lo com Deus, fornecendo-lhe tréguas na desgraça!

Mas na caverna onde padeci o martírio que me surpreendeu além do túmulo, nada disso havia!

Aqui, era a dor que nada consola, a desgraça que nenhum favor ameniza, a tragédia que idéia alguma tranqüilizadora vem orvalhar de esperança! Não há céu, não há luz, não há sol, não há perfume, não há tréguas!

O que há é o choro convulso e inconsolável dos condenados que nunca se harmonizam! O assombroso "ranger de dentes" da advertência prudente e sábia do sábio Mestre de Nazaré! A blasfêmia acintosa do réprobo a se acusar a cada novo rebate da mente flagelada pelas recordações penosas! A loucura inalterável de consciências contundidas pelo vergastar infame dos remorsos! O que há é a raiva envenenada daquele que já não pode chorar, porque ficou exausto sob o excesso das lágrimas! O que há é o desaponto, a surpresa aterradora daquele que se sente vivo a despeito de se haver arrojado na morte! É a revolta, a praga, o insulto, o ulular de corações que o percutir monstruoso da expiação transformou em feras! O que há é a consciência conflagrada, a alma ofendida pela imprudência das ações cometidas, a mente revolucionada, as faculdades espirituais envolvidas nas trevas oriundas de si mesma! O que há é o "ranger de dentes nas trevas exteriores" de um presídio criado pelo crime, votado ao martírio e consagrado à emenda! É o inferno, na mais hedionda e dramática exposição, porque, além do mais, existem cenas repulsivas de animalidade, práticas abjetas dos mais sórdidos instintos, as quais eu me pejaria de revelar aos meus irmãos, os homens!

Quem ali temporariamente estaciona, como eu estacionei, são grandes vultos do crime! É a escória do mundo espiritual – falanges de suicidas que periodicamente para seus canais afluem levadas pelo turbilhão das desgraças em que se enredaram, a se despojarem das forças vitais que se encontram, geralmente intactas, revestindo-lhes os envoltórios físico-espirituais, por seqüências sacrílegas do suicídio, e provindas, preferentemente, de Portugal, da Espanha, do Brasil e colônias portuguesas da África, infelizes carentes do auxílio confortativo da prece; aqueles, levianos e inconseqüentes, que, fartos da vida que não quiseram compreender, se aventuraram ao Desconhecido, em procura do Olvido, pelos despenhadeiros da Morte!

O Além-túmulo acha-se longe de ser a abstração que na Terra se supõe, ou as regiões paradisíacas fáceis de conquistar com algumas poucas fórmulas inexpressivas. Ele é, antes, simplesmente a Vida Real, e o que encontramos ao penetrar suas regiões é Vida! Vida intensa a se desdobrar em modalidades infinitas de expressão, sabiamente dividida em continentes e falanges como a Terra o é em nações e raças; dispondo de organizações sociais e educativas modelares, a servirem de padrão para o progresso da Humanidade. É no Invisível, mais do que em mundos planetários, que as criaturas humanas colhem inspiração para os progressos que lentamente aplicam no orbe.

Não sei como decorrerão os trabalhos correcionais para suicidas nos demais núcleos ou colônias espirituais destinadas aos mesmos fins e que se desdobrarão sob céus portugueses, espanhóis e seus derivados. Sei apenas é que fiz parte de sinistra falange detida, por efeito natural e lógico, nessa paragem horrenda cuja lembrança ainda hoje me repugna à sensibilidade. É bem possível que haja quem ponha a discussões mordazes a veracidade do que vai descrito nestas páginas. Dirão que a fantasia mórbida de um inconsciente exausto de assimilar Dante terá produzido por conta própria a exposição aqui ventilada... esquecendo-se de que, ao contrário, o vate florentino é que conheceria o que o presente século sente dificuldades em aceitar...

Não os convidarei a crer. Não é assunto que se imponha à crença, simplesmente, mas ao raciocínio, ao exame, à investigação. Se sabem raciocinar e podem investigar – que o façam, e chegarão a conclusões lógicas que os colocarão na pista de verdades assaz interessantes para toda a espécie humana! O a que os convido, o que ardentemente desejo e para que tenho todo o interesse em pugnar, é que se eximam de conhecer essa realidade através dos canais trevosos a que me expus, dando-me ao sucídio por desobrigar-me da advertência de que a morte nada mais é do que a verdadeira forma de existir!...

De outro modo, que pretenderia o leitor existisse nas camadas invisíveis que contornam os mundos ou planetas, senão a matriz de tudo quanto neles se reflete?!... Em nenhuma parte se encontraria a abstraçao, ou o nada, pois que semelhantes vocábulos são inexpressivos no Universo criado e regido por uma Inteligência Onipotente! Negar o que se desconhece, por se não encontrar à altura de compreender o que se nega, é insânia incompatível com os dias atuais. O século convida o homem à investigação e ao livre exame, porque a Ciência nas suas múltiplas manifestações vem provando a inexatidão do impossível dentro do seu cada vez mais dilatado raio de ação. E as provas da realidade dos continentes superterrenos encontram-se nos arcanos das ciências psíquicas transcendentais, às quais o homem há ligado muito relativa importância até hoje.

O que conhece o homem, aliás, do próprio planeta onde tem renascido desde milênios, para criteriosamente rejeitar o que o futuro há de popularizar sob os auspícios do Psiquismo?... O seu país, a sua capital, a sua aldeia, a sua palhoça ou, quando mais avantajado de ambições, algumas nações vizinhas cujos costumes se nivelam aos que lhe são usuais?...

Por toda a parte, em torno dele, existem mundos reais, exarando vida abundante e intensa: e se ele o ignora será porque se compraz na cegueira, perdendo tempo com futilidades e paixões que lhe sabem ao caráter. Não perquiriu jamais as profundidades oceânicas – não poderá mesmo fazê-lo, por enquanto. Não obstante, debaixo das águas verdes e marulhentas existe não mais um mundo perfeitamente organizado, mas um universo que assombraria pela grandiosidade e ideal perfeição! No próprio ar que respira, no solo onde pisa encontraria o homem outros núcleos organizados de vida, obedecendo ao impulso inteligente e sábio de leis magnânimas fundamentadas no Pensamento Divino, que os aciona para o progresso, na conquista do mais perfeito! Bastaria que se munisse de aparelhamentos precisos, para averiguar a veracidade dessas coletividades desconhecidas que, por serem invisíveis umas, e outras apenas suspeitadas, nem por isso deixam de ser concretas, harmoniosas, verdadeiras!

Assim sendo, habilite-se, também, desenvolvendo os dons psíquicos que herdou da sua divina origem... Impulsione pensamento, vontade, ação, coração, através das vias alcandoradas da Espiritualidade superior... e atingirá as esferas astrais que circundam a Terra!

....

Era eu, pois, presidiário dessa cova ominosa do horror!

Não habitava, porém, ali sozinho. Acompanhava-me uma coletividade, falange extensa de delinqüentes, como eu.

Então ainda me sentia cego. Pelo menos, sugestionava-me de que o era, e, como tal, me conservava, não obstante minha cegueira só se definir, em verdade, pela inferioridade moral do Espírito distanciado da Luz. A mim cego não passaria, contudo, despercebido o que se apresentasse mau, feio, sinistro, imoral, obsceno, pois conservavam meus olhos visão bastante para toda essa escória contemplar – agravando-se destarte a minha desdita.

Dotado de grande sensibilidade, para maior mal tinha-a agora como superexcitada, o que me levava a experimentar também os sofrimentos dos outros mártires meus cômpares, fenômeno esse ocasionado pelas correntes mentais que se despejavam sobre toda a falange e oriundas dela própria, que assim realizava impressionante afinidade de classe, o que é o mesmo que asseverar que sofríamos também as sugestões dos sofrimentos uns dos outros, além das insídias a que nos submetiam os nossos próprios sofrimentos.[1]

Às vezes, conflitos brutais se verificavam pelos becos lamacentos onde se enfileiravam as cavernas que nos serviam de domicílio. Invariavelmente irritados, por motivos insignificantes nos atirávamos uns contra os outros em lutas corporais violentas, nas quais, tal como sucede nas baixas camadas sociais terrenas, levaria sempre a melhor aquele que maior destreza e truculência apresentasse. Freqüentemente fui ali insultado, ridiculizado nos meus sentimentos mais caros e delicados com chistes e sarcasmos que me revoltavam até o âmago; apedrejado e espancado até que, excitado por fobia idêntica, eu me atirava a represálias selvagens, ombreando com os agressores e com eles refocilando na lama da mesma ceva espiritual!

A fome, a sede, o frio enregelador, a fadiga, a insônia; exigências físicas martirizantes, fáceis de o leitor entrever; a natureza como que aguçada em todos os seus desejos e apetites, qual se ainda trouxéssemos o envoltório carnal; a promiscuidade, muito vexatória, de Espíritos que foram homens e dos que animaram corpos

---

[1] Após a morte, antes que o Espírito se oriente, gravitando para o verdadeiro "lar espiritual" que lhe cabe, será sempre necessário o estágio numa "antecâmara",

femininos; tempestades constantes, inundações mesmo, a lama, o fétido, as sombras perenes, a desesperança de nos vermos livres de tantos martírios sobrepostos, o supremo desconforto físico e moral – eis o panorama por assim dizer "material" que emoldurava os nossos ainda mais pungentes padecimentos morais!

Nem mesmo sonhar com o Belo, dar-se a devaneios balsamizantes ou a recordações beneficentes era concedido àquele que porventura possuísse capacidade para o fazer. Naquele ambiente superlotado de males o pensamento jazia encarcerado nas fráguas que o contornavam, só podendo emitir vibrações que se afinassem ao tono da própria perfídia local... E, envolvidos em tão enlouquecedores fogos, não havia ninguém que pudesse atingir um instante de serenidade e reflexão para se

---

numa região cuja densidade e aflitivas configurações locais corresponderão aos estados vibratórios e mentais do recém-desencarnado. Aí se deterá até que seja naturalmente "desanimalizado", isto é, que se desfaça dos fluidos e forças vitais de que são impregnados todos os corpos materiais. Por aí se verá que a estada será temporária nesse umbral do Além, conquanto geralmente penosa. Tais sejam o caráter, as ações praticadas, o gênero de vida, o gênero de morte que teve a entidade desencarnada – tais serão o tempo e a penúria no local descrito. Existem aqueles que aí apenas se demoram algumas horas. Outros levarão meses, anos consecutivos, voltando à reencarnação sem atingirem a Espiritualidade. Em se tratando de suicidas o caso assume proporções especiais, por dolorosas e complexas. Estes aí se demorarão, geralmente, o tempo que ainda lhes restava para conclusão do compromisso da existência que prematuramente cortaram. Trazendo carregamentos avantajados de forças vitais animalizadas, além das bagagens das paixões criminosas e uma desorganização mental, nervosa e vibratória completas, é fácil entrever qual será a situação desses infelizes para quem um só bálsamo existe: – a prece das almas caritativas!

Se, por muito longo, esse estágio exorbite das medidas normais ao caso – a reencarnação imediata será a terapêutica indicada, embora acerba e dolorosa, o que será preferível a muitos anos em tão desgraçada situação, assim se completando, então, o tempo que faltava ao término da existência.

lembrar de Deus e bradar por Sua paternal misericórdia! Não se podia orar porque a oração é um bem, é um bálsamo, é uma trégua, é uma esperança! e aos desgraçados que para lá se atiravam nas torrentes do suicídio impossível seria atingir tão altas mercês!

Não sabíamos quando era dia ou quando voltava a noite, porque sombras perenes rodeavam as horas que vivíamos. Perdêramos a noção do tempo. Apenas esmagadora sensação de distância e longevidade do que representasse o passado ficara para açoitar nossas interrogações, afigurando-se-nos que estávamos há séculos jungidos a tão ríspido calvário! Dali não esperávamos sair, conquanto fosse tal desejo uma das causticantes obsessões que nos alucinavam... pois o Desânimo gerador da desesperança que nos armara o gesto de suicidas afirmava-nos que tal estado de coisas seria eterno! A contagem do tempo, para aqueles que mergulhavam nesse abismo, estacionara no momento exato em que fizera para sempre tombar a própria armadura de carne! Daí para cá só existiam – assombro, confusão, enganosas induções, suposições insidiosas! Igualmente ignorávamos em que local nos encontrávamos, que significação teria nossa espantosa situação. Tentávamos, aflitos, furtarmo-nos a ela, sem percebermos que era cabedal de nossa própria mente conflagrada, de nossas vibrações entrechocadas por mil malefícios indescritíveis! Procurávamos então fugir do local maldito para voltarmos aos nossos lares; e o fazíamos desabaladamente, em insanas correrias de loucos furiosos! Aasveros malditos, sem consolo, sem paz, sem descanso em parte alguma... ao passo que correntes irresistíveis, como ímãs poderosos, atraíam-nos de volta ao tugúrio sombrio, arrastando-nos de envolta a um atro turbilhão de nuvens sufocadoras e estonteantes!

De outras vezes, tateando nas sombras, lá íamos, por entre gargantas, vielas e becos, sem lograrmos indício de saída... Cavernas, sempre cavernas – todas numeradas –; ou longos espaços pantanosos quais lagos lodosos circulados de muralhas abruptas, que nos afiguravam levantadas em pedra e ferro, como se fôramos sepultados vivos nas profundas tenebrosidades de algum vulcão! Era um labirinto onde nos perdíamos sem podermos jamais alcançar o fim! Por vezes acontecia não sabermos retornar ao ponto de partida, isto é, às cavernas que nos serviam de domicílio, o que forçava a permanência ao relento até que deparássemos algum covil desabitado para outra vez nos abrigarmos. Nossa mais vulgar impressão era de que nos encontrávamos encarcerados no subsolo, em presídio cavado no seio da Terra, quem sabia se nas entranhas de uma cordilheira, da qual fizesse parte também algum vulcão extinto, como pareciam atestar aqueles imensuráveis poços de lama com paredes escalavradas lembrando minerais pesados?!...

Aterrados, entrávamos então a bramir em coro, furiosamente, quais maltas de chacais danados, para que nos retirassem dali, restituindo-nos à liberdade! As mais violentas manifestações de terror seguiam-se então; e tudo quanto o leitor imaginar possa, dentro da confusão de cenas patéticas inventadas pela fobia do Horror, ficará muito aquém da expressão real por nós vivida nessas horas criadas pelos nossos próprios pensamentos distanciados da Luz e do Amor de Deus!

Como se fantásticos espelhos perseguissem obsessoramente nossas faculdades, lá se reproduzia a visão macabra: – o corpo a se decompor sob o ataque dos vibriões esfaimados; a faina detestável da podridão a seguir o curso natural da destruição orgânica, levando em roldão nossas carnes, nossas vísceras, nosso sangue pervertido pelo fétido, nosso corpo enfim, que se sumia para sempre no banquete asqueroso de milhões de vermes vorazes, nosso corpo, que era carcomido lentamente, sob nossas vistas estupefatas!... que morria, era bem verdade, enquanto nós, seus donos, nosso Ego sensível, pensante, inteligente, que dele se utilizara apenas como de um vestuário transitório, continuava vivo, sensível, pensante, inteligente, desapontado e pávido, desafiando a possibilidade de também morrer! E – ó tétrica magia que ultrapassava todo o poder que tivéssemos de refletir e compreender! – ó castigo irremovível, punindo o renegado que ousou insultar a Natureza destruindo prematuramente o que só ela era competente para decidir e realizar: – Vivos, nós, em espírito, diante do corpo putrefato, sentíamos a corrupção atingir-nos!... Doíam em nossa configuração astral as picadas monstruosas dos vermes! Enfurecia-nos até à demência a martirizante repercussão que levava nosso perispírito, ainda animalizado e provido de abundantes forças vitais, a refletir o que se passava com seu antigo envoltório limoso – tal o eco de um rumor a reproduzir-se de quebrada em quebrada da montanha, ao longo de todo o vale...

Nossa covardia, então, a mesma que nos brutalizara induzindo-nos ao suicídio, forçava-nos a retroceder.

Retrocedíamos.

Mas o suicídio é uma teia envolvente em que a vítima – o suicida – só se debate para cada vez mais confundir-se, tolher-se, embaraçar-se. Sobrepunha-se a confusão. Agora, a persistência da auto-sugestão maléfica recordava as lendas supersticiosas, ouvidas na infância e calcadas por longo tempo nas camadas da subconsciência; corporificava-se em visões extravagantes, a que emprestava realidade integral. Julgávamo-nos nada menos do que à frente do tribunal dos infernos!... Sim! Vivíamos na plenitude da região das sombras!... E Espíritos de ínfima classe do Invisível – obsessores que pululam por todas as camadas inferiores, tanto da Terra como do Além; os mesmos que haviam alimentado em nossas mentes as sugestões para o suicídio, divertindo-se com nossas angústias, prevaleciam-se da situação anormal para a qual resvaláramos, a fim de convencer-nos de que eram juízes que nos deveriam julgar e castigar, apresentando-se às nossas faculdades conturbadas pelo sofrimento como seres fantásticos, fantasmas impressionantes e trágicos. Inventavam cenas satânicas, com que nos supliciavam. Submetiam-nos a vexames indescritíveis! Obrigavam-nos a torpezas e deboches, violentando-nos a compactuar de suas infames obscenidades! Donzelas que se haviam suicidado, desculpando-se com motivos de amor, esquecidas de que o vero amor é paciente, virtuoso e obediente a Deus; olvidando, no egoísmo passional de que deram provas, o amor sacrossanto de uma mãe que ficara inconsolável; desrespeitando as cãs veneráveis de um pai – os quais jamais esqueceriam o golpe em seus corações vibrados pela filha ingrata que preferiu a morte a continuar no tabernáculo do lar paterno –, eram agora insultadas no seu coração e no seu pudor por essas entidades animalizadas e vis, que as faziam crer serem obrigadas a se escravizarem por serem eles os donos do império de trevas que escolheram em detrimento do lar que abandonaram! Em verdade, porém, tais entidades não passavam de Espíritos que também foram homens, mas que viveram no crime: – sensuais, alcoólatras, devassos, intrigantes, hipócritas, perjuros, traidores, sedutores, assassinos perversos, caluniadores, sátiros – enfim, essa falange maléfica que infelicita a sociedade terrena, que muitas vezes tem funerais pomposos e exéquias solenes, mas que na existência espiritual se resume na corja repugnante que mencionamos... até que reencarnações expiatórias, miseráveis e rastejantes, venham impulsioná-la a novas tentativas de progresso.

A tão deploráveis seqüências sucediam-se outras não menos dramáticas e rescaldantes: – atos incorretos por nós praticados durante a encarnação, nossos erros, nossas quedas pecaminosas, nossos crimes mesmo, corporificavam-se à frente de nossas consciências como outras visões acusadoras, intransigentes na condenação perene a que nos submetiam. As vítimas do nosso egoísmo reapareciam agora, em reminiscências vergonhosas e contumazes, indo e vindo ao nosso lado em atropelos pertinazes, infundindo em nossa já tão combalida organização espiritual o mais angustioso desequilíbrio nervoso forjado pelo remorso!

Sobrepondo-se, no entanto, a tão lamentável acervo de iniqüidades, acima de tanta vergonha e tão rudes humilhações existia, vigilante e compassiva, a paternal misericórdia do Deus Altíssimo, do Pai justo e bom que "não quer a morte do pecador, mas que ele viva e se arrependa".

Nas peripécias que o suicida entra a curtir depois do desbarato que prematuramente o levou ao túmulo, o Vale Sinistro apenas representa um estágio temporário, sendo ele para lá encaminhado por movimento de impulsão natural, com o qual se afina, até que se desfaçam as pesadas cadeias que o atrelam ao corpo físico-terreno, destruído antes da ocasião prevista pela lei natural. Será preciso que se desagreguem dele as poderosas camadas de fluidos vitais que lhe revestiam a organização física, adaptadas por afinidades especiais da Grande Mãe Natureza à organização astral, ou seja, ao perispírito, as quais nele se aglomeram em reservas suficientes para o compromisso da existência completa; que se arrefeçam, enfim, as mesmas afinidades, labor que na individualidade de um suicida será acompanhado das mais aflitivas dificuldades, de morosidade impressionante, para, só então, obter possibilidade vibratória que lhe faculte alívio e progresso[2]. De outro modo, tal seja a feição do seu caráter, tais os deméritos e grau de responsabilidades gerais – tal será o agravo da situação, tal a intensidade dos padecimentos a experimentar, pois, nestes casos, não serão apenas as conseqüências decepcionantes do suicídio que lhe afligirão a alma, mas também o reverso dos atos pecaminosos anteriormente cometidos.

Periodicamente, singular caravana visitava esse antro de sombras.

Era como a inspeção de alguma associação caridosa, assistência protetora de instituição humanitária, cujos abnegados fins não se poderiam pôr em dúvida.

Vinha à procura daqueles dentre nós cujos fluidos vitais, arrefecidos pela desintegração completa da matéria, permitissem locomoção para as camadas do Invisível intermediário, ou de transição.

Supúnhamos tratar-se, a caravana, de um grupo de homens. Mas na realidade eram Espíritos que estendiam

---

[2] Às impressões e sensações penosas, oriundas do corpo carnal, que acompanham o Espírito ainda materializado, chamaremos **repercussões magnéticas**, em virtude do magnetismo animal, existente em todos os seres vivos, e suas

a fraternidade ao extremo de se materializarem o suficiente para se tornarem plenamente percebidos à nossa precária visão e nos infundirem confiança no socorro que nos davam.

Trajados de branco, apresentavam-se caminhando pelas ruas lamacentas do Vale, de um a um, em coluna rigorosamente disciplinada, enquanto, olhando-os atentamente, distinguiríamos, à altura do peito de todos, pequena cruz azul-celeste, o que parecia ser um emblema, um distintivo.

Senhoras faziam parte dessa caravana. Precedia, porém, a coluna, pequeno pelotão de lanceiros, qual batedor de caminhos, ao passo que vários outros milicianos da mesma arma rodeavam os visitadores, como tecendo um cordão de isolamento, o que esclarecia serem estes muito bem guardados contra quaisquer hostilidades que pudessem surgir do exterior. Com a destra o oficial comandante erguia alvinitente flâmula, na qual se lia, em caracteres também azul-celeste, esta extraordinária legenda, que tinha o dom de infundir insopitável e singular temor:

– LEGIÃO DOS SERVOS DE MARIA –

Os lanceiros, ostentando escudo e lança, tinham tez bronzeada e trajavam-se com sobriedade, lembrando

afinidades com o perispírito. Trata-se de fenômeno idêntico ao que faz a um homem que teve o braço ou a perna amputados sentir coceiras na palma da mão que já não existe com ele, ou na sola do pé, igualmente inexistente. Conhecemos em certo hospital um pobre operário que teve ambas as pernas amputadas senti-las tão vivamente consigo, assim como os pés, que, esquecido de que já não os possuía, procurou levantar-se, levando, porém, estrondosa queda e ferindo-se. Tais fenômenos são fáceis de observar.

guerreiros egípcios da antiguidade. E, chefiando a expedição, destacava-se varão respeitável, o qual trazia avental branco e insígnias de médico a par da cruz já referida. Cobria-lhe a cabeça, porém, em vez do gorro característico, um turbante hindu, cujas dobras eram atadas à frente pela tradicional esmeralda, símbolo dos esculápios.

Entravam aqui e ali, pelo interior das cavernas habitadas, examinando seus ocupantes. Curvavam-se, cheios de piedade, junto das sarjetas, levantando aqui e acolá algum desgraçado tombado sob o excesso de sofrimento; retiravam os que apresentassem condições de poderem ser socorridos e colocavam-nos em macas conduzidas por varões que se diriam serviçais ou aprendizes.

Voz grave e dominante, de alguém invisível que falasse pairando no ar, guiava-os no caridoso afã, esclarecendo detalhes ou desfazendo confusões momentaneamente suscitadas. A mesma voz fazia a chamada dos prisioneiros a serem socorridos, proferindo seus nomes próprios, o que fazia que se apresentassem, sem a necessidade de serem procurados, aqueles que se encontrassem em melhores condições, facilitando destarte o serviço dos caravaneiros. Hoje posso dizer que todas essas vozes amigas e protetoras eram transmitidas através de ondas delicadas e sensíveis do éter, com o sublime concurso de aparelhamentos magnéticos mantidos para fins humanitários em determinados pontos do Invisível, isto é, justamente na localidade que nos receberia ao sairmos do Vale. Mas, então, ignorávamos o pormenor e muito confusos nos sentíamos.

As macas, transportadas cuidadosamente, eram guardadas pelo cordão de isolamento já referido e abrigadas no interior de grandes veículos à feição de comboios, que acompanhavam a expedição. Esses comboios, no entanto, apresentavam singularidade interessante, digna de relato. Em vez de apresentarem os vagões comuns às estradas de ferro, como os que conhecíamos, lembravam, antes, meio de transporte primitivo, pois se compunham de pequenas diligências atadas uma às outras e rodeadas de persianas muito espessas, o que impediria ao passageiro verificar os locais por onde deveria transitar. Brancos, leves, como burilados em matérias específicas habilmente laqueadas, eram puxados por formosas parelhas de cavalos também brancos, nobres animais cuja extraordinária beleza e elegância incomum despertariam nossa atenção se estivéssemos em condições de algo notar para além das desgraças que nos mantinham absorvidos dentro de nosso âmbito pessoal. Dir-se-iam, porém, exemplares da mais alta raça normanda, vigorosos e inteligentes, as belas crinas ondulantes e graciosas enfeitando-lhes os altivos pescoços quais mantos de seda, níveos e finalmente franjados. Nos carros distinguia-se também o mesmo emblema azul-celeste e a legenda respeitável.

Geralmente, os infelizes assim socorridos encontravam-se desfalecidos, exânimes, como atingidos de singular estado comatoso. Outros, no entanto, alucinados ou doloridos, infundiriam compaixão pelo estado de supremo desalento em que se conservavam.

Depois de rigorosa busca, a estranha coluna marchava em retirada até o local em que se postava o comboio, igualmente defendido por lanceiros hindus. Silenciosamente cortava pelos becos e vielas, afastava-se, afastava-se... desaparecendo de nossas vistas enquanto mergulhávamos outra vez na pesada solidão que nos cercava... Em vão clamavam por socorro os que se sentiam preteridos, incapacitados de compreenderem que, se assim sucedia, era porque nem todos se encontravam em condições vibratórias para emigrarem para regiões menos hostis. Em vão suplicavam justiça e compaixão ou se amotinavam, revoltados, exigindo que os deixassem também seguir com os demais. Não respondiam os caravaneiros com um gesto sequer; e se algum mais desgraçado ou audacioso tentasse assaltar as viaturas a fim de atingi-las e nelas ingressar, dez, vinte lanças faziam--no recuar, interceptando-lhe a passagem.

Então, um coro hediondo de uivos e choro sinistros, de pragas e gargalhadas satânicas, o ranger de dentes comum ao réprobo que estertora nas trevas dos males por si próprio forjados, repercutiam longa e dolorosamente pelas ruas lamacentas, parecendo que loucura coletiva atacara os míseros detentos, elevando suas raivas ao incompreensível no linguajar humano!

E assim ficavam... quanto tempo?... Oh! Deus piedoso! Quanto tempo?...

Até que suas inimagináveis condições de suicidas, de mortos-vivos, lhes permitissem também a transferência para localidade menos trágica...

Os réprobos

Em geral aqueles que se arrojam ao suicídio, para sempre esperam livrar-se de dissabores julgados insuportáveis, de sofrimentos e problemas considerados insolúveis pela tibiez da vontade deseducada, que se acovarda em presença, muitas vezes, da vergonha do descrédito ou da desonra, dos remorsos deprimentes postos a enxovalharem a consciência, conseqüências de ações praticadas à revelia das leis do Bem e da Justiça.

Também eu assim pensei, muito apesar da auréola de idealista que minha vaidade acreditava glorificando-me a fronte.

Enganei-me, porém; e lutas infinitamente mais vivas e mais ríspidas esperavam-me adentro do túmulo a fim de me chicotearem a alma de descrente e revel, com merecida justiça.

As primeiras horas que se seguiram ao gesto brutal de que usei, para comigo mesmo, passaram-se sem que verdadeiramente eu pudesse dar acordo de mim. Meu

Espírito, rudemente violentado, como que desmaiara, sofrendo ignóbil colapso. Os sentidos, as faculdades que traduzem o "eu" racional, paralisaram-se como se indescritível cataclismo houvesse desbaratado o mundo, prevalecendo, porém, acima dos destroços, a sensação forte do aniquilamento que sobre meu ser acabara de cair. Fora como se aquele estampido maldito, que até hoje ecoa sinistramente em minhas vibrações mentais –, sempre que, descerrando os véus da memória, como neste instante, revivo o passado execrável – tivesse dispersado uma a uma as moléculas que em meu ser constituíssem a Vida!

A linguagem humana ainda não precisou inventar vocábulos bastante justos e compreensíveis para definir as impressões absolutamente inconcebíveis, que passam a contaminar o "eu" de um suicida logo às primeiras horas que se seguem ao desastre, as quais sobem e se avolumam, envolvem-se em complexos e se radicam e cristalizam num crescendo que traduz estado vibratório e mental que o homem não pode compreender, porque está fora da sua possibilidade de criatura que, mercê de Deus, se conservou aquém dessa anormalidade. Para entendê-la e medir com precisão a intensidade dessa dramática surpresa, só outro Espírito cujas faculdades se houvessem queimado nas efervescências da mesma dor!

Nessas primeiras horas, que por si mesmas constituiriam a configuração do abismo em que se precipitou, se não representassem apenas o prelúdio da diabólica sinfonia que será constrangido a interpretar pelas disposições lógicas das leis naturais que violou, o suicida, semi-inconsciente, adormentado, desacordado sem que, para maior suplício, se lhe obscureça de todo a percepção dos sentidos, sente-se dolorosamente contundido, nulo, dispersado em seus milhões de filamentos psíquicos violentamente atingidos pelo malvado acontecimento. Paradoxos turbilhonam em volta dele, afligindo-lhe a tenuidade das percepções com martirizantes girândolas de sensações confusas. Perde-se no vácuo... Ignora-se... Não obstante aterra-se, acovarda-se, sente a profundidade apavorante do erro contra o qual colidiu, deprime-se na aniquiladora certeza de que ultrapassou os limites das ações que lhe eram permitidas praticar, desnorteia-se entrevendo que avançou demasiadamente, para além da demarcação traçada pela Razão! É o traumatismo psíquico, o choque nefasto que o dilacerou com suas tenazes inevitáveis, e o qual, para ser minorado, dele exigirá um roteiro de urzes e lágrimas, decênios de rijos testemunhos até que se reconduza às vias naturais do progresso, interrompidas pelo ato arbitrário e contraproducente.

Pouco a pouco, senti ressuscitando das sombras confusas em que mergulhei meu pobre Espírito, após a queda do corpo físico, o atributo máximo que a Paternidade Divina impôs sobre aqueles que, no decorrer dos milênios, deverão refletir Sua imagem e semelhança: – a Consciência! a Memória! o divino dom de pensar!

Senti-me enregelar de frio. Tiritava! Impressão incômoda, de que vestes de gelo se me apegavam ao corpo, provocou-me inavaliável mal-estar. Faltava-me, ao demais, o ar para o livre mecanismo dos pulmões, o que me levou a crer que, uma vez que eu me desejara furtar à vida, era a morte que se aproximava com seu cortejo de sintomas dilacerantes.

Odores fétidos e nauseabundos, todavia, revoltavam-me brutalmente o olfato. Dor aguda, violenta, enlouquecedora, arremeteu-se instantaneamente sobre meu corpo por inteiro, localizando-se particularmente no cérebro e iniciando-se no aparelho auditivo. Presa de convulsões indescritíveis de dor física, levei a destra ao ouvido direito: – o sangue corria do orifício causado pelo projetil da arma de fogo de que me servira para o suicídio e manchou-me as mãos, as vestes, o corpo... Eu nada enxergava, porém. Convém recordar que meu suicídio derivou-se da revolta por me encontrar cego, expiação que considerei superior às minhas forças, injusta punição da Natureza aos meus olhos necessitados de ver, para que me fosse dado obter, pelo trabalho, a subsistência honrada e altiva.

Sentia-me, pois, ainda cego; e, para cúmulo do meu estado de desorientação, encontrava-me ferido. Tão-somente ferido e não morto! porque a vida continuava em mim como antes do suicídio!

Passei a reunir idéias, mau grado meu. Revi minha vida em retrospecto, até à infância, e sem mesmo omitir o drama do último ato, programação extra sob minha inteira responsabilidade. Sentindo-me vivo, averigüei, conseqüentemente, que o ferimento que em mim mesmo fizera, tentando matar-me, fora insuficiente, aumentando assim os já tão grandes sofrimentos que desde longo tempo me vinham perseguindo a existência. Supus-me preso a um leito de hospital ou em minha própria casa. Mas a impossibilidade de reconhecer o local, pois nada via; os incômodos que me afligiam, a solidão que me rodeava, entraram a me angustiar profundamente, enquanto lúgubres pressentimentos me avisavam de que acontecimentos irremediáveis se haviam confirmado. Bradei por meus familiares, por amigos que eu conhecia afeiçoados bastante para me acompanharem em momentos críticos. O mais surpreendente silêncio continuou enervando-me. Indaguei mal-humorado por enfermeiros, por médicos que possivelmente me atenderiam, dado que me não encontrasse em minha residência e sim retido em algum hospital; por serviçais, criados, fosse quem fosse, que me obsequiar pudessem, abrindo as janelas do aposento onde me supunha recolhido, a fim de que correntes de ar purificado me reconfortassem os pulmões; que me favorecessem coberturas quentes, acendessem a lareira para amenizar a gelidez que me entorpecia os membros, providenciando bálsamo às dores que me supliciavam o organismo, e alimento, e água, porque eu tinha fome e tinha sede!

Com espanto, em vez das respostas amistosas por que tanto suspirava, o que minha audição distinguiu, passadas algumas horas, foi um vozerio ensurdecedor, que, indeciso e longínquo a princípio, como a destacar-se de um pesadelo, definiu-se gradativamente até positivar-se em pormenores concludentes. Era um coro sinistro, de muitas vozes confundidas em atropelos, desnorteadas, como aconteceria numa assembléia de loucos.

No entanto, estas vozes não falavam entre si, não conversavam. Blasfemavam, queixavam-se de múltiplas desventuras, lamentavam-se, reclamavam, uivavam, gritavam enfurecidas, gemiam, estertoravam, choravam desoladoramente, derramando pranto hediondo, pelo tono de desesperação com que se particularizava; suplicavam, raivosas, socorro e compaixão!

Aterrado senti que estranhos empuxões, como arrepios irresistíveis, transmitiam-me influenciações abomináveis, provindas desse todo que se revelava através da audição, estabelecendo corrente similar entre meu ser superexcitado e aqueles cujo vozerio eu distinguia. Esse coro, isócrono, rigorosamente observado e medido em seus intervalos, infundiu-me tão grande terror que, reunindo todas as forças de que poderia o meu Espírito dispor em tão molesta situação, movimentei-me no intuito de afastar-me de onde me encontrava para local em que não mais o ouvisse.

Tateando nas trevas tentei caminhar. Mas dir-se-ia que raízes vigorosas plantavam-me naquele lugar úmido e gelado em que me deparava. Não podia despegar-me! Sim! Eram cadeias pesadas que me escravizavam, raízes cheias de seiva, que me atinham grilhetado naquele extraordinário leito por mim desconhecido, impossibilitando-me o desejado afastamento. Aliás, como fugir se estava ferido, desfazendo-me em hemorragias internas, manchadas as vestes de sangue, e cego, positivamente cego?! Como apresentar-me a público em tão repugnante estado?...

A covardia – a mesma hidra que me atraíra para o abismo em que agora me convulsionava – alongou ainda mais seus tentáculos insaciáveis e colheu-me irremediavelmente! Esqueci-me de que era homem, ainda uma segunda vez! e que cumpria lutar para tentar vitória, fosse a que preço fosse de sofrimento! Reduzi-me por isso à miséria do vencido! E, considerando insolúvel a situação, entreguei-me às lágrimas e chorei angustiosamente, ignorando o que tentar para meu socorro. Mas, enquanto me desfazia em prantos, o coro de loucos, sempre o mesmo, trágico, funéreo, regular como o pêndulo de um relógio, acompanhava-me com singular similitude, atraindo-me como se imanado de irresistíveis afinidades...

Insisti no desejo de me furtar à terrível audição. Após esforços desesperados, levantei-me. Meu corpo enregelado, os músculos retesados por entorpecimento geral, dificultavam-me sobremodo o intento. Todavia, levantei-me. Ao fazê-lo, porém, cheiro penetrante de sangue e vísceras putrefatos rescendeu em torno, repugnando-me até às náuseas. Partia do local exato em que eu estivera dormindo. Não compreendia como poderia cheirar tão desagradavelmente o leito onde me achava. Para mim seria o mesmo que me acolhia todas as noites! E, no entanto, que de odores fétidos me surpreendiam agora! Atribuí o fato ao ferimento que fizera na intenção de matar-me, a fim de explicar-me de algum modo a estranha aflição, ao sangue que corria, manchando-me as vestes. Realmente! Eu me encontrava empastado de peçonha, como um lodo asqueroso que dessorasse de meu próprio corpo, empapando incomodativamente a indumentária que usava, pois, com surpresa, surpreendi-me trajando cerimoniosamente, não obstante retido num leito de dor. Mas, ao mesmo tempo que assim me apresentava satisfações, confundia-me na interrogação de como poderia assim ser, visto não ser cabível que um simples ferimento, mesmo a quantidade de sangue espargido, pudesse tresandar a tanta podridão sem que meus amigos e enfermeiros deixassem de providenciar a devida higienização.

Inquieto, tateei na escuridão com o intuito de encontrar a porta de saída que me era habitual, já que todos me abandonavam em hora tão crítica. Tropecei, porém, em dado momento, num montão de destroços e, instintivamente, curvei-me para o chão, a examinar o que assim me interceptava os passos. Então, repentinamente, a loucura irremediável apoderou-se de minhas faculdades e entrei a gritar e uivar qual demônio enfurecido, respondendo na mesma dramática tonalidade à macabra sinfonia cujo coro de vozes não cessava de perseguir minha audição, em intermitências de angustiante expectativa.

O montão de escombros era nada menos do que a terra de uma cova recentemente fechada!

Não sei como, estando cego, pude entrever, em meio as sombras que me rodeavam, o que existia em torno!

Eu me encontrava num cemitério! Os túmulos, com suas tristes cruzes em mármore branco ou madeira negra, ladeando imagens sugestivas de anjos pensativos, alinhavam-se na imobilidade majestosa do drama em que figuravam.

A confusão cresceu: – Por que me encontraria ali? Como viera, pois nenhuma lembrança me acorria?... E o que viera fazer sozinho, ferido, dolorido, extenuado?... Era verdade que "tentara" o suicídio, mas...

Sussurro macabro, qual sugestão irremovível da Consciência esclarecendo a memória aturdida pelo ineditismo presenciado, percutiu estrondosamente pelos recôncavos alarmados do meu ser:

"Não quiseste o suicídio?... Pois aí o tens..."

Mas, como assim?... Como poderia ser... se eu não morrera?!... Acaso não me sentia ali vivo?... Por que então sozinho, imerso na solidão tétrica da morada dos mortos?!...

Os fatos irremediáveis, porém, impõem-se aos homens como aos Espíritos com majestosa naturalidade. Não concluíra ainda minhas ingênuas e dramáticas interrogações, e vejo-me, a mim próprio! como à frente de um espelho, *morto, estirado num ataúde, em franco estado de decomposição, no fundo de uma sepultura*, justamente aquela sobre a qual acabava de tropeçar!

Fugi espavorido, desejoso de ocultar-me de mim mesmo, obsidiado pelo mais tenebroso horror, enquanto gargalhadas estrondosas, de indivíduos que eu não lograva enxergar, explodiam atrás de mim e o coro nefasto perseguia meus ouvidos torturados, para onde quer que me refugiasse. Como louco que realmente me tornara, eu corria, corria, enquanto aos meus olhos cegos se desenhava a hediondez satânica do meu próprio cadáver apodrecendo no túmulo, empastado de lama gordurosa, coberto de asquerosas lesmas que, vorazes, lutavam por saciar em suas pústulas a fome inextinguível que traziam, transformando-o no mais repugnante e infernal monturo que me fora dado conhecer!

Quis furtar-me à presença de mim mesmo, procurando incidir no ato que me desgraçara, isto é – *reproduzi a cena patética do meu suicídio mentalmente, como se por uma segunda vez buscasse morrer a fim de desaparecer na região do que, a minha ignorância dos fatos de além-morte, eu supunha o eterno esquecimento*! Mas nada havia capaz de aplacar a malvada visão! Ela era, antes, verdadeira! Imagem perfeita da realidade que sobre o meu físico-espiritual se refletia, e por isso me acompanhava para onde quer que eu fosse, perseguia minhas retinas sem luz, invadia minhas faculdades anímicas imersas em choques e se impunha à minha cegueira de Espírito caído em pecado, supliciando-me sem remissão!

Na fuga precipitada que empreendi, ia entrando em todas as portas que encontrava abertas, a fim de ocultar-me em alguma parte. Mas de qualquer domicílio a que me abrigasse, na insensatez da loucura que me enredava, era enxotado a pedradas sem poder distinguir quem, com tanto desrespeito, assim me tratava. Vagava pelas ruas tateando aqui, tropeçando além, na mesma cidade onde meu nome era endeusado como o de um gênio – sempre aflito e perseguido. A respeito dos acontecimentos que com minha pessoa se relacionavam, ouvi comentários destilados em críticas mordazes e irreverentes, ou repassados de pesar sincero pelo meu trespasse, que lamentavam.

Tornei a minha casa. Surpreendente desordem estabelecera-se em meus aposentos, atingindo objetos de meu uso pessoal, meus livros, manuscritos e apontamentos, os quais já não eram por mim encontrados no local costumeiro, o que muito me enfureceu. Dir-se-ia que se dispersara tudo! Encontrei-me estranho em minha própria casa! Procurei amigos, parentes a quem me afeiçoara. A indiferença que lhes surpreendi em torno da minha desgraça chocou-me dolorosamente, agravando meu estado de excitação. Dirigi-me então a consultórios médicos. Tentei fixar-me em hospitais, pois que sofria, sentia febre e loucura, supremo mal-estar torturava meu ser, reduzindo-me a desolador estado de humilhação e amargura. Mas, a toda parte que me dirigia, sentia-me insocorrido, negavam-me atenções, despreocupados e indiferentes todos ante minha situação. Em vão objurgatórias azedas saíam de meus lábios acompanhadas da apresentação, por mim próprio feita, do meu estado e das qualidades pessoais que meu incorrigível orgulho reputava irresistíveis: – pareciam alheios às minhas insistentes algaravias, ninguém me concedendo sequer o favor de um olhar!

Aflito, insofrido, alucinado, absorvido meu ser pelas ondas de agoirantes amarguras, em parte alguma encontrava possibilidade de estabilizar-me a fim de lograr conforto e alívio! Faltava-me alguma coisa irremediável, sentia-me incompleto! Eu perdera algo que me deixava assim, entonteado, e essa "coisa" que eu perdera, parte de mim mesmo, atraía-me para o local em que se encontrava, com as irresistíveis forças de um ímã, chamava-me imperiosa, irremediavelmente! E era tal a atração que sobre mim exercia, tal o vácuo que em mim produzira esse irreparável acontecimento, tão profunda a afinidade, verdadeiramente vital, que a essa "coisa" me unia – que, não sendo possível, de forma alguma, fixar-me em nenhum local para que me voltasse, tornei ao sítio tenebroso de onde viera: – o cemitério!

Essa "coisa", cuja falta assim me enlouquecia, era o meu próprio corpo – o meu cadáver! – apodrecendo na escuridão de um túmulo![3]

Debrucei-me, soluçante e inconsolável, sobre a sepultura que me guardava os míseros despojos corporais, e estorci-me em apavorantes convulsões de dor e de raiva, rebolcando-me em crises de furor diabólico, com-

---

[3] Certa vez, há cerca de vinte anos, um dos meus dedicados educadores espirituais – Charles – levou-me a um cemitério público do Rio de Janeiro, a fim de visitarmos um suicida que rondava os próprios despojos em putrefação. Escusado será esclarecer que tal visita foi realizada em corpo astral. O perispírito do referido suicida, hediondo qual demônio, infundiu-me pavor e repugnância. Apresentava-se completamente desfigurado e irreconhecível, coberto de cicatrizes, tantas cicatrizes quantos haviam sido os pedaços a que ficara reduzido seu envoltório carnal, pois o desgraçado jogara-se sob as rodas de um trem de ferro, ficando despedaçado. Não há descrição possível para o estado de sofrimento desse Espírito! Estava enlouquecido, atordoado, por vezes furioso, sem se poder acalmar para raciocinar, insensível a toda e qualquer vibração que não fosse a sua imensa desgraça! Tentamos falar-lhe: – não nos ouvia! E Charles, tristemente, com acento indefinível de ternura, falou: – "Aqui, só a prece terá virtude capaz de se impor! Será o único bálsamo que poderemos destilar em seu favor, santo bastante para, após certo período de tempo, poder aliviá-lo..." – E essas cicatrizes? – perguntei, impressionada. – "Só desaparecerão – tornou Charles – depois da expiação do erro, da reparação em existências amargas, que requererão lágrimas ininterruptas, o que não levará menos de um século, talvez muito mais... Que Deus se amerceie dele, porque, até lá..." Durante muitos anos orei por esse infeliz irmão em minhas preces diárias. (*Nota da médium.*)

preendendo que me suicidara, que estava sepultado, mas que, não obstante, continuava vivo e sofrendo, mais, muito mais do que sofria antes, superlativamente, monstruosamente mais do que antes do gesto covarde e impensado!

Cerca de dois meses vaguei desnorteado e tonto, em atribulado estado de incompreensão. Ligado ao fardo carnal que apodrecia, viviam em mim todas as imperiosas necessidades do físico-humano, amargura que, aliada aos demais incômodos, me levava a constantes desesperações. Revoltas, blasfêmias, crises de furor acometiam-me como se o próprio inferno soprasse sobre mim suas nefastas inspirações, assim coroando as vibrações maléficas que me circulavam de trevas. Via fantasmas perambulando pelas ruas do campo santo, não obstante minha cegueira, chorosos e aflitos, e, por vezes, terrores inconcebíveis sacudiam-me o sistema vibratório a tal ponto que me reduziam a singular estado de desmaio, como se, sem forças para continuar vibrando, minhas potências anímicas desfalecessem!

Desesperado em face do extraordinário problema, entregava-me cada vez mais ao desejo de desaparecer, de fugir de mim mesmo a fim de não mais interrogar-me sem lograr lucidez para responder, incapaz de raciocinar que, em verdade, o corpo físico-material, modelado do limo putrescível da Terra, fora realmente aniquilado pelo suicídio; e que o que agora eu sentia confundir-se com ele, porque solidamente a ele unido por leis naturais de afinidade que o suicídio absolutamente não destrói, era o físico-espiritual, indestrutível e imortal, organização viva, semimaterial, fadada a elevados destinos, a porvir glorioso no seio do progresso infindável, relicário onde se arquivam, qual o cofre que encerrasse valores, nossos sentimentos e atos, nossas realizações e pensamentos, envoltório que é da centelha sublime que rege o homem, isto é, a Alma! eterna e imortal como Aquele que de Si Mesmo a criou!

Certa vez em que ia e vinha, tateando pelas ruas, irreconhecível a amigos e admiradores, pobre cego humilhado no além-túmulo graças à desonra de um suicídio; mendigo na sociedade espiritual, faminto na miséria de Luz em que me debatia; angustiado fantasma vagabundo, sem lar, sem abrigo no mundo imenso, no mundo infinito dos Espíritos; exposto a perigos deploráveis, que também os há entre desencarnados; perseguido por entidades perversas, bandoleiros da erraticidade, que gostam de surpreender, com ciladas odiosas, criaturas nas condições amargurosas em que me via, para escravizá-las e com elas engrossar as fileiras obsessoras que desbaratam as sociedades terrenas e arruínam os homens levando-os às tentações mais torpes, através de influenciações letais – ao dobrar de uma esquina deparei com certa multidão, cerca de duzentas individualidades de ambos os sexos. Era noite. Pelo menos eu assim o supunha, pois, como sempre, as trevas envolviam-me, e eu, tudo o que venho narrando, percebia mais ou menos bem dentro da escuridão, como se enxergasse mais pela percepção dos sentidos do que mesmo pela visão. Aliás, eu me considerava cego, mas não me explicando até então como, destituído do inestimável sentido, possuía, não obstante, capacidade para tantas torpezas enxergar, ao passo que não a possuía sequer para reconhecer a luz do Sol e o azul do firmamento!

Essa multidão, entretanto, era a mesma que vinha concertando o coro sinistro que me aterrava, tendo-a eu reconhecido porque, no momento em que nos encontramos, entrou a uivar desesperadamente, atirando aos céus blasfêmias diante das quais as minhas seriam meros gracejos!

Tentei recuar, fugir, ocultar-me dela, apavorado por me tornar dela conhecido. Porém, porque marchasse em sentido contrário ao que eu seguia, depressa me envolveu, misturando-me ao seu todo para absorver-me completamente em suas ondas!

Fui levado de roldão, empurrado, arrastado mau grado meu; e tal era a aglomeração que me perdi totalmente em suas dobras. Apenas me inteirava de um fato, porque isso mesmo ouvia rosnarem ao redor, e era que estávamos todos guardados por soldados, os quais nos conduziam. A multidão acabava de ser aprisionada! A cada momento juntava-se a ela outro e outro vagabundo, como acontecera comigo, e que do mesmo modo não mais poderiam sair. Dir-se-ia que esquadrão completo de milicianos montados conduzia-nos à prisão. Ouviam-se as patadas dos cavalos sobre o lajedo das ruas e lanças afiadas luziam na escuridão, impondo temor.

Protestei contra a violência de que me reconhecia alvo. Em altas vozes bradei que não era criminoso e dei-me a conhecer, enumerando meus títulos e qualidades. Mas os cavaleiros, se me ouviam, não se dignavam responder. Silenciosos, mudos, eretos, marchavam em suas montadas fechando-nos em círculo intransponível! À frente o comandante, abrindo caminho dentro das trevas, empunhava um bastão no alto do qual flutuava pequena flâmula, onde adivinhávamos uma inscrição. Porém eram tão acentuadas as sombras que não poderíamos lê-la, ainda que o desespero que nos vergastava permitisse pausa para manifestarmos tal desejo.

A caminhada foi longa. Frio cortante enregelava-nos. Misturei minhas lágrimas e meus brados de dor e desespero ao coro horripilante e participei da atroz sinfonia de blasfêmias e lamentações. Pressentíamos que bem seguros estávamos, que jamais poderíamos escapar! Tocados vagarosamente, sem que um único monossílabo lográssemos arrancar aos nossos condutores, começamos, finalmente, a caminhar penosamente por um vale profundo, onde nos vimos obrigados a enfileirar-nos de dois a dois, enquanto faziam idêntica manobra os nossos vigilantes.

Cavernas surgiram de um lado e outro das ruas que se diriam antes estreitas gargantas entre montanhas abruptas e sombrias, e todas numeradas. Tratava-se, certamente, de uma estranha "povoação", uma "cidade" em que as habitações seriam cavernas, dada a miséria de seus habitantes, os quais não possuiriam cabedais suficientes para torná-las agradáveis e facilmente habitáveis. O que era certo, porém, é que tudo ali estava por fazer e que seria bem aquela a habitação exata da Desgraça! Não se distinguiria terreno, senão pedras, lamaçais ou pântanos, sombras, aguaceiros... Sob os ardores da febre excitante da minha desgraça, cheguei a pensar que, se tal região não fosse um pequeno recôncavo da Lua, existiriam por lá, certamente, locais muito semelhantes...

Internavam-nos cada vez mais naquele abismo... Seguíamos, seguíamos... E, finalmente, no centro de grande praça encharcada qual um pântano, os cavaleiros fizeram alto. Com eles estacou a multidão.

Em meio do silêncio que repentinamente se estabeleceu, viu-se que a soldadesca voltava sobre os próprios passos a fim de retirar-se.

Com efeito! Um a um vimos que se afastavam todos nas curvas tortuosas das vielas lamacentas, abandonando-nos ali.

Confusos e atemorizados seguimos ao seu encalço, ansiosos por nos afastarmos também. Mas foi em vão! As ruelas, as cavernas e os pântanos se sucediam, baralhando-se num labirinto em que nos perdíamos, pois, para onde nos dirigíssemos, depararíamos sempre o mesmo cenário e a mesma topografia. Inconcebível terror apossou-se da estranha malta. Por minha vez, não poderia sequer pensar ou refletir, procurando solução para o momento. Sentia-me como que envolvido nos tentáculos de horrível pesadelo, e, quanto maiores esforços tentava para racionalmente explicar-me o que se passava, menos compreendia os acontecimentos e mais apoucado me confessava no assombro esmagador!

Meus companheiros eram hediondos, como hediondos também se mostravam os demais desgraçados que nesse vale maldito encontráramos, os quais nos receberam entre lágrimas e estertores idênticos aos nossos. Feios, deixando ver fisionomias alarmadas pelo horror; esquálidos, desfigurados pela intensidade dos sofrimentos; desalinhados, inconcebivelmente trágicos, seriam irreconhecíveis por aqueles mesmos que os amassem, aos quais repugnariam! Pus-me a bradar desesperadamente, acometido de odiosa fobia do Pavor! O homem normal, sem que haja caído nas garras da demência, não será capaz de avaliar o que entrei a padecer desde que me capacitei de que o que via não era um sonho, um pesadelo motivado pela deplorável loucura da embriaguez! Não! Eu não era um alcoólatra para assim me surpreender nas garras de tão perverso delírio! Não era tampouco o sonho, o pesadelo, a criar em minha mente, prostituída pela devassidão dos costumes, o que aos meus olhos alarmados por infernal surpresa se apresentava como a mais pungente realidade que os infernos pudessem inventar – a realidade maldita, assombrosa, feroz! – criada por uma falange de réprobos do suicídio aprisionada no meio ambiente cabível ao seu crítico e melindroso estado, como cautela e caridade para com o gênero humano, que não suportaria, sem grandes confusões e desgraças, a intromissão de tais infelizes em sua vida cotidiana![4]

Sim! Imaginai uma assembléia numerosa de criaturas disformes – homens e mulheres – caracterizada pela alucinação de cada uma, correspondente a casos íntimos, trajando, todos, vestes como que empastadas do lodo das sepulturas, com feições alteradas e doloridas estampando os estigmas de sofrimentos cruciantes! Imaginai uma localidade, uma povoação envolvida em densos véus de penumbra, gélida e asfixiante, onde se aglomerassem habitantes de além-túmulo abatidos pelo suicídio, ostentando, cada um, o ferrete infame do gênero de morte escolhido no intento de ludibriar a Lei Divina – que lhes concedera a vida corporal terrena como precioso ensejo de progresso, inavaliável instrumento para a remissão de faltas gravosas do pretérito!

Pois era assim a multidão de criaturas que meus olhos assombrados deparavam nas trevas que lhes eram favoráveis ao terrível gênero de percepção, esquecido, na insânia do orgulho que a mim era próprio, que também eu pertencia a tão repugnante todo, que era igualmente um feio alucinado, um pastoso ferreteado!

---

[4] Efetivamente, no além-túmulo, as vibrações mentais longamente viciadas do alcoólatra, do sensual, do cocainômano, etc., etc., poderão criar e manter visões e ambientes nefastos, pervertidos. Se, além do mais, trazem os desequilíbrios de um suicídio, a situação poderá atingir proporções inconcebíveis.

Eu via por aqui, por ali, estes traduzindo, de quando em quando, em cacoetes nervosos, as ânsias do enforcamento, esforçando-se, com gestos instintivos, altamente emocionantes, por livrarem o pescoço, intumescido e violáceo, dos farrapos de cordas ou de panos que se refletiam nas repercussões perispirituais, em vista das desarmoniosas vibrações mentais que permaneciam torturando-os! Aqueles, indo e vindo como loucos, em correrias espantosas, bradando por socorro em gritos estentóricos, julgando-se, de momento a momento, envolvidos em chamas, apavorando-se com o fogo que lhes devorava o corpo físico e que, desde então, ardia sem tréguas nas sensibilidades semimateriais do perispírito! Estes últimos, porém, eu notava serem, geralmente, mulheres.

Eis que apareciam outros ainda: o peito ou o ouvido, ou a garganta banhados em sangue, oh! sangue inalterável, permanente, que nada conseguia verdadeiramente fazer desaparecer das sutilezas do físico-espiritual senão a reencarnação expiatória e reparadora! Tais infelizes, além das múltiplas modalidades de penúrias por que se viam atacados, deixavam-se estar preocupados sempre, a tentarem estancar aquele sangue jorrante, ora com as mãos, ora com as vestes ou outra qualquer coisa que supunham ao alcance, sem no entanto jamais o conseguirem, pois tratava-se de um deplorável estado mental, que os incomodava e impressionava até ao desespero! A presença destes desgraçados impressionava até à loucura, dada a inconcebível dramaticidade dos gestos isócronos, inalteráveis, a que, mau grado próprio, se viam forçados! E ainda estoutros sufocando-se na bárbara asfixia do afogamento, bracejando em ânsias furiosas à procura de algo que os pudesse socorrer, tal como sucedera à hora extrema e que suas mentes registraram, ingerindo água em gorgolejos ininterruptos, exaustivos, prolongando indefinidamente cenas de agonia selvagem, as quais olhos humanos seriam incapazes de presenciar sem se tingirem de demência!

Porém havia mais ainda!... E o leitor perdoe à minha memória estas minudências talvez desinteressantes para o seu bom-gosto literário, mas úteis, certamente, como advertência ao seu possível caráter impetuoso, chamado a viver as inconveniências de um século em que o *morbus* terrível do suicídio se tornou mal endêmico. Não pretendemos, aliás, apresentar obra literária para deleitar gosto e temperamento artísticos. Cumprimos um dever sagrado, tão-somente, procurando falar aos que sofrem, dizendo a verdade sobre o abismo que, com malvadas seduções, há perdido muita alma descrente em meio dos desgostos comuns à vida de cada um!

Entretanto, bem próximo ao local em que me encurralara procurando refugiar-me da récua sinistra, destacava-se, por fealdade impressionante, meia dúzia de desgraçados que haviam procurado o "olvido eterno", atirando-se sob as rodas de um trem de ferro. Trazendo os perispíritos desfigurados, dir-se-iam a armadura de monstruosa aberração, as vestes em farrapos esvoaçantes, cobertos de cicatrizes sanguinolentas, retalhadas, confusas, num emaranhado de golpes e sobre golpes, tal se fotografada fora, naquela placa sensível e sutil, isto é, o perispírito, a deplorável condição a que o suicídio lhes reduzira o envoltório carnal – esse templo, ó meu Deus, que o Divino Mestre recomenda como veículo precioso e eficiente para nos auxiliar na caminhada em busca das gloriosas conquistas espirituais! Enlouquecidos por sofrimentos superlativos, possuídos da suprema aflição que atingir possa a alma originada da centelha divina, representando aos olhos pávidos do observador o que o Invisível inferior mantém de mais trágico, mais emocionante e horrível, esses desgraçados uivavam em lamentações tão dramáticas e impressionantes que imediatamente contagiavam com suas influenciações dolorosas quem quer que se encontrasse indefenso em seu caminho, o qual entraria a co-participar da loucura inconsolável de que se acompanhavam... pois o terrível gênero de suicídio, dos mais deploráveis que temos a registrar em nossas páginas, abalara-lhes tão violenta e profundamente a organização nervosa e sensibilidades gerais do corpo astral, congêneres daquela que traumatizara a todas, entorpecendo, graças à brutalidade usada, até mesmo os valores da inteligência, que, por isso mesmo, jazia incapaz de orientar-se, dispersa e confusa em meio do caos que se formara ao redor de si!

....

A mente edifica e produz. O pensamento – já bastantes vezes declararam – é criador, e, portanto, fabrica, corporifica, retém imagens por si mesmo engendradas, realiza, segura o que passou e, com poderosas garras, conserva-o presente até quando desejar!

Cada um de nós, no Vale Sinistro, vibrando violentamente e retendo com as forças mentais o momento atroz em que nos suicidamos, criávamos os cenários e respectivas cenas que vivêramos em nossos derradeiros momentos de homens terrestres. Tais cenas, refletidas ao redor de cada um, levavam a confusão à localidade, espalhavam tragédia e inferno por toda a parte, seviciando de aflições superlativas os desgraçados prisioneiros. Assim era que se deparavam, aqui e ali, forcas erguidas, baloiçando o corpo do próprio suicida, que evocava a hora em que se precipitara na morte voluntária. Veículos variados, assim como comboios fumegantes e rápidos, colhiam e trituravam, sob suas rodas, míseros tresloucados que buscaram matar o próprio corpo por esse meio execrável, os quais, agora, com a mente "impregnada" do momento sinistro, retratavam sem cessar o episódio, pondo à visão dos companheiros afins suas hediondas recordações![4a] Rios caudalosos e mesmo trechos alongados de oceano surgiam repentinamente no meio daquelas vielas sombrias: – era meia dúzia de réprobos que passava enlouquecida, deixando à mostra cenas de afogamento, por arrastarem na mente conflagrada a trágica lembrança de quando se atiraram às suas águas!... Homens e mulheres transitavam desesperados: uns ensangüentados, outros estorcendo-se no suplício das dores pelo envenenamento, e, o que era pior, deixando à mostra o reflexo das entranhas carnais corroídas pelo tóxico ingerido, enquanto outros mais, incendiados, a gritarem por socorro em correrias insensatas, traziam pânico ainda maior entre os companheiros de desgraça, os quais receavam queimar-se ao seu contacto, todos possuídos de loucura coletiva! E coroando a profundeza e intensidade desses inimagináveis martírios – as penas morais: os remorsos, as saudades dos seres amados, dos quais se não tinham notícias, os mesmos dissabores que haviam dado causa ao desespero e que persistiam em afligir!... E as penas físico-materiais: – a fome, o frio, a sede, exigências fisiológicas em geral, torturantes, irritantes, desesperadoras! a fadiga, a insônia depressora, a

---

[4a]Em várias sessões práticas a que tivemos ocasião de assistir em organizações espíritas do Estado de Minas Gerais, os videntes eram concordes em afirmar que não percebiam apenas o Espírito atribulado do suicida a comunicar-se, mas também a cena do próprio suicídio, desvendando-se às suas faculdades mediúnicas o momento supremo da trágica ocorrência. (*Nota da médium.*)

fraqueza, o delíquio! Necessidades imperiosas, desconforto de toda espécie, insolúveis, a desafiarem possibilidades de suavização – oh! a visão insidiosa e inelutável do cadáver apodrecendo, seus fétidos asquerosos, a repercussão, na mente excitada, dos vermes a consumirem o lodo carnal, fazendo que o desgraçado mártir se supusesse igualmente atacado de podridão!

Coisa singular! Essa escória trazia, pendente de si, fragmentos de cordão luminoso, fosforescente, o qual, despedaçado, como arrebentado violentamente, desprendia-se em estilhas qual um cabo compacto de fios elétricos arrebentados, a desprenderem fluidos que deveriam permanecer organizados para determinado fim. Ora, esse pormenor, aparentemente insignificante, tinha, ao contrário, importância capital, pois era justamente nele que se estabelecia a desorganização do estado de suicida. Hoje sabemos que esse cordão fluídico-magnético, que liga a alma ao envoltório carnal e lhe comunica a vida, somente deverá estar em condições apropriadas para deste separar-se por ocasião da morte natural, o que então se fará naturalmente, sem choques, sem violência. Com o suicídio, porém, uma vez partido e não desligado, rudemente arrancado, despedaçado quando ainda em toda a sua pujança fluídica e magnética, produzirá grande parte dos desequilíbrios, senão todos que vimos anotando, uma vez que, na constituição vital para a existência que deveria ser, muitas vezes, longa, a reserva de forças magnéticas não se haviam extinguido ainda, o que leva o suicida a sentir-se um "morto-vivo" na mais expressiva significação do termo. Mas, na ocasião em que pela primeira vez o notáramos, desconhecíamos o fato natural, afigurando-se-nos um motivo a mais para confusões e terrores.

Tão deplorável estado de coisas, para a compreensão do qual o homem não possui vocabulário nem imagens adequadas, prolonga-se até que as reservas de forças vitais e magnéticas se esgotem, o que varia segundo o grau de vitalidade de cada um. O próprio caráter individual influi na prolongação do melindroso estado, quando o padecente for mais ou menos afeito às atrações dos sentidos materiais, grosseiros e inferiores. É pois um complexo que se estabelece, que só o tempo, com extensa cauda de sofrimentos, conseguirá corrigir.

....

Um dia, profundo alquebramento sucedeu em meu ser a prolongada excitação. Fraqueza insólita conservou-me aquietado, como desfalecido. Eu e muitos outros cômpares de minha falange estávamos extenuados, incapazes de resistirmos por mais tempo a tão desesperadora situação. Urgência de repouso fazia-nos desmaiar freqüentemente, obrigando-nos ao recolhimento em nossas desconfortáveis cavernas.

Não se tinham passado, porém, sequer vinte e quatro horas desde que o novo estado nos surpreendera, quando mais uma vez fomos alarmados pelo significativo rumor daquele mesmo "comboio" que já em outras ocasiões havia aparecido em nosso Vale.

Eu compartilhava o mesmo antro residencial de quatro outros indivíduos, como eu portugueses, e, no decorrer do longo martírio em comum, tornáramo-nos inseparáveis, à força de sofrermos juntos no mesmo tugúrio de dor. Dentre todos, porém, um sobremaneira me irritava, predispondo-me à discussão, com o usar, apesar da situação precária, o monóculo inseparável, o fraque bem talhado e respectiva bengala de castão de ouro, conjunto que, para o meu conceito neurastênico e impertinente, o tornava pedante e antipático, num local onde se vivia torturado com odores fétidos e podridão e em que nossa indumentária dir-se-ia empastada de estranhas substâncias gordurosas, reflexos mentais da podridão elaborada em torno do envoltório carnal. Eu, porém, esquecia-me de que continuava a usar o "pince-nez" com seu fio de torçal, a sobrecasaca dos dias cerimoniosos, os bigodes fartos penteados... Confesso que, então, apesar da longa convivência, lhes não conhecia os nomes. No Vale Sinistro a desgraça é ardente demais para que se preocupe o calceta com a identidade alheia...

O conhecido rumor aproximava-se cada vez mais...

Saímos de um salto para a rua... Vielas e praças encheram-se de réprobos como das passadas vezes, ao mesmo tempo que os mesmos angustiosos brados de socorro ecoavam pelas quebradas sombrias, no intuito de despertarem a atenção dos que vinham para a costumeira vistoria...

Até que, dentro da atmosfera densa e penumbrosa, surgiram os carros brancos, rompendo as trevas com poderosos holofotes.

Estacionou o trem caravaneiro na praça lamacenta. Desceu um pelotão de lanceiros. Em seguida, damas e cavalheiros, que pareciam enfermeiros, e mais o chefe da expedição, o qual, como anteriormente esclarecemos, se particularizava por usar turbante e túnica hindus.

Silenciosos e discretos iniciaram o reconhecimento daqueles que seriam socorridos. A mesma voz austera que se diria, como das vezes anteriores, vibrar no ar, fez, pacientemente, a chamada dos que deveriam ser recolhidos, os quais, ouvindo os próprios nomes, se apresentavam por si mesmos.

Outros, porém, por não se apresentarem a tempo, impunham aos socorristas a necessidade de procurá-los. Mas a estranha voz indicava o lugar exato em que estariam os míseros, dizendo simplesmente:

Abrigo número tal... Rua número tal...

Ou, conforme a circunstância:

– Dementado... Inconsciente... Não se encontra no abrigo... Vagando em tal rua... Não atenderá pelo nome... Reconhecível por esta ou aquela particularidade...

Dir-se-ia que alguém, de muito longe, assestava poderosos telescópios até nossas desgraçadas moradas, para assim informar detalhadamente do momento decorrente a expedição laboriosa...

Os obreiros da Fraternidade consultavam um mapa, iam rapidamente ao local indicado e traziam os mencionados, alguns carregados em seus braços generosos, outros em padiolas...

De súbito ressoou na atmosfera dramática daquele inferno onde tanto padeci, repercutindo estrondosamente pelos mais profundos recôncavos do meu ser, o meu nome, chamado para a libertação! Em seguida, ouviram-se os dos quatro companheiros que comigo se achavam presentes na praça. Foi então que lhes conheci os nomes e eles o meu.

Disse a voz longínqua, como servindo-se de desconhecido e poderoso alto-falante:

– Abrigo número 36 da rua número 48 – Atenção!... Abrigo número 36 – Ingressar no comboio de socorro – Atenção!... – Camilo Cândido Botelho – Belarmino de

Queiroz e Souza - Jerônimo de Araújo Silveira - João d'Azevedo - Mário Sobral - Ingressarem no comboio...[4b]

Foi entre lágrimas de emoção indefinível que galguei os pequenos degraus da plataforma que um enfermeiro indicava, atencioso e paciente, enquanto os policiais fechavam cerco em torno de mim e de meus quatro companheiros, evitando que os desgraçados que ainda ficavam subissem conosco ou nos arrastassem no seu turbilhão, criando a confusão e retardando por isso mesmo o regresso da expedição.

Entrei. Eram carros amplos, cômodos, confortáveis, cujas poltronas individuais como que estofadas com arminho branco apresentavam o espaldar voltado para os respiradores, que dir-se-iam os óculos das modernas aeronaves terrenas. Ao centro quatro poltronas em feitio idêntico, onde se acomodaram enfermeiros, tudo indicando que ali permaneciam a fim de guardar-nos. Nas portas de entrada lia-se a legenda entrevista antes, na flâmula empunhada pelo comandante do pelotão de guardas:

Legião dos Servos de Maria

Dentro em pouco a tarefa dos abnegados legionários estava cumprida. Ouviu-se no interior o tilintar abafado de uma campainha, seguido de movimento rápido de suspensão de pontes de acesso e embarque dos obreiros. Pelo menos foi essa a série de imagens mentais que concebi...

O estranho comboio oscilou sem que nenhuma sensação de galeio e o mais leve balanço impressionassem nossa sensibilidade. Não contivemos as lágrimas, porém,

[4b] Perdoar-me-á o leitor o não transcrever na íntegra os nomes destas personagens, tal como foram revelados pelo autor destas páginas. (*Nota da médium.*)

em ouvindo o ensurdecedor coro de blasfêmias, a grita desesperada e selvagem dos desgraçados que ficavam, por não suficientemente desmaterializados ainda para atingirem camadas invisíveis menos compactas.

Eram senhoras que nos acompanhavam, por nós velando durante a viagem. Falaram-nos com doçura, convidando-nos ao repouso, afirmando-nos solidariedade. Acomodaram-nos cuidadosamente nas almofadas das poltronas, quais desveladas, bondosas irmãs de Caridade...

Afastava-se o veículo... A pouco e pouco a cerração de cinzas se ia dissipando aos nossos olhos torturados, durante tantos anos, pela mais cruciante das cegueiras: – a da consciência culpada!

Apressava-se a marcha... O nevoeiro de sombras ficava para trás como pesadelo maldito que se extinguisse ao despertar de um sono penoso... Agora as estradas eram amplas e retas, a se perderem de vista... A atmosfera fazia-se branca como neve... Ventos fertilizantes sopravam, alegrando o ar...

Deus Misericordioso!... Havíamos deixado o Vale Sinistro!...

Lá ficara ele, perdido nas trevas do abominável!... Lá ficara, incrustado nos abismos invisíveis criados pelo pecado dos homens, a fustigar a alma daquele que se esqueceu do seu Deus e Criador!

Comovido e pávido, pude, então, elevar o pensamento à Fonte Imortal do Bem Eterno, para humildemente agradecer a grande mercê que recebia!

No Hospital "Maria de Nazaré"

Depois de algum tempo de marcha, durante o qual tínhamos a impressão de estar vencendo grandes distâncias, vimos que foram descerradas as persianas, facultando-nos possibilidade de distinguir, no horizonte ainda afastado, severo conjunto de muralhas fortificadas, enquanto pesada fortaleza se elevava impondo respeitabilidade e temor na solidão de que se cercava.

Era uma região triste e desolada, envolvida em neblinas como se toda a paisagem fora recoberta pelo sudário de continuadas nevadas, conquanto oferecendo possibilidades de visão. Não se distinguia, inicialmente, vegetação nem sinais de habitantes pelos arredores da fortaleza imensa. Apenas longas planícies brancas, colinas salpicando a vastidão, assemelhando-se a montículos acumulados pela neve. E ao fundo, plantadas no centro dessa nostalgia desoladora, muralhas ameaçadoras, a fortaleza grandiosa, padrão das velhas fortificações medievais, tendo por detalhe primordial meia dúzia de torres cujas linhas grandemente sugestivas despertariam a atenção de quem por ali transitasse.

Funda inquietação percutiu rijamente em nossas sensibilidades, aviventando receios algo acomodados durante o trajeto.

Que nos esperaria para além de tão sombrias fronteiras?... Pois era evidente que para ali nos conduziam...

Vista, à distância, a edificação apavorava, sugerindo rigores e disciplinas austeras... Assaltou-nos tal impressão de poder, grandeza e majestade que nos sentimos ínfimos, acovardados só no avistá-la.

Aproximando-se cada vez mais, o comboio finalmente estacou fronteiro a um grande portão, que seria a entrada principal.

Para além da cornija, caprichosamente trabalhada, e urdida em letras artísticas e graúdas, lia-se em idioma português esta inscrição já nossa conhecida, a qual, como por encanto, serenou nossa agitação logo que a descobrimos:

Legião dos Servos de Maria

seguindo-se esta indicação que, emocionante, compeliu-nos a novas apreensões:

Colônia Correcional

Sem resposta às indagações confusas do pensamento ainda lerdo e atordoado pelas longas dilacerações que me vinham perseguindo havia muito, desobriguei-me de averiguações e deixei que os fatos seguissem livre curso, percebendo que meus companheiros faziam o mesmo.

Não faltava à fortaleza nem mesmo a defesa exterior de um fosso. Uma ponte desceu sobre ele e o comboio venceu o empecilho fazendo-nos ingressar definitivamente nessa Colônia, não isentados, porém, de sérias preocupações quanto ao futuro que nos aguardava. De entrada, notamos pelas imediações numerosos militares, qual se ali se aquartelasse um regimento. Entretanto, estes muito se assemelhavam aos antigos soldados egípcios e hindus, o que muito nos admirou. Sobre o pórtico da torre principal lia-se esta outra inscrição, parecendo-nos tudo muito interessante, como um sonho que nos cumulasse de incertezas:

Torre de Vigia

Em que localidade estaríamos?... Voltaríamos a Portugal?... Viajaríamos através de algum país desconhecido, enquanto a neve se espalhava dominando a paisagem?...

Passamos sem estacionar por essa grande praça militar, certo de que se trataria de uma fortificação guerreira idêntica às da Terra, conquanto revestida de indefinível nobreza, inexistente nas congêneres que conhecêramos através da Europa, pois não poderíamos, então, avaliar a verdadeira finalidade da sua existência naquelas regiões desoladas do Invisível inferior, cercadas de perigos bem mais sérios do que os que poderíamos presumir.

Com surpresa verificamos que entrávamos em cidade movimentadíssima, conquanto recoberta por extensos véus de neve, ou cerração pesada. Não fazia, porém, frio intenso, o que nos surpreendeu, e o Sol, mostrando-se a medo entre a cerração, deixava ocasião não só para nos aquecermos, mas também para distinguirmos o que houvesse em derredor.

Edifícios soberbos impunham-se à apreciação, apresentando o formoso estilo português clássico, que tanto nos falava à alma. Indivíduos atarefados, neles entravam e deles saíam em afanosa movimentação, todos uniformizados com longos aventais brancos, ostentando ao peito a cruz azul-celeste ladeada pelas iniciais: L. S. M.

Dir-se-iam edifícios, ministérios públicos ou departamentos. Casas residenciais alinhavam-se, graciosas e evocativas na sua estilização nobre e superior, traçando ruas artísticas que se estendiam laqueadas de branco, como que asfaltadas de neve. À frente de um daqueles edifícios parou o comboio e fomos convidados a descer. Sobre o pórtico definia-se sua finalidade em letras visíveis:

Departamento de Vigilância

(Seção de Reconhecimento e Matrícula)

Tratava-se da sede do Departamento onde seríamos reconhecidos e matriculados pela direção, como internos da Colônia. Daquele momento em diante estaríamos sob a tutela direta de uma das mais importantes agremiações pertencentes à Legião chefiada pelo grande Espírito Maria de Nazaré, ser angélico e sublime que na Terra mereceu a missão honrosa de seguir, com solicitudes maternais, Aquele que foi o redentor dos homens!

Conduzidos a um pátio extenso e nobre, que lembraria antigos claustros de Portugal, fomos em seguida transportados em pequenos grupos de dez individualidades, para determinado gabinete onde vários funcionários colaboravam nos trabalhos de registro. Ali deixaríamos a identidade terrena, bem assim as razões que nos induziram ao suicídio, o gênero do mesmo como o local em que jazeram os despojos. Caso o recém-chegado não estivesse em condições de responder, o chefe da expedição supriria rapidamente a insuficiência, pois mantinha-se presente à cerimônia, dando contas ao diretor do Departamento da importante missão que acabava de desempenhar. Tão árduo trabalho, em torno de toda uma falange, levara quando muito dois quartos de hora, porquanto os processos usados não eram idênticos aos conhecidos nas repartições terrenas. As respostas dos pacientes seriam antes gravadas em discos singulares, espécie de álbuns animados de cenas e movimentos, graças ao concurso de aparelhamentos magnéticos especiais. Tais álbuns reproduziriam até mesmo o som de nossa voz, como nossa imagem e o prolongamento do noticiário sobre nós mesmos, desde que posto em contacto com admirável maquinismo apropriado ao feito, exatamente como discos e filmes na Terra reproduzem a voz humana e todas as demais variedades de sons e imagens neles existentes e que devam ser retidos e conservados. Nossa identidade, portanto, era antes fotografada: as imagens emitidas por nossos pensamentos, no ato das respostas às perguntas formuladas, seriam captadas por processos que na ocasião escapavam à nossa compreensão.

Durante muito tempo perdemos de vista as mulheres que conosco haviam chegado ao Departamento de Vigilância. Os regulamentos da Colônia impunham a necessidade de separá-las de seus companheiros de desventura.

Assim sendo, logo à chegada e imediatamente depois da matrícula, foram confiadas às damas funcionárias da Vigilância a fim de serem encaminhadas aos Departamentos Femininos. Desde, portanto, que nos matriculavam, éramos separados do elemento feminino.

Dentro em pouco, entregues a novos servidores, cujas operosidades se desenrolavam aquém dos muros da instituição, fomos compelidos ao ingresso em novos meios de transporte, que tudo indicava serem para uso dos perímetros internos, porquanto nos cumpria continuar a marcha, iniciada desde o Vale.

Nossas viaturas agora eram leves e graciosas, quais trenós ligeiros e confortáveis, puxados pelas mesmas admiráveis parelhas de cavalos normandos, e com capacidade para dez passageiros cada um. Ao cabo de uma hora de corrida moderada, durante a qual deixávamos para trás o bairro da Vigilância, penetrando, por assim dizer, o campo, porque avançando em região despovoada, conquanto as estradas se apresentassem caprichosamente projetadas, orladas de arbustos níveos quais flores dos Alpes, avistamos grandes marcos, como arcos de triunfo, assinalando o ingresso em novo Departamento, nova província dessa Colônia Correcional localizada nas fronteiras invisíveis da Terra com a Espiritualidade propriamente dita.

Com efeito. Lá estava a indicação necessária entestando a arcada principal, norteando o recém-chegado por auxiliá-lo no esclarecimento de possíveis dúvidas:

Departamento Hospitalar

A um e outro lado destacavam-se outras em que setas indicavam o início de novos trajetos, enquanto novas inscrições satisfaziam a curiosidade ou necessidade do viajante:

À direita – Manicômio.

À esquerda – Isolamento.

Nossos condutores fizeram-nos ingressar pela do centro, onde também se lia, em subtítulo:

Hospital Maria de Nazaré

Imenso parque ajardinado surpreendeu-nos para além dos marcos, enquanto amplos edifícios se elevavam em locais aprazíveis da situação. Padronizando sempre o estilo português clássico, esses edifícios apresentavam muita beleza e amplas sugestões com suas arcadas, colunas, torres, terraços, onde flores trepadeiras se enroscavam acentuando agradável estética. Para quem, como nós, angustiados e miseráveis, procedia das atras regiões, semelhante localidade, não obstante insulsa, graças à inalterável brancura, aparecia como suprema esperança de redenção! E nem faltavam, aformoseando o parque, tanques com repuxos artísticos a esguicharem água límpida e cristalina, a qual tombava em silêncio, cascateando mimosas gotas como pérolas, enquanto aves mansas, bando de pombos graciosos esvoaçavam ligeiros entre açucenas.

Ao contrário das demais dependências hospitalares, como o Isolamento e o Manicômio, o Hospital Maria de Nazaré, ou "Hospital Matriz", não se rodeava de qualquer barreira. Apenas árvores frondosas, tabuleiros de açucenas e rosas teciam-lhe graciosas muralhas. Muitas vezes pensei, quando dos meus dias de convalescença, como seria arrebatadora a paisagem se a policromia natural rompesse o sudário níveo que tudo aquilo envolvia entristecendo o ambiente de incorrigível monotonia!

Fatigados, sonolentos e tristes, subimos a escadaria. Grupos de enfermeiros atenciosos, todos homens, chefiados por dois jovens trajados à indiana, assistentes do diretor do Departamento, os quais mais tarde soubemos chamarem-se – Romeu e Alceste, receberam-nos das mãos dos funcionários da Vigilância incumbidos, até então, da nossa guarda, e, amparando-nos bondosamente, conduziram-nos ao interior.

Penetramos galerias magníficas, ao longo das quais portas largas e envidraçadas, com caixilhos levemente azuis, deixavam ver o interior das enfermarias, o que vinha esclarecer que o enfermo jamais se reconheceria a sós. Nossos grupos separaram-se à indicação dos enfermeiros: – dez à direita... dez à esquerda... Cada dormitório continha dez leitos alvíssimos e confortáveis, amplos salões com balcões para o parque. Forneceram-nos, caridosamente, banho, vestuário hospitalar, o que nos proporcionou lágrimas de reconhecimento e satisfação. A cada um de nós foi servido delicioso caldo, tépido, reconfortante, em pratos tão alvos quanto os lençóis; e cada um sentiu o sabor daquilo que lhe apetecia. Fato singular: – enquanto fazíamos a refeição frugal, era o lar paterno que acudia às nossas lembranças, as reuniões em família, a mesa da ceia, o doce vulto de nossas mães servindo-nos, a figura austera do pai à cabeceira... E lágrimas indefiníveis se misturaram ao alimento reconfortador...

Num ângulo favorável aos dez leitos uma lareira aquecia o recinto, proporcionando-nos reconforto. E acima, suspensa ao alto da parede, que se diria estruturada em porcelana, fascinante tela a cores, luminosa e como animada de vida e inteligência, despertou nossa atenção tão logo transpusemos os acolhedores umbrais. Era um quadro da Virgem de Nazaré, algo semelhante ao célebre painel de Murilo, que eu tão bem conhecia, mas sublimado por virtuosidades inexistentes entre os gênios da pintura na Terra!

Ao terminarmos a refeição, eis que dois varões hindus entraram em nosso compartimento, apresentando particularidades que os deixavam reconhecer como médicos. Faziam-se acompanhar de dois outros varões, os quais deveriam acompanhar-nos durante toda a nossa hospitalização, pois eram responsáveis pela enfermaria que ocupávamos. Chamavam-se estes Carlos e Roberto de Canalejas, eram pai e filho, respectivamente, e, quando encarnados, haviam sido médicos espanhóis na Terra. Era no entanto imperfeitamente que a todos eles percebíamos, dado o estado de debilidade em que nos encontrávamos. Dir-se-ia que sonhávamos, e o que vimos narrando ao leitor só podia ser por nós entrevisto como durante as oscilações do sonho...

Não obstante, os hindus aproximaram-se de cada um dos leitos, falaram docemente a cada um de nós, apuseram sobre nossas cabeças atormentadas as mãos delicadas e tão níveas que se diriam translúcidas, acomodaram nossas almofadas, obrigando-nos ao repouso; cobriram-nos paternalmente, aconchegando cobertores aos nossos corpos enregelados, enquanto murmuravam em tonalidades tão carinhosas e sugestivas, que pesada sonolência nos venceu imediatamente:

"– Necessitais de repouso... Repousai sem receio, meus amigos... Sois todos hóspedes de Maria de Nazaré, a doce Mãe de Jesus... Esta casa é dela..."

E se conosco assim procederam, outros assistentes, certamente, o mesmo fizeram em torno dos demais componentes da trágica falange recolhida pelo Amor de Deus!

....

Ao despertar, depois de sono profundo e reparador, afigurou-se-me ter dormido longas horas, e de algum modo senti que o raciocínio se me aclarava, oferecendo maior possibilidade de entendimento e compreensão das circunstâncias. Reconhecia-me de posse de mim mesmo, como desoprimido daquele estado mórbido de pesadelo, que tantas exasperações acarretava. Mas, ai de mim! Semelhante reconforto mental antes aprofundava do que balsamizava angústias, pois me compelia a examinar com maior dose de senso e serenidade a profundeza da falta que contra mim mesmo cometera! Ardente sentimento de desgosto, remorso, temor, desapontamento, coibia-me apreciar devidamente a melhoria da situação. E incômoda sensação de vergonha chicoteava-me o pudor, gritando ao meu orgulho que ali me achava indevidamente, sem quaisquer direitos a me assistirem para tanto, unicamente tolerado pela magnanimidade de indivíduos altamente caridosos, iluminados pelo vero amor de Deus!

Dúvidas amaríssimas continuavam remoinhando-me na mente. Não era possível que eu tivesse morrido. O suicídio absolutamente não me matara! Eu continuava vivo e bem vivo!...

Que se passara, pois?... Meus companheiros de enfermaria e, por certo, todos os demais que integravam o extenso cortejo proveniente das escuridades do Vale, entregar-se-iam a idênticas elucubrações! Estampavam-se o assombro, o temor e o pesar inconsolável naqueles semblantes desfigurados.

E, acompanhando a nova série de amarguras que nos invadia apesar da hospitalização e do sono reconfortador, as dores físicas oriundas do ferimento que fizéramos continuavam supliciando nossa sensibilidade, como a lembrarem nosso estado irremediável de réprobos.

Eu e Jerônimo gemíamos de quando em quando, sob o imperativo do ferimento feito no ouvido pela arma de fogo que utilizáramos no momento trágico; Mário Sobral estorcia-se, o pescoço intumescido, a esbater-se em cacoetes periódicos contra a asfixia, pois enforcara-se; João d'Azevedo, retendo na mente torturada o envenenamento do corpo que lá se consumira, sob o segredo do túmulo, chorava de mansinho, exigindo a visita médica; e Belarmino a esvair-se em sangue, o braço dolorido, entorpecido, já paralítico – oh! preludiando, desde aquele tempo, o drama físico que seria o seu, em encarnação posterior – pois fora ao suicídio golpeando os pulsos!

Todavia o reconforto era sensível. Bastaria observássemos que já não víamos as cenas mentais de cada um, reproduzindo em figurações assombrosas o momento supremo, tal como sucedia no Vale, onde não existia outra paisagem. A enfermaria, muito confortável, dizia de como nos haviam bem instalado. Existiam mesmo traços de arte e beleza naqueles portais de caixilhos azuis, formados de substâncias polidas como a porcelana; naqueles reposteiros de rendilhados também azuis, nas trepadeiras brancas que subiam pelos balcões, intrometendo-se adentro do terraço, como espionando nossas carantonhas dramáticas de réprobos colhidos em flagrante.

De chofre, a voz de um enfermo, nosso companheiro, quebrou o silêncio da meditação em que mergulháramos o pensamento, externando as próprias impressões, como se apenas para si falasse:

"– Cheguei à conclusão – disse, pausada e amarguradamente – de que o melhor que todos temos a fazer é nos recomendarmos a Deus, resignando-nos de boa mente às peripécias que ainda sobrevenham... Para nada há valido o desespero, senão para nos tornar ainda mais desgraçados! Tanta revolta e insensatez... e nada mais obtivemos a não ser o agravo das nossas já tão atrozes desgraças!... Por aí se poderá ver que vimos escolhendo caminhos errados para nossos destinos... É inegável, porém, que somos todos subordinados a uma Direção Maior, que independe de nossa vontade!... Isso é assaz significativo... Não sei bem se morri... Mas, sinceramente, creio que não!...

A senhora minha mãe era pessoa simples, humilde, de poucas letras, mas boa devota à crença e ao respeito a Deus. Afirmava aos filhos, com estranha convicção, quando os reunia ao pé da lareira a fim de ensinar-lhes as orações da noite, de mistura com os princípios da lei cristã, que todas as criaturas trazem uma alma imortal, criada pelo Ser Supremo e destinada à gloriosa redenção pelo amor de Jesus-Cristo, e que dessa alma daríamos contas, um dia, ao Criador e Pai! Nunca mais, desde então, obtive ciência de mais alto valor! Considero as aulas ministradas por minha mãe, durante o serão da família, superiores às que, mais tarde, aprendi na Universidade. Infelizmente para mim, sorri à sabedoria materna, embrenhando-me pelos desvios das paixões mundanas... Contudo, ó minha mãe! eu aceitava a possibilidade da crença formosa que tentaste infundir em minha alma revel! Não fui propriamente ateu!...

Hoje, passados tantos anos, e depois de tantos sofrimentos, colocado em situações que escapam à minha análise, eu me convenço de que a senhora minha mãe estava com a razão: – devo possuir uma alma, realmente imortal! Escapa-se de um tiro de revólver, e pode-se até restabelecer-se! Curamo-nos da ingestão de um corrosivo, tais sejam as circunstâncias em que o tenhamos usado. Mas não se escapa de uma forca, como a que me destinei! E, se estou aqui e se sofri tudo quanto sofri sem conseguir aniquilar dentro de mim as potências da vida, é porque sou imortal! E se sou imortal é que possuo uma alma, com efeito, porque, quanto ao corpo humano, esse não é imortal, pois se consome no túmulo! E se possuo uma alma dotada da virtude da imortalidade é que ela proveio de Deus, que é Sempiterno! Oh, minha mãe, tu dizias a verdade! Oh, meu Deus! meu Deus! Tu existes! E eu a renegar-te sempre, com meus atos, minhas paixões, meu descaso às tuas normas, minha indiferença criminosa aos teus princípios!... Agora... eis que é soada a hora de prestar-te contas da alma que tu criaste – da minha alma! Eis que nada tenho a dizer-te, Senhor, senão que minhas paixões infelicitaram-na, quando o que determinaste ao criá-la era que eu a conduzisse obedientemente ao teu regaço de Luz! Perdoa-me! Perdoa-me, Senhor Deus!..."

Lágrimas abundantes misturaram-se a estertores de asfixia. Mas, apesar de saberem a intensa amargura, já não traziam o macabro característico das convulsões que, no Vale, as lágrimas provocam.

Fora Mário Sobral que falara.

Mário tinha grandes olhos negros, cabeleira revolta, olhar alucinado. Cursara a Universidade de Coimbra e reconhecia-se nele o tipo bem-acabado do boêmio rico de Lisboa. Seu palavreado, de ordinário, era nervoso e fácil. Seria excelente orador, se da Universidade houvera saído sábio e não boêmio. No cativeiro do Vale fora das entidades mais sofredoras que tive ocasião de conhecer, e assim mesmo se destacou durante todo o longo período de internação na Colônia.

Com esse arrazoado iniciou-se uma série de confidências entre os dez. Não sei por que desejáramos conversar. Talvez a necessidade de mútua consolação nos impelisse a abrir os corações, recurso, aliás, ineficiente para lenificar angústias, porque, se é difícil a um suicida o consolar-se, não será, certamente, recordando dores e desgraças passadas que logrará amenizar a penúria que lhe oprime a alma.

"– És forte em dialética, amigo, e felicito-te pela progressão do modo de raciocinar; – não foi assim que tive a honra de te conhecer algures..." – chasqueei eu, a quem incomodara muito a quebra do silêncio.

"– Também eu assim o creio e admiro a lógica das suas considerações, ó amigo Sobral!" – interveio um português de bigodes fartos, meu vizinho de leito, cujo ferimento no ouvido direito, a sangrar sem intermitências me causava infinito mal-estar, pois que, quantas vezes lhe prestasse atenção, lembrava-me de que também eu trazia ferimento idêntico e torturava-me em reminiscências atrozes.

Era, esse, Jerônimo de Araújo Silveira, o mais impaciente e pretensioso dentre os dez, mais incoerente e revoltado. Prosseguiu ele:

"– Aliás, eu jamais descri da existência de Deus, Criador de Todas as Coisas. Fui... isto é, sou! Eu sou, pois que não morri! – católico militante, irmão remido da Venerável Irmandade da Santíssima Trindade, de Lisboa, com direitos a bênçãos e indulgências especiais, quando necessário..."

"– Creio, meu vizinho, que chegou, ou já vai passando, a ocasião de reclamares os favores que são de direito obteres... Não podes estar mais necessitado deles..." – revidei, num crescendo de mau humor, fazendo-me de obsessor.

Não respondeu, mas continuou:

"– Fui, porém, muito impaciente e nervoso desde a juventude! Impressionava-me facilmente, era insofrido e inconformado, às vezes melancólico e sentimental... e confesso que nunca levei a sério os verdadeiros deveres do cristão, expresso nas santas advertências do nosso conselheiro e confessor, de Lisboa. Por isso mesmo, certamente, quando se me deparou a ruína dos meus negócios comerciais, pois não sei se sabeis que fui importador e exportador de vinhos; crivado de dívidas insolúveis; surpreendido por estrondosa e irremediável falência; sem ascendente para evitar a miséria que a mim e à minha família escancarava fauces irremediáveis; acusado por amigos e pessoas da família como responsável único do dramático insucesso; abatido pela perspectiva do que sucederia à minha mulher e aos meus filhos, a quem eu, por muito estremecer, habituara a excessivo conforto, mesmo ao luxo, mas os quais, agora que me viam castigado e sofredor, me responsabilizavam cruamente por tudo, em vez de pacientemente me ajudarem a remover a cruz dos insucessos, que a todos nos abatia – fraquejei na coragem que até então tivera e 'tentei' desertar da frente de todos e até de mim mesmo, a fim de poupar-me a censuras e humilhações. Todavia, enganei-me: – mudei apenas de habitação, sem conseguir encontrar a morte, e perdi de vista minha família, o que me tem acarretado insuportáveis contrariedades!"

"– Sim, é lastimável! – tornou Mário na mesma tonalidade acabrunhada, como se não tivesse ouvido o precedente. – Caí nas trevas da Desgraça!... quando tão boas oportunidades encontrei pela vida afora, facultando-me o domínio das paixões para o advento de aquisições honestas!... Esqueci-me de que o respeito a Deus, à Família, ao Dever, seria o alvo sagrado a atingir, pois recebi bons princípios de moral na casa paterna!... Jovem, sedutor, inteligente, culto, envaideci-me com os dotes que me assistiam e cultivei o egoísmo, dando asas aos instintos inferiores, que reclamavam prazeres sempre mais febricitantes... A convivência afetada da Universidade fez de mim um pedante, um tolo cujas preocupações únicas eram as exibições vistosas, senão escandalosas... Daí o perder-me no roldão das embocaduras das paixões deprimentes... E, depois, quando não mais consegui encontrar-me a fim de reconduzir-me a mim próprio, procurei a morte supondo poder esconder-me dos remorsos atrás do olvido de um túmulo!... Enganei-me! A morte não me aceitou! Encontrou-me decerto demasiadamente vil para me honrar com sua proteção! Por isso devolveu-me à vida quando o coveiro teve a honra de encobrir minha figura repulsiva da frente da luz do Sol!...

Minha mãe, porém, essa sim, não se enganou: – eu sou imortal! Jamais, jamais morrerei! Hei de existir por toda a consumação dos evos, em presença dAquele que é o meu Criador! Sim! Porque, para sobreviver às desgraças que cruciaram o meu sentir, desde a noite aziaga da primavera daquele ano de 1889, só um ser que seja imortal!"

Alongou os olhos congestos, como chamando recordações passadas para o minuto presente e murmurou, arquejante, apavorado, frente à página mais negra que lhe desvirtuava a consciência:

"– Sim, meu Deus! Perdoa-me! Perdoa-me! Eu me arrependo e submeto-me, visto que reconheço que errei! Perdi-me diante de ti, meu Deus, à frente da desesperadora paixão que nutri por Eulina!... Mas, se mo permites, reabilitar-me-ei por amor de ti...

Eulina!... Tu não valias sequer o pão que eu fornecia para saciares tua fome! Contudo, eu te amava, acima de todas as conveniências, a despeito até da própria honra! Eras pérfida, malvada!... Eu, porém, inferior devia ser, ainda mais do que tu, porque casado, sendo minha esposa nobre e digna senhora! Era pai de três inocentes criancinhas, às quais devia amor e proteção! Abandonei-os por ti, Eulina, desinteressei-me de seus encantos porque me arrebatei irremediavelmente pelos teus, estranha beleza dos torrões sul-americanos, que tu eras!... Oh, como eras linda!... Mas não me amavas... E depois de me arrastares de queda em queda, explorando-me a bolsa e o coração, abandonaste-me ao desespero da miséria e da ingratidão, ao me preterires pelo capitalista brasileiro, teu compatriota, que te requestou!

Fui a tua casa: – vi-me desfeiteado... Supliquei-te, rastejei a teus pés como louco, desesperado por perder-te, como insensato que sempre fui! Implorei migalhas da tua compaixão, em vendo que já não seria possível teu amor!

Provoquei-te à discussão, compreendendo que te fazias insensível às minhas desesperadas tentativas de reconciliação... e, cego pelos insultos que repetias, eu te agredi, ferindo as faces que eu adorava; espanquei-te sem piedade, maltratei-te a pontapés, meu Deus! ó meu Deus! Estrangulei-te, Eulina! Matei-te!... Matei-te!..."

Parou sufocado, em convulsões odiosas de perfeito réprobo, para continuar após, como se dirigindo aos companheiros:

"– Quando, tomado de horror, contemplei a ação abominável que praticara, apenas um recurso me acudiu, rápido qual impulso obsessor, a fim de escapar a conseqüências que, naquele momento, se me afiguravam insuportáveis: – o suicídio! Então, ali mesmo, sem perder tempo, rasguei os lençóis da desgraçada... e pendurei-me a uma trave existente na cozinha..."

"– ...Forma, essa, pouco poética de um amante morrer... – zombei eu, enfadado com a longa descrição que desde o Vale diariamente ouvia-o repetir. – Aposto em como V. Exª, Sr. Professor, que tão elegantemente desejou morrer, recordando Petrônio, fê-lo pelo amor platônico de alguma senhora inglesa, loira e apessoada?... Portugueses ilustres, como V. Exª vem demonstrando ser, gostam de amar damas inglesas..."

Dirigia-me agora a Belarmino de Queiroz e Sousa, cujo nome tresandava a fidalguia.

Até essa data ainda me irritavam as atitudes do pobre comparsa do grande drama que eu também vivia; e, sempre que houvesse oportunidade, ridicularizava-o, defeito muito do meu feitio e que muitos vexames e dissabores custou-me até corrigi-lo, durante os serviços de reforma interior que ao meu caráter impus na Pátria Espiritual.

Belarmino era alto e seco, muito elegante e fino de maneiras. Dizia-se rico e viajado, professor de Dialética, de Filosofia e Matemática, e poliglota – cortejo respeitável para um só homem que se arraste na Terra, não havia dúvida, mas que o não impedira de demorar-se, e mais o monóculo, o fraque e a bengala, nas pocilgas do Vale Sinistro, durante o interessante estágio que ali fizera, por se haver suicidado. Isso mesmo lançara-lhe eu em face muitas vezes, mal-humorado ante a vaidosa enumeração que fazia dos variados cabedais próprios. O doutor, porém – porque era doutor, honorificado por mais de uma Universidade –, jamais revidou minhas impertinências. Polido, educado, sentimental, chegaria também à vera bondade de coração se a par de tão bonitos dotes não carregasse os defeitos do orgulho, do egoísmo de a si mesmo endeusar por a todos se julgar superior.

Ouvindo-me, não respondeu com agastamento, como sempre. Antes, foi em tom macio, mesmo pesaroso, que se expandiu, dirigindo-se a todos:

"– Eu julgava, sinceramente, que o túmulo absorveria minha personalidade, transmudando-a na essência que se perderá nos abismos da Natureza: – seria o Nada!

Discípulo de Augusto Comte, a filosofia levou-me ao Materialismo, ao mecanismo acidental das coisas – única explicação satisfatória que ao raciocínio pude oferecer diante das anomalias com que deparava a cada passo pela vida em fora, para me alarmar o coração e decepcionar a mente!

Nutri sempre grande ternura e compaixão pelos homens, aos quais considerava irmãos de desgraça, pois, para mim, a vida era a expressão máxima da Desgraça, embora deles procurasse afastar-me quanto possível, temendo amá-los demasiadamente, e, portanto, sofrer! Nem outra coisa compreenderia eu o que seria senão desgraça um homem nascer, viver, trabalhar, sofrer, lutar por todos os pretextos... para depois desfazer-se, irremissivelmente, no pó do túmulo!

Não fui, jamais, dado a namoramentos, de baixa ou elevada classe. Para que amar, constituir família, contribuindo para lançar à vida outros desgraçados a mais, se a Filosofia convencera-me, além do mais, de que o Amor era apenas uma secreção do cérebro?... Fui um estudioso, isso sim, e estudava a fim de me aturdir, evitando o acúmulo de elucubrações sobre a miserável situação da

Humanidade. Assim sendo, não sobravam a mim horas para cultivar amor junto a damas inglesas ou portuguesas... Estudava para esquecer de que um dia também me perderia no vácuo! Fui um infeliz, como toda a Humanidade o é! Somente no ambiente sereno do lar desfrutava alguma satisfação... Agarrei-me ao lar quanto possível, pesaroso de, um dia, ser forçado a abandoná-lo para me aniquilar entre os vermes que destruiriam minha individualidade! Minha mãe, que partilhava de minhas convicções, porque também as recebera de meu genitor, bastava-me para companhia nas horas de lazer. O móvel da minha 'tentativa' de suicídio, como vê, não foi desgosto amoroso. Foi a perca da saúde! Fui sempre fisicamente débil, franzino, um triste, sonhador infeliz e insatisfeito, apavorado do Existir! Incorrigível desconsolo entenebreceu os dias de minha vida! Encerrado neste círculo deprimente, vi a tuberculose apossar-se de meu organismo, mal hereditário que me não foi possível combater! Desenganado pela Ciência, preferi, então, acabar de vez, sem maiores sofrimentos, com a matéria miserável que começava a apodrecer sob a desintegração fornecida por uma moléstia incurável, matéria que, por sua própria natureza, destinada era à podridão da morte, ao eterno tombo nas voragens do Nada!

Para que, pois, esperaria eu a marcha dolorosa da tuberculose extinguir minha individualidade em lentos suplícios, sem consolo, sem esperança compensadora no porvir de além-morte, onde não encontraria senão o aniquilamento absoluto, a desintegração perfeita, espantalho humano atirado ao desalento, do qual fugiriam todos, a própria mãe inclusive – quem o adivinharia? – temendo os perigos do contágio?!...

Morrer era solução boa, muito lógica, para quem,

como eu, só via à frente um corpo aniquilado pela doença e a destruição absoluta do ser como desanimadoras expectativas..."

"– Não possuo a competência de V. Exª, Senhor Professor, nem me será dado raciocinar com tanta finura. Todavia, com o devido respeito à pessoa de V. Excelência, considero execrável pecado o não aceitar o homem a existência de Deus, Sua Paternidade para com as criaturas e a eternidade da alma, por mais criminoso e abjeto que seja. Felizmente para mim, foram coisas em que sempre acreditei com veemência..." – intrometeu-se Jerônimo com simplicidade, sem perceber a tese profunda que apresentava a um ex-professor de Dialética.

"– Como e por que, então, vos revoltastes contra as circunstâncias naturais da vida humana, isto é, aos sofrimentos que vos couberam na desoladora partilha, a ponto de confessardes que desejastes morrer, Sr. de Araújo Silveira?!... Se eu, desfavorecido pela Fé, carente de Esperança, desamparado pela descrença em um Ser Supremo, à mercê do pessimismo a que minhas convicções conduziam, para quem o túmulo apenas traduzia olvido, aniquilamento, absorção no vácuo, me desorientasse ao embater da desventura e 'tentasse' matar-me a fim de poupar-me luta desigual e inútil, concebe-se! Mas, vós outros?!... Vós outros, crentes na Paternidade de um Deus Criador, sede de perfeições infinitas, como dizeis, sob cuja direção sábia caminhais; vós, certos da personalidade eterna, fadada à mesma finalidade gloriosa do seu Criador, herdeira da própria eternidade existente naquele Ser Supremo, para a qual marcha pela ordem natural da lei de atração e afinidade, cair em desesperações e revoltar-se contra a mesma lei, pois sei que a crença num Poder Absoluto proíbe a infração do suicídio, é paradoxo que não se chega a admitir. Portadores de tal ciência, corações alumiados pelos ardores de tão radiosa convicção, energias revigoradas pela fortaleza de tão sublime esperança, deveríeis considerar-vos deuses também, homens sublimizados para quem os infortúnios seriam meros contratempos de momento! Oh! pudesse eu convencer-me dessa verdade e não temeria enfrentar, novamente, nem os desgostos que arruinaram meus dias, nem a tuberculose que me reduziu ao que vedes!" – revidou com lógica férrea o discípulo de Comte, cuja sinceridade me despertou simpatia.

"– E agora, qual a opinião de V. Exª sobre o momento presente? Que explicação sugere a filosofia comtista para o que se passa?!..." – interroguei, cheio de curiosidade, interessando-me pelo debate.

"– Nada! – respondeu simplesmente. – Não sugere coisa alguma... Continuo na mesma... Não consegui morrer!..."

Evidente era que dúvidas desconcertantes nos atacavam a todos, a ele também. O que não queríamos era curvar-nos à evidência. Tínhamos medo de encarar de frente a realidade.

"– Dizei algo de vós, Sr. Botelho – atreveu-se João castigar-me. – Há muito estimais observar-nos, mas tendes silenciado sobre vossa pessoa, que tão interessante nos parece... Quanto a mim, não desejo permanecer incógnito! Bem sabeis os motivos que me arrojaram ao pélago ignóbil do suicídio: – a paixão pelo jogo. – Joguei tudo! A honra inclusive, e a própria vida!..."

"– Perdão, amigo d'Azevedo, como jogaste a vida...

se aí estás a falar-nos de ti?!" – interveio Jerônimo desconcertantemente.

O interlocutor sobressaltou-se e, sem responder, insistiu no propósito de excitar-me:

"– Vamos, ilustre romancista, velho boêmio do Porto, desce do teu feio pedestal de orgulho... Vem dizer algo de tua 'majestosa' superioridade..."

Senti a mordacidade nas descorteses expressões de João, que se antipatizara comigo na mesma proporção que eu a Belarmino, do qual era muito amigo, e que deixara, um momento, de choramingar para me provocar o mau humor.

Aborreci-me. Fui indivíduo sempre melindroso e suscetível, e a morte não corrigira ainda a grave anormalidade.

"– Pois quê?!... Seria eu, acaso, forçado a confessar particularidades a tal corja, só porque ela havia confessado as suas?!... Porventura devia eu qualquer consideração a essa ralé, que fui encontrar no Vale imundo?!... " – pensei, sufocado pelo orgulho, com efeito, de me julgar superior.

A consideração que aos companheiros de infortúnio o meu mau-senso negava, a mim mesmo continuava dispensando gratamente, entendendo que, se para lá eu também me vira arremessado, era que no meu caso existira injustiça calamitosa; que eu não merecera a repressão por ser melhor, mais digno, mais credor de favores do que os outros que comigo lá se haviam homiziado. Fosse como fosse, preferiria não me expandir porque o meu orgulho a tanto não me animava. Mas, personagens de nossa infeliz categoria não se acham à altura de sopitar impulsos do pensamento calando expansões diante de afins; tampouco sabem dominar emoções, furtando-se à vergonha das devassas no campo íntimo, em presença de estranhos. Assim sendo, as torrentes de vibrações deseducadas derramam-se do seu interior configuradas em palavreado ardente e emotivo, ainda que elas próprias não o desejem, tal se as comportas magnéticas, que as retivessem nos pegos mentais, se houvessem rompido graças às agitações de que se fizeram presas. Aliás, o tom sincero, a formosa lhaneza do professor de Filosofia e Dialética, convidando-me a atitude menos descortês do que a que me habituara até então, fez-me aquiescer ao alvitre de João d'Azevedo. Mas foi, antes, dirigindo-me de preferência àquele, por entender que só a sua elevada cultura estaria a plano de me compreender, que fui dizendo, grave, compenetrado, concedendo-me importância ridícula na humílima situação em que me achava:

"– Eu, Sr. Professor, sou um indivíduo que se imaginava iluminado por um saber sem jaças, mas que, em verdade, hoje começa a compreender que ignorava, e continua ignorando, o que a dois palmos do próprio nariz existe. Fui paupérrimo (digo 'fui' porque algo segreda em meu ser que tudo isso pertenceu ao pretérito), com o insuportável defeito de ser orgulhoso. Um homem, finalmente, que não descria da existência de um Ser Superior presidindo à Sua Criação, é certo, mas que, considerando-o uma Incógnita a desafiar possibilidades humanas de lhe decifrar os enigmas, não somente deixava de associar o respeito a esse Ser à sua vida, como, principalmente, não lhe dava quaisquer satisfações do que fazia ou pretendia para regalo dos próprios caprichos e paixões. Será, pois, redundância afirmar que, muito sábio – tal como me julgava –, arrastava a dissonante ignorância da descrença na possibilidade de existirem leis onipotentes, irremissíveis, partindo da Divindade Criadora e Orientadora para dirigir a Criação, o que me fez cometer erros gravíssimos!

Sofri, e minha existência foi fértil em situações desanimadoras! A resignação nunca foi virtude a que se amoldasse o meu caráter violento e agitado por índole. A fundeza dos meus sofrimentos tornou-me irritadiço, genioso. O orgulho insulou-me na convicção de que para além de mim só existiriam valores sofríveis.

Após décadas de prélios malogrados, de aspirações banidas da imaginação por irrealizáveis no campo da objetividade, de ideais decepcionados, de desejos tão justos quanto insatisfeitos, de esforços rechaçados, de energias varridas por sucessivos desapontamentos e vontades conjugadas para o bem tornarem ao ponto de origem enfraquecidas e rotas por impiedosos insucessos – a cegueira, amigo! que atingiu meus olhos cansados –, como desconcertante prêmio às lutas que de minhas forças exigiram impulsos supremos!

Fiquei cego!

O espectro negro da eterna escuridão estendia sobre meus olhos apavorados o seu manto de trevas, que nem a ciência dos homens, nem a fé alcandorada e ingênua dos amigos que me tentavam levar à conformidade, nem os votos místicos dos corações que me amavam às Potestades Celestes – seriam capazes de arredar!

Descri mais das mesmas Potestades:

– Cego! Cego, eu?!...

– Como viveria eu, cego?!...

Entendi que, se o Ente Supremo, de quem eu não descria até então, existisse realmente, tal não se daria, porque não quereria certamente desgraçar-me. Esquecia-me de que existiam esparsos pelo mundo milhões de homens cegos, muitos em condições ainda mais prementes que a minha, e que eram todos, como eu, criaturas advindas do mesmo Deus! Descri porque entendi que, se havia outros cegos, que houvesse: – mas que eu não o deveria ser! Era, sim, injustiça, uma finalidade dessa para mim!

Cego!... Era o máximo!

Tão profundo quão surpreendente desespero devorava minhas vontades, minhas energias mentais, minha coragem moral, reduzindo-me à inferioridade do covarde! Eu, que tão heroicamente soubera levar de vencida os abrolhos que dificultaram minha marcha para a conquista da existência, sobrepondo-me a eles, daí para diante encontrar-me-ia impossibilitado de continuar lutando! Dei-me por vencido. Cego, eu compreendia ser a minha vida como coisa que pertencesse ao pretérito, realidade que 'fora', mas que já não 'era'...

A obsessão fatal do suicídio entrou a fazer ronda em torno de minhas faculdades. Enamorei-me dela e lhe dei guarida com todo o abandono do meu ser desanimado e vencido. A morte atraía-me como remate honroso de uma existência que jamais curvara a cerviz à frente fosse do que fosse! A morte estendia-me os braços sedutores, falsamente mostrando, às minhas concepções viciadas pela descrença em Deus, a paz do túmulo em consoladoras visões!

Firmada a resolução sobre sugestões doentias; acabrunhado e a sós com a minha superlativa desgraça; insocorrido pelo sereno consolador da Fé, que teria suavizado a ardência do meu íntimo desespero; excitada a imaginação já de si mesma audaz e ardente, criei um romance dolorido em torno de mim mesmo e, considerando-me mártir, condenei-me sem apelação!

É que tive medo e vergonha de ser cego!

Matei-me no intuito de encobrir da sociedade, dos homens, dos meus inimigos a incapacidade a que ficara reduzido!

Não! Ninguém se gloriaria vendo-me receber o amargo pão da compaixão alheia! Ninguém contemplaria o espetáculo, humilhante para mim, de minha figura vacilante, tateando nas trevas dos meus olhos incapacitados para a visão! Meus inimigos não se rejubilariam, refocilando na vingança de assistirem à minha irremediável derrota! Mil vezes não! Eu não me brutalizaria na inércia de olhar só para dentro de mim mesmo, quando o Universo continuaria irradiando vida fecunda e progressiva ao redor de minha sombra empobrecida pela cegueira!

Matei-me porque me reconheci demasiadamente fraco para continuar, dentro da noite pávida da cegueira, a jornada que, já enfrentada à boa luz dos olhos, fora farta de empeços e percalços!

Era demais! Revoltei-me até ao âmago contra o Destino que me reservara tão desconcertante surpresa e inconsolável permaneci sob o esmagamento da dramática ingratidão que supunha provir de Deus! Para mim, a Providência, o Destino, o mundo, a sociedade, estavam errados todos: – só eu estava certo, exagerando a tragédia das minhas desesperanças!

Pois quê?!... Eu, que possuía capacidade intelectual avantajada, era paupérrimo, quase faminto, ao passo que circulavam em torno a mim ignorantes e beócios de cofres recheados! Eu, que me sentia idealista e bom, vivia molestado por adversidades que me teciam continuado cerco, sitiando-me em campos que desafiavam possibilidades de vitória! Eu, cujo coração sentimental abrasava-se em ânsias generosas e ternas, de excelência quiçá sublime, a conhecer-me ininterruptamente incompreendido, incorrespondido, ferido por descasos tanto mais amaros quanto mais extensas fossem as radiações do meu sentir! Eu, honesto, probo, reto, a pautar-me por diretrizes sadias por entendê-las mais belas, ajustadas ao idealismo que acompanhava o meu caráter, a tratar com patifes, a comerciar com roubadores, a disputar com hipócritas, a confiar em velhacos, a considerar tratantes!...

Sim, era demais!...

E depois de tão extenso panorama de desventuras – porque, para mim, indivíduo impaciente e nada conformado, esses fatos, tão vulgares na vida cotidiana, avultavam como veras calamidades morais –, o doloroso arremate da cegueira reduzindo-me à insignificância do verme, à angústia do desamparo, à inércia do idiota, à solidão do emasmorrado!

Não pude mais!

Faltou-me compreensão para tão grande anomalia! Não compreendi Deus! Não entendi sua Lei! Não entendi a Vida! Uma torrente de confusão insolúvel alagou-me o pensamento aterrado em face da realidade! Só compreendi uma coisa: – era que precisava morrer, devia morrer! E quando uma criatura deixa de confiar no seu Deus e Criador – torna-se desgraçada! É um miserável, é um demônio, é um réprobo! Quer o abismo, procura o abismo, precipita-se no abismo!

Precipitei-me!"

....

Não sei que malvadas sugestões a minha facúndia blasfema espalhou pelo ambiente mórbido de nossa enfermaria. O que sei é que a triste assembléia deixou-se resvalar para as vibrações desarmoniosas, entregando-se a pranto dolorido e crises impressionantes, notadamente o antigo exportador de vinhos – Jerônimo – e o universitário Sobral, que eram os mais sofredores. Eu mesmo, à proporção que prosseguia na minha angustiante exposição, eivada de conceitos doentios, tanto retroagia mentalmente às situações precipitosas de minha passada vida carnal, às fases doloridas e inelutáveis que me deprimiram cruamente – que lágrimas rescaldantes voltaram a correr por minhas faces maceradas, enquanto novamente se me obscurecia a visão e trevas substituíam os doces pormenores dos cortinados azuis, esvoaçantes, e das róseas trepadeiras galgando as colunatas dos balcões.

Acudiram enfermeiros solícitos a verem o que se passava, uma vez que não era previsto o incidente. No Hospital Maria de Nazaré o enfermo, rodeado das emanações mentais revivificantes de seus tutelares e dirigentes, visitados por ondas magnéticas salutares e generosas, que visavam a beneficiá-lo, deveria auxiliar o tratamento conservando-se silencioso, sem jamais se entreter em conversações de assuntos pessoais. Conviria repousar, procurar esquecer o passado tormentoso, varrer recordações chocantes, refazendo-se quanto possível das longas dilacerações que desde muito o acutilavam. Fomos advertidos, portanto, como infratores de um dos mais importantes regulamentos internos. E nem poderíamos exculpar-nos alegando ignorância, porque, ao longo das paredes, letreiros fosforescentes a cada momento despertavam nossas atenções com permanentes pedidos de silêncio, enquanto a própria instituição oferecia o exemplo movimentando suas constantes azáfamas sob o controle de criteriosa discrição. E, embora bondosamente, declararam que uma reincidência implicaria em atitude punitiva por parte da direção, qual a transferência para o Isolamento, pois, o fato, a repetir-se, produziria distúrbios de conseqüências imprevisíveis, não somente para o nosso estado geral, mas também para a disciplina hospitalar, que deveria ser rigorosamente observada – o que nos levou a perceber serem mais austeras as regras no Isolamento, mais temíveis as suas disciplinas. E para que medida tão ríspida fosse evitada, estabelecida foi severa vigilância em nossa dependência. Desde aquele momento, um guarda do regimento de lanceiros hindus, aquartelados no Departamento de Vigilância, foi designado para o plantão em nossos apartamentos.

Cerca de um quarto de hora depois, enfermeiro loiro e risonho, jovem que andaria pelos vinte e três anos de idade, o qual entrevíramos ao darmos entrada no importante estabelecimento do astral, por ser um daqueles que nos receberam a par de Romeu e de Alceste, visitou-nos fazendo-se acompanhar de mais dois obreiros da casa; e, irradiando simpatia, foi dizendo mui afetuosamente, pondo-nos à vontade:

"– Meus amigos, chamo-me Joel Steel, sou – ou fui, como queiram – português nato, mas de origem inglesa. Em verdade o velho Portugal foi sempre muito querido ao meu coração... Jamais pude esquecer os dias venturosos que em seu seio generoso passei... Fui feliz em Portugal... mas depois... os fados me arrastaram para o País de Gales, berço natal de minha querida mãe, Doris Mary Steel da Costa, e então... Bem, é como compatriota e amigo que vos convido ao gabinete cirúrgico a fim de serdes submetidos aos necessários exames, pois que se iniciaram neste momento os trabalhos de cirurgia..."

Prontificamo-nos, esperançados. Não desejávamos outra coisa desde muito tempo! As dores que sentíamos, nossa indisposição geral, refletindo penosamente o que ocorrera com o corpo físico-material, havia muito que nos fazia ansiar pela presença de um facultativo.

Mário e João, cujo estado era melindroso, foram transportados em macas, enquanto os demais seguiam amparados pelos braços fraternos dos enfermeiros bondosos.

Pude então distinguir algo dessa casa magnânima assistida pela carinhosa proteção da excelsa Mãe do Nazareno.

Não somente o excelente conjunto arquitetônico seria digno de admiração. Também a montagem, o grandioso aparelhamento, conjunto de peças extraordinárias, apropriadas às necessidades da clínica no astral, demonstrando o elevado grau que atingira a Medicina entre nossos tutelares, muito embora se não tratasse, o local onde nos encontrávamos, de zona adiantada da Espiritualidade.

Médicos dedicados e diligentes atendiam com fraternas solicitudes aos míseros necessitados dos seus serviços e proteção. Estampavam-se em suas fisionomias bondosas o compassivo interesse do ser superior pelo mais frágil, da inteligência esclarecida pelo irmão infeliz ainda mergulhado nas trevas da ignorância. Entretanto, nem todos trajavam uniformes à indiana. Muitos envergavam longos aventais vaporosos e alvíssimos, quais túnicas singulares, de tecido fosforescente...

Não assisti ao que foi passado com meus companheiros de desdita. Mas, quanto a mim, em chegando ao pavilhão reservado aos labores assistenciais, fui transferido dos cuidados de Joel Steel para os do jovem doutor Roberto de Canalejas, o qual me encaminhou para determinada dependência, onde minha organização físico-espiritual – o perispírito – foi submetida a minuciosos e importantes exames. Carlos de Canalejas, pai do precedente, ancião venerável, antigo facultativo espanhol que fizera da Medicina um sacerdócio, página heróica de abnegação e caridade digna do beneplácito do Médico Celeste, e mais um dos psiquistas hindus que nos socorreram à chegada – Rosendo –, foram os meus assistentes. Roberto passou então a assistir ao importante labor qual doutorando às lições dos mestres nos santuários da Ciência, o que vinha esclarecer encontrar-se ele ainda em aprendizado na Medicina local.

À minha organização astral prestaram socorros físico-astrais justamente nas regiões correspondentes às que, no envoltório físico-terreno, foram dilaceradas pelo projetil de arma de fogo de que utilizara para o suicídio, ou seja, os aparelhos faríngico, auditivo, visual e cerebral, pois o ferimento atingira toda essa melindrosa região do meu infeliz envoltório carnal.

Era como se eu, quando homem encarnado (e realmente assim fora, assim é com todas as criaturas) possuísse um segundo corpo, molde, modelo do que fora destruído pelo ato brutal do suicídio; como se eu fora "duplo" e o segundo corpo, possuindo a faculdade de ser indestrutível, se ressentisse, no entanto, do quanto sucedesse ao primitivo, qual se estranhas propriedades acústicas sustentassem repercussões vibratórias capazes de se prolongarem por indeterminado prazo, fazendo enfermar aquele.

Sei que os tecidos semimateriais das regiões já citadas do meu perispírito, profundamente afetadas, receberam sondagens de luz, banhos de propriedades magnéticas, bálsamos quintessenciados, intervenções de substâncias luminosas extraídas dos raios solares; que deles extraíram fotografias e mapas movediços, sonoros, para análises especiais; que tais fotografias e mapas mais tarde seriam encaminhados à "Seção de Planejamento de Corpos Físicos", do Departamento de Reencarnação, para estudos concernentes à preparação da nova vestidura carnal que me caberia para o retorno aos testemunhos e expiações na Terra, aos quais julgara poder furtar-me com o tresloucado gesto que tivera. Sei que, submetido ao estranho tratamento, envolvido em aparelhos sutis, luminosos, transcendentes, permaneci uma hora, durante a qual o velho doutor de Canalejas e o cirurgião hindu desvelaram-se carinhosamente, reanimando-me com palavras encorajadoras, exortando-me à confiança no futuro, à esperança no Supremo Amor de Deus! E sei também que causei trabalhos árduos, mesmo fadigas àqueles abnegados servos do Bem; que exigi preocupações, obrigando-os a devotamentos profundos até que em meu físico-astral se extinguissem as correntes magnéticas afins com o físico-terreno, as quais mantinham o clamoroso desequilíbrio que nenhuma expressão humana será bastante veraz para descrever!

É que o "corpo astral", isto é, o perispírito – ou ainda o "físico-espiritual" – não é uma abstração, figura incorpórea, etérea, como supuseram. Ele é, ao contrário disso, organização viva, real, sede das sensações, na qual se imprimem e repercutem todos os acontecimentos que impressionem a mente e afetem o sistema nervoso, do qual é o dirigente.

É que, nesse envoltório admirável da Alma – da Essência Divina que em cada um de nós existe, assinalando a origem de que provimos –, persiste também uma substância material, conquanto quintessenciada, o que a ele faculta a possibilidade de adoecer, ressentir-se, pois que semelhante estado de matéria é assaz impressionável e sensível, de natureza delicada, indestrutível, progressível, sublime, não podendo, por isso mesmo, padecer, sem grandes distúrbios, a violência de um ato brutal como o suicídio, para o seu invólucro terreno.

Entretanto, sob tantos cuidados médicos mais se avantajavam minhas dúvidas quanto à situação própria. Muitas vezes, durante a desesperadora permanência no Vale Sinistro, eu chegara a acreditar que morrera, oh, sim! e que minhalma condenada expiava nos infernos os tremendos desatinos praticados em vida. Agora, porém, mais sereno, vendo-me internado em bom hospital, submetido a intervenções cirúrgicas, conquanto muito diversos fossem os métodos locais dos que me eram habituais, novas camadas de incertezas inquietavam-me o espírito:

Não! Não era possível que eu tivesse morrido!

Isto seria morte?... Seria vida?...

Foi, portanto, derramando aflitivo pranto que, em dado momento, naquele primeiro dia, sob as desveladas atenções de Carlos e Rosendo, bradei excitado, febril, incapaz de por mais tempo me conter:

"– Mas, afinal, onde me encontro eu?... Que aconteceu?... Estarei sonhando?... Eu morri ou não morri?... Estarei vivo?... Estarei morto?..."

Atendeu-me o cirurgião hindu, sem se deter na melindrosa atuação. Fitando-me com brandura, talvez para demonstrar que minha situação lhe causava lástima ou compaixão, escolheu o tono mais persuasivo de expressão, e respondeu, sem deixar margem a segunda interpretação:

"– Não, meu amigo! Não morreste! Não morrerás jamais!... porque a morte não existe na Lei que rege o Universo! O que se passou foi, simplesmente, um lamentável desastre com o teu corpo físico-terreno, aniquilado antes da ocasião oportuna por um ato mal orientado do teu raciocínio... A Vida, porém, não residia naquele teu corpo físico-terreno e sim neste que vês e contigo sentes no momento, o qual é o que realmente sofre, o que realmente vive e pensa e que traz a qualidade sublime de ser imortal, enquanto o outro, o de carne, que rejeitaste, aquele, apropriado somente para o uso durante a permanência nos proscênios da Terra, já desapareceu sob a sombria pedra de um túmulo, como vestimenta passageira que é deste outro que aqui está... Acalma-te, porém... Melhor compreenderás à proporção que te fores restabelecendo..."

Trouxeram-me em maca rumo da enfermaria. Meu estado requeria repouso. Serviram-me reconfortante caldo, pois eu tinha fome. Deram-me a beber água cristalina e balsamizante, pois eu tinha sede. Em redor, o silêncio e a quietação, envolvidos em ondas de reconforto e beneficência, convidavam ao recolhimento. Obedecendo à caridosa sugestão de Rosendo, procurei adormecer, enquanto o desapontamento, trazido pela inapelável realidade, fazia ecoar suas decisivas expressões em minha mente atormentada:

"– A Vida não residia no corpo físico-terreno, que destruíste, mas sim neste que vês e sentes no momento, o qual traz a qualidade sublime de ser imortal!"

Jerônimo de Araújo Silveira e família

Não lográvamos notícias de nossas famílias e tampouco dos amigos. Excruciantes saudades, como ácido corrosivo que nos estorcesse as potências afetivas, lançavam sobre nossos corações infelizes o decepcionante amargor de mil incertezas angustiosas. Muitas vezes, Joel e Roberto surpreendiam-nos chorando às ocultas, suspirando por nomes queridos que jamais ouvíamos pronunciar! Caridosamente, esses bons amigos nos reanimavam com palavras encorajadoras, asseverando ser tal contrariedade passageira, pois tendíamos a suavizar a situação própria, o que necessariamente resolveria os problemas mais prementes.

No entretanto, existia permissão para nos cientificarmos das visitas mentais e votos fraternos de paz e felicidade futuras, quaisquer gentilezas emanadas do Amor, e que proviessem dos entes queridos deixados na Terra ou dos simpatizantes, além dos que, mesmo das moradas espirituais, nos amassem, interessando-se por nosso restabelecimento e progresso. Desde que tais pensamentos fossem irradiados pela mente verdadeiramente guindada a expressões superiores, eram-nos eles transmitidos por meio assaz curioso e muito eficiente, o qual, na ocasião vigente, nos levava à perplexidade, dado o nosso desajuste espiritual, mas que posteriormente compreendemos tratar-se de acontecimento natural e até comum em localidades educativas do Astral intermediário.

Existia em cada dormitório certo aparelhamento delicadíssimo, estruturado em substâncias eletromagnéticas, que, acumulando potencialidade inavaliável de atração, seleção, reprodução e transmissão, estampava em região espelhenta, que lhe era parte integrante, quaisquer imagens e sons que benévola e caridosamente nos fossem dirigidos. Quando um coração generoso, pertecente às nossas famílias ou mesmo para nós desconhecido, arremessasse vibrações fraternas pelas imensidões do Espaço, ao Pai Altíssimo invocando mercês para nossas almas enoitadas pelos dissabores, éramos imediatamente informados por luminosidade repentina, que, traduzindo o balbucio da oração, reproduzia também a imagem da personalidade operante, o que, às vezes, sobremodo nos surpreendia, visto acontecer que pessoas a quem nem sempre distinguíramos com afeição e desvelo se apresentavam freqüentemente ao espelho magnético, enquanto outras, que de nossos corações obtiveram as máximas solicitudes, raramente mitigavam as asperezas da nossa íntima situação com as blandícias santificantes da Prece! Poderíamos, assim, saber de quanto pensassem a nosso respeito; das súplicas dirigidas às Divinas Potestades, de todo o bem que nos pudessem desejar ou, a nosso favor, praticar.

Infelizmente para nós, porém, tal acontecimento, que tanto amenizaria as agruras da solidão em que vivíamos;

que seria como refrigerante sereno sobre as escaldantes saudades que nos combaliam a mente e o coração, era raríssimo na quase totalidade do Hospital, referência às afeições deixadas na Terra, pois que o genial aparelho só era suscetível de registrar as invocações sinceras, aquelas que, pela natureza sublimada das vibrações emitidas no momento da Prece, se pudessem harmonizar às ondas magnéticas transmissoras capazes de romper as dificuldades naturais e chegarem às mansões excelsas, onde é a Prece acolhida entre fulgores e bênçãos. Porém, a verificar-se tão generoso fato não facultaria possibilidade de noticiário circunstanciado em torno da individualidade que o praticasse, tal como desejaria nossa ansiedade. Daí as angústias excessivamente amargosas, a desoladora saudade por nos sentirmos esquecidos, privados de quaisquer informes!

Não obstante, os mesmos preciosos instrumentos de transmissão incessantemente revelavam que éramos lembrados por habitantes do Além. De outras zonas astrais, como de outras localidades de nossa própria Colônia, chegavam fraternos votos de paz, conforto amistoso, encorajamento para os dias futuros. Oravam por nós em súplicas ardentes, não apenas invocando o amparo maternal de Maria para nossas imensas fraquezas, mas ainda a intervenção misericordiosa do Mestre Divino.

Da Terra, todavia, não eram raras as vezes que discípulos de Allan Kardec, procurando pautar atitudes por diretrizes cristãs, se congregavam periodicamente em gabinetes secretos, tais como os antigos iniciados no segredo dos santuários; e, respeitosos, obedecendo a impulsos fraternos por amor ao Cristo Divino, emitiam pensamentos caridosos em nosso favor, visitando-nos freqüentemente através de correntes mentais vigorosas que a Prece santificava, tornando-as ungidas de ternura e compaixão, as quais caíam no recesso de nossas almas cruciadas e esquecidas, quais fulgores de consoladora esperança!

Porém, não era só.

Caravanas fraternas, de Espíritos em estudo e aprendizados beneficentes, assistidas por Mentores eméritos, penetravam nossa tristonha região, provindas de zonas espirituais mais favorecidas, a fim de trazer sua piedosa solidariedade, em visitações que muito nos desvaneciam. Assim fizemos boas relações de amizade com indivíduos moralmente muito mais elevados do que nós, os quais não desdenhavam honrar-nos com sua estima. Tais amizades, tão suaves afeições seriam duradouras, porque fundamentadas nos desinteressados, nos elevados princípios da fraternidade cristã!

Só muito mais tarde nos foi outorgada a satisfação de receber as visitas dos entes caros que nos haviam precedido no túmulo. Mesmo assim, porém, deveríamos contentar-nos com aproximações rápidas, pois o suicida está para a vida espiritual como o sentenciado para a sociedade terrena: não tem regalias normais, vive em plano expiatório penoso, onde não é lícita a presença de outrem que não os seus educadores, enquanto que ele próprio, dado o seu precário estado vibratório, não logrará afastar-se do pequeno círculo em que se agita... até que os efeitos da calamitosa infração sejam totalmente expungidos.

"– ...E serás atado de pés e mãos, lançado nas trevas exteriores, onde haverá choro e ranger de dentes. Dali não sairás enquanto não pagares até o último ceitil..." – avisou prudentemente o Celeste Instrutor, desde muito séculos...

....

Dois acontecimentos de profunda significação para o desenvolvimento de nossas forças no ajustamento ao plano espiritual verificaram-se logo nos primeiros dias que se seguiram à nossa admissão ao magno instituto do astral. Dedicaremos o presente capítulo ao mais sensacional, reservando para o seguinte a exposição do segundo, não menos importante, por decisivo na lição que, então, nos ofertou.

Certa manhã, apresentou-se-nos o jovem Dr. Roberto de Canalejas, a participar-nos que éramos convidados a importante reunião para aquela tarde, devendo todos os recém-chegados se avistarem com o diretor do Departamento a que estávamos confiados no momento, para esclarecimentos de interesse geral.

Jerônimo, cujo mau humor se agravava assustadoramente, formalmente declarou não desejar comparecer à mesma, pois que não se supunha obrigado a obediências servis pelo simples fato de se encontrar hospitalizado, e mais que, na ocasião, somente se interessava pela obtenção de notícias da família. Roberto, porém, declarou delicadamente, sem mostras de quaisquer agastamentos, que era portador de um convite e não de uma ordem, e que, por isso mesmo, nenhum de nós seria forçado a anuir.

Envergonhados frente à atitude incivil do companheiro, sentimo-nos também chocados, e foi com o melhor sorriso que encontramos nos arquivos de antigas recordações que aquiescemos, agradecendo ainda a honra que nos dispensavam.

Já por esse tempo éramos submetidos a tratamento especializado, do qual adiante trataremos e com o qual igualmente não concordara o antigo irmão da Santíssima Trindade, de Lisboa, assim que soube ser a terapêutica fundamentada nas fontes magnético-psíquicas, assuntos que absolutamente não admitia!

Não obstante, insofrido e displicente, dirigiu-se ao bondoso facultativo, logo após o incidente, e disse, esquecido já da lamentável atitude anterior:

"– Sr. doutor, um obséquio inestimável venho pensando em obter de V. Ex.ª, confiado nos sentimentos generosos que de certo exornam tão nobre caráter..."

Roberto de Canalejas que, com efeito, antes de ser um espírito convertido ao Bem, dedicado operário da Fraternidade, teria sido na sociedade terrena perfeito cavalheiro, esboçou sorriso indefinível e respondeu:

"– Estou ao seu inteiro dispor, meu amigo! Em que deverei atendê-lo?..."

"– É que... Tenho necessidade imperiosa de encaminhar certa petição à benemérita diretoria desta casa... Aflijo-me pela falta de informes de minha família, que não vejo há muito... nem eu sei há quanto tempo!... Em vão tenho esperado notícias... e já não me restam forças para sofrer no peito as ânsias que me dilaceram... Desejo obtenção de licença, da mui digna diretoria deste Hospital, para ir até minha casa, certificar-me dos motivos que ocasionam tão ingrato silêncio... Não sou visitado pelos meus... Não recebo cartas... Será possível a V. Ex.ª encaminhar um requerimento ao Sr. Diretor? Não proibirão, de certo, os regulamentos internos, a atitude que desejo tomar?..."

Como vemos pelo exposto, o pobre ex-comerciante do Porto parecia não fazer idéia muito justa da situação em que se encontrava, e, mais do que os companheiros de domicílio, perdia-se na desordem mental, entre os estados terreno e espiritual.

"– Absolutamente, meu caro! Não há proibição! O diretor deste estabelecimento terá satisfação em ouvi-lo!" – afirmou o paciente médico.

"– Farei então hoje mesmo o requerimento?..."

"– Encaminharei verbalmente a solicitação... e Joel participá-lo-á do que ficar resolvido..."

Cerca de dois quartos de hora depois, Joel voltava à enfermaria a fim de comunicar ao aflito doente que o diretor convidava-o a apresentar-se pessoalmente ao seu gabinete. Vinha, porém, pensativo, e descobrimos um acento de pesar em seu semblante geralmente límpido e sorridente.

Nosso companheiro que, como é sabido, era, dentre os dez, o mais rebelde e indisciplinado, exigiu que Joel devolvesse o terno de roupa tomado à entrada, pois repugnava-lhe apresentar-se ao gabinete do maioral envolvido num feio sudário de enfermaria, tal como nos encontrávamos todos.

Muito sério, Joel não tentou contrariá-lo. Devolveu-lhe, antes, a referida indumentária.

Saíram.

Não teriam transposto ainda a galeria imensa, para onde se projetavam as portas dos dormitórios, e eis que o jovem Dr. de Canalejas e um dos nossos assistentes hindus entraram em nosso compartimento, enquanto, sorridente, foi dizendo o último, com acento amistoso:

"– Aqui nos encontramos, meus caros amigos, a fim de convidar-vos a acompanhar vosso amigo Jerônimo de

Araújo Silveira na peregrinação que deseja tentar. Estamos cientes de que nenhum de vós se sente satisfeito com os regulamentos desta casa, que de algum modo intercepta noticiário circunstanciado proveniente dos planos terrenos. No entanto, será bom sejais informados de que, se tal rigor se verifica, a vosso benefício o estabelecemos, muito embora não exista formal proibição para uma rápida visita à Terra, como ides ver dentro em pouco. Atentai neste aparelho de visão a distância, que já conheceis, e acompanhai os passos de nosso Jerônimo desde o presente momento. Caso venha a obter a licença que impetra, como espero que aconteça, dada a insistência em que se atém, fareis com ele a peregrinação que tanto deseja em torno da família, sem, no entanto, precisardes sair deste local... E amanhã, se ainda desejardes descer aos vossos antigos lares em visitação prematura, sereis atendidos imediatamente... a fim de que as revoltas que vos vêm ferindo a mente não continuem retardando a aquisição de pendores novos que vos possam beneficiar futuramente... Todos os demais enfermos em idênticas condições recebem igual sugestão neste momento..."

Aproximou-se do aparelho e, com graciosa desenvoltura, ampliou-o até que pudesse retratar a imagem de um homem em tamanho natural.

Perplexos, mas interessados, deixamos o leito, que raramente abandonávamos, a fim de nos postarmos diante da placa que principiava a iluminar-se. Fizeram-nos sentar comodamente, em poltronas que ornavam o recinto, enquanto aqueles zelosos colaboradores do Bem tomaram lugar ao nosso lado. Era como se aguardássemos o início de uma peça teatral.

De súbito Joel surgiu diante de nós, tão visível e naturalmente, destacando-se no mesmo plano em que nos encontrávamos, que o supusemos dentro da enfermaria, ou que nós outros seguíssemos ao seu encalço... Amparava Jerônimo pelo braço... caminhando em busca da saída de serviço... e tão intensa ia-se tornando a sugestão que logo nos abstraímos, esquecidos de que, em verdade, continuávamos comodamente sentados em poltronas, em nossos aposentos...

Mais real do que o atual cinematógrafo e superior ao engenho da televisão do momento, esse magnífico receptor de cenas e fatos, tão usado em nossa Colônia, e que tanta admiração nos causava, em esferas mais elevadas desdobrava-se, evolutia até atingir o sublime no auxílio à instrução de Espíritos em marcha para a aquisição de valores teóricos que lhes permitissem, futuramente, testemunhos decisivos nos prélios terrenos, indo rebuscar e selecionar, nas longínquas planícies do espaço celeste, o próprio passado do Globo Terráqueo e de suas Humanidades, sua História e suas Civilizações, assim como o pretérito dos indivíduos, se necessário, os quais jazem esparsos e confundidos nas ondas etéreas que se agitam, se eternizam pelo invisível a dentro, nelas permanecendo fotografados, impressos como num espelho, conquanto se conservem confusamente, de roldão com outras imagens, tal como na consciência das criaturas se imprimiram também seus próprios feitos, suas ações diárias!

Assim foi que atravessamos algumas alamedas do parque branco e atingimos o Edifício Central, onde se assentava a chefia daquela formosa falange de cientistas iniciados que laboravam no Departamento Hospitalar.

À chegada, porém, Jerônimo passou para a tutela de um assistente do diretor e Joel retirou-se, tendo aquele conduzido imediatamente o visitante, fazendo-o passar a uma sala onde amplas janelas deitavam vistas para o jardim, deixando descortinar-se o panorama melancólico do burgo onde tantas e tantas dores se entrechocavam!

Era um gabinete, espécie de escritório de consultas ou sala de visita, disposto em perfeito estilo indiano. Perfume sutil, de essência desconhecida ao nosso olfato, deliciou-nos, ao mesmo tempo que alongava nossa admiração pela natureza inapreciável do aparelho que nos servia. Leve reposteiro, de tecido flexível e docemente lucilante, agitou-se numa porta fronteira e o diretor-geral do Departamento Hospitalar apresentou-se.

De um salto o pobre Jerônimo, que se havia sentado, procurou levantar-se e seu primeiro gesto foi de fuga, no que se viu interceptado pelo acompanhante.

À sua frente estava um varão entre quarenta e cinqüenta anos, rigorosamente trajado à indiana, com turbante alvo onde cintilava formosa esmeralda qual estrela; túnica de mangas fartas, faixa à cintura e sandálias típicas. O oval do rosto, suavemente moreno, era de pureza clássica de linhas, e de seus olhos fúlgidos e penetrantes como se desprendiam chispas de inteligência e penetração magnética. Ao anelar da sinistra, gema preciosa, semelhante à do turbante, distinguia-o, quiçá como mestre dos demais componentes da plêiade formosa de médicos ao serviço do Hospital Maria de Nazaré.

Tão encantados quanto o próprio Jerônimo, confessamo-nos vivamente atraídos pela nobre figura.

Sem delongas o assistente Romeu, pois era ele que havia recebido o impetrante, disse ao que vinha:

"– Caro irmão Teócrito, aqui está nosso pupilo Jerônimo de Araújo Silveira, que tanto nos vem preocupando... Deseja visitar a família no ambiente terreno, pois acredita estar além das suas possibilidades de conformação a obediência aos princípios de nossa instituição... E afirma preferir o acúmulo de pesares à espera de ocasião oportuna para o desejado desiderato..."

Irreverente, o apresentado interrompeu com nervosismo:

"– É bem essa a expressão da verdade, Sr. Príncipe! – pois imaginava-se em presença de um soberano. – Prefiro envolver-me novamente no remoinho de dores do qual saí há pouco, a suportar por mais tempo as ferazes saudades que me cruciam pela falta de notícias de minha família!... Se, pois, não existe proibição intransigente nas leis que facultariam essa possibilidade, rogo à generosidade de Vossa Alteza concessão para rever meus filhos!... Oh! as minhas queridas filhas! Como são formosas, senhor! São três, e apenas um varão: – Arinda, Marieta, Margarida, que deixei com sete anos, e Albino, que contava já os dez!... Sofro tantas saudades, Senhor meu Deus!... Minha esposa chama-se Zulmira, bonita mulher! e bastante educada!... Aflijo-me desesperadamente! Não consigo calma para a necessária ponderação quanto à minha esquisita situação atual!... E por isso rogo humildemente a Vossa Alteza compadecer-se de minhas angústias!"

Os olhos faiscantes do chefe da falange de médicos caíram enternecidos sobre o Espírito intranqüilo daquele que demoraria ainda a aprender a dominar-se. Contemplou-o bondosamente, penalizado ante a desarmonia mental do suplicante, entrevendo o longo carreiro de lutas que lhe seria necessário até que conseguisse planá-la às gratas atitudes da renúncia ou da conformidade! Surpreso, Jerônimo, que contava encontrar a sombranceria dos burocratas terrenos, estagnados nas farfalhices apalhaçadas a que se apegam, aos quais estava habituado, percebeu naquele olhar perscrutador a humildade de uma lágrima oscilando nas pálpebras.

O nobre varão tomou-o docemente pelo braço, fazendo-o sentar-se à sua frente, em cômodo coxim, enquanto Romeu, de pé, observava respeitosamente. O hindu ofereceu ao suicida uma taça com água cristalina, por ele mesmo retirada de elegante jarro reluzente qual neblina sob a carícia do sol. O português sorveu-a, incapacitado de recusar; depois do que, algo serenado, tomou atitude de espera à solicitação enunciada.

"– Meu amigo! Meu irmão Jerônimo! – começou Teócrito. – Antes de à versão da tua súplica oferecer resposta, devo esclarecer que, absolutamente, não sou um príncipe, como supuseste, e, por isso mesmo, não arrasto o título de Alteza. Sou, simplesmente, um Espírito que foi homem! que, tendo vivido, sofrido e trabalhado em várias existências sobre a Terra, aprendeu, no trajeto, algo que com a própria Terra se relaciona. Um servo de Jesus Nazareno – eis o que me honro de ser, embora muito modesto, pobre de méritos, rodeado de senões! Um trabalhador humilde que, junto de vós, que sofreis, ensaia os primeiros passos no cultivo da Vinha do Mestre Divino; destacado temporariamente, e por Sua ordem magnânima, para os serviços de Maria de Nazaré, Sua augusta Mãe!

Entre nós ambos, Jerônimo – eu e tu –, pequena diferença existe, distância não muito avançada: – é que, tendo vivido maior número de vezes sobre a Terra, sofri mais, trabalhei um pouco mais, aprendendo, portanto, a me resignar melhor, a renunciar sempre por amor a Deus, e a dominar as próprias emoções; observei, lutei com mais ardor, obtendo, destarte, maior soma de experiência. Não sou, como vês, soberano destes domínios, mas simples operário da Legião de Maria – Maria, única Majestade a governar este Instituto Correcional onde te abrigas temporariamente! Um teu irmão mais velho – eis a verdadeira qualidade que em mim deverás enxergar!... sinceramente desejoso de auxiliar-te na solução dos graves problemas que te enredam... Chama-me, pois, *irmão Teócrito*, e terás acertado..."

Fez breve pausa, alongando os belos olhos pela amplidão nevoenta que se divisava através das janelas, e prosseguiu, enternecido:

"– Desejas rever teus filhos, Jerônimo?!... É justo, meu amigo! Os filhos são parcelas do nosso ser moral também, cujo amor nos transporta de emoções supremas, mas que não raramente também nos reduz à desolação de percucientes desgostos! Compreendo tuas ânsias frementes de pai amoroso, pois sei que amaste teus filhos com sinceridade e desprendimento! Sei da fereza das tuas dúvidas atuais, afastado daqueles entes queridos que lá ficaram, no Porto, órfãos da tua direção e do teu amparo! Como tu, eu também fui pai e também amei, Jerônimo! É mais do que justo, pois, que eu, validando teus sentimentos afetivos pela termometria dos meus, louve tua aspiração antes de censurá-la, porquanto muito atesta ela em favor dos teus respeitos pela Família! Contudo, de modo algum eu aconselharia a preterires este recinto, onde tão penosamente te reergues, pelas influenciações deletérias dos ambientes terrenos, ainda que apenas por uma hora! ainda que para procurar informes de teus filhos!..."

"– Senhor! Com o devido respeito à vossa autoridade, suplico comiseração!... Trata-se de visita rápida... dando-vos eu minha palavra de honra em como voltarei... pois bem sei que não passo de um prisioneiro..." – recalcitrou ainda o antigo impaciente, perdendo-se novamente nas confusões mentais em que se aprazia enredar.

"– Ainda assim não aprovarei a realização desse desejo no momento, conquanto o proclame justo... Sofreia um pouco mais os impulsos do teu caráter, meu Jerônimo! Aprende a dominar emoções, a reter ansiedades, tornando-as em aspirações equilibradas sob a proteção santa da Esperança! Lembra-te de que foram tais impulsos, desequilibrados, estribados na irresignação, na impaciência e no desconchavo do senso, que te arremessaram à violência do suicídio! Verás, sim, teus filhos! Porém, a teu próprio benefício peço que concordes em adiar o projeto em mira para daqui a alguns poucos meses... quando estiveres mais bem preparado para enfrentar as conseqüências que se precipitaram após teu desordenado gesto! Concorda, Jerônimo, em te submeteres ao tratamento conveniente ao teu estado, ao qual teus companheiros se submetem de boa mente, confiando nos servidores leais que a todos vós desejam socorrer com amor e desprendimento! Cede ao convite para a reunião de hoje à noite, porque imensos benefícios dela auferirás... ao passo que uma visita à Terra neste momento, o contacto com a família, nas precárias condições em que te encontras, estariam em oposição aos planos suaves já elaborados para conduzir-te à tão necessária reorganização de tuas forças..."

"– Mas... Eu não adquiriria serenidade para nenhum projeto futuro enquanto não obtivesse as desejadas informações, senhor!... Oh, Deus do Céu! Margaridinha, minha caçula, que lá ficou, com sete anos, tão loira e tão linda!..."

"– Já te lembraste de apelar para a grandeza paternal do Senhor Todo-Poderoso, a fim de obteres valor para a resignação de uma espera muito prudente, que seria coroada de êxitos?... Queremos o teu bem-estar, Jerônimo, nosso desejo é encaminhar-te a situação que te forneça trégua para a reabilitação que se impõe... Volta-te para Maria de Nazaré, sob cujos cuidados foste acolhido... é preciso que tenhas boa vontade para te elevares ao Bem! Pratica a prece... procura comungar com as vibrações superiores, capazes de te animarem a empreendimentos redentores... É indispensável que o faças por livre e espontânea vontade, porque nem te poderemos obrigar a fazê-lo nem poderíamos fazê-lo por ti... Renuncia, pois, a esse projeto contraproducente e confia em nossos bons desejos de auxílio e proteção à tua pessoa..."

Mas o ex-comerciante do Porto era inacessível. O caráter rebelde e violento, que num assomo de voluntariedade sinistra preferiu a morte a ter de lutar, impondo-se à adversidade até corrigi-la e vencê-la, retorquiu impacientado, não compreendendo a sublime caridade que recebia:

"– Confiarei, senhor... irmão Teócrito... Viverei de rojo aos pés de todos vós, se necessário for!... mas depois de rever os meus entes caros e inteirar-me das razões por que me abandonaram, ressarcindo, de algum modo, estas saudades que me despedaçam..."

Cumprido seu dever de conselheiro, Teócrito compreendeu que seria inútil insistir. Contemplou o pupilo desfeito em lágrimas e murmurou tristemente, enquanto Romeu abanava a cabeça, penalizado:

"– Afirmas grande verdade, pobre irmão! Sim! Só depois!... Só depois encontrarás o caminho da reabilitação!... Há índoles que só os duros aguilhões da Dor serão bastante poderosos para corrigir, encaminhando-as para o Dever!... Ainda não sofreste o suficiente para te lembrares de que descendes de um Pai Todo-Misericordioso..."

Deixou-se estar alguns instantes pensativo e continuou:

"– Poderíamos evitar este incidente, impedir a visita e punir-te pela atitude tomada. Assiste-nos para tanto autoridade e permissão. Mas és ainda demasiadamente materializado, padecendo, portanto, muitos prejuízos terrenos, para que nos possas compreender!... Aliás, nossos métodos, persuasivos e não dominadores, seriam incompatíveis com uma proibição intransigente, por mais harmonizados com a Razão... Contudo, consultarei nossos Instrutores do Templo, como é dever em dilemas como o que acabas de criar..."

Concentrou-se firmemente, retirando-se para compartimento secreto, contíguo ao gabinete de consultas. Comunicou-se telepaticamente com a direção-geral do Instituto, que pairava no cantão do Templo, e, após curto espaço de tempo, tornou, dando a nota final:

"– Nossos orientadores maiores te permitem liberdade de ação. Conquanto uma entidade nas tuas condições não possa desfrutar a liberdade natural ao Espírito livre das peias carnais, não poderás também ser por nós violentado a deveres que te repugnariam. Visitarás teus entes queridos na Terra... Irás, portanto, a Portugal, à cidade do Porto, onde residias, a Lisboa, tal como desejas... E como a ternura paternal do Criador leva a extrair, muitas vezes, de um ato imprudente ou condenável, exemplificação salutar para o próprio delinqüente ou para o seu observador, estou certo de que tua inconseqüência nem será estéril para ti mesmo, nem deixará de avolumar profundas advertências para quantos de boa vontade delas tomarem conhecimento. Atenta porém, no seguinte, meu caro Jerônimo: – É que, deixando de aceitar nossos conselhos e insurgindo-te contra os regulamentos deste Instituto, cometerás falta cujas conseqüências recairão sobre ti mesmo. Essa visita será realizada sob tua exclusiva responsabilidade! Não existe permissão para ela: – é o teu livre-arbítrio que a impõe! Se os descontentamentos daí conseqüentes exorbitarem das tuas capacidades para o sofrimento, dirigirás as queixas contra ti mesmo, porquanto nossos esforços só se aplicam em dulcificar infortúnios e evitá-los quando desnecessários... Por isso mesmo deixamos de fornecer as desejadas notícias pelos meios de que dispomos... pois a verdade é que não havia necessidade de te afastares daqui a fim de obtê-las..."

Voltou-se para o assistente e prosseguiu:

"– Preparem-no para que siga... Satisfaçam-lhe os caprichos sociais terrenos... porque bem cedo se aborrecerá da Terra... Que o deixem agir como deseja... A lição será amarga, mas ensejará mais rápida compreensão e conseqüentemente progresso..."

....

Fez-se pausa na seqüência da reprodução dos acontecimentos. Surpreendera-nos grande ansiedade ao passo que censurávamos o companheiro pela displicência com que se portara. Concordáramos em atribuir à má educação de Jerônimo o desrespeito manifesto aos regulamentos da nobre instituição, no que fomos aparteados pelos servidores presentes:

"– Certamente, a boa educação social auxilia grandemente a adaptação aos ambientes espirituais. Ela não representa, porém, tudo. Os sentimentos depurados, o estado mental harmonizado a princípios elevados, as boas qualidades de caráter e de coração, produzindo a "boa educação" moral, é que formam o elemento primordial para uma prometedora situação no além-túmulo... desde que um suicídio não venha anular tal possibilidade..."

"– Não poderiam os diretores desta casa fornecer as notícias solicitadas, sem que o enfermo se arriscasse a uma viagem de gravosas conseqüências para o seu estado geral?..." – inquiri, curioso.

"– Sim, se tais notícias concorressem para o bem-estar do paciente. Aliás, em regra geral, convém a entidades nas vossas condições absterem-se de quaisquer choques ou emoções que alimentem o estado de excitação em que se encontrem... Notícias da Terra jamais confortarão algum de nós, que pertencemos à Espiritualidade! No presente caso torna-se evidente o desejo da administração da casa de encobrir ao pobre enfermo algo que o ferirá profundamente, sem necessidade. Se se submetesse de boa vontade aos regulamentos protetores, a realidade que presenciará dentro em pouco viria ao tempo em que estivesse suficientemente preparado para enfrentá-la, o que evitaria choques grandemente dolorosos. Insubordinando-se, porém, coloca-se em situação melindrosa, razão por que foi ele entregue às próprias inconseqüências, as quais farão com violência, em torno dele, o trabalho educativo que seus conselheiros efetuariam suave e amorosamente..."

Eis, porém, que voltávamos a observar movimentação na luminosidade do receptor de imagens. E o que então se passou exorbitou tanto de nossa expectativa que passamos a sofrer com o desventurado Jerônimo os dramáticos sucessos com sua família desenrolados depois de sua morte.

....

O assistente Romeu providenciou ordens para o Departamento de Vigilância, ao qual se achavam afetos todos os serviços exteriores da Colônia. Olivier de Guzman, seu diretor zeloso, apelou para a Seção das Relações Externas, no sentido de serem fornecidos dois guias vigilantes, de competência comprovada, a fim de acompanharem o visitante à Terra, pois não seria admissível abandonar-se aos perigos de tal excursão um pupilo da Legião dos Servos de Maria, ainda inexperiente e fraco.

Apresentaram-se – Ramiro de Guzman –, no qual reconhecemos o chefe das expedições que visitavam o Vale Sinistro, sob cuja responsabilidade de lá também saíramos; e outro cujo nome ignorávamos, ambos igualmente envergando a já popular indumentária de iniciados orientais.

Começávamos a compreender que, nesse Instituto modelar, os postos avançados, de mais grave responsabilidade; as tarefas melindrosas, que exigissem maior soma de energia, vontade, saber e virtudes, achavam-se a cargo dessas personagens atraentes e belas, em quem descortinamos, desde os primeiros dias, altas qualidades morais e intelectuais.

Às ordens de Olivier foi preparada expedição condigna, em a qual não faltou nem mesmo a guarda de milicianos.

No entretanto, transformação sensível operara-se nas atitudes do pobre Jerônimo. A auto-obsessão da visita à família, conturbando-lhe as faculdades, tornava-o alheio a tudo que o rodeava, reintegrando-o mais do que nunca à condição que fora a sua quando homem: – burguês rico de Portugal, comerciante de vinhos, zeloso da opinião social, escravo dos preconceitos, chefe de família amoroso e extremado. Víamo-lo agora trajando boa sobrecasaca, vistosa gravata, bengala de castão dourado e sobraçando ramalhete de rosas para oferecer à esposa, pois tudo isso exigira da paciente vigilância de Joel, a quem haviam recomendado satisfazer-lhe os desejos. E nossos mentores, presentes na enfermaria, apreendendo nossa admiração, esclareciam que, só muito vagarosamente, Espíritos vulgares ou muito humanizados conseguem desfazer-se dessas pequenas frivolidades inseparáveis das rotinas terrestres.

Rigorosamente guardado, a viajar em veículo discretamente fechado, Jerônimo assemelhava-se, com efeito, a um prisioneiro. Parecia não se aperceber disso, no entanto. Parecia não distinguir mesmo a presença de Ramiro e seus auxiliares, tão abstrato se encontrava, julgando-se em viagem como outras que outrora lhe foram comuns.

Corria regularmente o veículo. Não fora a presença dos guardiães recordando a cada instante a natureza espiritual da cena, afirmaríamos tratar-se de carruagem que nada tinha de "criação semimaterial", que a necessidade dos métodos educativos do Além impõe, mas de um muito pesado e confortável meio de transporte que bem poderia pertencer à própria Terra.

Vimos que atravessavam estradas sombrias, gargantas cobertas de plúmbeas nevadas, desfiladeiros, vales lamacentos quais brejais desoladores, cuja visão nos deixavam inquietos, pois asseveravam nossos atenciosos assistentes serem tais panoramas produtos mentais viciados dos homens terrenos e de infelizes Espíritos desencarnados, arraigados às manifestações inferiores do pensamento. Os viajantes, porém, atingiam agrupamentos como aldeias miseráveis, habitadas por entidades pertencentes aos planos ínfimos do Invisível, bandoleiros e hordas de criminosos desencarnados, os quais investiam sobre a carruagem, maldosos e enraivecidos, como desejando atacá-la por adivinharem no seu interior criaturas mais felizes que elas próprias. Mas a flâmula alvinitente, indiciando o emblema da respeitável Legião, fazia-os recuar atemorizados. Muitos desses futuros arrependidos e regenerados – pois tendiam todos ao progresso e à reforma moral por derivarem, como as demais criaturas, do Amor de um Criador Todo Justiça e Bondade – descobriam-se como se homenageassem o nome respeitável evocado pela flâmula, ainda conservando o hábito, tão comum na Terra, do chapéu à cabeça, enquanto outros se afastavam em gritos e lágrimas, proferindo blasfêmias e imprecações, causando-nos pasmo e comiseração... E o carro prosseguia sempre, sem que seus ocupantes se dirigissem a nenhum deles, certos de que não soara ainda para seus corações endurecidos no mal o momento de serem socorridos para voluntariamente cogitarem da própria reabilitação.

De súbito, brado unissono, conquanto discreto, exalou-se de nossos peitos qual soluço de saudade enternecedora, vibrando docemente pela enfermaria:

– Portugal! Pátria venerada! Portugal!...

– Oh! Deus do Céu!... Lisboa! O Tejo formoso e sobranceiro!... O Porto! O Porto de tão gratas recordações!...

– Obrigado, Senhor Deus!... Obrigado pela mercê de revermos o torrão natal depois de tantos anos de ausência e de tumultuosas saudades!...

E chorávamos enternecidos, gratamente emocionados!

Paisagens portuguesas, com efeito, todas muito queridas aos nossos doloridos corações, rodeavam-nos como se, tal como afirmaram de início os mentores presentes, fizéssemos parte da comitiva do pobre Jerônimo!

Radicando-se mais em nós a sugestão consoladora pela excelência do receptor, mais se acentuavam em nossas faculdades a impressão de que pessoalmente pisávamos o solo português, quando a verdade era que não saíramos do Hospital!...

A silhueta, a princípio longínqua, da cidade do Porto, desenhou-se palidamente nas brumas tristonhas que envolvem a atmosfera terráquea, qual desenho a "crayon" sobre tela acinzentada. Alguns instantes mais e a estranha caravana caminhava pelas ruas da cidade, qual o fizesse no cantão da Vigilância, o que muito nos edificou.

Algumas artérias portuguesas, velhas conhecidas do nosso tumultuoso passado, desfilaram sob nossos olhos róridos de comovido pranto, como se também por elas transitássemos. Agitadíssimo, Jerônimo, pressentindo a realidade daquilo que ominosas angústias lhe segredavam ao senso, e que apenas a insânia do pavor ao inevitável teimava inutilmente acobertar, estacou à frente de uma residência de boa aparência, com jardins e sacadas, subindo precipitadamente a escadaria, enquanto os tutelares se predispunham caridosamente à espera.

Fora ali a sua residência.

O antigo comerciante de vinhos entrou desembaraçadamente, e seu primeiro impulso de afeto e saudade foi para a filha caçula, por quem nutria a mais apaixonada atração:

"– Margaridinha, oh! minha filhinha querida! Aqui está o teu papai, Margaridinha!... Mar-ga-ri-di-nha?!..." – tal qual lhe chamava outrora, todas as tardes, voltando ao lar após as lides penosas do dia...

Mas ninguém acudia aos seus amorosos apelos! Apenas a indiferença, a solidão decepcionante em derredor, augurando desgraças porventura ainda mais rijas do que as suportadas por seu coração até ali, enquanto nas profundezas sentimentais de sua alma atormentada por múltiplos dissabores atroavam desoladoramente os brados amorosos, mas inúteis, do seu carinho de pai, incorrespondidos agora pela mimosa criança já afastada daquele local, que tão querido lhe fora!

"– Margaridinha!... Onde estás, filhinha?... Margaridinha!... Olha que é o teu papaizinho que chega, minha filha!..."

Procurou por toda a casa. Parecia, no entanto, que haviam desaparecido de sob a luz do Sol todos aqueles pedaços sacrossantos de sua alma, que ali deixara, e que, único sobrevivente, ele, de incomensurável catástrofe, não se podia acomodar à esmagadora realidade de rever desabitado, dramaticamente vazio, o lar que tanto estremecera!

Chamou pela esposa, nomeou os filhos um a um, e finalmente bradou pelos criados: – Não via ninguém!

Sombras e vultos estranhos, no entanto, moviam-se pelos compartimentos que pertenceram à família e deixavam-no bramir e interrogar sem se dignarem responder, não se apercebendo de sua presença... pois tratava-se de indivíduos encarnados, eram os novos habitantes da casa que lhe pertencera! O próprio mobiliário, a decoração interior, tudo se apresentava diferente, apontando acontecimentos que o confundiam. Decepção pungente desferiu-lhe golpe certeiro, deslocando-lhe da alma o primitivo entusiasmo para que aflitivas induções nela mais se avigorassem. Reparando suspensas aos muros de determinado aposento telas que lhe eram desconhecidas, seu olhar fixou-se num cromo colocado a um ângulo da estufa, cuja folhinha indicava a data do dia decorrente. Leu-a:

– 6 de novembro de 1903 –

Um arrepio de terror insopitável repassou soturnamente por suas faculdades vibratórias. Fez um esforço inaudito, movimentando reminiscências; vasculhou lembranças, sacudindo a poeira mental de mil idéias confusas que lhe toldavam a clareza do raciocínio. A vertigem da surpresa em face da realidade irremediável, que até ali ele retardara à custa da má vontade de sofismas ingênuos, tonteou-lhe o raciocínio: – não cogitara inteirar-se de datas durante muito tempo! A verdade era que perdera a noção do tempo envolvido no bulcão das desgraças que o colheram após o malfadado gesto de trânsfuga da vida terrena! Tão agudo fora o estado de loucura em que se debatera desde o trágico momento em que tentara o suicídio; tão grave a enfermidade que o atingira após o choque pela introdução do projetil no cérebro, que, graças aos tormentos daí conseqüentes, perdera a contagem dos dias, desviara-se pelo Desconhecido adentro sem mais averiguar se os dias eram noites, se as noites eram dias... pois, no abismo em que se vira aprisionado tanto tempo, só existiam trevas por visão! Para ele, para sua percepção obliterada pelo desespero, a contagem social do Tempo ainda era a mesma do dia aziago, pois não se recordava de outra depois dessa:

– 15 de fevereiro de 1890 –

Eis, porém, que a folhinha à sua frente, indiferente, mas expressiva, servindo a uma grandiosa causa, revelava ao mártir que estivera ausente de sua casa durante treze anos!

Atirou-se para a rua em correria, batido e apavorado frente ao choque do pretérito, de encontro à realidade do presente, a mente conflagrada por inalienável desconsolo. Indagaria dos vizinhos o paradeiro da família, que se mudara, decerto, em sua ausência. Os lanceiros, porém, à porta, cruzando as armas, formaram barreira intransponível, interceptando-lhe a fuga impensada, e obrigando-o a refugiar-se no interior do carro. Aos protestos impressionantes do infeliz, inconformado com a prisão em que se reconhecia, acudiram curiosos e vagabundos do plano invisível, Espíritos ainda homiziados nas camadas depressoras da Terra. Entre chacotas, apupos e gargalhadas atormentavam-no com incriminações e censuras, ao passo que esclareciam o que acontecera àqueles a quem procurava. Ramiro de Guzman e seus auxiliares não interferiram, no sentido de evitarem a Jerônimo o dissabor de ouvi-los, uma vez que a visita decorria sob a responsabilidade deste, e que somente lhes haviam recomendado garantirem o regresso à Colônia dentro de poucas horas.

"– Pretendes então esclarecer o paradeiro de tua muito amada família, ó miserável príncipe dos bons vinhos?!... – vociferavam os infelizes. – Pois saibas tu que daí foram todos enxotados, há muitos anos!... Teus credores tomaram-lhes a casa e o pouco que, para teus filhos, andaste ocultando à última hora! Procura teu filho Albino na Penitenciária de Lisboa! Tua "Margaridinha" nas sarjetas do Cais da Ribeira, vendendo peixes, fretes e amores a quem se dignar remunerá-la com mais prodigalidade, explorada pela própria mãe, tua esposa Zulmira, a quem habituaste a luxo exorbitante para as tuas posses, e cujo orgulho jamais pôde afazer-se ao trabalho digno e à pobreza!... Tuas filhas Marieta e Arinda?... Oh! a primeira está casada, sobrecarregada de filhos enfermiços, a bracejar na miséria, a sofrer fome, espancada por um marido ébrio e boçal... A segunda... criada de hotéis de quinta ordem, a lavar chão, a brunir panelas, a limpar botas de viajantes imundos!... Ouves e te espantas?... Tremes e te aterrorizas?... Por quê?... Que esperavas, então, que acontecesse?!... Não foi essa a herança que lhes deixaste com o teu suicídio, canalha?!..."

E entraram a enxovalhar o desventurado com insultos e vitupérios quais vaias impiedosas, intentando atacar a viatura a fim de arrebatá-lo, no que foram impedidos pela guarda protetora.

Não obstante, exigiu o rebelde pupilo da Legião dos Servos de Maria que o levassem onde se encontrava o filho, esperança que fora da sua vida, aquele rebento querido, que ficara na florescência delicada das dez primaveras quando ele próprio, seu pai, houvera por bem abandoná-lo aos perigos da orfandade, matando-se.

Convulsionado sob a ardência de pranto insólito, compreendeu que era conduzido e que penetrava os muros sinistros de um cárcere, sem que houvesse podido distinguir se se encontrava no Porto ou realmente em Lisboa.

Com efeito! Ali estava Albino, metido em cela sombria, implicado em crimes de chantagem e latrocínio, condenado a cinco anos de prisão celular e a outros tantos de trabalhos forçados na África, como reincidente nas gravíssimas faltas! Apesar da diferença marcante de treze anos de ausência, Jerônimo reconheceu o filho, esquálido, pálido, maltratado pelos rigores do cativeiro, embrutecido pelos sofrimentos e pela miséria, atestado patético do homem desvirtuado pelos vícios!

O antigo negociante contemplou o mísero vulto sentado sobre um banco de pedra, na semi-obscuridade da cela, o rosto entre as mãos. Dos olhos amortecidos, fitos nas lajes do chão, rolavam lágrimas de desespero, compreendendo o suicida que o jovem sofria profundamente. Extenso desfilar de pensamentos caliginosos corria pela mente do cativo, e, dada a circunstância da atração magnética existente entre ambos, pôde o hóspede do Hospital Maria de Nazaré inteirar-se das comovedoras peripécias que ao desventurado moço haviam arrastado a tão deplorável ocaso da vida social, apenas saíra da infância! Como se a presença da atribulada alma de Jerônimo impregnasse de advertências telepáticas seus dons sensíveis, Albino entrou a recordar, satisfazendo, sem o saber, os desejos do pai, que almejava inteirar-se dos acontecimentos; e, como envergonhado das más ações cometidas, recordava o genitor morto havia treze anos e ia dizendo ao próprio pensamento, enquanto as lágrimas lhe escaldavam as faces e Jerônimo ouvia-o como se falasse em voz alta:

"– Perdoai-me, Senhor, meu bom Deus! E vinde com Vossa Misericórdia socorrer-me nesta emergência penosa de minha vida! Não foi, exatamente, desejo meu o precipitar-me neste báratro insolúvel que me ferreteou para sempre! Eu quisera ser bom, meu Deus! mas faltaram amigos generosos que me estendessem mãos salvadoras, ocasiões favoráveis que me dilatassem perspectivas honestas! Vi-me lançado ao abandono depois da morte de meu pai, criança indefesa e inexperiente! Não tive recursos para instruir-me, habilitando-me em alguma coisa séria e digna! Sofri fome! E a fome maltrata o corpo enquanto envenena o coração com as ansiedades da revolta! Tiritei de frio em mansardas inóspitas, e o frio, que enregela o corpo, também enregela o coração! Sofri a angústia negra da miséria sem esperança e sem tréguas, a solidão do órfão corroído de saudades do passado, envelhecido em pleno alvorecer da vida, graças às desilusões de múltiplos dissabores! Não me pude achegar aos bons, aos honestos e respeitáveis, para que me compreendessem e ajudassem na conquista laboriosa de um futuro digno, porque aqueles de nossos antigos amigos a quem procurei, confiante, me repeliram com desconfiança, entendendo que eu pertencia a uma descendência marcada pela desonra, pois, além do mais, minha mãe desvirtuou-se tão logo se reconheceu desamparada e só! Tornei-me homem depois de me entrechocar com os piores aspectos e elementos da sociedade! Precisei viver! Acicatava-me o orgulho ferido, a indomável ambição de libertar-me da miséria abominável que me acossava sem tréguas desde o suicídio de meu pobre pai! Vi-me arrastado a tentações perversas, mas que, à minha ignorância e à minha fraqueza, se afiguravam soluções salvadoras!... E cedi às suas seduções, porque não tive o amparo orientador de um verdadeiro amigo a indicar o carreiro certo a preferir!... Oh, meu Deus! Que triste é ver-se a criatura órfã e abandonada, ainda na infância, neste mundo repleto de torpezas!... Meu pobre e querido pai, por que te mataste, por quê?... Não amavas então a teus filhos, que se desgraçaram com tua morte?... Por que te mataste, meu pai?... Oh! não tiveste sequer compaixão de nós?... Lembro-me tanto de ti!... Eu te amava! eu sim!... Muitas vezes, naqueles primeiros tempos, chorei inconsolável, com saudades tuas, tão bondoso eras para com teus filhos!... Se nos amavas, por que te mataste, por quê?... Por que preferiste morrer, lançar-nos à miséria e ao abandono, a lutar por amor de nós?... Por que não resististe aos dissabores, prevendo que tua falta desgraçaria teus pobres filhos que só contigo contavam neste mundo?... Se viveras e nos houveras terminado a criação eu seria hoje, certamente, um homem útil, respeitado e honesto, enquanto que, na verdade, não passo de um precito maculado pela desonra irreparável!..."

Eram vibrações sombrias e causticantes, que repercutiam na consciência do pai-suicida como estiletes a lhe rasgarem o coração! Confessava-se culpado único dos desastres insolúveis do filho, e semelhante convicção se dilatava de intensidade, em diástoles torturantes, à proporção que as recordações, emergindo das fráguas mentais de Albino, desfilavam quais retalhos de episódios dolorosos, aos seus olhos aterrados de trânsfuga do Dever! Jamais um homem, na Terra, receberia tão significativo libelo acusatório, presente ao tribunal da lei, como esse que o desventurado suicida a si mesmo lançava validando a narração dos infortúnios descritos através das reminiscências do filho, e que as sombras do presídio circundavam dos lúgubres atavios dos dramas profundos e irremediáveis!

Desorientado, precipitou-se para o jovem, no incontido desejo de ressarcir tantas e tão profundas amarguras com o testemunho de sua presença, do seu perene interesse paternal, seu indissolúvel amor pronto a estirar mão amiga e protetora. Queria desculpar-se, suplicar perdão, ele, o pai faltoso; dar-lhe expressivos conselhos que o reconfortassem, reerguendo-lhe o ânimo daquela ruinosa prostração! Mas era em vão que o tentava, porque Albino deixava correr o pranto, sem vê-lo, sem ouvi-lo, sem poder supor a presença daquele mesmo por quem chorava ainda!

Então o mísero se pôs a chorar também, emitindo vibrações chocantes, reconhecendo-se impotente para socorrer o filho encarcerado. E como sua presença, expedindo desalentos, disseminando ondas nocivas de pensamentos dramáticos, poderia agir funestamente sobre a mentalidade frágil do detento, sugerindo-lhe quiçá o próprio desânimo gerador do suicídio – Ramiro de Guzman e seu assistente aproximaram-se e desarmaram-lhe as investidas encobrindo Albino de sua visão.

"– Voltemos para nossa mansão de paz, meu amigo, onde encontrarás repouso e solução suave para as tuas atrozes penúrias... – ponderava amigavelmente o chefe da expedição. – Não recalcitres! Volta-te para o Amor dAquele que, pregado no cimo do madeiro, ofereceu aos homens, como aos Espíritos, os ditames da conformidade no infortúnio, da resignação no sofrimento!... Estás cansado... precisas serenar para refletir, porque, no melindroso estado em que te encontras, nada alcançarás fazer a benefício de quem quer que seja!..."

Mas, ao que tudo indicava, Jerônimo ainda não padecera suficientemente a fim de se acomodar às advertências de seus guias espirituais.

"– Não posso, queira desculpar-me, senhor!... – bradou voluntarioso. – Não deixarei de ver minha filha, minha Margaridinha! Quero vê-la! Preciso desmascarar a turba de maledicentes que a vêm difamando!... A minha caçula, atirada ao Cais da Ribeira?!... A vender peixes?... Fretes?... e... Era o que faltava!... Impossível! Impossível tanta desgraça acumulada sobre um só coração!... Não! Não é verdade! Não pode ser verdade! Confio em Zulmira ! É mãe! Velaria pela filha em minha ausência! Quero vê-la, meu Deus! meu Deus! Preciso ver minha filha! Preciso ver minha filha, ó Deus do Céu!"

Era bem certo, no entanto, que novas e mais atrozes torrentes de decepções se despejariam sobre seu ulcerado coração, superlotando-o de dores irreparáveis!

Ainda ao longe, desenhara-se à visão ansiosa do estranho peregrino a perspectiva do Cais da Ribeira, regurgitando de pessoas que iam e vinham em azáfamas incansáveis. Avultavam as vendedoras e regateiras, mulheres que se alugavam a fretes, de ínfima educação e honestidade duvidosa.

Jerônimo pôs-se a caminhar entre os transeuntes, seguido de perto pelos guardas e o paciente vigilante, que se diria a sua própria sombra. Esmagadores pressentimentos advertiam-no da veracidade do que afirmavam os "difamadores". Mas, desejando mentir a si próprio, na suprema repugnância de aceitar a abominável realidade, via-se compelido a investigar as fisionomias das regateiras; ia, voltava, nervosamente, aflito, aterrado à idéia de se lhe deparar entre aquelas despreocupadas e insolentes criaturas as feições saudosas da sua adorada caçula!

Deteve-se subitamente, num recuo dramático de alarme: – acabara de reconhecer Zulmira gesticulando, em discussão acalorada com uma jovem loira e delicada, que se defendia, chorando, das injustas e insofríveis acusações que lhe eram atiradas por aquela. Acercou-se apressadamente o pupilo do nobre Teócrito, como impelido por desesperadora diástole, para, em seguida, atingido por supremo golpe, estacar, submisso a sístole não menos torturante, reconhecendo na jovem chorosa a sua Margaridinha.

Era, com efeito, peixeira! Ao lado pousavam os cestos quase vazios. Trazia os vestidos típicos da classe e socos imundos. Zulmira, ao contrário, trajava-se quase como as senhoras, o que não a impedia portar-se como as regateiras.

Girava em torno da féria do dia a discussão vergonhosa. Zulmira acusava a filha de roubar-lhe parte do produto das vendas, desviando-a para fins escusos. A moça protestava entre lágrimas, envergonhada e sofredora, afirmando que nem todos os fregueses do dia haviam solvido seus débitos. No calor da discussão, Zulmira, excitando-se mais, esbofeteia a filha, sem que as pessoas presentes parecessem admiradas ou tentassem impedir a violência, serenando os ânimos.

Tomado de indignação, o antigo comerciante interpõe-se entre uma e outra, no intuito de sanar a cena deplorável. Admoesta a esposa, fala carinhosamente à filha, enxuga-lhe o pranto, que corria pelas faces, convida-a a recolher-se ao domicílio. Mas nenhuma das duas mulheres podiam vê-lo, não podiam ouvi-lo, não se apercebiam de suas intenções, o que grandemente o irritava, levando-o a convencer-se da inutilidade das próprias tentativas.

Não obstante, Margaridinha suspendeu os cestos, ajeitou-os ao ombro e afastou-se. Zulmira, a quem as adversidades mal suportadas e mal compreendidas haviam arrastado ao desmando, transformando-a em megera ignóbil, seguiu-a enraivecida, explodindo em vitupérios e insultos soezes.

O percurso foi breve. Residiam em sombria mansarda, nas imediações da Ribeira. Em chegando ao misérrimo domicílio, a mãe desumana entrou a espancar excruciantemente a pobre moça, exigindo-lhe a todo custo a totalidade da féria, enquanto, impotente, a peixeira implorava trégua e compaixão. Finalmente, a desalmada – para quem o Espírito atribulado do esposo leal trouxera, das moradas do Astral, um ramalhete de rosas – saiu precipitadamente, arrastando ondas turvas de ódio e pensamentos caliginosos, atirando aos ares insultos e blasfêmias no calão que, agora, lhe era próprio, e do qual Jerônimo se surpreendeu, confessando desconhecê-lo.

A jovem ficou só. A seu lado o vulto invisível do pai amoroso e sofredor entregava-se a cruciantes expansões de pranto, reconhecendo-se impossibilitado de socorrer o adorado rebento do seu coração, a sua Margaridinha, a quem entrevia ainda, mentalmente, tão loira e tão linda, na lirial candidez dos sete anos!... Mas, tal como sucedera a seu irmão Albino, a infeliz menina ocultou o rosto lavado em lágrimas entre as mãos e, sentando-se a um recanto, rememorou dolorosamente os dias trevosos da sua tão curta e já tão acidentada vida!

Margarida abriu as comportas dos pensamentos, e ondas de recordações pungentes se desprenderam aos borbotões, fazendo ciente ao pai o extenso calvário de desventura que passara a palmilhar desde o dia nefasto em que ele se tornara réu perante a Providência, furtando-se ao dever de viver a fim de protegê-la, tornando-a mulher honesta e útil à sociedade, à família e a Deus. Ouvia-a como se ela lhe falasse em voz alta. À proporção que se consolidavam as desgraças da mísera órfã, acentuavam-se a decepção, a surpresa cruciante, a mágoa inconsolável, que lhe atravessavam o coração como venábulos assassinos a lhe roubarem a vida! Caiu de joelhos aos pés da sua desventurada caçula, as mãos cruzadas e súplices, enquanto jorrava o pranto convulsamente de sua alma de precito e tremores traumáticos sacudiam-lhe a configuração astral, como se estranhas sezões pudessem subitamente atingi-lo.

E foi nessa humilhada posição de culpa que o pupilo da legião excelsa recebeu o supremo castigo que as conseqüências do seu ominoso e selvagem gesto de suicídio poderia infligir à sua consciência!

Eis o resumo acerbo do drama vivido por Margarida Silveira, tão comum nas sociedades hodiernas, onde diariamente pais inconscientes desertam da responsabilidade sagrada de guias da Família, onde mães vaidosas e levianas, destituídas da auréola sublime que o dever bem cumprido confere aos seus heróis, desvirtuam-se aos solavancos brutais das paixões insanas, incontidas pela perversão dos costumes:

Tornando-se órfã de pai aos sete anos, a loira e linda Margaridinha, frágil e delicada como lírios florescentes, criara-se na miséria, entre revoltas e incompreensões, junto à mãe que, habituada à imoderação de insidioso orgulho, como ao imperativo de vaidades funestas, nunca se resignara à decadência financeira e social que a surpreendera com o trágico desaparecimento do marido. Zulmira prostituíra-se, esperando, em vão, reaver o antigo fastígio por essa forma culposa e condenável. Arrastara a filha inexperiente para a lama de que se contaminara. Indefesa e desconhecedora das insídias brutais dos ambientes e hábitos viciados que a corvejavam, a moça sucumbiu muito cedo às teias do mal, a despeito de não apresentar pendores para as miseráveis situações diariamente surgidas. A decadência chegou cedo, como cedo havia chegado a queda desonrosa. O trabalho exaustivo e o Cais da Ribeira com sua usual movimentação de feira ofereceram-lhes recursos para não se extinguirem, ela e a mãe, às aspérrimas torturas da fome! Zulmira agenciava fretes, vendas variadas, negócios nem sempre honestos, empregando geralmente na sua execução as forças e a juventude atraente da filha, a quem escravizara, usurpando lucros e vantagens para seu exclusivo regalo. A pobre peixeira, porém, cuja índole modesta e aproveitável não se aclimatava ao fel da execrável subserviência, sofria por não entrever possibilidade de sonegação à miserável existência que lhe reservara o destino. E, inculta, inexperiente, tímida, não saberia agir em defesa própria, o que a fazia conservar-se submissa à enoitada situação criada por sua própria mãe! Como Albino, também pensou no pai, advertida, no recesso do coração, da sua invisível presença, e murmurou, oprimida e arquejante:

"– Que falta tão grande tu me fazes, ó meu querido e saudoso pai!... Lembro-me tanto de ti!... e minhas desventuras nunca permitiram olvidar tua memória, tão bom e desvelado foste para com teus filhos! Quantos males o destino ter-me-ia poupado, meu pai, se te não houveras furtado ao dever de velar por teus filhos até o final!... De onde estiveres, recebe as minhas lágrimas, perdoa a peçonha que sobre teu nome involuntariamente lancei, e compadece-te das minhas ignóbeis desditas, ajudando-me a desentrançar-me deste espinheiro cruciante que me sufoca sem que nenhuma fulguração de esperança libertadora venha encorajar-me!..."

Era o máximo que o prisioneiro do Astral poderia suportar! Ele não possuía energias para continuar sorvendo o fel das amarguras lançadas no sacrossanto seio de sua própria família pelo ato condenável que contra si mesmo praticara! Ouvindo os lamentos da desgraçada filha a quem tanto estremecia, sentiu-se abominavelmente ferido na mais delicada profundeza do seu coração paternal, onde infernais clamores de remorsos repercutiram violentamente, acordando em suas entranhas espirituais a dor inconsolável, a dor redentora da mais sincera compaixão que poderia experimentar! Desesperando-se, na impossibilidade de prestar à filhinha infeliz socorro imediato, de falar-lhe, ao menos, insuflando ânimo à sua alma com o consolo de sua presença, ou aconselhando-a, Jerônimo avolumou o padrão dos desatinos que lhe eram comuns e entregou-se à alucinação, completamente influenciado pela loucura da inconformidade.

Acorreram os lanceiros a imperceptível sinal de Ramiro de Guzman. Cercaram-no, protegendo-o contra o perigo de possível evasão, afastando-o apressadamente. Condoído em face dos infortúnios da jovem Margarida, Ramiro, que fora homem, fora pai e tivera uma filha muito amada, porventura mais infeliz ainda, aproximou-se carinhosamente e, pousando em sua fronte as mãos protetoras, transmitiu-lhe ao ser suaves eflúvios magnéticos, confortativos e encorajadores. Margaridinha procurou o leito e adormeceu profundamente, sob a bênção paternal do servo de Maria... enquanto o suicida, debatendo-se entre o "choro e o ranger de dentes", suplicava que o deixassem socorrer, de qualquer modo, a filha ignobilmente ultrajada! Dominando-o, entretanto, com energia, a fim de que por um momento procurasse raciocinar, retorquiu o paciente guia:

"– Basta de desatinos, irmão Jerônimo! Atingiste o máximo de desobediência e voluntariedade que nossa tolerância poderia aceitar! Não queres, pois, compreender, que coisa alguma poderás tentar em benefício de teus filhos, enquanto não conquistares as qualidades para tanto imprescindíveis, e que a ti mesmo escasseiam?...

Não entendes que teus filhos, em lutas com provações aspérrimas, sucumbiriam fatalmente ao suicídio, como tu, se permanecesses junto deles, influenciando suas indefesas sensibilidades com as vibrações funestas que te são próprias, ainda não devidamente esclarecido quanto ao estado geral em que te debates, tal como te preferes conservar?... Partamos, Jerônimo! Regressemos ao Hospital... Ou desejarás, porventura, ainda sondar os passos de Marieta e de Arinda?!..."

Chocando-se como que sob a ação de forças renovadoras, o precito obteve um momento de trégua contra si mesmo, a fim de ponderar alguns instantes. Sacudiu as desesperadoras alucinações que lhe cegavam o raciocínio, e respondeu, resoluto:

"– Oh! não! Não, meu bom amigo! Basta! Não posso mais! Meus pobres filhos! A que abismo vos arrojei, eu mesmo, que tanto vos amei!

Perdão, irmão Teócrito! Agora compreendo... Perdão, irmão Teócrito..."

E, de nossa enfermaria, vimos que retornavam com as mesmas precauções...

Jerônimo não voltou a fazer parte do nosso grupo.

O RECONHECIMENTO

O segundo acontecimento que, a par do que acabamos de narrar, impôs-se marcando etapa decisiva em nossos destinos, teve início no honroso convite que recebemos da diretoria do Hospital para assistirmos a uma reunião acadêmica, de estudos e experimentações psíquicas. Como sabemos, Jerônimo negara-se a anuir ao convite, e, por isso, na tarde daquele mesmo dia em que visitara a família, enquanto nos dirigíamos à sede do Departamento a fim de a ela assistir, ele, presa de desolação profunda, de supremo desconforto, solicitava a presença de um sacerdote, pois confessava-se católico-romano e seus sentimentos impeliam-no à necessidade de assim se aconselhar e reconfortar-se, a fim de revigorar a fé no Poder Divino e serenar o coração que, como nunca, sentia despedaçado. Aquiesceu o magnânimo orientador do Departamento Hospitalar, compreendendo que no espírito do ex-mercador português soava o momento do dealbar para o progresso, e que, dado os princípios religiosos que esposava, aos quais se apegava intransigentemente, a seu próprio benefício seria prudente que a palavra que mais respeito e confiança lhe inspirasse fosse a mesma que o preparasse para a adaptação à vida espiritual e suas transformações.

Na Legião dos Servos de Maria e até mesmo nos serviços da Colônia que nos abrigava, existiam Espíritos eminentes que, em existências pregressas, haviam envergado a alva sacerdotal, honrando-a de ações enobrecedoras inspiradas nas fontes fúlgidas dos sacrossantos exemplos do Divino Pegureiro. Dentre vários que colaboravam nos serviços educativos do Instituto a que nos temos reportado, destacava-se o padre Miguel de Santarém, servo de Maria, discípulo respeitoso e humilde das Doutrinas consagradas no alto do Calvário.

Era o diretor do Isolamento, instituição que, como sabemos, anexa ao Hospital Maria de Nazaré, exercia métodos educativos severos, mantendo inalteráveis disciplinas por hospedar em seus domínios apenas individualidades recalcitrantes, prejudicadas por excessivos prejuízos terrenos ou endurecidas nos preconceitos insidiosos e nas mágoas muito ardentes do coração. Portador de inexcedível paciência, exemplo respeitável de humildade, cordura e conformidade, aureolado por subidos sentimentos de amor aos infelizes e transviados e tocado de paternal compaixão por quantos Espíritos de suicidas soubesse existir, era o conselheiro que convinha, o mentor adequado aos internos do Isolamento. Além de sacerdote era também filósofo profundo, psicólogo e cientista. Havia muito, em existência pregressa cursara Doutrinas Secretas na Índia, conquanto depois tivesse outras migrações terrestres, provando sempre as melhores disposições para o desempenho do apostolado cristão. Entre estas, a última fora passada em Portugal, onde recebera o nome acima citado, continuando a usá-lo no além-túmulo, bem assim a qualidade de religioso sincero e probo.

Irmão Teócrito entregou o penitente Jerônimo a esse obreiro devotado, certo da sua capacidade para resolver problemas de tão espinhosa natureza. E foi assim que, naquela mesma tarde, quando as linhas do crepúsculo acentuavam de névoas pardacentas os jardins nevados dos burgos hospitalares, Jerônimo de Araújo Silveira se transferiu para o Isolamento, passando aos cuidados protetores de um sacerdote, tal como desejara. Desse dia em diante perdemos de vista o pobre comparsa de delito. Um ano mais tarde, no entanto, tivemos a satisfação de reencontrá-lo. Em capítulos posteriores voltaremos a tratar desse muito estremecido companheiro de prélios reabilitadores.

No dia imediato ao da nossa internação no magno Instituto do Astral, passamos a ser diariamente levados aos gabinetes clínico-psíquicos onde era ministrado tratamento magnético muito eficiente, pois dentro de alguns dias já nos podíamos reconhecer mais confortados e raciocinando com maior clareza, gradativamente fortalecidos como se tônicos revivificadores ingeríssemos através das aplicações a que nos submetiam. Para tais gabinetes éramos encaminhados todas as manhãs, por nossos amáveis enfermeiros. Entrávamos, cada grupo de dez, para uma antecâmara rodeada de pequenos bancos estofados, onde esperaríamos durante curto espaço de tempo. Notávamos que existiam várias dependências como essa, todas situadas em extensa galeria onde colunas sugestivas se alinhavam em perspectiva majestosa. Transcendia nesses recintos a estilização hindu, convidando à meditação e à gravidade.

Penetrávamos então o ambiente dos trabalhos.

Impregnado de fosforescências azuladas, então ainda imperceptíveis à nossa capacidade espiritual, as dimensões desses gabinetes não eram extensas. Pequenos coxins orientais em tessitura semelhante à pelúcia branca, e dispostos em semicírculo, aguardavam-nos, indicando que deveríamos sentar. Seis varões hindus esperavam os pacientes, concentrados no caridoso mandato.

A princípio tais cerimônias, sugestivas e rodeadas de um quase mistério, muito nos intrigaram. Não conhecêramos indianos psiquistas em Portugal. Tampouco fôramos aplicados a estudos e exames de natureza transcendental. Eis, todavia, que nos surpreendíamos agora sob a dependência e proteção de uma falange de iniciados orientais, a cuja existência real não déramos jamais senão relativo crédito, por se nos afigurar excessivamente mística e lendária. O ambiente que agora contemplávamos, porém, impregnado de unção religiosa, a qual atuava poderosamente sobre nossas faculdades, lenificando-as ao impulso de religioso fervor, imprimia tão profundas e atraentes impressões em nossos Espíritos que, atordoados no seio do seu ineditismo, julgávamos sonhar. Quando, pelas primeiras vezes, penetramos esses gabinetes saturados de ignotas virtudes, fomos mesmo acometidos de invencível sonolência, que nos provocou um como estado de semi-inconsciência.

Os operantes indicavam-nos o semicírculo formado pelos alvos coxins. Cinco desses médicos espirituais postavam-se atrás, distanciados uns dos outros por espaço simétrico, uniforme, até atingirem um em cada extremidade do semicírculo. O sexto colocava-se à frente, como fechando o círculo dentro do qual ficávamos nós outros prisioneiros – os braços cruzados à altura da cinta, a fronte atenta e carregada, como expedindo forças mentais dominadoras para caridosa vistoria e inspeção nas fráguas do nosso atormentado ser.

Em surdina vibravam ao nosso redor sussurros harmoniosos de prece. Mas não saberíamos distinguir se oravam, invocando as excelsas virtudes do Médico Celeste para nosso refrigério ou se nos advertiam e doutrinavam. O que não nos deixavam dúvidas, por se impor à evidência, era que atravessavam nosso pensamento com os poderes mentais que possuíam, devassavam nosso caráter, examinando nossa personalidade moral a fim de deliberarem sobre a corrigenda mais acertada – qual o cirurgião investigando as vísceras do cliente para localizar a enfermidade e combatê-la. Tal certeza infundia-nos múltiplas impressões, a despeito do singular estado em que nos encontrávamos. A vergonha por havermos pretendido burlar as Leis Superiores da Criação, afrontando-as com o ato brutal de que usáramos; o remorso pelo descaso à Majestade do Onipotente; a deprimente amargura de havermos dedicado nossas melhores energias aos gozos inferiores da matéria, atendendo de preferência aos imperativos mundanos, sem jamais observarmos as urgentes requisições da alma, deixando de nos conceder momentos para a iluminação interior – eram pungentes estiletes que nos penetravam o âmago durante a sublime vistoria a que nos submetíamos, inspirando-nos mágoas e desgostos que eram o prelúdio de real e fecundo arrependimento. Nossos menores atos pretéritos voltavam dos pélagos trevosos em que jaziam para se aviventarem à nossa presença, nitidamente impressos em nós mesmos! Nossa vida, que o suicídio interrompera, desde a infância era assim reproduzida aos nossos olhos aterrorizados e surpreendidos, sem que fosse possível determos a torrente das cenas revivescidas para exame! Quiséramos poder fugir a fim de nos furtarmos à vergonha de pôr a descoberto tanta infâmia, julgada oculta para sempre até de nós mesmos, pois, com efeito, era dramático, excessivamente penoso desatar volumes tão variados de maldade e torpezas diante de testemunhas tão nobres e respeitáveis! Mas era em vão que o desejaríamos! Sentíamos que nos vinculávamos àqueles coxins pela ação de vontades que se haviam apossado de nosso ser! Ao fim de alguns minutos, porém, suspendiam a operação. Esvaía-se o torpor. As lúgubres sombras do passado eram expungidas de nossa visão, recolhidas que eram ao pego revolto da subconsciência, aliviando a crueza das recordações. Então a fronte carregada do operador serenava qual arco-íris hialino. Um ar de amorosa compaixão derramava-se por suas atitudes, e, aproximando-se, espalmava sobre nossas cabeças as mãos níveas, enquanto os cinco demais assistentes o acompanhavam nos gestos e nas expressões. Compassivos, os fluidos beneficentes que a seguir nos faziam assimilar – terapêutica divina – iriam, gradualmente, auxiliar-nos a corrigir as impressões de fome e de sede; a postergar a insana sensação de frio intenso, que num suicida resulta da gelidez cadavérica que ao perispírito se comunica; a atenuar os apetites e arrastamentos inconfessáveis, tais os vícios sexuais, o álcool, o fumo, cujas repercussões e efeitos produziam desequilíbrios chocantes em nossos sentidos espirituais, interceptando possibilidades de progresso na adaptação e impondo-nos humilhações singulares, por assinalar a ínfima categoria a que pertencíamos, na respeitável sociedade dos Espíritos que nos rodeavam.

Entre os esforços que nos sugeriam empreender, destacava-se o exercício da educação mental no tocante à necessidade de varrer das nossas impressões o dramático e apavorante hábito, tornado trejeito nervoso e alucinado, de nos socorrermos a nós próprios, na ânsia contumaz de nos aliviarmos do sofrimento físico que o gênero de morte provocara.

Como ficou explicado, havia aqueles que se preocupavam em estancar hemorragias, havia os enforcados a se debaterem de quando em quando, porfiando no esforço ilusório de se desfazerem dos farrapos de cordas ou trapos que lhes pendiam do pescoço; os afogados, bracejando contra as correntes que os haviam arrastado para o fundo; os "retalhados", hediondos quais fantasmas fabulosos, a se curvarem em intermitências macabras, na ilusão de recolherem os fragmentos dispersos, ensangüentados, do corpo carnal que lá ficara algures, estraçalhado sob as rodas do veículo à frente do qual se arrojaram em audaciosa aventura, supondo furtarem-se ao sagrado compromisso da existência! Tais gestos, repetimos, à força de se reproduzirem desde o instante em que se efetivara o suicídio, e quando o instinto de conservação imprimiu na mente o impulso primitivo para a tentativa de salvamento, haviam degenerado em vício nervoso mental, sucedendo-se através das vibrações naturais ao princípio vital, repercutidas na mente e transmitidas à organização físico-espiritual. Urgia que a Caridade, sempre pronta a espalmar asas protetoras sobre os que padecem, corrigindo, amenizando, dulcificando males e sofrimentos, impusesse sua benevolência à anomalia de tantos desgraçados perdidos nos pantanais de tredas alucinações. Para isso, enquanto apunham as mãos sobre nossas cabeças, envolvendo-as em ondas magnéticas apropriadas à caridosa finalidade, os irmãos operadores murmuravam, enquanto sugestões magnânimas reboavam pelos labirintos do nosso "eu" com repercussões precisas e fortes, quais clarinadas despertando-nos para uma alvorada de esperanças:

"– Lembrai-vos de que já não sois homens!... Ao afastar-vos daqui não deveis pensar a não ser na vossa qualidade de alma imortal, a quem não mais devem afetar os distúrbios do envoltório físico-carnal!... Sois Espíritos! E será como Espíritos que devereis prosseguir a marcha progressiva nos planos espirituais!"

....

O convite para a reunião presidida por Teócrito deixara-nos satisfeitos. Éramos sensíveis às demonstrações de afeto e consideração.

Um frêmito de horror percorreu minhas sensibilidades ao reconhecer na vasta assembléia figuras hirsutas, desgrenhadas e apavorantes do Vale Sinistro, conquanto confessasse a mim mesmo encontrá-las algo serenadas, tal qual acontecia a mim e meus companheiros de apartamento. Será útil esclarecer que os componentes de nossa falange poderiam ser qualificados como "arrependidos", e, por isso mesmo, dóceis às orientações fornecidas pelos insignes diretores do asilo que nos abrigava. Um ou outro mantinha-se menos homogêneo, oferecendo problema mais sério a resolver. Todavia, era certo que a maioria se conservava fortemente animalizada, fosse conseqüência da inferioridade do caráter próprio ou resultado da violência do choque ocasionado pela bruteza do suicídio escolhido. Dentre estes destacavam-se os "retalhados", afogados, despenhados de grandes alturas, etc., etc. Atordoados, como que atoleimados, não era com facilidade que conseguiam suficiente dose de raciocínio para compreender as imposições da vida espiritual. Ocupavam eles o asilo do Manicômio por inúmeras conveniências, entre outras as que arrastavam a necessidade de encobri-los à nossa visão, pois repugnava-nos a presença deles, excitando impressões desarmoniosas, prejudiciais à serenidade de que carecíamos para o restabelecimento.

Não obstante, foram igualmente encaminhados ao local da reunião; e, quando, acompanhados por nossos dedicados amigos Joel e Roberto, entramos no vasto salão, ali os distinguimos entre muitos outros enfermos que, como nós, haviam sido requisitados.

Observando os antigos companheiros do vale de trevas, vi que se esforçavam, como nós mesmos vínhamos tentando desde alguns dias, para corrigir os feios cacoetes já mencionados, pois, se o hábito impelia à repetição dos mesmos, lembravam-se a tempo e paralisavam a meio caminho o impulso mental que os ocasionava, levando em consideração a sugestão oferecida pelos amoráveis assistentes. Então, riam-se de si mesmos em comovedores desabafos, nervosamente, pensando em que já não deveriam sentir os efeitos físicos do ato macabro. Riam uns para os outros como a se felicitarem mutuamente pelo alívio recebido através da informação de que *já não deviam sentir aquelas impressões...* e como se o riso sacudisse vibrações tormentosas. Riam para se desacostumarem daquele choro malévolo que acordava sensações precipitosas!... No Hospital eram proibidas as rábicas convulsões do Vale Sinistro... e chorar, nas desesperadoras aflições com que para trás havíamos chorado, era destampar a comporta das torrentes das agonias que a caridade sacrossanta de Maria minorava através do desvelo dos seus servos...

E eu, observando-os, ria também, sem fugir à estranha similitude da falange...

Sentamo-nos a um sinal de Roberto.

Nada apresentava a sala que despertasse particular atenção. Contudo, se insuficiente não fora o grau de visão de que dispúnhamos para alcançar as sublimes manifestações de caridade que em nosso derredor pululavam, teríamos notado que delicadas vaporizações fluídicas, como orvalho refrigerante e ameno, deliam-se pelo recinto, impregnando-o de dúlcidas vibrações.

A um ângulo do tablado que do fundo do salão defrontava a assembléia, notava-se um aparelho muito semelhante aos existentes nas enfermarias, conquanto apresentasse certas particularidades. Dois jovens iniciados puseram-se a examiná-lo ao tempo que Irmão Teócrito tomava lugar na cátedra ladeado por outros dois companheiros, aos quais apresentou à assembléia como instrutores que nos deveriam orientar, e a quem deveríamos o máximo respeito. Satisfeitos, reconhecemos nestes os dois jovens hindus que nos receberam quando da nossa entrada para o Hospital: Romeu e Alceste.

Silêncio religioso estendeu ondas harmoniosas de recolhimento pelo vasto salão, onde cerca de duzentos Espíritos, envolvidos nas mais embaraçosas redes da desgraça, acorriam arrastando as bagagens gravosas das próprias fraquezas, das amarguras incontáveis que enoitavam suas vidas.

Desciam sobre as latitudes do nosso merencório cantão as nuanças tristonhas do crepúsculo, que ali muitas vezes arrancava lágrimas de nossos corações, tal a pesada melancolia que infundia em derredor.

Seis melodiosas pancadas de um relógio que não víamos, ecoaram docemente na amplidão da sala, como anunciando o início da reunião. E cântico harmonioso de prece, envolvente, emocional, elevou-se em surdina como se até nossa audição chegasse através de ondas invisíveis do éter, provindo de local distante, que não poderíamos avaliar, enquanto se desenhava em uma tela junto à cátedra de Irmão Teócrito o sugestivo quadro da aparição de Gabriel à Virgem de Nazaré, participando a descida do Redentor às ingratas praias do Planeta.

Era o instante amorável do Ângelus...

Levantando-se, o diretor fez breve e emocionante saudação a Maria, apresentando-nos reunidos pela primeira vez para uma invocação. Doce refrigério estendeu-se sobre nossos corações. As lágrimas irromperam e emoções gratas ergueram-se dos túmulos íntimos em que jaziam, acordadas pelas lembranças do lar paterno, da infância longínqua, de nossas mães, a quem nenhum de nós certamente amara devidamente, a ensinar-nos ao pé do leito o balbucio sublime da primeira oração!...

Como tudo isso estava distante, quase apagado sob as voragens das paixões e das desgraças daí conseqüentes!... E eis que, inesperadamente, tais lembranças ressuscitavam, almo fantasma que vinha para se impor com o sabor de ósculos maternos em nossas frontes abatidas!

Fundas saudades dilataram nossos pensamentos, predispondo-os à ternura do momento grandioso que nos ofereciam como oportunidade abençoada...

Seria longo enumerar minúcias das belas quanto proveitosas seqüências dos ensinamentos e experiências que passávamos a receber desde essa tarde memorável, os quais integravam o melindroso tratamento a ser ministrado, espécie de doutrinação – terapêutica moral –, com ação decisiva sobre reações necessárias à reeducação de que tínhamos urgência. Diremos apenas que nessa primeira aula fomos submetidos a operações tão melindrosas, levadas a efeito em o nosso senso íntimo, que a incerteza quanto ao estado espiritual, para o qual resvaláramos, foi hábil e caridosamente removida de nossa compreensão, deixando que a luz da verdade, sem constrangimentos, se impusesse à evidência. Ficamos categoricamente convencidos da nossa qualidade de Espíritos separados do envoltório corporal terreno, o que até então, para a maioria, era motivo de confusões acerbas, de assombros incompreensíveis! E tudo se desenrolou singelamente, sendo nós próprios os compêndios vivos usados para as magníficas instruções – as operações irrefutáveis! Vejamos como os eruditos instrutores levavam a cabo o sacrossanto mandato:

Belarmino de Queiroz e Sousa que, como sabemos, era individualidade portadora de vasta cultura intelectual, além de ser adepto das doutrinas filosóficas de Augusto Comte, foi convidado, dentre outros que depois receberam o privilégio, a subir ao estrado onde se realizaria a formosa experiência instrutiva. Devemos observar que Irmão Teócrito tomava parte em tão delicada cerimônia como presidente de honra, lente insigne dos lentes em ação.

Colocaram o ex-professor de línguas à frente do aparelho luminoso que despertara nossa atenção à chegada, ao qual ligaram-no por um diadema preso a tênues fios que se diriam cintilas imponderáveis de luz. Enquanto Alceste o ligava, Romeu informava-o, em tom assaz grave, de que conviria voltasse a alguns anos passados de sua vida, coordenando os pensamentos a rigor, na seqüência das recordações, e partindo do momento exato em que a resolução trágica se apossara das suas faculdades. Para que tal conseguisse, auxiliava-o revigorando sua mente com emanações generosas que de suas próprias forças extraía.

Belarmino obedeceu, passivo e dócil a uma autoridade para que não possuía forças capazes de desagradar. E, recordando, reviveu os sofrimentos oriundos da tuberculose que o atingira, as lutas sustentadas consigo mesmo ante a idéia do suicídio, a tristeza inconsolável, a veraz agonia que se apoderara de suas faculdades em litígio entre o desejo de viver, o medo da moléstia impiedosa que avassalava sua organização física, supliciando-o sem tréguas, e a urgência do suicídio para, no seu doentio modo de pensar, mais suavemente atingir a finalidade a que a doença o arrastaria sob atrozes sofrimentos. À proporção que se aproximava o desfecho, porém, o filósofo comtista esquivava-se, recalcitrando à ordem recebida. Suores gelados como lhe banhavam a fronte ampla de pensador, onde o terror mais e mais se acentuava, estampando expressões de desespero a cada novo arranco das dolorosas reminiscências...

Entretanto o que mais surpreendia era que, na tela fosforescente à qual se ligava, iam-se reproduzindo as cenas evocadas pelo paciente, fato empolgante que a ele próprio, como à assistência, facultava a possibilidade de ver, de presenciar todo o amaro drama que precedeu o seu ato desesperador e as minúcias emocionantes e lamentáveis do execrável momento! A este seguiam-se as tormentosas situações de além-túmulo que lhe foram conseqüentes, o drama abominável que o surpreendera, as confusas sensações que durante tanto tempo o mantiveram enlouquecido.

Enquanto o primeiro operador auxiliava o paciente

a extrair as recordações próprias, o segundo comentava-as explicando os acontecimentos em torno do suicídio, antes e depois de consumado, qual emérito professor a elucidar ignaros em matéria indispensável. Fazia-o mostrando os fenômenos decorrentes do desprendimento do ser inteligente do seu casulo de limo corporal, violentado pelo desastroso gesto contra si mesmo praticado. Assistimos assim a surpreendente, inglória odisséia vivida pelo Espírito expulso da existência carnal sob sua própria responsabilidade, a esbater-se como louco à revelia da Lei que violou, presa dos tentáculos monstruosos de seqüências inevitáveis, criadas pela infração a um acúmulo determinante e harmonioso de leis naturais, sábias, invariáveis, eternas!

Esses extraordinários panoramas vieram anular as convicções materialistas do filósofo comtista, já bastante estremecidas, permitindo-lhe positivar em si mesmo, com minucioso exame, a separação do seu próprio astral do envoltório de lama corporal de que se revestia, sobrevivendo lucidamente apesar do suicídio e da decomposição cadavérica.

Por esse eficiente quão singelo método, a grande maioria da assistência pôde compreender a razão da ardência indescritível dos sofrimentos pelos quais vinha passando, das sensações físicas atormentadoras que perduravam ainda, as múltiplas perturbações que impediam a serenidade ou o olvido que erroneamente esperara encontrar no túmulo.

Entre outras observações levadas a efeito, merece especial comentário, pela estranheza de que se revestia, o fato de todos trazermos pendentes da configuração astral, quando ainda no Vale, fragmentos reluzentes, como se de uma corda ou um cabo elétrico arrebentados se despreendessem estilhas dos fios tenuíssimos que os estruturassem, sem que a energia se houvesse extinguido, ao passo que explicavam os mentores residir em tão curioso fenômeno toda a extensão da nossa acrimoniosa desgraça, porquanto esse cordão, pela morte natural, será brandamente desatado, desligado das afinidades que mantém com o corpo carnal, através de caridosos cuidados de obreiros da Vinha do Senhor incumbidos da sacrossanta missão da assistência aos moribundos, enquanto que, pelo suicídio, é ele violentamente despedaçado, e, o que é pior, quando as fontes vitais, cheias de seiva para o decurso de uma existência às vezes longa, ainda mais o solidificavam, mantendo a atração necessária ao equilíbrio da mesma.

Ora, diziam-nos que, a fim de nos desfazermos do profundo desequilíbrio que semelhante conseqüência produzia em nossa organização fluídica (não se falando aqui da desorganização moral, porventura ainda mais excruciante) ser-nos-ia indispensável voltar a animar outro corpo carnal, visto que, enquanto não o fizéssemos, seríamos criaturas desarmonizadas com as leis que regem o Universo, a quem indefiníveis incômodos privariam de quaisquer realizações verdadeiramente concordes com o progresso.

No entanto, Belarmino debatia-se, presa de choro e convulsões espasmódicas, revivendo as danosas aflições que o acometeram, enquanto a assistência se fazia com ele solidária, deduzindo daquela pavorosa demonstração ocorrências que a si diziam respeito.

Comentava, porém, o instrutor:

"– Podereis observar, meus amigos, que, justamente porque o homem desejou furtar-se à existência planetária pelas enganosas escarpas do suicídio, não se eximiu, absolutamente, de nenhuma das amargurosas situações que o desgostavam, antes acumulou desditas novas, quiçá mais ardentes e pungitivas, à bagagem dos males que dantes o afetavam, os quais seriam certamente suportáveis se educação moral sólida, estribada no cumprimento do Dever, lhe inspirasse as ações diárias. Essa educação orientadora, conselheira, salvadora, portanto, de desastres como o que lamentamos neste momento, o homem somente não na tem adquirido no próprio cenário terreno, onde é chamado a realizações imperiosas, porque não a quer adquirir, visto sobejarem em torno de seus passos, no orbe de sua residência, instruções e ensinamentos capazes de conduzi-lo às alvoradas redentoras do Bem e do Dever!

O incauto viageiro terreno, porém, há preferido sempre desperdiçar oportunidades benfazejas proporcionadas pela Divina Providência com vistas ao seu engrandecimento moral e espiritual, para mais livremente englobar-se às sombras insidiosas das paixões mantenedoras dos vícios e desatinos que o impelem ao irremediável tombo para o abismo.

No torvelinho das atrações mundanas, como no embater das provações que o excruciam; ao choque das vicissitudes diárias, inalienáveis ao meio em que realiza as experimentações para o progresso, como na fruição das doçuras fornecidas pelo lar próspero e feliz – jamais ao homem ocorre quaisquer esforços empreender para a iluminação interior de si mesmo, a reeducação moral, mental e espiritual cuja necessidade inapelavelmente se impõe no porvir que seu Espírito será chamado a conquistar pela ordem natural das Leis da Criação. Ele nem mesmo compreende que possui uma alma dotada dos germens divinos para a aquisição de excelentes prendas morais e qualidades espirituais eternas, germens cujo desenvolvimento lhe cumpre operar e aprimorar através do glorioso trabalho de ascensão para Deus, para a Vida Imortal! Ignora ser justamente no cultivo desses dons que reside o segredo da obtenção perfeita dos ideais mais caros que acalente, dos sonhos venerados que suspira concretizar; e mais, que, desprezando o ser divino que em si palpita, o qual é ele próprio, é o seu Espírito imortal, descendente que é do Todo-Poderoso, dá-se voluntariamente à condenação pela Dor, resvalando pelos ominosos desvios da animalidade e quiçá do crime, os quais necessariamente arrastarão a lógica das reparações, das renovações e experiências dolorosas nos testemunhos da reencarnação, quando mais suave se tornaria a jornada ascensional se meditasse prudentemente, procurando investigar a própria origem e o futuro que lhe compete alcançar!

Foi essa fatal ignorância que vos impeliu à desoladora situação em que hoje vos afligis, meus caros irmãos! mas a qual nosso fraterno interesse, inspirado no exemplo do Divino Cordeiro, tentará remediar, não obstante só o tempo e os vossos próprios esforços, em sentidos opostos aos verificados até agora, serem indispensáveis como a mais acertada tentativa em prol da recuperação que se impõe.

Como vedes, destruístes o corpo material, próprio da condição do Espírito reencarnado na Terra, único que teimáveis reconhecer como absoluto padrão de vida. No entanto, nem desaparecestes, como desejáveis, nem vos libertastes dos dissabores que vos desesperavam. Viveis! Viveis ainda! Vivereis sempre! Vivereis por toda a consumação dos evos uma Vida que é imortal, que jamais, jamais se extinguirá dentro do vosso ser, jamais deixando de projetar sobre a vossa consciência o impulso irresistível para a frente, para o mais além!...

É que sois a candeia de valor inestimável, fecundada pelo Foco Eterno que entorna da Sua Imortalidade por sobre toda a Criação que de Si irradiou, concedendo-lhe as bênçãos do progresso através dos evos, até atingir a plenitude da glória na comunhão suprema do Seu Seio!

O que contemplais em vós mesmos, neste momento inesquecível e solene para vós, a refletir-se da vossa mente impressionada com os acontecimentos sensacionais que vos dizem respeito, decerto marcará etapas decisivas na trajetória que insofismavelmente desenvolvereis através do porvir. De agora em diante desejareis, certamente, aprender algo em torno de vós mesmos... pois a verdade é que tudo desconheceis em torno do Ser, da Vida, da Dor e do Destino... malgrado os pergaminhos que ostentáveis com galhardia na Terra, malgrado as distinções e honrarias que tanto assentavam às vossas insulsas vaidades de homens divorciados do ideal divino...!"

Reanimado pelos sábios distribuidores de energias magnéticas, Belarmino voltou ao lugar que ocupava na assistência, enquanto outro paciente subia ao estrado para novo exame demonstrativo. Voltava, porém, refletindo no semblante, antes abatido e carregado, uma como aleluia de esperanças! Ao sentar-se ao nosso lado, apertou-nos furtivamente as mãos, exclamando:

"– Sim, meus amigos! *Eu sou imortal*! Acabo de positivar, sem sombras de dúvida, em mim próprio, a existência concreta do meu 'eu' imaterial, do ser espiritual que neguei! Nada sei! Nada sei! Cumpre-me recomeçar os estudos!... Mas só aquela certeza constitui para mim uma grande conquista de felicidade: – Eu sou imortal!... Eu sou Imortal!..."

Nos dias subseqüentes, durante as mesmas reuniões fomos levados a examinar, com minúcias penosíssimas, os atos errôneos praticados no transcurso da existência que havíamos destruído, observando o emaranhado de prejuízos morais, mentais, educativos, sociais, materiais, que nos arrastaram ao detestável resultado a que chegáramos. Assistidos pelos mentores pacientes retroagimos com o pensamento até à infância e voltamos sobre os próprios passos, e, muitas vezes banhados em copioso pranto, e invariavelmente desapontados, confessamo-nos os próprios autores dos desenganos que nos abateram nos bulcões do suicídio. Como agíramos mal no desempenho das tarefas diárias que a sociedade impunha! Como nos portáramos selvagemente em todas as horas, não obstante o verniz de civilização de que nos jactávamos!...

Integrando a repesa falange, muitos havia patenteando o fruto nefasto da escassa educação moral obtida nos lares destituídos da verdadeira iluminação cristã! Jovens que, apenas saídos da adolescência, haviam tombado inermes ao primeiro choque com as contrariedades comuns à existência terrena, preferindo a aventura do suicídio, completamente faltos de ideal, de senso, de respeito a si mesmo, à Família e a Deus! As desgraças por eles encontradas, além do suicídio, eram como o terrível atestado, o pavoroso libelo contra a irresponsabilidade dos pais ou responsáveis por eles à face de Deus, a prova infamante da desatenção com que se portaram deixando de diligenciar sólida edificação moral em torno deles! Para tais casos, soubemos que severas contas deveriam prestar futuramente às Soberanas Leis os descautelosos pais que permitiram asas às perniciosas inclinações dos filhos, sem tentar corrigi-las, favorecendo assim ocasiões aos desequilíbrios desesperados de que o suicídio foi o lógico resultado!

Depois de tão complexos exames voltávamos a novas reuniões a fim de aprendermos como de preferência devíamos ter agido para evitar o suicídio, quais deveriam ter sido os atos diários, os empreendimentos, se não nos afastáramos do raciocínio inspirado no Dever, na fé em nós mesmos e no paternal amor de Deus! Em vários casos, a solução para os problemas, que abriram as portas para o abismo, encontrava-se a dois passos de distância do sofredor; surgiria o socorro enviado pela Providência ao seu filho bem-amado, dentro de alguns dias, de poucos meses, bastando somente que este se encorajasse para diminuta espera, em glorioso testemunho de vontade, paciência e coragem moral, necessário ao seu progresso espiritual! Então concluímos com decepcionante surpresa que fácil teria sido a vitória e até a felicidade, se buscáramos no Amor Divino a inspiração para os ditames da existência que desgraçadamente destruíramos!

Essas instruções proporcionaram sensíveis benefícios a todos nós. Repetiam-se bissemanalmente, havendo os dignos mentores a elas adicionado proveitosas palestras elucidativas. Melhoras prometedoras experimentávamos em nosso aspecto geral, enquanto suaves esperanças segredavam edificante consolo aos nossos corações doloridos. A presença dos instrutores passou a constituir motivo de imensa satisfação para nossas almas convalescentes de tão ásperos desesperos. As palavras que nos dirigiam durante as lições eram qual refrigerante orvalho sobre a comburência de nossas aflições; e suas palestras e instruções, o trato carinhoso e compassivo dos gabinetes outras tantas razões para nos considerarmos esperançosos e confiantes. Porém, jamais os víamos a não ser naqueles momentos oportunos; e, quando em presença deles, tanto nos intimidávamos, apesar da ternura que nos dispensavam, que não nos animávamos a pronunciar sequer um monossílabo sem primeiramente sermos interpelados.

Em pouco mais de dois meses estávamos habilitados a amplas induções, cotejando as lições recebidas e sobre elas maturando no recolhimento de nossos apartamentos.

Das análises levadas a efeito resultava a certeza, cada vez mais esclarecida, da gravidade da situação em que nos encontrávamos. O fato de estarmos aliviados dos exuberantes incômodos passados não implicava diminuição de culpabilidade. Ao contrário, a possibilidade de raciocinar minudenciava a extensão do delito, o que muito nos decepcionava e entristecia. E, das instruções e experiências caridosamente ministradas ao nosso entendimento a título de base e incentivo para uma urgente auto-reforma de que tínhamos imperiosa necessidade, visando ao inadiável progresso a ser realizado, destacaremos este esquema que enfeixaremos nestas singelas anotações de além-túmulo:

1 – É o homem um composto de tríplice natureza: – humana, astral e espiritual, isto é – matéria, fluido e essência. Esse composto poderá também ser traduzido em expressão mais concreta e popular, assimilável ao primeiro grau de observação: – corpo carnal, corpo fluídico ou perispírito, e alma ou Espírito, sendo que do último é que se irradiam Vida, Inteligência, Sentimento, etc., etc. – centelha onde se verifica a essência divina e que no homem assinala a hereditariedade celeste! Desses três corpos, o pri-

meiro é temporário, obedecendo apenas à necessidade das circunstâncias inalienáveis que contornam o seu possuidor, fadado à desorganização total por sua própria natureza putrescível, oriunda do limo primitivo: – é o de carne. O segundo é imortal e tende a progredir, desenvolver-se, aperfeiçoar-se através dos trabalhos incessantes nas lutas dos milênios: – é o fluídico; ao passo que o Espírito, eterno como a Origem da qual provém, luz imperecível que tende a rebrilhar sempre mais aformoseada até retratar em grau relativo o Fulgor Supremo que lhe forneceu a Vida, para glória do seu mesmo Criador – é a essência divina, imagem e semelhança – (que o será um dia) – do Todo-Poderoso Deus!

2 – Vivendo na Terra, esse ser inteligente, que deverá evolver pela Eternidade, denomina-se Homem! sendo, portanto, o homem um Espírito encarcerado num corpo de carne ou *encarnado.*

3 – Um Espírito volta várias vezes a tomar novo corpo carnal sobre a Terra, *nasce várias vezes* a fim de tornar a conviver nas sociedades terrenas, como Homem, exatamente como este é levado a trocar de roupa muitas vezes...

4 – O suicida é um Espírito criminoso, falido nos compromissos que tinha para com as Leis sábias, justas e imutáveis estabelecidas pelo Criador, *e que se vê obrigado a repetir a experiência na Terra, tomando corpo novo, uma vez que destruiu aquele que a Lei lhe confiara para instrumento de auxílio na conquista do próprio aperfeiçoamento* – depósito sagrado que ele antes deveria estimar e respeitar do que destruir, visto que lhe não assistiam direitos de faltar aos grandes compromissos da vida

planetária, tomados antes do nascimento em presença da própria consciência e ante a Paternidade Divina, que lhe fornecera Vida e meios para tanto.

5 – O Espírito de um suicida voltará a novo corpo terreno *em condições muito penosas de sofrimento*, agravadas pelas resultantes do grande desequilíbrio que o desesperado gesto provocou no seu corpo astral, isto é, no perispírito.

6 – A volta de um suicida a um novo corpo carnal é a lei. É lei inevitável, irrevogável! É expiação irremediável, à qual terá de se submeter voluntariamente ou não, porque a seu próprio benefício outro recurso não haverá senão *a repetição do programa terreno que deixou de executar.*

7 – Sucumbindo ao suicídio o homem rejeita e destrói ensejo sagrado, facultado por lei, para a conquista de situações honrosas e dignificantes para a própria consciência, pois os sofrimentos, quando heroicamente suportados, dominados pela vontade soberana de vencer, são como esponja mágica a expungir da consciência culposa a caligem infamante, muitas vezes, de um passado criminoso, em anteriores etapas terrenas. Mas, se, em vez do heroísmo salvador, preferir o homem a fuga às labutas promissoras, valendo-se de um auto-atentado que bem revelará a vasa de inferioridade que lhe infelicita o caráter, retardará o momento almejado para a satisfação dos mais caros desejos, visto que jamais se poderá destruir porque a fonte de sua Vida reside em seu Espírito e este é indestrutível e eterno como o Foco Sagrado de que descendeu!

8 – Na Espiritualidade raramente o suicida permanece-

rá durante muito tempo. Descerá à reencarnação prestamente, tal seja o acervo das danosas conseqüências acarretadas; ou adiará o cumprimento daquela inalienável necessidade caso as circunstâncias atenuantes forneçam capacidade para o ingresso em cursos de aprendizado edificante, que facilitarão as pelejas futuras a prol de sua mesma reabilitação.

9 – O suicida é como que um clandestino da Espiritualidade. As leis que regulam a harmonia do mundo invisível são contrariadas com sua presença em seus páramos antes da época determinada e legal; e tolerados são e amparados e convenientemente encaminhados porque a excelência das mesmas, derramada do seio amoroso do Pai Altíssimo, estabeleceu que a todos os pecadores sejam incessantemente renovadas as oportunidades de corrigenda e reabilitação!

10 – Renascendo em novo corpo carnal, remontará o suicida à programação de trabalhos e prélios diversos aos quais imaginou erradamente poder escapar pelos atalhos do suicídio; experimentará novamente tarefas, provações semelhantes ou absolutamente idênticas às que pretendera arredar; passará inevitavelmente pela tentação do mesmo suicídio, porque ele mesmo se colocou nessa difícil circunstância carreando para a reencarnação expiatória as amargas seqüências do passado delituoso! A tal tentação, porém, poderá resistir, visto que na Espiritualidade foi devidamente esclarecido, preparado para essa resistência. Se contudo vier a falir por uma segunda vez – o que será improvável –, multiplicar-se-á sua responsabilidade, multiplicando-se, por isso mesmo, desastrosamente, as séries de sofrimentos e pelejas reabilitadoras, visto que é imortal!

11 – O estado indefinível, de angústia inconsolável, de inquietação aflitiva e tristeza e insatisfações permanentes; as situações anormais que se decalcam e sucedem na alma, na mente e na vida de um suicida reencarnado, indescritíveis à compreensão humana e só assimiláveis por ele mesmo, somente lhe permitirão o retorno à normalidade ao findar das causas que as provocaram, após existências expiatórias, testemunhos severos onde seus valores morais serão duramente comprovados, acompanhando-se de lágrimas ininterruptas, realizações nobilitantes, renúncias dolorosas de que se não poderá isentar... podendo tão dificultoso labor dele exigir a perseverança de um século de lutas, de dois séculos... talvez mais... tais sejam o grau dos próprios deméritos e as disposições para as refregas justas e inalienáveis!

Tais deduções não nos deixavam, absolutamente, ilusões acerca do futuro que nos aguardava. Cedo, portanto, compreendemos que, na espinhosa atualidade que vivíamos, um roteiro único apresentava-se como recurso a possíveis suavizações em porvir cuja distância não podíamos prever: – submetermo-nos aos imperativos das leis que havíamos infringido, observarmos conselhos e orientações fornecidos por nossos amorosos mentores, deixando-nos educar e guiar ao sabor do seu alto critério, como ovelhas submissas e desejosas de encontrar o consolo supremo de um aprisco...

A comunhão com o Alto

"Disse então Jesus estas palavras: – Graças te rendo, meu Pai, Senhor do Céu e da Terra, por haveres ocultado estas coisas aos doutos e aos prudentes e por as teres revelado aos simples e aos pequeninos."

S. Mateus, 11:25.

"Em qualquer lugar onde se acharem duas ou mais pessoas reunidas em meu nome, eu estarei entre elas."

S. Mateus, 18:20.

Não obstante a eficiência de métodos tão apreciáveis, mesmo no recinto do Hospital e, mais ainda, entre os asilados do Isolamento e do Manicômio, existiam aqueles que não haviam conseguido reconhecer ainda a própria situação com a confiança que era de esperar. Permaneciam atordoados, semi-inconscientes, imersos em lamentável estado de inércia mental, incapacitados para quaisquer aquisições facultativas de progresso. Urgia despertá-los. Urgia chocá-los com a revivescência de vibrações animalizadas a que estavam habituados, tornando-os capazes de algo entenderem através da ação e da palavra humanas! Que fazer, se não chegavam a compreender a palavra harmoniosa dos mentores espirituais, tampouco vê-los com o desembaraço preciso, aceitando-lhes as sugestões caridosas, muito embora se materializassem eles quanto possível, a fim de mais eficientes se tornarem as operações?

A augusta Protetora do Instituto tinha pressa de vê-los também aliviados, pois assim o desejava seu excelso coração de Mãe!

Não vacilaram, pois, em lançar mão de recursos supremos, a fim de conseguirem o piedoso desiderato – os abnegados servidores da formosa Legião governada por Maria.

Nossos instrutores – Romeu e Alceste – participaram ao eminente diretor do Departamento Hospitalar existir necessidade premente de demandarem a Terra em busca de aprendizes de ciências psíquicas a fim de resolverem complexos mentais de alguns internos, insolúveis na Espiritualidade. Inteirado das particularidades, em conferências a que também assistiram os devotados operadores dos gabinetes, Irmão Teócrito nomeou a comissão que deveria sem demora partir para a Terra a fim de investigar as possibilidades de uma eficiente colaboração terrena. Expediu ao mesmo tempo petição de assistência ao Departamento de Vigilância, pois a este gabinete, como sabemos, achava-se afeto o movimento de intercâmbio entre nossa Colônia e os proscênios terrestres.

Olivier de Guzman, com a presteza que caracterizava as resoluções e ordens em todos aqueles núcleos de serviço, pôs à disposição de seu antigo colega de prélios beneficentes o pessoal necessário, competente para a magna tentativa, ao mesmo tempo que solicitava da Seção de Relações Externas indicações seguras quanto à existência de agremiações de estudo e experiências psíquicas reconhecidamente sérias, assinaladas pelo emblema cristão da vera fraternidade de princípios, no perímetro astral enfaixado por Portugal, Espanha, Brasil, países latino-americanos e colônias portuguesas, assim como as fichas espirituais dos médiuns às mesmas congregados.

Coube ao Brasil a preferência, dada a variedade de organizações científicas onde o senso religioso e a fúlgida moral cristã consolidavam o ideal de Amor e Fraternidade, tão admirado pelos da Legião em apreço, a par da magnífica falange de médiuns bem-dotados para o espinhoso mandato, e que o fichário da Vigilância registrava na terra de Santa Cruz.

Nessa mesma noite, do burgo da Vigilância partiu pequena caravana com destino ao Brasil, chefiada pelo nosso já muito estimado amigo Ramiro de Guzman. Porque se tratasse de Espíritos lúcidos, completamente desmaterializados, dispensada foi a necessidade de veículos de transporte, pois empregariam a volitação para o trajeto, por mais rápido e concorde com suas experiências espirituais. Integravam essa caravana, além dos dedicados instrutores Alceste e Romeu, dois cirurgiões responsáveis pelos pacientes em questão, especializados na ciência da organização físico-astral, como os dois Canalejas o eram das nossas enfermarias. Iam, com poderes conferidos pelo diretor, examinar as possibilidades dos médiuns cujos nomes e referências recomendáveis haviam obtido da Seção de Relações Externas. Desse exame dependeria a escolha definitiva das agremiações a serem visitadas.

Antes, porém, da partida dessa comissão, fora expedida mensagem telepática da direção-geral do Instituto, localizada na mansão do Templo, aos diretores e guias instrutores espirituais das agremiações a que pertenciam os referidos médiuns, assim como a seus próprios guias e mentores particulares, solicitando-lhes a indispensável permissão e preciosa colaboração para os entendimentos a serem firmados com aqueles.

Os serviços a serem prestados pelos veículos humanos – os médiuns – deveriam ser voluntários. Absolutamente nada lhes seria imposto ou exigido. Ao contrário, iriam os emissários do Instituto solicitar, em nome da Legião dos Servos de Maria, o favor da sua colaboração, pois era norma das escolas de iniciação a que pertenciam os responsáveis pelo Instituto Correcional Maria de Nazaré, pertencente àquela Legião, nada impor a quem quer que fosse, senão convencer à prática do cumprimento do dever.

Concertado o entendimento pela correspondência telepática, ficara estabelecido que os mentores espirituais dos médiuns visados lhes sugerissem o recolhimento ao leito mais cedo que o usual; que os mergulhassem em suave sono magnético, permitindo amplitude de ação e lucidez aos seus Espíritos para o bom entendimento das negociações a se realizarem pela noite adentro. Uma vez desprendidos dos corpos físicos pelo sono, deveriam os referidos concorrentes ser encaminhados para a sede da agremiação a que pertenciam, local escolhido para as confabulações.

Tudo programado, partiu do Instituto a caravana missionária, composta de oito personagens, isto é, quatro servidores especializados, do Hospital, e quatro assistentes da Vigilância, que os guiariam com segurança às localidades indicadas.

Soavam precisamente as vinte e três horas nos campanários singelos das primeiras localidades a serem visitadas, quando os dedicados servos de Maria começaram a planar nas latitudes pitorescas da terra de Santa Cruz, dirigindo-se sem vacilações para o centro do país.

Suaves claridades emitidas pelas últimas fases do plenilúnio derramavam docemente, sobre o dorso do planeta de provações, tons melancólicos e sugestivos, enquanto os odores vivos da flora brasileira, rica de essências virtuosas, embalsamavam a atmosfera, como a acenderem piras de perfumes raros em honra aos nobres visitantes, sabendo de suas predileções de iniciados orientais...

Consultaram então o mapa que traziam com as necessárias indicações; escolheram algumas das cidades do centro da grande nação planetária, nele indicadas pela Seção de Relações Externas como mantenedoras de agrupamentos de estudos e aprendizagem psíquicos sérios; e, separando-se em quatro grupos de apenas duas individualidades, atingiram céleres os pontos determinados. Haviam estabelecido, assim, que visitariam quatro cidades de cada vez, à procura dos médiuns; e que, uma vez firmados os entendimentos, reunir-se-iam em determinado local da Espiritualidade, com os guias e mentores deles, para indispensáveis entendimentos relativos ao importante certame.

Em vários núcleos de experiências, portanto, nessa noite bonançosa, no interior do Brasil, onde a quietude e simplicidade de costumes não contaminam de muito graves impurezas o meio ambiente social, caridosa atividade do mundo astral efetivava-se em locais humílimos, desataviados de opulências e vaidades, mas onde a sacrossanta lâmpada da Fraternidade se mantinha acesa para o culto imorredouro do amor a Deus e ao próximo.

Os emissários expuseram ao que vinham, solicitando aos médiuns, cujos Espíritos para ali haviam sido conduzidos enquanto os corpos continuavam profundamente adormecidos, seu concurso piedoso para o esclarecimento de míseros suicidas incapacitados de se convencerem dos imperativos da vida espiritual apenas com o concurso astral. O estado lamentável a que se reduziram aqueles infelizes não foi omitido na longa exposição feita pelos solicitantes. *Os médiuns deveriam contribuir com grandes parcelas de suas próprias energias para alívio dos desgraçados que lhes bateriam à porta.* Esgotar-se-iam, provavelmente, no caridoso afã de lhes estancar as lágrimas. Seria até mesmo possível que, durante o tempo que estivessem em contacto com eles, impressões de indefiníveis amarguras, mal-estar inquietante, perda de apetite, insônia, diminuição até mesmo do peso natural do corpo físico viessem surpreendê-los e afligi-los. Todavia, a direção do Instituto Maria de Nazaré oferecia garantia: – suprimento das forças consumidas, quer orgânicas, mentais ou magnéticas, imediatamente após a cessação do compromisso, ao passo que a Legião dos Servos de Maria, a partir daquela data, jamais os deixaria sem a sua fraterna e agradecida observação. Se se arriscavam à solicitação de tão vultoso concurso era porque entendiam que *os médiuns educados à luz da áurea moral cristã são iniciados modernos, e, por isso, devem saber que os postos que ocupam, no seio da Escola a que pertencem, fatalmente terão de obedecer a dois princípios essenciais e sagrados da Iniciação Cristã heroicamente exemplificados pelo Mestre Insigne que a legou: – Amor e Abnegação!*

Não obstante, seriam livres de anuir ou não ao convite. O encargo deveria distinguir-se por voluntário, realizado sem constrangimentos de nenhuma espécie, estribando-se na confiança e no sincero desejo do Bem.

Assim se realizaram as primeiras confabulações em doze povoações visitadas, sendo os convites apresentados a vinte médiuns de ambos os sexos. Dentre estes, porém, apenas quatro senhoras, humildes, bondosas, deixando desprender do envoltório astral estrigas luminosas à altura do coração, ofereceram incondicional e abnegadamente seus préstimos aos emissários da Luz, prontas ao generoso desempenho. Dos representantes masculinos apenas dois aquiesceram, sem rasgos de legítima abnegação, é certo, mas fiéis aos compromissos de que se investiram, assemelhando-se ao funcionário assíduo à repartição por ser esse o dever do subordinado. Os restantes, conquanto honestos, sinceros no ideal esposado por amor de Jesus, desencorajaram-se de um compromisso formal. Os quadros expostos, mostrando-lhes o precário estado dos pacientes que deveriam socorrer, seu martirológio de além-túmulo, infundiram-lhe tais pavores e impressões que acharam por bem retrair impulsos assistenciais, prontificando-se, porém, a permanente auxílio através das irradiações benévolas de preces sinceras. Foram, por conseguinte, desobrigados de quaisquer compromissos diretos, dando-se os visitantes por amplamente satisfeitos. Era de notar, porém, que o Brasil fora assinalado como ambiente preferível, onde se localizavam médiuns ricamente dotados, honestos, sinceros, absolutamente desinteressados!

Seguiram-se os indispensáveis exames da organização astral e envoltório material dos que se comprometeram ao alto mandato.

À beira de seus leitos inspeção minuciosa foi efetivada em seus fardos carnais. O vigor cerebral, as atividades cardíacas, a harmonia da circulação, o estado geral das vísceras e do sistema nervoso, e até as funções gástricas, renais e intestinais foram cuidadosamente investigadas. As deficiências porventura observadas seriam a tempo reparadas por ação fluídica e magnética, pois tinham à frente ainda vinte e quatro horas para os preparativos.

Passaram em seguida à vistoria do envoltório físico-astral, ou seja, o perispírito. Conduzidos a um dos postos de emergência e socorro, mantidos pela Colônia a que deveriam emprestar caridoso concurso, nas proximidades desta como da própria Terra, espécie de Departamento Auxiliar onde freqüentemente se realizavam importantes trabalhos de investigações e labores outros, afetos aos serviços da mesma Colônia, foram os Espíritos dos seis médiuns contratados minuciosamente instruídos quanto aos serviços que deveriam prestar, examinados os seus perispíritos, revivificados com aplicações fluídicas de excelência soberana para o desempenho, analisados o volume e grau das vibrações emitidas e corrigidos os excessos ou deficiências apresentadas, a fim de que *resistissem sem sofrer quaisquer distúrbios e dominassem, tanto quanto possível, beneficiando-as com o vigor sadio que desprendessem* – as emanações mentais nocivas, doentias, desesperadoras, dos desgraçados suicidas absorvidos pela loucura da dor superlativa! Pode-se mesmo asseverar que o contacto mediúnico com os futuros comunicantes estabeleceu-se nessa ocasião, quando correntes magnéticas harmoniosas foram dispostas de uns para outros, assim determinando a atração simpática, a combinação dos fluidos, fator indispensável na operação dos fenômenos de tão melindroso quão sublime gênero.

Uma vez ultimados tais preparativos, reconduziram os colaboradores terrenos aos seus lares, libertando-os do sono em que os haviam mergulhado, a fim de que retomassem os fardos materiais quando bem lhes aprouvesse, e, incansáveis heróis do amor fraterno, tornaram aos seus postos do Invisível, prosseguindo em nova série de atividades preparatórias para a jornada da noite seguinte, quando se iniciaria a sucessão de reuniões em quatro cidades do interior do Brasil. E não é de admirar que assim o fizessem, sabido como é que todos os iniciados graduados são doutores em Medicina, com amplos conhecimentos também das organizações físico-astrais.

Desde o regresso da comissão de entendimentos, movimentação incomum apresentavam as repartições do burgo da Vigilância e do Hospital. Na manhã seguinte fomos cientificados de que, ao cair do crepúsculo, partiríamos em visita de instrução aos planos terrenos, o que muito veio alvoroçar nossos corações, por imaginarmos possibilidades de rever nossas famílias e amigos. Da Vigilância, turmas de operários e técnicos partiram ao alvorecer, conduzindo aparelhamentos necessários ao importante trabalho a realizar-se às primeiras horas da noite. Quer os diretores de nossa Colônia, quer os instrutores e educadores, seus auxiliares, eram severos na observação dos métodos empregados, meticulosos nas disciplinas exigidas para o intercâmbio entre o Mundo Astral e a Terra, fiéis aos programas estatuídos pelos santuários orientais, onde, havia muito, quando homens, aprenderam as magnas ciências do Psiquismo. Por isso mesmo, um esquadrão de lanceiros desceu e, depois de inspeção rigorosa pelo interior do edifício onde se realizaria a reunião de psiquismo, ou, como usualmente se denomina – a Sessão Espírita –, postou-se de guarda fazendo segura ronda desde as primeiras horas da madrugada. Ficou, assim, circulada por milicianos hindus, que se diriam invencível barreira, a casa humilde, sede do Centro Espírita escolhido para a primeira etapa, enquanto o emblema respeitável da Legião foi arvorado no alto da fachada principal, invisível a olhos humanos comuns, mas nem por isso menos real e verdadeiro, uma vez que a nobre agremiação fora temporariamente cedida àquela insigne e benemérita corporação espiritual. Obreiros devotados, sob a direção de técnicos e diretores da Seção de Relações Externas, preparavam o recinto reservado à prática dos fenômenos, tornando-o, tanto quanto possível, idêntico aos ambientes que no Instituto lhes eram favoráveis à instrução dos pacientes. Enquanto isso, foi solicitada ao diretor espiritual do Centro em questão a fineza de recomendar ao diretor terreno, por via mediúnica, *absolutamente não permitir assistência leiga ou desatenciosa aos trabalhos daquela noite, os quais seriam importantes e delicados*, pois, nada menos do que *uma falange de Espíritos suicidas para ali seria encaminhada a fim de a eles assistir, e operosidades dessa natureza há mister que sejam ocultas, admitindo-se apenas os aprendizes probos, aplicados e sinceros da iniciação cristã, já moralizados pelas alvoradas das virtudes evangélicas.*

Fluidos magnéticos foram prodigamente espargidos no recinto da sala de operações, por obedecerem a duas finalidades: – servirem como material necessário à criação de quadros visuais demonstrativos, durante as instruções aos pacientes, e refrigerantes tônicos para combate às vibrações nocivas, inquietantes e desarmoniosas, dos Espíritos sofredores presentes e mesmo de algum colaborador terreno que deixasse de orar e vigiar naquele dia, arrastando para a mesa sacrossanta da comunhão com o Invisível as emanações da mente conturbada.

Tudo preparado, ao entardecer iniciou-se o transporte das entidades chamadas ao vultoso empenho. Pela manhã do mesmo dia, porém, após a preleção que se seguia às aplicações balsamizantes para nosso tratamento, nos gabinetes já descritos, fomos esclarecidos quanto à importância da reunião a que deveríamos assistir.

– Durante a viagem seria preferível abstermo-nos de quaisquer palestras. Deveríamos equilibrar nossas forças mentais, impelindo-as em sentido generoso. Que procurássemos recordar, durante o trajeto, as instruções que vínhamos recebendo havia dois meses, recapitulando-as como se devêramos prestar exame. Isso nos conservaria concentrados, auxiliando, portanto, nossos condutores na defesa que nos deviam, pois atravessaríamos perigosas zonas inferiores do Invisível, onde pululavam hordas de desordeiros do Astral inferior, o que indicava ser grande a responsabilidade daqueles que receberam a incumbência de nos guardar durante a excursão. O silêncio e a concentração que pudéssemos observar imprimiriam maior velocidade aos veículos que nos transportassem, afastando possibilidade de tentativas de assalto por parte daqueles malfeitores, conquanto tivessem os legionários a certeza de facilmente poderem dominar suas possíveis investidas.

– Não nos poderíamos destacar da falange em hipótese alguma, nem mesmo com o louvável intuito de uma visita à Pátria ou à família. Semelhante indisciplina poderia custar-nos muitos dissabores e lágrimas, pois éramos fracos, inexperientes, pouco conhecedores do mundo invisível, onde proliferam as seduções, as tentações, a hipocrisia, a mistificação, a maldade, mais ainda do que na Terra! Em ocasião oportuna visitaríamos nossos entes caros sem que nenhum contratempo adviesse, desgostando-nos.

– No recinto das operações deveríamos portar-nos como se defrontando o próprio Tabernáculo Supremo, pois que a reunião era acima de tudo respeitável, porque realizada sob as invocações do sacrossanto nome do Altíssimo, enquanto que Seu Unigênito estaria presente através de irradiações misericordiosas do Seu grande amor fraterno, porquanto isso mesmo prometera aos discípulos sinceros da Sua Excelsa Doutrina, que em Seu nome se reunissem para a comunhão com o Céu.

– Se era dever do cristão honesto e sério calar paixões e desejos impuros, procurando escudar-se na boa vontade para dominá-los, reeducando-se diariamente, nos momentos em que estivéssemos presentes ao venerável Templo onde se consagraria o sublime mistério da confraternização entre mortos e vivos para trocarem impressões, assim mutuamente se esclarecendo, se instruindo e iluminando, melhor cumpriria a todos, homens e Espíritos, precatarem-se com as mais dignas atitudes, chamando os pensamentos mais sadios para aureolarem as mentes de nobreza condizente com o almo acontecimento; esquecerem mágoas, preocupações subalternas, levando bem alto o padrão dos sentimentos caridosos no intento de beneficiação ao próximo, pois que seria bom nos lembrássemos de que, integrando a nossa falange mesma, iam entidades ainda mais desafortunadas do que nós, aquelas que nenhum alívio ainda tinham conseguido, tais a desorganização nervosa, a dispersão mental em que se mantinham, e às quais ordenava o dever de fraternidade que auxiliássemos apesar da nossa fraqueza, contribuindo com nossos pensamentos benevolentes, firmes, vibrando em sentido favorável a elas. Tal proceder de nossa parte rodeá-las-ia de vigores novos, os quais abrandariam a ardência das angústias que as oprimiam, concedendo ao mesmo tempo, a nós outros, o mérito da verdadeira cooperação.

– Disseram-nos mais que, na Terra, nem todos os homens admitidos ao cenáculo sagrado das evocações guardavam essa higiene moral e mental, necessária à boa marcha do intercâmbio com o Invisível. Que, nos dias decorrentes, entre os encarnados existia até mesmo leviandade e abuso na prática das relações com os mortos, o que é lamentável, porquanto, todo aquele que age leviana ou descriteriosamente, em torno de tão respeitável quão melindroso assunto, acumula responsabilidades gravíssimas para si mesmo, as quais pesarão amargamente na sua consciência, em dias futuros. Por isso mesmo, as reuniões luminosas, onde o descortino de muitas grandezas espirituais seria possível, tornam-se raras, pois nem sempre os componentes de um quadro de operadores são realmente dignos do alto mandato que presumem poder desempenhar. Esquecem-se de que, para as verdades dos mistérios celestes refulgirem ao seu entendimento, submetendo-se à sua penetração por lhes desvendarem as sublimidades que lhes são próprias, é e sempre foi indispensável aos investigadores a autodisciplina moral e mental, preparo individual prévio, que obriga modificações sensíveis no interior de cada um, ou, pelo menos, o desejo veemente de reformar-se, vontade convincente de atingir o verdadeiro alvo do Bem!... Mas que, ainda assim e apesar de tudo, ordena o dever de Fraternidade que Espíritos angelicais voltem vistas freqüentemente para núcleos onde tais infrações se verificam, observando caridosamente a melhor oportunidade para a elas comparecerem procurando aconselhar aqueles mesmos inconseqüentes, instruí-los quanto possível, despertando em suas consciências o senso real da responsabilidade terrível de que se sobrecarregam, deixando de envergar a túnica das virtudes, apontada na velha parábola do Celeste Conselheiro como traje obrigatório para a mesa do divino banquete com as sociedades astrais e siderais!...[5] E que, assim agindo, os ditos Espíritos nada mais faziam do que observar princípios da fraternidade estabelecida pelo próprio Mestre Nazareno, o qual não desprezou descer de esferas deíficas até o pélago tormentoso das maldades humanas, a fim de apontar aos pecadores o caminho do Dever e a prática das virtudes regeneradoras!

Ao entardecer, pois, partimos, demandando planos terrenos. Custodiavam-nos pesada escolta de lanceiros, turmas de assistentes, psiquistas e técnicos da Vigilância, pois de nenhuma dependência da Colônia, mesmo do Templo, ninguém visitaria a Terra ou outras localidades vizinhas sem o concurso valioso dos abnegados e intrépidos obreiros daquele Departamento, os quais em verdade eram os responsáveis pelas mais árduas tarefas que ali se verificavam. Já bastante instruídos, portamo-nos à altura das recomendações recebidas. Nossos comparsas em piores condições, justamente aqueles por quem tantas operosidades se realizavam, foram transportados em carros apropriados, rigorosamente fechados e guardados pela fiel milícia hindu, quais prisões volantes para pestosos, o que nos impossibilitou vê-los. Seus gritos lancinantes, porém, seus gemidos e choro convulsivo que tão bem conhecíamos, chegavam até nós distintamente, o que nos comovia, despertando-nos funda compaixão. Ansiosos, procuramos socorro ao mal-estar daí decorrente nas prudentes recomendações de Romeu e Alceste, nossos caros instrutores, firmando nossas forças mentais em vibrações caridosas a eles favoráveis, o que até mesmo a nós próprios veio beneficiar.

---

[5] Mateus, 22:1 a 14.

Chegados ao termo da viagem, um deslumbramento surpreendeu nossos olhos habituados às brumas nostálgicas do Hospital. Era de fazer notar como podíamos ver melhor tudo em derredor, uma vez na Terra, pois, em tempo algum, jamais víramos edifício tão magnificamente engalanado de luzes como aquela humilde habitação o era pelos esplendores que do Alto se projetavam, envolvendo-a num como abraço de vibrações hialinas! Encimando-a, lá estava a Cruz radiosa – emblema dos servos de Maria aquartelados no Instituto – com as iniciais nossas conhecidas, e cujas cintilações azuladas confundiam e arrebatavam. Lanceiros montavam sentinela à pequenina mansão transformada em solar de estrelas, havendo mesmo um cordão luminoso, qual bastião de flavas neblinas, circulando-a cuidadosamente, limitando-a da via pública em cerca de dois metros. A um entendido não seria difícil perceber a finalidade de tais precauções exigidas pelos ilustres trabalhadores do Instituto Maria de Nazaré. Não desejavam a intromissão no recinto das operações nem mesmo de emanações mentais heterogêneas, precatando-se quanto possível das investidas nocivas exteriores de qualquer natureza!

Entramos. Nossa admiração aumentava...

A azáfama do plano espiritual era intensa. Quanto à parte que tocava ao homem executar parecia diminuta, conforme foi fácil observar.

Ao ingressarmos no salão indicado para o nobre acontecimento, apenas se nos deparou um varão idoso, absorvido na leitura de um manual de filosofia transcendental, o qual dir-se-ia empolgá-lo, pois, verdadeiramente concentrado nos pensamentos que ia captando das páginas sábias, deixava irradiar da fronte fagulhas luminosas que muito o recomendavam no conceito do Invisível. Tudo indicava compreender ele a responsabilidade dos trabalhos daquela noite, que sobre seus ombros também pesavam, e, por isso, preparava-se a tempo, estabelecendo correntes harmoniosas entre si próprio e seus diletos amigos espirituais. Era o diretor terreno da casa.

O quadro a contemplar, aliás, era sugestivo e majestoso.

Haviam desaparecido os limites da sala de trabalhos, como se as paredes fossem magicamente afastadas a fim de se dilatar o recinto. Em seu lugar víamos tribunas circulares, com feição de arquibancadas. Dir-se-ia anfiteatro para acadêmicos. Nossos guias vigilantes indicaram as arquibancadas e os lugares a nós reservados. Obedecemos sem relutância, enquanto os infelizes companheiros, cujo estado grave dera razões ao trabalhoso recurso, eram pacientemente conduzidos por seus médicos assistentes e enfermeiros e colocados no primeiro plano das arquibancadas, em local apropriado às suas condições.

Na sala já se achavam reunidos os elementos terrenos selecionados para aquela noite, isto é, os médiuns indicados, os colaboradores homogêneos, de boa vontade, tomando cada um o lugar conveniente. Para estes nada mais havia no tosco aposento além das paredes brancas e desadornadas, a mesa que singela toalha guarnecia, livros, papéis em branco, esparsos, à altura das mãos dos médiuns, e alguns lápis. Os dotados de vidência, todavia, percebiam algo inusitado e fora de rotina, e comunicavam timidamente a seus pares, em discretas confidências, que *visitas importantes do Além honravam a Casa aquela noite*, seguindo-se a descrição de alguns pormenores, como a presença da milícia de lanceiros, dos médicos com seus aventais e emblemas e enfermeiros azafamados, no que, em verdade, não eram acreditados, pois, ainda no primeiro decênio deste século, mesmo muitos dos espíritas mais convictos sentiam dificuldade em aceitar a possibilidade de existir no Espaço necessidade de militares em ação, de enfermeiros e médicos desdobrando os misteres de sua magna ciência em torno de enfermos desencarnados...

Nós outros, no entanto, não fora a degradante indigência que nos grilhetava à inferioridade espiritual, impossibilitando a amplitude da visão que seria natural se outras fossem as nossas condições, teríamos abrangido o cenário na sua augusta realidade, em vez de percebermos palidamente o que nossos guias e mentores contemplavam em todo o esplendor da sua gloriosa significação:

– Ao centro do salão destacava-se a mesa de trabalhos dos colaboradores encarnados. Rodeavam-na o seu presidente com a comitiva de médiuns e afins para a corrente simpática de atração. De tosca que a notáramos ao entrar, agora se tornava alvinitente, pois dos confins do Invisível Superior despejava-se sobre ela cascata de luz resplandecente, elevando-a ao nível de altar venerável, onde a comunhão da Fraternidade entre homens e Espíritos se realizaria sob os divinos auspícios do Cordeiro de Deus, cujo nome respeitável era ali invocado.

– Abrangendo essa primeira corrente magnética produzida pelas vibrações harmoniosas dos encarnados, existia uma segunda, composta por entidades translúcidas e formosas, cujas feições mal podíamos fixar, tais os reflexos vivos que emitiam, parecendo antes silhuetas encantadas, orladas de raios cristalinos e puros: – eram os Espíritos Guias do Centro visitado, os protetores dos médiuns, assistentes e familiares das pessoas presentes, que, abnegadamente, talvez desde milênios se dedicavam ao objetivo da sua redenção!

– Além desta, ocupando maior espaço no recinto e, como as duas primeiras, dispostas em círculo, a supercorrente fornecida pelos visitantes e composta, na sua totalidade, pelo pessoal especializado comissionado pelo Departamento de Vigilância e subordinado à Seção de Relações Externas, pessoal esse chefiado pelo nosso amigo Ramiro de Guzman.

– À cabeceira da mesa, lugar de honra ocupado pelo diretor da Casa, o qual requer do seu ocupante elevadas disposições para o Bem, e que, para os métodos hindus usados no Instituto, seria a chave do círculo propício ao nobre desempenho, postavam-se, além deste, o seu diretor espiritual e mais o chefe de nossa expedição, isto é, Ramiro de Guzman, ao passo que mais acima Romeu e Alceste, os instrutores diretos da atormentada falange, cujo delicado desempenho vai verificar-se através da palavra do instrutor terreno – o presidente da mesa.

A um e outro cumpre recolher as vibrações dos pensamentos e das palavras do presidente, desenvolvidos durante o magno certame; associá-los aos elementos quintessenciados de que dispõem, de envolta com as ondas magnéticas dos circunstantes encarnados; elaborá-los e transfundi-los em cenas, dando-lhes vida e ação, concretizando-os, materializando-os até que os infelizes assistentes desencarnados sejam capazes de tudo compreender com facilidade. Para isso contam com o apoio do pessoal especializado fornecido pela Vigilância, isto é, pela Seção de Relações Externas, e o concurso amoroso e indispensável dos gabinetes científicos localizados no Hospital, chefiados por Teócrito.

Quanto aos nossos médicos e enfermeiros já se achavam a postos, quer junto dos médiuns quer ao lado dos enfermos, indo e vindo, fiéis ao formoso quanto sublime sacerdócio que no Astral a Medicina lhes confere – ainda mais nobre que na Terra, porque, além, é unicamente sob a augusta inspiração do Amor e da Fraternidade que se dedicam a tão nobres labores.

...E, serenos nos postos que lhes competiam, os lanceiros – esses colaboradores arrojados e silenciosos – dir-se-ia trazerem as forças de que dispunham, em verdade não nas lanças, que em suas mãos não exprimiam violência, mas nas mentes rigorosamente moldadas nas forjas de trabalhos austeros, de iniludíveis disciplinas, de renúncias e aprendizados abrilhantados na dor dos sacrifícios!

Cada colaborador no posto que lhe era devido, cumpria iniciar a chamada, como rezavam os métodos da iniciação. Tocou ao irmão Conde de Guzman levá-la a efeito, como responsável que era pela numerosa comitiva. Os comissionados pelos chefes do Instituto Maria de Nazaré, para a tarefa daquela noite, achavam-se presentes. A seu pedido imitou-o o diretor espiritual do Centro, notificando que também os seus subordinados correspondiam ao santificante compromisso. Quanto aos cômpares terrestres, os auxiliares humanos – nem todos se encontravam fielmente reunidos à hora aprazada! A chamada que, do plano espiritual, lhes era feita, acusava nada menos de três ausentes do cumprimento do Dever...

Iniciaram-se, finalmente, os trabalhos sob o nome sacrossanto do Altíssimo e a proteção solicitada do Excelso Mestre de Nazaré. Visivelmente inspirado pelos pensamentos vigorosos das entidades iluminadas presentes, o presidente da Casa desenvolveu ardente prece, tocante e substanciosa, a qual predispôs nossos corações ao enternecimento e a fervoroso recolhimento. À proporção que orava, porém, com maior vigor incidiam sobre a mesa os arrebóis níveo-azulados emanados do Alto, quais bênçãos dadivosas que nos levaram a imaginar lampejos do olhar caridoso de Maria norteando seus obreiros na piedosa missão de socorro a pobres decaídos.

Supliquemos, porém, aos mentores e tutelares presentes a graça de nos conferirem por instantes o poder da visão a distância, que neles é um dos formosos atributos do progresso adquirido, e o qual não possuímos ainda, e respeitosamente acompanhemos esse cascatear azulíneo que engalanou a sede humilde da agremiação dos discípulos do grande iniciado Allan Kardec, a ver se conseguiremos descobrir a sua origem...

Eis que fomos satisfeitos em nossas pretensões, sob a condição de conduzirmos o leitor no giro que empreendermos através das desejadas investigações... Uma vez assestado, o binóculo mágico revelou-nos que, sob as fulgurações puríssimas que visitavam o tosco albergue, desapareceram os limites que o encerravam no ergástulo de simples habitação terrena para transfigurá-lo em alvo de irradiações generosas por parte dos diretores do nosso Instituto. Víamos, refletida nas ondas pulcras daquelas dulçorosas cintilações, a reprodução do que, no mesmo momento, se desenrolava no gabinete secreto do Templo-santuário, onde se reuniam os responsáveis por quantos viviam na Colônia, perante a Excelsa Diretoria da Legião. Também esses austeros mestres, portanto, estão presentes à reunião onde nos achamos, pois que os vemos: estão, como nós, reunidos em torno a uma mesa augusta e alvinitente – a mesa da comunhão com o Mais Alto –, altar venerável que testemunha todos os dias suas elevadas manifestações de idealistas, suas investigações profundas de cientistas cristianizados, em torno da Criação Divina e dos graves problemas referentes ao gênero humano; suas fervorosas vibrações de amor e respeito ao Onipotente Pai e ao próximo! São doze varões, belos, nobres, cuja idade, à primeira vista, se não poderia calcular, mas que exame mais circunstanciado revelaria que bem poderia ser a que lhes fosse mais grata ao coração ou às recordações! Das mentes graves e pensadoras, assim como dos corações generosos, cintilas argênteas irradiam, testemunhando a grande firmeza dos princípios virtuosos que os impulsionam!

Não vemos assistentes para a reunião que efetuam. Estão sós, isolados no cenáculo santificado pelas vibrações das preces que de suas almas extraem, arrebatados pela Fé! Nem mesmo os discípulos imediatos, os que diariamente cooperam para o progresso e bem-estar da Colônia, são admitidos naquele segredo. A reunião é íntima, só deles! Precisam da mais sólida homogeneidade de que poderão dispor suas forças assestadas para o sentido do Bem! – *pois urge manter a harmonia geral da assembléia que ousou reunir-se sob o nome do Criador Supremo do Universo e as vistas do Seu Unigênito, cuja presença foi solicitada ardentemente ao se iniciarem os trabalhos.* Perante Maria são eles os responsáveis pelo que se passar na tenda humílima dos discípulos de Allan Kardec, no cimo da qual se assentou o emblema da Sua Legião! E, o que é ainda mais grave, perante Seu Augusto Filho, o Mestre e Redentor, a quem todas as Legiões prestam obediência, porque é Ele o Diretor Maior a quem o Criador conferiu poderes para redimir o planeta Terra e suas humanidades, é Ela a responsável pelo que ali se passa, além das responsabilidades deles próprios, motivo pelo qual será absolutamente imprescindível a conservação da harmonia para a obtenção dos bons êxitos!

Para que o Mestre Amado seja ainda uma vez glorificado; para que Seu Nome Excelso não sirva de pretexto para levianas realizações; para que se não cometa o sacrilégio de fazer degenerar em simples fórmula banal a invocação feita ao Cordeiro Imaculado de Deus; para que esteja presente nos ditos trabalhos, e para que seja real Sua Presença, em espírito e verdade, no santuário dos seguidores de Kardec, visitado por seus pupilos, vibram eles ali, reunidos secretamente, elevando os pensamentos em haustos sublimes, concentrados e firmes, alongando, com as melhores reservas mentais que possuem, as próprias almas na súplica, para que mereçam, com efeito, todos! todos presentes à magna reunião, a presença do Grande Consolador, assim estabelecendo as correntes invencíveis, virtuosas e cândidas para aquela noite, correntes que são o traço de união entre a presença do Mestre Divino e a reunião espírita terrena séria, bem dirigida!

Por isso mesmo é que os demais servidores, conquanto probos, dedicados e sinceros, não podem presenciar essa magna assembléia no Além realizada. Não alcançaram ainda as vibrações perfeitamente homogêneas com as suas, tal como requer a santidade do mandato. Na vasta colonização do Instituto Maria de Nazaré, apenas esses doze mestres de iniciação se apresentam perfeitamente idênticos em qualidades morais, graus de virtude e de ciência e estado de espiritualização para a comunhão no sublime ágape que efetuam!

São, não obstante, simples e modestos. Sabem que de si mesmos pouco têm para distribuir com os mais necessitados e sofredores, porque consideram diminuto o cabedal de ciência adquirido, apesar do longo carreiro de experiência que palmilharam, a série de peregrinações pelas vias do sacrifício e das lágrimas! Conseqüentemente, não desconhecem que se encontram ainda distanciados da perfeição! Mas porfiam em caminhar com passos sempre mais firmes ao encalço do grandioso ideal que acalentam – a união definitiva com Jesus, e revelam, com demonstrações insofismáveis, que nem paixões pessoais, nem desejos impuros abalançam mais suas vontades rigidamente retemperadas no Amor, na Justiça e no Dever!

Por essa razão oram e suplicam em harmonioso conjunto, sem que nenhum se considere digno bastante de ser chamado mestre ou chefe dos demais! Só sabem é que devem servir, porque não passam de servos de uma grande corporação onde a lei é o amor ao próximo, o devotamento às causas generosas, a justiça, a abnegação, o trabalho, o progresso para a conquista do melhor! Para eles, o verdadeiro chefe, o Mestre – é Jesus de Nazaré – e como tal o honram e respeitosamente o invocam sempre que as circunstâncias o requeiram! E como servos, como discípulos e subordinados desejam praticar ações dignificantes, alcançar méritos a fim de se elevarem no conceito do Amado Senhor!

Acreditam fervorosamente que o Magno Instrutor, a quem imploram assistência e proteção, não desatendeu as invocações extraídas dos recônditos mais sensíveis dos seus Espíritos, antes desceu, misericordioso e terno como sempre, não apenas até o santuário hialino onde só eles penetram, mas também à humilde choça em que se efetua o divino banquete da Fraternidade, ao qual também concorreram pobres homens e mulheres ainda encarnados, arrastando-se penosamente através dos cardos das provações para aprendizados redentores. Atesta-o a torrente de luz sideral que a santificou! É que a certeza da presença de Jesus nas reuniões engrandecidas pelas virtudes e dispositivos morais e intelectuais de seus orientadores, quer encarnados, quer desencarnados, proveio do fato de jamais se haverem extinguido da sua audição espiritual as miríficas expressões daquela voz amorosa, inesquecível e sublime, firmando a promessa imortal:

> *"Em qualquer lugar onde se acharem duas ou mais pessoas reunidas em meu nome, eu estarei entre elas."*[6]

Como sói acontecer nas reuniões legítimas da iniciação espírita-cristã, cujos princípios elevados impõem como base inalienável para o seu adepto a auto-reforma moral e mental, naquela noite memorável para todos de minha sinistra falange foi escolhido o tema evangélico a ser estudado e comentado. Como vemos, o ensino era fornecido por Jesus, ali considerado Lente Magnífico, Presidente de Honra, cujas lições levantavam o pedestal de tudo o que se desenrolaria.

Iniciada foi, pois, a leitura do Evangelho, seguindo-se explanação formosa e fecunda, do presidente terreno. As parábolas elucidativas, as ações magnânimas e carinhosas, as promessas inolvidáveis mais uma vez enternecem o coração dos aprendizes da Escola de Allan Kardec, que circulavam a mesa, repercutindo gratamente, *pela primeira vez*, no íntimo de cada um de nós outros, o divino convite para a redenção – pois até então não ouvíramos ainda dissertações congêneres. Para as

[6]Mateus, 18:20.

criaturas terrenas ali presentes tratava-se apenas do irmão presidente a ler e comentar o assunto escolhido, em hora de inspiração radiosa, em que jorros de intuições vivíssimas, cintilantes, cascateavam do Alto revivendo a extensa relação das exemplificações do Modelo Divino e expressões de Sua moral impoluta. Para os Espíritos que se aglomeravam no recinto, porém, invisíveis à quase totalidade dos circunstantes humanos, e, particularmente, para os desditosos que para ali foram encaminhados a fim de se esclarecerem, havia muito, muito mais que isso! Para estes, são figuras, vultos, seqüências que se agitam a cada frase do orador! É uma aula – estranha, singular terapêutica! – que nos ministravam qual medicamentação celeste a fim de balsamizar nossas desgraças! A palavra, vibração do pensamento criador, repercutindo em ondas sonoras, onde se retratavam as imagens mentais daquele que a proferia, e espalhando-se pelo recinto saturado de substâncias fluido-magnéticas apropriadas e fluidos animalizados dos médiuns e assistentes encarnados, é rapidamente acionada e concretizada, tornando-se visível graças a efeitos naturais que as forças mentais conjugadas dos Tutelares reunidos no Templo, com as dos demais cooperadores em ação, produziam. Intensificam-se as atividades dos técnicos da Vigilância, comissionados para o delicado labor da captação das ondas onde as imagens mentais se retrataram, da coordenação e estabilidade de seqüências, etc., etc. A palavra assim trabalhada no maravilhoso laboratório mental, assim modelada e retida por eminentes especialistas devotados ao bem do próximo – corporificou-se, tornou-se realidade, criada que foi a cena viva do que foi lido e exposto!

De nossas arquibancadas, rodeados de lanceiros quais prisioneiros do pecado que em verdade éramos, tivemos a inédita e grata surpresa de assistir ao desenrolar das narrativas escolhidas, em movimentações, na faixa flamejante que do Alto descia iluminando a mesa e o recinto. Se havia referência à personalidade inconfundível do Mestre Nazareno – era a reprodução de Sua augusta imagem que se desenhava, *tal como cada um se habituara a imaginá-lo no âmago do pensamento desde a infância*! Se recordavam Seus feitos, Sua vida de exemplificações sublimes, Seus gestos inesquecíveis de Protetor Incondicional dos sofredores – além o víamos tal como o texto evangélico o descrevia: – bondoso e amorável distribuindo fragrâncias do Seu manancial de Amor e das virtudes deíficas de que era Excelso Relicário – aos pobres e sofredores, aos cegos e paralíticos, aos lunáticos, aos loucos e aos leprosos, aos ignorantes e às crianças, aos velhos e aos de boa vontade, aos pecadores e às adúlteras, aos publicanos, aos samaritanos, aos doutores, aos desesperados e aflitos, aos doentes do corpo e do espírito, aos arrependidos como aos próprios crentes da Sua Doutrina de Luz e aos Seus próprios apóstolos!... enquanto o presidente – que não enxergava com olhos materiais esses quadros majestosos que se elevavam da sua leitura e do comentário feito, mas sentia as vibrações harmoniosas e enternecidas que os produziam lhe comoverem a sensibilidade – ia repetindo e comentando as encantadoras, inesquecíveis asserções que tantas lágrimas hão enxugado através dos séculos, tantos corações sequiosos têm desalterado, tantas e tão angustiosas incertezas hão transformado na serenidade de uma convicção sólida e inquebrantável:

> "– Vinde a mim, vós que sofreis e vos achais sobrecarregados, e eu vos aliviarei. Tomai sobre vós o meu jugo e aprendei comigo, que sou brando e humilde de coração, e achareis repouso para vossas almas, pois é suave o meu jugo e leve o meu fardo."

"– Bem-aventurados os que choram e sofrem, porque serão consolados. Bem-aventurados os famintos e os sequiosos de justiça, pois que serão saciados. Bem-aventurados os que sofrem perseguição por amor à justiça, pois que é deles o reino dos céus."

"– Bem-aventurados vós, que sois pobres, porque vosso é o reino dos céus. Bem-aventurados vós que agora tendes fome, porque sereis saciados. Ditosos sois, vós que agora chorais, porque rireis."

"– Deus não quer a morte do pecador, mas que ele viva e se arrependa."

"– O Filho de Deus veio buscar e salvar o que se havia perdido."

"– Das ovelhas que o Pai me confiou, nenhuma se perderá."

"– Se queres entrar no reino de Deus, vem, toma a tua cruz e segue-me..."[7]

"– Eu sou o Grande Médico das almas e venho trazer-vos o remédio que vos há de curar. Os fracos, os sofredores e os enfermos são os meus filhos prediletos. Venho salvá-los! Vinde pois a mim, vós que sofreis e vos achais oprimidos, e sereis aliviados e consolados."

"– Venho instruir e consolar os pobres deserdados. Venho dizer-lhes que elevem a sua resignação ao nível de suas provas, que chorem, porquanto a dor foi sagrada no Jardim das Oliveiras; mas que esperem, pois que também a eles os anjos consoladores lhes virão enxugar as lágrimas."

"– Vossas almas não estão esquecidas; eu, o Divino Jardineiro, as cultivo no silêncio dos vossos pensamentos."

[7]Jesus-Cristo – O Novo Testamento.

> "– Deus consola os humildes e dá força aos aflitos que lha pedem. Seu poder cobre a Terra e, por toda a parte, junto de cada lágrima colocou Ele um bálsamo que consola."
>
> "– Nada fica perdido no reino do nosso Pai e os vossos suores e misérias formam o tesouro que vos tornará ricos nas esferas superiores, onde a luz substitui as trevas e onde o mais desnudo dentre todos vós será talvez o mais resplandecente!"[8]

E era um desfilar empolgante de cenas, das quais o Consolador Amável destacava-se irradiando convites irresistíveis a nós outros, réprobos sofredores e desesperançados, enquanto o orador rememorava as divinas ações por Ele praticadas!...

Silêncio religioso presidia as arquibancadas. Frêmito de emoções desconhecidas acendia, nas profundezas sensíveis dos nossos Espíritos atribulados e tristes, uma alvorada de confiança, prelúdio prometedor da Fé que nos deveria impulsionar para os labores da salvação. Suspensos pelos interesses do ensinamento poderosamente sedutor, fitávamos embevecidos aqueles quadros sugestivos, criados momentaneamente para nossa elucidação, e nos quais destacávamos o Nazareno socorrendo os desgraçados, enquanto a palavra afetuosa do orador, envolta nas ondas fluídicas, ainda mais doces, do pensamento caridoso dos seres angélicos que nos assistiam, instruía ternamente, com entonações que repercutiam até ao âmago dos nossos Espíritos sequiosos de consolo, como imprimindo em seus refolhos, para sempre, a imagem incomparável do Médico Celeste que nos deveria curar! Então sentimos que, pela primeira vez, desde muitos anos,

---

[8] *O Evangelho segundo o Espiritismo*, de Allan Kardec. (Comunicação do Espírito de Verdade.)

a Esperança descia seus mantos de luz sobre nossas almas enoitadas pelas trevas do desânimo e da ímpia descrença!

De súbito, brado angustioso, de suprema desesperação, feriu a majestade do religioso silêncio que abendiçoava o cenáculo!

Um dos nossos míseros pares, justamente daqueles a quem denominávamos "retalhados", durante o cativeiro no Vale Sinistro, por conservarem no corpo astral as trágicas sombras do esfacelamento do envoltório carnal sob as rodas de pesados veículos de ferro, e cujo estado de incompreensão e sofrimento, muito grave, exigira o concurso humano a fim de ser suavizado – esperando receber também alívio aos feros padecimentos que o exasperavam, arrojou-se de joelhos ao solo e suplicou por entre lágrimas, tão pungentes que sacudiram de compaixão as fibras dos circunstantes – como outrora teriam feito os desgraçados em presença do Meigo Rabi da Galiléia:

"– Jesus-Cristo! Meu Senhor e Salvador! Compadecei-vos também de mim! Eu creio, Senhor! e quero a vossa misericórdia! Não posso mais! Não posso mais! Enlouqueci no sofrimento! Socorrei-me, Jesus de Nazaré, a mim também, por piedade!..."

A um sinal de Alceste e de Romeu, os bondosos enfermeiros ampararam-no, conduzindo-o ao médium, uma senhora ainda jovem, delicada, de talhe e de feições, e que na véspera se comprometera ao magno desempenho, quando das investigações dos obreiros do Instituto para conseguirem a reunião. Dois médicos, responsáveis pelo Espírito em questão, acompanharam-no, estabelecendo sua ligação com o precioso veículo, e também a este dispensando a mais desvelada assistência, a fim de que nenhum contratempo sobreviesse.

A cena, então, atingiu a culminância mais patética e, ao mesmo tempo, mais sublime que imaginar se possa!

Apossando-se de um aparelho carnal que, piedosamente, por momentos lhe emprestavam, no intuito cristão de beneficiá-lo, por ajudá-lo a conseguir alívio, o desgraçado suicida sentiu, em toda a sua plenitude, a tragédia que havia longos anos vinha experimentando o seu viver nas trevas do martírio inconcebível!... pois tinha agora, ao seu dispor, outros órgãos materiais, nos quais suas vibrações, ardentes e tempestuosas, esbarrando brutalmente, voltavam plenamente animalizadas para produzirem no seu torturado corpo astral repercussões minuciosas do que fora passado! Gritos lancinantes, estertores macabros, terrores satânicos, todo o pavoroso estado mental que arrastava, refletiu ele sobre a médium, que traduziu, tanto quanto lho permitiam as forças do sublime dom que possuía, para os circunstantes encarnados ali presentes –, a assombrosa calamidade que o túmulo encobria!

Enlouquecido, *vendo sobre a mesa os fragmentos em que se convertera seu desgraçado corpo de carne, por ele próprio atirado sob as rodas de um trem de ferro, pois seu inacreditável estado mental fazia-o ver, por toda parte, o mal que existia em si mesmo, chaga que lhe violentava a consciência* – arrebatou a jovem médium em agitações penosas e, debruçando-se sobre a mesa, *pôs-se a reunir aqueles mesmos fragmentos, tentando reorganizar o corpo, que via, cheio de horror, eternamente disperso sobre os trilhos*, presa dramática de uma das mais abomináveis alucinações que o Além-túmulo costuma registrar!

Vulnerado pelos fogos da inconcebível tortura do réprobo a estampar a realização da assertiva severa do Evangelho:

"– *e sereis atirados nas trevas exteriores onde chorareis e rangereis os dentes*",

a infortunada ovelha desgarrada, que desdenhara ouvir as advertências do prudente e sábio Pastor da Galiléia, ia, nervosamente, arrepanhando papéis, livros e lápis que se achavam dispostos sobre a mesa, à disposição dos psicógrafos, e, *neles julgando reconhecer as próprias vísceras esfaceladas, ossos triturados, carnes sangrentas – o coração, o cérebro – reduzidos a montículos repugnantes* – mostrava-os, chorando convulsivamente, ao presidente da reunião, a quem enxergava com facilidade, suplicando sua intervenção junto a Jesus Nazareno, já que tão bem O conhecia, para remediar-lhe a alucinadora situação de se sentir assim despedaçado e reconhecer-se, e sentir-se vivo! Nervoso, irrequieto, excitadíssimo, o dantesco prisioneiro dos tentáculos malvados do suicídio gargalhava e chorava a um mesmo tempo, suplicava e gemia, estorcia-se e ululava, expunha, sufocado em lágrimas afogueadas pelo martírio, o drama incomensurável que para si mesmo criara com o suicídio, o remorso inconsolável de preferir a descrença em que vivera e morrera à conformidade conselheira e prudente, frente às penas da adversidade, pois, reconhecia agora, tardiamente, que *todos os dramas que a vida terrena apresenta são meros contratempos passáveis, contrariedades banais, comparados aos monstruosos sofrimentos originários do suicídio, cuja natureza e intensidade nenhum ser humano, mesmo um Espírito desencarnado, é competente para avaliar, uma vez que as não tenha experimentado!*

Comovido – a personagem principal da mesa – o presidente, a quem tutelares invisíveis amorosamente inspiram, fala-lhe piedosamente, consola-o apontando a luz sacrossanta do Evangelho do Mestre Divino como o recurso supremo e único capaz de socorrê-lo, afiançando-lhe ainda, com sua palavra de honra, a qual não tem dúvidas em empenhar, tal a certeza do que afirma, a intervenção do Médico Celeste, que proporcionará alívio imediato aos estranhos males que o afligem. Eleva então uma prece, singela e amorosa, depois de convidar todos os corações presentes a galgar com ele o espaço infindo, em busca do seio amorável de Jesus, para a súplica de mercês imediatas para o desgraçado que precisa serenidade a fim de expungir da mente a visão macabra com que os próprios delitos lhe fustigam a alma e a continuação da Vida, as quais pretendeu aniquilar com a deserção pelos atalhos do suicídio!

Acompanham-no de boa mente todos quantos se interessam pelo infeliz alucinado: – encarnados que compõem a mesa, desencarnados que realizam a magnificência da sessão, isto é, instrutores, vigilantes, assistentes guias da Casa, lanceiros e até nós outros, os delinqüentes mais serenos, profundamente comovidos. Oram ainda os diretores de nossa Colônia, que, do segredo do Templo, assistem quanto se desenrola entre nós; oram Teócrito e seus adjuntos, os quais, do Hospital, igualmente assistem aos trabalhos através dos possantes aparelhos que conhecemos ou simplesmente servindo-se da dupla vista, que facilmente acionam. E assim docemente harmonizada e fortalecida ao impulso vigoroso dos pensamentos homogêneos de tantos corações fraternalmente unidos sob o ósculo sublime da Caridade, no que pode ela encerrar de mais belo e desinteressado – a prece ilibada e santa transformou-se em corrente vigorosa de luz resplendente, que dentro de curtos minutos atingiu o Alvo Sagrado e voltou fecundada pelo amplexo da Sua divina misericórdia! Cada pensamento, que se unifica aos demais em anseios compassivos, cada expressão caridosa extraída do coração, que subia à procura do Pai Altíssimo em favor do infeliz ferreteado pelo suicídio, que precisou do concurso humano para se adaptar ao além-túmulo – são vozes a lhe segredarem esperanças, são bálsamos fecundos e inestimáveis a gotejarem tréguas, vislumbres de bonanças nas cruentas tempestades que sacodem seu Espírito ergastulado na desgraça!

Após a prece seguiu-se silêncio impressionante, como só existiria sobre a Terra outrora, durante a prática dos mistérios, nos santuários dos antigos templos de ciências orientais. Todos concentrados, apenas a médium se estorcia e chorava, traduzindo o assombro da entidade comunicante.

Pouco a pouco, sem que uma única palavra tornasse a ser proferida, e enquanto apenas as forças mentais de desencarnados conjugadas com as de encarnados mourejavam, efetivou-se a Divina Intervenção... e não desdenharemos descrevê-la, digno que é o seu transcendentalismo da nossa apreciação.

As vibrações mentais dos assistentes encarnados, e particularmente da médium, cuja saúde físico-material, físico-astral, moral e mental, encontrava-se em condições satisfatórias, *pois que fora anteriormente examinada pelos provedores do importante certame espiritual*, reagiam contra as do comunicante, que, viciadas, enfermas, positivamente descontroladas, investiam violentamente sobre aquelas, como ondas revoltas de imensa torrente que se despejasse abruptamente no seio esmeraldino do oceano, formoso e sobranceiro refletindo os esplendores do firmamento ensolarado. Estabeleceu-se, assim, luta árdua, na realização de sublime operação psíquica, uma vez que influenciações saudáveis, fluidos magnéticos mesclados de essências espirituais aconselháveis no caso, fornecidos pela médium e pelos guias assistentes, deveriam impor-se e domar as emitidas pela entidade sofredora, incapaz de algo produzir distante do inferior. A corrente poderosa pouco a pouco apresentou os frutos salutares que era de esperar, dominando suavemente as vibrações nefastas do suicida depois de passar pelo áureo veículo mediúnico, o qual, *materializando-a, adaptando-a em afinidades com o paciente, tornava-a assimilável por este, cujo envoltório astral fortemente se ressentia das impressões animalizadas deixadas pelo corpo carnal* que se extinguia sob a pedra do sepulcro! Eram como que compressas anestesiantes que se aplicassem na organização fluídica do penitente, suavizando-lhe o efervescer das múltiplas excitações, a fim de torná-la em condições de suportar a verdadeira terapêutica requisitada pelo melindroso caso. Era como sedativo divino que piedosamente gotejasse virtudes hialinas sobre suas chagas anímicas, *através do filtro humano representado pelo magnetismo mediúnico*, sem o qual o infeliz não assimilaria, de forma alguma, nenhum benefício que se lhe desejasse aplicar! E era como transfusão de sangue em moribundo que voltasse à vida após ter-se encontrado às bordas do túmulo, infiltração de essências preciosas que a médium recebia do Alto, ou dos mentores presentes, em abundância, transmitindo em seguida ao padecente.

Lentamente a médium se aquietou, porque o desgraçado "retalhado" se acalmara. Já não via os reflexos mentais do ato temerário, o que equivale adiantar que desaparecera a satânica visão dos fragmentos do próprio corpo, que em vão tentara recolher para recompor.

Grata sensação de alívio perpassava suas fibras perispirituais doloridas pelos amargores longamente suportados... Continuava o silêncio augusto propício às dulçorosas revelações imateriais do amparo maternal de Maria, da misericórdia inefável de seu Filho Imaculado. Pelo recinto repercutiam ainda as tonalidades blandiciosas da melodia evangélica, quais cavatinas siderais harpejando esperanças:

> "– *Vinde a mim, vós que sofreis e vos achais sobrecarregados, e eu vos aliviarei...*"

enquanto ele chorava em grandes desabafos, entrevendo possibilidade de melhor situação. Suas lágrimas, porém, já não traduziam os estertores violentos do início, mas expressão agradecida de quem sente a intervenção beneficente...

Então, Alceste e Romeu acionaram as forças da intuição, com veemência, sobre a mente do presidente da mesa, que se engrinaldou de luminosidades adamantinas. Aproximaram-se os técnicos do aparelho mediúnico, a que o infeliz se encostava. Explica-lhe o presidente, pormenorizadamente, quanto lhe sucedeu e por que sucedeu. Ministra-lhe aula expressiva, a que aqueles agentes corporificam com a criação de quadros demonstrativos. Vimos que se repetia então na sessão espiritista terrena o que havíamos assistido nas assembléias do Hospital presididas pelo insigne Teócrito: – A vida do paciente ressurge, como fotografada, refletida nesses quadros, de suas mesmas recordações, desfilando à frente de seus olhos desde o berço até o túmulo por ele mesmo cavado! Ele reviu o que praticou, assistiu aos estertores rápidos da agonia que a si próprio ofereceu sob as rodas de um veículo; contemplou, perplexo e aterrado, os destroços a que seu gesto brutal reduzira sua configuração humana cheia de vigor e de seiva para o prolongamento da existência... mas fê-lo agora independente daqueles destroços, como se houvera despertado de hediondo pesadelo!... Observou mesmo, desfeito em lágrimas, que mãos piedosas recolheram seus despojos sangrentos de sobre os trilhos; assistiu comovido ao sepultamento dos mesmos em terra consagrada... e viu o vulto confortador de uma Cruz montando guarda à sua sepultura. Compreendeu, assim, e aceitou o acontecimento que sentia dificuldades e repulsas em acatar, isto é, que era imortal e continuaria vivendo, vivendo ainda e para todo o sempre, apesar do suicídio! Que de nada aproveitara a resolução infernal de pretender burlar as leis divinas senão para sobrecarregar-lhe a existência, assim como a consciência, de responsabilidades tão graves quanto pesadíssimas! E que, se o corpo material se extinguia, com efeito, no lodo pútrido de um sepulcro – o Espírito, que é a personalidade real, porque descendente da Luz Eterna do Supremo Criador, marcharia indestrutível para o futuro, apesar de todos os percalços e contratempos, vivo e eterno como a própria Essência Imortal que lhe fornecia a Vida!

Oh, Deus do Céu! Que ofício religioso ultrapassará em glórias essa reunião singela, desprovida de atavios e repercussões sociais, mas onde a atribulada alma de um suicida, descrente da misericórdia do seu Criador, desesperada pelo acervo dos sofrimentos daí conseqüentes e inclemência dos remorsos, é convertida aos alvores da Fé, pela doçura irresistível do Evangelho do Meigo Nazareno?!... Que cerimônia, que ritual, quais festividades e pompas existentes sobre a Terra poderão ombrear-se com a magnificência do santuário secreto de um núcleo de estudos e labores espirituais onde os missionários do Amor e da Caridade do Unigênito de Deus em Seu nome esvoaçam, mergulhados em vibrações ilibadas e puras, oferecendo aos iniciados modernos, que se congregam em cadeias mentais excelentes, o precioso exemplo de nova prática da Fraternidade?!... Em que setor humano depararia o homem glorificação mais honrosa para lhe condecorar a alma, do que essa, de ser elevado à meritória categoria de colaborador das Esferas Celestes, enquanto os Embaixadores da Luz lhe desvendam os mistérios do túmulo ofertando-lhe sacrossantos ensinamentos de uma Moral redentora, de uma Ciência Divina, no intuito generoso de reeducá-lo para o definitivo ingresso no redil do Divino Pastor?!...

Homem! Irmão, que, como eu, descendes do mesmo Foco Glorioso de Luz! Alma imortal fadada a destinos excelsos no seio magnânimo da Eternidade! Apressa a marcha da tua evolução para o Alto nos caminhos do Conhecimento, reeducando o teu caráter aos fulgores do Evangelho do Cristo de Deus! Cultiva tuas faculdades anímicas no silêncio augusto das meditações nobres e sinceras; esquece as vaidades depressoras; relega os prazeres mundanos que para nada aproveitam senão para excitar-te os sentidos em prejuízo das felizes expansões do ser divino que em ti palpita; alija para bem distante do teu coração o egoísmo fatal que te inferioriza no concerto das sociedades espirituais... pois tudo isso mais não é que escolhos terríveis a dificultarem tua ascensão para a Luz!... Rasga teu seio para a aquisição de virtudes ativas e deixa que teu coração se dilate para a comunhão com o Céu... Então, as arestas do calvário terreno que palmilhas serão aliviadas e tudo parecerá mais suave e mais justo ao teu entendimento aclarado pela compreensão sublime da Verdade, pois terás dado abrigo em teu seio às forças do Bem que promanam do Supremo Amor de Deus!... E depois, quando te sentires afeito às renúncias; quando fores capaz das rígidas reservas necessárias ao verdadeiro iniciado das Ciências Redentoras; quando tiveres apartado o teu coração das ilusões efêmeras do mundo em que experimentas a sabedoria da Vida, e empolgada se sentir a tua alma imortal pelo santo ideal do Amor Divino – que teus dons mediúnicos se entreabram qual preciosa e cândida flor celeste, para a convivência ostensiva com o Mundo Invisível, despetalando aljôfares de caridade fraterna à passagem dos infelizes que não souberam a tempo se precatar, como tu, com as forças indestrutíveis que à alma fornece a Ciência Imarcescível do Evangelho do Cristo!

Nossos amigos – os discípulos de Allan Kardec

Nos intervalos que se seguiam de uma reunião à outra não voltávamos ao nosso abrigo da Espiritualidade. Permanecíamos antes no próprio ambiente terrestre, em virtude de ser a viagem a empreender excessivamente dificultosa para grupo numeroso e pesado, tal como o nosso, poder repeti-la em trânsito diário. Assim foi que ficamos entre os homens cerca de dois meses, tempo necessário à consecução das reuniões íntimas de que carecíamos e de outras tantas de preparação iniciática, onde apenas os princípios e conceitos morais e filosóficos eram examinados, sem a prática dos mistérios.

Nossa qualidade de suicidas, cuja aura virulada por irradiações inferiores poderia levar a perturbação e o desgosto às pobres criaturas encarnadas das quais nos aproximássemos, ou delas receber influenciações prejudiciais ao delicado tratamento a que éramos submetidos, inibia-nos permanecer em quaisquer recintos habitados ou visitados por almas encarnadas.

Convém esclarecer que éramos entidades em vias de reeducação, e, por isso mesmo, submetidas a regras muito severas de conduta, o que impedia de vivermos ao léu entre os homens, influenciando molestamente a sociedade terrena... coisa que fatalmente sucederia se continuássemos rebelados, recalcitrantes no erro.

Éramos então conduzidos a locais pitorescos, nos arredores das povoações em que nos encontrássemos, e onde se tornasse difícil o ingresso dos homens: – bosques amenos, prados ensombrados por árvores frutíferas, colinas férteis e verdejantes onde o gado saboreava a relva fresca da sua predileção. Tendas eram levantadas e aldeamento gracioso, invisível a olhos humanos, mas perfeitamente real para nós outros, e a que doce poesia bucólica assinalava de matizes sedutores, surgia sob o zimbório eternamente azul dos céus brasileiros, onde o carro flamejante do Astro Rei resplandecia com a pompa inigualável dos seus raios revigorantes.

À noite, terna melancolia adoçava nossas amarguras de exilados do lar e da família, quando, voltando de assistir às arrebatadoras preleções evangélicas, durante as reuniões dos espiritistas cristãos, nos quedávamos a meditar, sob o silêncio inalterável das colinas ou da placidez dos vergéis, rememorando as lições fecundas sobre a existência do Ser Supremo como Criador e Pai, enquanto fitávamos a umbela celeste marchetada de estrelas lucilantes e lindas. Profundas elucubrações então dilatavam nosso raciocínio, ao mesmo tempo que contemplávamos, enternecidos quais jovens enamorados, aquele espaço sideral arrastando a glória inavaliável com que o Arquiteto Supremo o dotou: – aqui, eram astros fulgurantes e imensos, sóis poderosos, centros de força, de luz, de calor e de vida; além, mundos arrebatadores de beleza e grandeza inconcebível, cujo esplendor chegava até nossas vistas de precitos do mundo invisível como amoroso aceno fraterno, a afirmar que também eles abrigavam outras humanidades, almas nossas irmãs em marcha para a redenção, enamoradas do Bem e da Luz, e, como nós, oriundas do mesmo sopro paternal divino que em nosso âmago sentíamos agora palpitar, apesar da extrema pobreza moral em que nos debatíamos! E por toda a parte a expressão gloriosa do pensamento do Altíssimo a falar do Seu poder, do Seu amor, da Sua sabedoria!

Não raramente, sob o sussurro mavioso das frondes que engrinaldavam aquelas colinas, ante as dúlcidas virações que refrescavam a noite clarificada pela refulgência dos astros que rolavam pela imensidão, nossos amigos, os discípulos de Allan Kardec, isto é, os médiuns, os doutrinadores, os evangelizadores cujo altruísmo e boa vontade tanto contribuíam para alívio de nossas inquietações, visitavam-nos em nosso acampamento, pela calada da noite, mal seus corpos físicos repousavam em sono profundo. Confabulavam conosco piedosa e amorosamente, pois tinham livre acesso em nosso aldeamento de emergência, ampliavam explicações em torno da excelência das doutrinas que professavam, revelando-se respeitosos crentes na paternidade de Deus, na imortalidade da alma e na evolução do ser para o seu Todo-Poderoso Criador!

Grandes entusiastas da Fé, concitavam-nos ao amor a Deus, à esperança na Sua paternal bondade, à confiança no porvir por Ele reservado ao gênero humano, à coragem para vencer, como bases inalienáveis de serenidade no grande esforço pelo progresso! Afiançavam ser, todos eles, atestados insofismáveis, patéticos, da excelência dos ensinos filosóficos ministrados pela Doutrina de que eram filiados, Doutrina cujas bases, assentadas na moral grandiosa do Divino Modelo e na Ciência do Invisível, transformara-os em rijas fortalezas de Fé, capazes de resistirem a toda e qualquer adversidade com ânimo sereno, mente equilibrada e sorriso nos lábios, estampando o céu que traziam em si mesmos graças aos conhecimentos superiores que tinham da Vida e dos destinos humanos! Expunham, então, cheios de eloqüência, os ardores da adversidade com que muitos deles lutavam, e, ouvindo-os, abismávamo-nos, e nossa admiração crescia, tornando-os maiores no conceito que deles fazíamos: – este varão respeitável, chefe de família numerosa, era paupérrimo, vivendo a lutar sem tréguas pela subsistência dos seus; aquele outro, incompreendido no lar, isolado no seio da própria família, que lhe não respeitava o direito sagrado de pensar e de crer como lhe aprouvesse; esta senhora, carregando a pesada cruz de um matrimônio desventurado, subjugada ao imperativo de duras humilhações e desgostos diários!... Eis, porém, mais esta, que vira morrer o filho único em plena juventude, arrimo e doçura da sua viuvez e da sua velhice!... enquanto esta jovem, nas vésperas do consórcio ternamente almejado, se vira recompensada, na sua doce e prometedora dedicação, com o perjúrio abominável daquele que lhe despertara os primeiros arroubos do coração!... pois, o ser iniciado no Espiritismo Cristão não exclui a necessidade de grandes reparações e testemunhos dolorosos!

No entanto, a serenidade, a paciente conformidade presidiam a tais choques em seus corações! Haviam-se voltado confiantes para o seio amorável de Jesus, fiéis ao convite terno que Lhe conheciam permanente! Abriram os corações e o entendimento às doces influências celestes, alcandorando-se aos influxos assistenciais de seus guias instrutores... e agora marchavam confiantes, demandando o futuro, certos da vitória final! Não tiveram pejo, antes foi com visível bom humor que narraram que dentre eles havia os que iam para o cumprimento do dever em suas reuniões sem ter feito a refeição da tarde, por escassez de recursos, mas que nem por isso se sentiam desgraçados, pois esperavam que o Pai Supremo, que veste os lírios dos campos e provê as necessidades dos pássaros que voam no ar[9], também teria com que lhes remediar a situação, tão depressa quanto possível... e fortes se sentiam para, por si mesmos, e escudados na Fé e no bom ânimo dela conseqüente, reagirem contra a penúria do momento, e vencerem!

Desse convívio, por assim dizer diário, resultou que grandes afeições e simpatias indestrutíveis se estabelecessem de parte a parte, mormente entre nós, desencarnados, que nos sentíamos sinceramente agradecidos pelo interesse que nos dispensavam e as inestimáveis mercês que lhes devíamos.[10]

Tínhamos licença para segui-los em jornadas laboriosas, no desempenho da beneficência. Poderosamente

---

[9] Mateus, 6:19 a 21 e 25 a 34.

[10] Com efeito, no decurso de nossas atividades mediúnicas tivemos ensejo de fazer sólidas relações de amizade com habitantes do plano invisível. Em determinada fase de nossa existência, quando testemunhos dolorosos e decisivos nos foram impostos pela Lei das Causas, pequena falange de antigos sofredores e que havíamos auxiliado antes, inclusive alguns suicidas e dois ex-obsessores que se tornaram nossos amigos durante trabalhos práticos para a cura de obsidiados, tornaram-se visíveis em certa visita que nos fizeram, oferecendo préstimos para nos suavizarem a situação. Nada sendo, porém, possível, porquanto a situação era irremediável, misturaram com as nossas as suas lágrimas, visitando-nos freqüentemente e assim nos proporcionando grande refrigério com a prova, que nos deram, de tão benévola afeição. (*Nota da médium.*)

interessantes, tais labores serviam-nos de magnificentes lições, de vez que, arraigados a insano egoísmo, não compreendíamos como poderia alguém dedicar-se ao bem alheio com tão elevadas demonstrações de desinteresse e amor fraterno. Não me eximirei de dedicar algumas linhas destas narrativas à descrição das operosidades a que assistimos então, para só nos referirmos ao que era realizado por eles em corpo astral, durante as horas dedicadas ao sono e ao descanso físico-material.

Os médiuns, e demais iniciados cristãos encarnados, comissionados pelo Instituto Maria de Nazaré, mereciam a sua confiança e estavam sob a sua vigilância até findarem os compromissos que haviam assumido com os seus diretores. Muitas vezes, porém, essa vigilância estendia-se por tempo indeterminado, passando o aprendiz terreno a fazer parte da falange de trabalhadores da Colônia, o que será o mesmo que dizer que se tornava colaborador da magna Legião dos Servos de Maria. Se eram verdadeiramente dedicados ao ministério apostólico que experimentavam sob os auspícios da grande doutrina compilada pelo chefe da Escola em que se iniciaram, isto é, por Allan Kardec, não limitariam o concurso da sua boa vontade às sessões semanais de cunho secreto, em o núcleo a que pertenciam. Ao contrário, dilatariam o raio das ações próprias empreendendo esforços favoráveis à exaltação da Causa a que serviam.

Pela noite adentro, aqueles a quem nos ligávamos transportavam-se a grandes distâncias, em corpo astral, associando-se a seus mentores e guias para nobres realizações. Em nossa falange cada grupo de dez ou mesmo em número menor, poderia associar-se-lhes no intuito de instruir-se, segui-los nas peregrinações dignificantes em prol da causa esposada pelo Mestre Magnânimo, desde que seus tutelares e assistentes dirigissem os serviços e que mentores da Legião tomassem parte na comitiva.

Durante os dois meses de nossa convivência na Terra, tive ocasião de segui-los algumas vezes, acompanhado de outros cômpares da falange, inclusive Belarmino, e seguidos de nossos afetuosos amigos de Canalejas e de Ramiro de Guzman.

Encaminhados por seus instrutores espirituais, visitavam hospitais através do silêncio da noite, abeirando-se dos leitos em que gemiam pobres enfermos desesperançados e tristes, no piedoso interesse de lhes ministrarem alívio e vigores novos com aplicações magnéticas vitalizantes, de que eram fecundos depositários. Falavam-lhes amigavelmente, valendo-se da sonolência em que os viam mergulhados, reanimavam-nos transfundindo-lhes os alvores da Fé e da Esperança que iluminavam seus Espíritos de crentes fiéis, sugeriam-lhes coragem e vontade de vencer através de conselhos e alvitres cuja inspiração recebiam de seus bondosos acompanhantes. Com eles, assim, ingressamos também em domicílios particulares, observando que o intuito que levavam era sempre o de servir e aprender, quer se tratasse de visita aos palácios, às choupanas ou até aos prostíbulos, pois entendiam, com seus guias, que também aqui existiam corações a consolar, Espíritos enfraquecidos a reerguer e aconselhar! De outras vezes solicitavam nossa cooperação no empenho de consolar grandes infelizes, isto é, pessoas encarnadas que atravessavam testemunhos dolorosos na série de provações convenientes, e cuja tendência para o desânimo e a desesperação poderia tornar-se fatal. Levavam-nos então para a sede da agremiação a que pertenciam e, ali, enquanto seus fardos materiais continuavam em profundo sono, assim como os daqueles por quem se interessavam, reanimavam os pobres sofredores expondo-lhes conceitos vivos e prudentes, ministrando-lhes os grandiosos ensinamentos evangélicos que enriqueciam suas próprias almas e deles faziam grandes e animosos batalhadores diários, incapazes de se julgarem vencidos, desanimados, desesperados!... E era então que emprestávamos nossa dolorosa experiência, aquiescendo em falar da sinistra aventura que o desânimo nos reservara arrastando-nos para o abismo do suicídio! Belarmino encontrava ensejos, então, para expandir seu verbo arrebatador de orador fecundo e brilhante; e por mais de uma vez pôde ele arrebatar, de uma queda certa, infelizes que já se inclinavam para a enoitada região da qual provínhamos. Tudo isso valeu-nos aproveitamento valioso, elucidações de alto valor, exemplificação sedutora, ao passo que reação consoladora nos reanimava, fornecendo-nos esperança!

Ao fim de dois meses, porém, nada mais sendo necessário recebermos do plano material terreno, fora ordenado o regresso da falange à sua Colônia do Astral.

Não foi sem profunda comoção que abraçamos esses ternos e singelos amigos, na última visita ao nosso bucólico aldeamento para as despedidas, e cuja placidez comunicativa do coração tão sadio vigor emprestara às nossas almas vacilantes e apreensivas. Conquanto seus corpos carnais se mantivessem adormecidos quando iam ver-nos, era bem certo que os enxergávamos realmente, como homens ou mulheres, sem que chegasse a impressionar-nos a diferença do envoltório.

Hipotecamos-lhes gratidão eterna, apresentamos-lhes protestos de afeição inquebrantável, prometemos-lhes visitas freqüentes tão depressa no-lo permitissem as circunstâncias, retribuição das gentilezas e provas de consideração com que nos haviam honrado, assim nos víssemos para tanto capacitados. Por sua vez prometeram continuar interessando-se pelo drama que nos aprisionava, quer orando à Clemência Divina em nosso favor, ou nos transmitindo suas expressões de amizade através das missivas telepáticas que suas faculdades anímicas principiavam a produzir, promessa que imensamente nos desvaneceu.

Com efeito, após chegarmos ao nosso nevado asilo, freqüentemente víamos suas figuras amigas se destacarem na lucidez dos nossos aparelhos de televisão, envoltas sempre nas ondas opalinas da prece e dos pensamentos generosos com que encaminhavam a Deus os bons votos que faziam pela melhoria de nossa situação.

Se, passando dois longos meses sobre a crosta terrestre, hóspedes dos serenos céus brasileiros, não nos concederam os guardiães a devida autorização para visitarmos sítios queridos de nossa Pátria, cujas recordações saudosas umedeciam de pranto as fibras sensíveis de nossas almas, deram-nos, no entanto, a conhecer estes amigos prestativos e gentis, dóceis e humildes, os discípulos do nobre mestre da Iniciação – Allan Kardec –, a cuja memória, desde então, passamos a render respeitoso preito de admiração! E pensávamos, enternecidos e sinceramente encantados: – Uma doutrina como essa, capaz de lapidar corações, abrilhantando-os com as cândidas manifestações da Bondade, como víamos irradiando em torno dos nossos novos amigos, não pode estar distante das verdades celestes!

....

Passaram-se dois anos, longos e trabalhosos, durante os quais muito choramos sob o peso de frementes remorsos, analisando diariamente o erro cometido contra nós mesmos, contra a Natureza e as sábias Leis do Sempiterno, votando-nos à situação amara deixada pelo suicídio! Voltamos algumas vezes a assistir a outras reuniões nos gabinetes terrestres de experimentações psíquicas, visitando nossos amigos e lhes falando por via mediúnica.

Por esse tempo relacionara-me com um amável aparelho mediúnico, isto é, um médium dotado de peregrinas faculdades, o qual me visitava, e aos demais, freqüentemente, quer através dos pensamentos e irradiações benévolas que dirigia a nosso favor ou no fervor da oração. Era compatriota meu, o que me atraiu e sensibilizou poderosamente, forçoso será confessar! Perscrutador, corajoso, impávido, mesmo imprudente, entusiasta insofrido que também era das Ciências Invisíveis, para as quais se inclinava com férvido encantamento, ia ao extremo de rondar, qual romântico enamorado, as muralhas de nossa Colônia, em corpo astral, durante o repouso noturno ou em expressivos transes mediúnicos, intentando atrair-nos a fim de pôr-se em comunicação direta conosco, o que preocupava soberanamente nossos instrutores e a direção da Colônia. Não lhe permitiam a entrada por assaz perigoso para ele contacto tão direto com ambiente privativo de réprobos, mas ofereciam guarda e assistência para o retorno, levando em conta a sinceridade das intenções em que se escudava, e uma vez que atravessaria locais precipitosos da Espiritualidade. Tão amável quão intrépido amigo possuía, é certo, conselheiros e guias, assistência particular, como médium que era. Não obstante possuía também – o livre-arbítrio – a vontade livre para agir como lhe aprouvesse, uma vez que lhe fora recomendado precatar-se com as disciplinas apropriadas ao exercício das faculdades mediúnicas, as quais compete ao iniciado observar com o máximo rigor! Ele, porém, arrojava-se imprudentemente, pelo Invisível adentro, atrevendo-se por sombrias plagas sem esperar convites ou oportunidades oferecidas por seus maiorais, escudando-se na ardente Fé que lhe inspirava o desejo do Bem. Ora, por uma das vezes que visitamos nossos amigos brasileiros, proporcionaram-nos os dedicados mentores uma entrevista amistosa com o amoroso compatriota. Inesperadamente visitamo-lo, fomos vistos facilmente por ele, que se rejubilou sinceramente, enquanto me davam ordens de algo dizer-lhe por via mediúnica, como recompensa à sua grande dedicação! Eis-me comovido, indeciso, perturbado, escrevendo para meus antigos antigos de Lisboa e do Porto, depois de tantos anos de ausência! Não visitáramos, no entanto, senão o médium, retornando aos postos de concentração da falange imediatamente.

A despeito, porém, de tudo isso, as disciplinas dos primeiros dias prosseguiam sem alterações: – continuávamos hospitalizados, submetidos a tratamento meticuloso e exercícios complexos para corrigenda dos vícios mentais, assim como a instruções e prática nos serviços de reeducação. Conhecíamos já a lógica férrea da Reencarnação – fantasma que apavora qualquer Espírito delinqüente e a um suicida em particular, e que ele reluta em aceitar, intimamente convencido, no entanto, de que é verdade que se impõe; que procura negar por que a teme, sentindo, todavia, que a cada dia que passa, a cada minuto que se escoa no estágio consolador onde assistem seus guias desvelados, é por ela atraída como o bloco minúsculo de aço pelo ímã poderoso e irresistível, e a qual porfia em afastar das próprias cogitações, sabendo-a inevitável de seu destino como a morte o é dos destinos humanos! Entretanto, não a experimentáramos ainda pessoalmente, vasculhando os arquivos reveladores da subconsciência a fim de contemplarmos nosso ser na plenitude da inferioridade moral que lhe era própria.

Nossa qualidade de suicidas, cujas vibrações excitadas nos torturavam a mente com repercussões e impressões excessivamente dolorosas, retardava a consecução desse progresso que se verifica facilmente nas entidades normais ou evolvidas.

A esse tempo haviam se estreitado poderosamente as nossas relações de amizade com o pessoal dos serviços hospitalares, e particularmente cada grupo com os seus guias responsáveis mais diretos, isto é, médicos, enfermeiros, vigilantes, instrutores e psiquistas.

Ora, o assistente que mais assiduamente nos seguia era o jovem médico espanhol Roberto de Canalejas, cujas peregrinas qualidades intelectuais e morais observávamos diariamente. Ele e seu pai Carlos de Canalejas, pequeno fidalgo espanhol, alma de apóstolo, coração angelical, e mais Joel Steel, mereciam, do nosso pavilhão em geral e de nossa enfermaria em particular, as mais efusivas demonstrações de amizade e respeito. Roberto, porém, não era entidade muito evolutida, conquanto fosse avantajado o cabedal de prendas morais por ele duramente adquirido através de existências planetárias. Tratava-se de Espírito em marcha franca no carreiro áspero do progresso, e viera para o estágio de Além-túmulo não havia sequer um século, após encarnação reparadora muito acerba, na qual a dor de brutal traição conjugal despedaçara-lhe o coração e a felicidade que julgara fruir. Tivera Roberto nada menos do que o lar destroçado pelo perjúrio da esposa a quem amara com todo o devotamento possível a um coração de esposo; vira morrer a filha querida, primogênita dessa união que tudo fizera supor auspiciosa e duradoura, aos sete anos de idade, vítima da nostalgia originada pela ausência materna, agravada com a tuberculose herdada dele próprio, seu pai, que, por sua vez, a adquirira durante abnegadas pesquisas em enfermos portadores do terrível mal, pois, como médico, dedicara-se a humanitários estudos em torno do até hoje insolúvel problema! Sofrera humilhações penosas e mil situações difíceis, por causa do casamento desigual que fizera, pois o destino levara-o a apaixonar-se irremediavelmente pela encantadora Leila, filha do Conde de Guzman, o nosso muito estremecido amigo da Vigilância! Correspondido com veemência pela volúvel menina, que então contava apenas quinze primaveras, a ela se unira pelo matrimônio não obstante as relutâncias de D. Ramiro, cuja penetração psicológica em torno da própria filha não augurara feliz desfecho para o importante acontecimento. Roberto de Canalejas, em verdade, não passava de pobre e obscuro filho adotivo de um fidalgo generoso que lhe dera nome e posição social, mas cuja fortuna fora disseminada em meritórias obras de socorro e proteção à infância desvalida.

Nos últimos quartéis do século XVII tivera Roberto uma existência no centro da Europa, tornando-se suicida no ano de 1680. Por essa dolorosa razão, já no século XX, conforme nos achávamos na Espiritualidade, ainda sofria conseqüência do malsinado ato de então, pois o seu drama conjugal verificado na Espanha, na primeira metade do século XIX, mais não fora do que a experiência a que não se quisera submeter ao findar do século XVII! Esse nobre amigo, cujo aspecto grave e meditativo tanto nos atraía, aparecia no Além-túmulo tal como existira em vestes carnais durante a última existência, passada na Espanha: – estatura mediana, barba negra e cerrada elegantemente terminada em ponta, qual usavam os aristocratas da época, e acompanhada de bigodes bem tratados; cabeleira volumosa e farta, tez branquíssima, quase nívea, olhos negros, grandes, pensativos, lembrando ciganos andaluzes, e mãos longas indicando o exercício continuado do pianista ou o mal terrível que fizera tombar seu último fardo carnal. Ele próprio revelara-me essa pavorosa síntese de sua vida, durante os serões em que nos acompanhava pelas aléias mortas do parque do Hospital. Fizera-o, porém, no intuito altruístico de elucidação, concitando-nos ao valor para enfrentar o futuro que áspero nos aguardava, porquanto ao suicida cumpre reparar a fraqueza, de que deu provas, curando-se do desânimo que o ata à inferioridade, com testemunhos decisivos de fortaleza e resoluções salvadoras.

Ou fosse porque ele conhecera e amara Portugal, tendo ali vivido os últimos meses de sua vida, recebendo como derradeiro pouso para a sua armadura humana a argila portuguesa; fosse porque, além de médico, era também artista de elevado mérito, porquanto cultivava as belas-letras e a música, enquanto a verdade era que nosso grupo se compunha de intelectuais portugueses orgulhosos de sua heróica Pátria, o certo foi que afetuosa simpatia a ele nos enlaçou, fundindo-se logo em imorredouro afeto fraternal.

Belarmino de Queiroz e Sousa, o poliglota filósofo que, a esse tempo, só de longe em longe recordava o antigo monóculo, era dos que mais vivamente se empolgavam com a nova amizade, pois no amigo pretendera descobrir de algum modo um similar. Confessara de Canalejas que tivera a desdita de professar doutrinas materialistas quando encarnado, renegando a idéia do Ser Supremo e repelindo a luz dos sentimentos cristãos pelo domínio exclusivo da Ciência, fato que o desamparara grandemente durante os contínuos dissabores da existência, agravando, mais tarde, a própria situação moral, quando a adversidade lhe desferira o supremo golpe no lar doméstico. Continuadamente entretinham longas dissertações em torno dos tão palpitantes temas materialistas à luz da ciência psíquica, respondendo Roberto com lógica irretorquível aos argumentos vivos de Belarmino, que mal iniciara a reeducação no campo espiritual, pois trazia aquele, sobre o interlocutor, a vantagem de conhecimentos muito mais profundos não somente em Filosofia como ainda em Ciência e Moral... E era de vê-los, amistosa e fraternalmente discutindo sobre os mais belos e profundos assuntos: – o poliglota desejando reaprender, renovando cabedais sobre as ruínas das antigas convicções; o jovem doutor acendendo para ele fachos de luzes inéditas com que norteasse a trajetória do porvir, estribando-se em fatos positivos que tão do agrado eram do interlocutor! Muitas vezes nós outros, os ouvintes, sorríamos à socapa, por observarmos a nulidade do pobre Belarmino, que se considerara iluminado na Terra, em presença de um simples assistente hospitalar de uma Colônia de suicidas, humilde trabalhador que nem mesmo méritos sensíveis possuía na Espiritualidade!...

Um dia em que demorara um pouco mais a visita aos nossos apartamentos, avisando-nos de que fora informado que receberíamos alta dentro de poucos dias, falei-lhe eu, não sem certo constrangimento diante da indiscrição de que usava:

"– Meu caro Sr. doutor! Os pequeninos relatos de vossa vida, que tivestes a magnanimidade de confiar-me, calaram fundamente no âmago de meu ser, comovendo-me profundamente, e fazendo-me refletir. Fui romancista na Terra e, escrevendo, procurei estampar em minhas humildes produções determinado caráter moral. Deixei na Terra obra vultosa se não em qualidade – pois hoje reconheço que bem pequenos foram os meus cabedais intelectuais – pelo menos em quantidade!... Confesso, porém, que raramente inventava os meus romances! Eles foram antes filhos do conúbio da observação com os retoques sentimentais de que várias vezes usei para enfeitar a dureza da realidade e assim mais rapidamente cativar editores e leitores, dos quais dependia a minha bolsa quase sempre vazia... o que não deve ser qualidade muito recomendável para um escritor terreno!

Quem sabe, Sr. doutor, vossa lhaneza forneceria ainda alguns informes acerca do próprio drama pessoal, que tanto me impressionou, para que algum dia possa eu voltar a visitar a Terra e, através de um aparelho mediúnico, narrar aos homens algo interessante intercalado com as luminosas doutrinas que começo a aprender?... Quem sabe poderia eu transmitir aos antigos leitores de minhas obras terrenas as radiosas novidades que aqui defrontei, romanceando-as com aspectos reais da vida íntima, tão humana e tão instrutiva, de Espíritos que aqui eu conheça, e que foram homens e também sofreram, e também amaram, e também lutaram e morreram, como toda a Humanidade?... E isto porque tenho ouvido asseverar, os nossos mestres locais, ser muito meritório para um Espírito, desejoso de progredir, o romper as barreiras do túmulo a fim de relatar aos homens as impressões colhidas na Espiritualidade, a moral que a todos os recém-vindos da Terra aqui surpreende?!..."

Quedou-se ele pensativo, enquanto rude melancolia lhe ensombrava o semblante que eu me habituara a ver sereno, o que me trouxe arrependimento do que havia proferido. Passados alguns instantes, porém, respondeu, como ressuscitando do passado por mim timidamente lembrado:

"– Sim! É meritório para um Espírito esse labor, justamente por se tratar de um dos mais difíceis gêneros que é dado a algum de nós realizar! Com maior facilidade penetraremos um antro de obsessores, nas camadas bárbaras da esfera terrestre, a fim de retê-los, cassando-lhes a liberdade, ou um covil de magias com seu arsenal de intrujices, onde atrocidades se praticam com desencarnados e encarnados, a fim de anularmos tentativas criminosas; com mais presteza convenceremos um endurecido no mal à volta a uma reencarnação expiatória do que conseguiremos vencer o cerrado espinheiro que representa a mente de um médium a fim de conseguirmos transmitir centelhas das claridades que aqui nos deslumbram!

De início deverei esclarecer que não existem muitos médiuns dispostos a tão melindroso gênero de tarefa!... e quando se nos depara um ou outro dotado com as necessárias aptidões, além de os reconhecermos deseducados da moral cristã, elemento indispensável ao fim idealizado pelos grandes instrutores que estimulam o gênero de experiência, entrincheiram-se eles de tal forma no comodismo, indispostos para as disciplinas que a seu próprio benefício deles exigimos, assim como na dúvida e na vaidade de se presumirem iluminados, predestinados, indispensáveis ao movimento de propaganda do Invisível, que anulam completamente nosso entusiasmo, como se suas mentes nos atingissem com duchas geladas! Daí o preferirmos as almas simples, os humildes e pequeninos, os quais, por sua vez, por não disporem senão de bem pequenos cabedais intelectuais, exigem de nossa parte perseverança, dedicação e trabalhos exaustivos para algo revelarmos aos homens através de suas faculdades!

Minha vida, prezado amigo, ou antes, minhas vidas, através das migrações terrenas em que tenho experimentado as lides do progresso, relatadas que fossem, com efeito, aos seus leitores, oferecer-lhes-iam lições que não seriam de rejeitar! A vida de qualquer homem ou de qualquer Espírito é sempre fértil de seqüências elucidadoras, romance instrutivo que arrebata, porque reflete a luta da Humanidade contra si própria, através de longa jornada em busca do porto florido e áureo da redenção! Poderá colher sua observação aqui mesmo, pois na estreiteza deste asilo há bons temas educativos para transmitir aos humanos por via mediúnica. Mas estou capacitado a adverti-lo de que as mais decepcionantes dificuldades avolumar-se-ão, enfrentando os seus louváveis desejos, ainda porque *todos os entraves surgem diante de um suicida, pois colocou-se ele em situação anormal, que afetou até a mais insignificante fibra da sua organização psíquica, assim como o seu destino!* No entanto, as suas nobres intenções, sua perseverança, o amor ao trabalho, o anseio pelo bem e o belo poderão operar milagres e estou certo de que seus futuros mestres e guias educadores orientá-lo-ão a respeito.

Quanto aos informes solicitados teria satisfação em fornecer-lhos, meu amigo! Reconheço-o sinceramente intencionado e o Espírito, uma vez despido dos preconceitos terrenos, perde o pejo, que o homem conserva, de revelar aos amigos os infortúnios e particularidades que o confrangem. Infelizmente, porém, não sinto em mim o desprendimento necessário para reviver o drama terrível que ainda me conturba! Medir o passado cujas cinzas ainda se encontram palpitantes, aquecidas pelo fogo interior de um amor inesquecível, que amortalha de saudades e pesares insopitáveis todos os meus passos na Espiritualidade; extrair das sombras da subconsciência a imagem idolatrada da perjura, a quem não pude jamais desprezar, tentando conceder-me o consolo supremo do esquecimento; vê-la ressurgir dos refolhos de minhas lembranças tal como existiu ainda ontem, formosa e sedutora, enlaçada ao meu destino pelo matrimônio, e reviver as horas felizes do convívio conjugal, quando as imaginava imorredouras, sem perceber que eram enganosas, fictícias, tão-só oriundas da minha sinceridade, da fé que me inspirava, da minha grande boa vontade, será padecer pela segunda vez a insuportável aflição de reconhecê-la adúltera quando todo o meu ser anseia por vê-la redimida da infâmia que a arrojou ao báratro repugnante da mais torpe situação que a um Espírito feminino poderá macular: – o adultério! Não posso, Camilo, não posso! Amo Leila e sinto que tal sentimento desdobrar-se-á comigo através dos evos, porque me há acompanhado ele pelo destino em fora desde muitos séculos... desde quando a voz maviosa de Paulo de Tarso ecoava vitoriosa e pura, anunciando a Boa Nova sob as frondes pujantes das florestas da velha Ibéria!... E não descansarei enquanto não a tiver novamente a meu lado, exculpada da afronta dirigida a mim, a si mesma, à Lei de Deus, a nossos filhos e à sua qualidade de esposa e mãe, pelas reparações cruciantes a que se submeteu, levada pelos remorsos!"

Fez uma pausa, durante a qual deixou transparecer nos olhos a imensa ternura que vivia em seu coração e continuou em tonalidades humildes, que me levaram a duplamente admirar o adamantino caráter que havia três anos eu observava diariamente:

"– Pudesse eu, Camilo, e evitaria as dores da expiação para minha pobre Leila, chamando-a para o meu convívio carinhoso e apagando de nosso entendimento, como outrora o tentei, as nódoas do delito com o ósculo do perdão que de há muito voluntária e de boa mente lhe concedi! Contudo, ela mesma nada quer aceitar de mim antes de ressarcir o próprio débito ao embate das tormentas de uma reencarnação amortalhada nas lágrimas de rijos sofrimentos, a fim de poder considerar-se digna do meu amor e do perdão de Deus! Sua consciência entenebrecida pelo erro foi o austero juiz que a julgou e condenou, pois, com a alma chagada pelas dentadas do remorso, apavora-se tanto com o próprio passado e tanto o execra que nada, nada será capaz de mitigar as ardências que a torturam senão a dor irremediável no sacrifício da expiação terrena! Bem quisera eu aproximar-me dela, refrigerar minhas saudades falando-lhe pessoalmente, em vigília ou durante o sono, consolando-a, incitando-a à luta pela vitória com os meus protestos de perene amizade! No entanto, não posso nem mesmo aproximar-me porque, se me percebe, apavora-se e procura fugir, envergonhada com a mácula de que a acusa a consciência! Quanto a mim, poderei vê-la ou acompanhá-la em qualquer momento que o deseje, porém, cautelosamente, a fim de me não dar a perceber, para evitar desorientá-la..."

"– Convenço-me cada vez mais, Sr. doutor, de quanto os meus leitores estimariam tornasse eu para narrar-lhes os comoventes episódios que percebo nas entrelinhas de vossas exposições..."

"– Pedirei ao pai de Leila que posteriormente leve ao conhecimento do meu caro escritor lusitano o drama que tanto o atrai... Quem sabe?!... O trabalho é consagrado como elemento primordial do progresso e a intenção nobre e generosa que inspire o trabalhador sincero sempre obterá o beneplácito divino para as suas realizações... D. Ramiro de Guzman encontra-se à altura de fazê-lo. Trata-se de um Espírito forte, experimentado nas lutas do infortúnio, e que sabe dominar as emoções, possuindo em grau adiantado a disciplina mental. Poderá e quererá fazê-lo, pois comprometeu-se comigo mesmo a pugnar pela reeducação moral da juventude feminina na Terra, em memória de sua infeliz filha tão amada por seu coração de pai, mas que tantos e tão acerbos desgostos lhe causou... malgrado a educação aprimorada que se esforçou por fornecer-lhe. Falar-lhe-ei a respeito."

Compreendendo-o disposto a retirar-se, observei ainda, fiel à impertinência da antiga curiosidade do romancista, que em toda a parte fareja substâncias sentimentais com que engrandecer seus temas:

"– E... perdoai-me, boníssimo doutor... Vossa esposa... a formosa Leila... onde se encontra presentemente?..."

Levantou-se calmo, firmou o pensamento gravemente, como exercitando mensagem telepática a seus maiorais, e em seguida aproximou-se do esplêndido receptor de imagens, sintonizou-o cuidadosamente para a crosta terrestre e esperou, murmurando como que para si mesmo:

"– Deve estar entardecendo no hemisfério sul-ocidental... Não haverá indiscrição em procurar vê-la neste momento..."

Com efeito! A pouco e pouco a configuração de uma criança destacava-se da penumbra de um aposento de família paupérrima. Tudo indicava tratar-se de um lar brasileiro dos mais modestos, conquanto não miserável. Uma menina aparentando cinco anos de idade, cujas feições concentradas e tristes indicavam a violência das tempestades que lhe tumultuavam o Espírito, entretinha-se com seus modestos brinquedos de criança pobre, parecendo mentalmente preocupada com reminiscências que se embaralhavam aos fatos presentes, pois falava às bonecas como se conversasse com personagens cujas imagens se desenhavam quais contornos a "crayon" em suas vibrações mentais. Roberto contemplou-a tristemente e, voltando-se para mim, que me apossava do ensinamento deslumbrado ante a majestade do drama cujos primórdios me davam a conhecer:

"– Aí está! Reencarnada na Terra de Santa Cruz... onde palmilhará seu doloroso calvário de expiações... Vive agora fora dos ambientes que tanto amava!... desamparada pela ausência daqueles que tão devotadamente a estremeciam, mas cujos corações espezinhou com a mais cruel ingratidão! Leila desapareceu para sempre na voragem do pretérito!... Seu nome agora é outro: – chamam-lhe Maria... o nome venerável de nossa augusta Guardiã... Para o mundo terrestre será linda e graciosa criança, inocente e cândida como os anjos do Céu! Perante a consciência dela própria, porém, e o julgamento da Lei Sacrossanta que infringiu, é grande infratora que cumprirá merecida pena, é a adúltera, a perjura, a infiel, blasfema e suicida, pois Leila foi também suicida, que renegou pais, esposo, filhos, a Família, a Honra, o Dever, pelas funestas atrações das paixões inferiores..."

Duas lágrimas oscilaram no veludo de suas belas pestanas de andaluz, enquanto continuou comovidamente:

"– Oh, Camilo! Glória a Deus! Hosanas à Sua Paternal Bondade, que encobre dos homens encarnados o cortejo sinistro de seus erros pretéritos!... Que seria da sociedade humana se a cada criatura fosse facultada a recordação de suas passadas existências?!... se todos os homens conhecessem o pretérito espiritual uns dos outros?!..."

De repente, brado indefinível, misto de pavor, de emoção ou vergonha, que tocaria as raias da loucura, abalou o silêncio do humilde lar brasileiro, repercutindo na placidez da nossa enfermaria de além-túmulo: – a menina acabara de pressentir Roberto, vira-o como refletido nas ondas telepáticas, pois os remorsos segredavam à sua consciência ser ele a grande vítima dos seus desatinos, e, em prantos, procurara refúgio nos braços maternos, sem que ninguém compreendesse a razão da súbita crise...

Deteve-se o assistente de Teócrito, isolando apressadamente o impressionante aparelho.

"– É assim sempre – exclamou tristemente –, não tem coragem para enfrentar-me... No entanto, pensa em mim e deseja voltar ao meu convívio..."

Despediu-se e retirou-se meditativo. Nunca mais tornei a falar-lhe no assunto. Todavia, nessa mesma tarde iniciei os apontamentos para a preparação destas humildes páginas...

Quem sabia lá o que a misericórdia do Altíssimo reservaria para conceder-me?... Talvez me não fosse de todo impossível escrever como outrora... Não possuía eu agora alguns amigos terrenos capazes de me ouvirem e compreenderem?...

Sim! Eu melhorara muitíssimo, graças ao eficiente tratamento usado no Hospital Maria de Nazaré... Afirmava-o a Esperança radiosa que fortalecia o meu Espírito!

Segunda Parte

Os Departamentos

A Torre de Vigia

Que vos parece? Se tiver alguém cem ovelhas, e se se desgarrar uma delas, porventura não deixa as noventa e nove nos montes, e não vai a buscar aquela que se extraviou? Assim, não é da vontade de vosso Pai, que está nos céus, que pereça um destes pequeninos.

Jesus-Cristo – O Novo Testamento.[11]

Irmão Teócrito enviara-nos mensageiro com honroso convite para uma assembléia na sala de audição do Hospital.

Em ali chegando percebemos que reduzido número de hospitalizados fora distinguido com idêntica solicitação, pois apenas integravam a assistência aqueles dentre os componentes de nossa falange que receberiam alta do tratamento a que se vinham submetendo.

Não se fez esperar o nobre diretor do Departamento Hospitalar. Acompanhado de Romeu e de Alceste, tomou

[11]Mateus, 18:12 e 14.

assento na cátedra de honra, ladeado por aqueles, enquanto o corpo clínico, que nos assistira durante a internação, aparecia em segundo plano, em tribuna que lhe era destinada.

Servindo-se da costumeira dignidade, e mantendo as expressões da mais alta polidez e cordura nunca desmentidas, o preclaro iniciado dirigiu-se aos assistentes mais ou menos nestes termos:

"– Bem haja Deus, Criador de Todas as Coisas, no mais alto dos Céus, meus amados irmãos e amigos, testemunhando esta reunião para a qual imploramos Suas vistas de Pai e Senhor!

Sincera satisfação faz que hoje nossas almas se dilatem em hosanas de agradecimentos ao Mestre Magnânimo, levando-as ao júbilo do triunfo que nos é dado contemplar: – vossa conversão ao estado de submissão à Paternidade Divina e, portanto, à aceitação do Espírito como originário da centelha emitida pela vontade do Todo-Poderoso e destinado a gloriosa evolução através da Eternidade! Continuais, não obstante, fracos, vacilantes e pequeninos. Mas um carreiro infindável de pelejas reabilitadoras nem por isso deixará de se descortinar diante de vós através dos milênios futuros, convidando-vos ao perseverante labor do Progresso para a conquista da redenção definitiva no seio amoroso do Cristo de Deus.

Certos de que um Pai misericordioso, justiceiro, amantíssimo, vela dedicadamente por sua prole, pronto a estender mão protetora a fim de exalçá-la às imarcescíveis alegrias do Seu Reino – quem dentre vós não se sentirá encorajado, bastante animado para o prélio compensador, certo da vitória final?!... Quem deixará de arregimentar toda a boa vontade de que poderá dispor a fim de todos os dias procurar elevar-se mais um grau na longa e difícil, mas não impossível, ascensão, cujo ápice é a comunhão com o Mestre Bem-Amado, a unidade gloriosa do Seu Amor?!...

Reunimos-vos a fim de levar ao vosso conhecimento que se encerra hoje o estágio que era permitido fazerdes neste Hospital, uma vez que as condições orgânicas do vosso físico-astral, obtendo sensíveis melhoras, mais nada poderiam pretender de nossa hospitalidade. Todavia, não só ainda não vos achais curados como até permaneceis enfermos... e enfermos continuareis por muito tempo se a vontade disciplinada e forte não se apresentar em vosso auxílio para o restabelecimento completo! Não desconhecemos os indefiníveis males, as pesadas angústias e indisposições aflitivas que em vosso íntimo estão a clamar por socorro, sem que compreendais por que vos libertamos do estágio hospitalar quando de tantos e tantos cuidados ainda vos sentis carecedores! É que, meus caros irmãos – entrais agora em fase nova do tratamento que convém à vossa recuperação, tratamento esse de ordem exclusivamente moral e mental, pois a verdade é que não precisaríeis de um hospital, tampouco de cirurgiões e enfermeiros a fim de conseguirdes a recuperação do plano espiritual, se fôsseis individualidades dotadas de qualidades morais elevadas, de desenvolvimento mental estribado nas virtudes do coração e no cumprimento do dever. Então, vossas vontades, conjugadas às vibrações superiores com que deveríeis harmonizar as vossas próprias vibrações, descerrariam os véus do conhecimento espiritual para o qual vossas mentes se achariam habilitadas, graças às afinidades que lhes seriam espontâneas... e ingressaríeis natural e francamente no Mundo Invisível como se o fizésseis em vosso próprio lar doméstico – pátria de origem que é, o Invisível, de todas as criaturas! Infelizmente, porém, bem sabeis que vossa vida terrena, assim como as ações que praticastes não se padronizaram com as preclaras atitudes necessárias à venturosa admissão de um Espírito nas sociedades do mundo astral. Descurastes da nobreza dos princípios, da elevação dos fins; deseducastes o caráter ao embate febricitante das paixões deprimentes, que na Terra intoxicam a mente; escravizastes o coração aos preconceitos maldosos; apoucastes a própria alma aos insidiosos embalos do orgulho desorientador e rematastes a série de imponderações, nas quais vos comprazíeis, com o atentado inominável contra a Lei dAquele que é Único Senhor de toda a Criação, e que, por isso mesmo, também é Único Soberanamente Poderoso para dispor da Vida de Suas criaturas!

Em tão viciadas condições, jungidos a prejuízos calamitosos, nada lograríeis assimilar na Espiritualidade, não fora o recurso das formas concretizadas, dos empreendimentos a que vossas mentes estavam habituadas. Convinha tolerar vossa ignorância e fraqueza mental a benefício de vosso próprio progresso! Convinha aplicar a caridade, santa bastante para as mais importantes consecuções em curto espaço de tempo! Infinitamente misericordiosa, a Providência Suprema faculta aos seus executores liberdade para servir ao Bem, dispondo métodos suaves, de preferência prudentes e persuasivos. Daí o darmos a todos vós, em meio da calamidade a que vos entregastes, o tratamento que melhor assentaria ao vosso estado mental, por mais rápido e eficiente no auxílio urgente de que carecíeis! quando bastaria, em verdade, a reação mental de vós mesmos para conjurar o mal que vos afligia – se estivésseis em estado de tentá-la!

Mercê da Sábia Providência, hoje aqui nos reunimos para estas singelas instruções a que já podeis emprestar o valor devido!

Assim é, portanto, que o que nos competia realizar a vosso benefício foi integralmente realizado, isto é, levar hábil e pacientemente vosso estado vibratório às condições de suportardes programação nova em vossa trajetória de Espíritos delinqüentes que, por isso mesmo, muito terão a realizar. Uma vez recuperados ao estado espiritual, devereis trabalhar a prol da reabilitação. Vossa permanência neste Departamento foi como o curso preparatório para a admissão em planos onde será preciso demonstreis todo o valor e boa vontade de que sois capazes!

Uma nova reencarnação será inevitável no vosso caso. Devereis repetir a experiência terrena que malograstes com o suicídio, negando-vos ao cumprimento do sagrado dever de viver o aprendizado da Dor, a benefício de vós mesmos, de vosso progresso, vossa felicidade futura! Não obstante, sois livres de a preferirdes agora ou mais tarde, depois que, mais bem equipados com o cabedal moral que adquirirdes entre nós, vos considerardes aptos para, em uma só etapa terrena, solver os compromissos expiatórios mais urgentes –, o que será de muito proveito para vossos Espíritos e muito meritório!

Compreendestes, certamente, que isso quer dizer que, se reencarnardes já, solvereis apenas uma pequena parcela da dívida que adquiristes; se mais tarde, solvê-la-eis toda, porque estareis em condições favoráveis para a resistência aos embates que tão vultoso expurgo exigiria.

Seria, sim, aconselhável retardardes ainda um pouco a repetição do compromisso terreno para a reparação. Enquanto isso, poderíeis, caso vos sentísseis verdadeiramente inclinados aos estudos da Ciência do Invisível, fazer um curso de iniciação entre nós, o que – vo-lo afiançamos – vos habilitaria sobremodo para a vitória, suavizando ainda as agruras e percalços inerentes às experiências reabilitadoras, dolorosas como são elas, como sabeis, pois, o que vos ofereceríamos, com tais ensinos, seria justamente a Ciência da Vida, sob os auspícios do Grande Educador Jesus de Nazaré, cujas doutrinas a Humanidade insiste em rejeitar, desconhecendo que, rejeitando-as, é a própria felicidade, é a glória imarcescível para o seu destino infindo que afasta para um futuro remoto!

Essa Ciência, poderíeis apreendê-la na Terra mesma, porque lá existem vários elementos, sólidos e verazes, capazes de iluminar cérebros e corações, impulsionando-os para o caminho da Verdade. Na grandiosa história da Humanidade rebrilham vultos eminentes, assinalados com as veras credenciais das virtudes e da sabedoria que lhes conferiram o título de instrutores capazes de orientar os homens para os seus magníficos destinos de filhos da Divindade Suprema. Desceram eles das altas esferas espirituais, reencarnaram entre seus irmãos, os homens, diminuíram-se no sacrifício do corpo carnal, a fim de servirem aos soberanos desígnios do Criador através do Amor às criaturas menos evolvidas, às quais procuram educar e elevar, concedendo às operosidades em torno de tão sublime ideal o melhor dos esforços e da boa vontade que alcandoram suas almas de missionários e instrutores! Em Jesus de Nazaré encontrareis o mais eminente desses respeitáveis vultos que perlustraram as sombrias plagas terrenas, e sob cuja orientação agiram os demais, visto que até hoje nenhuma entidade que habitou a Terra teve capacidade para atingir, com o pensamento remontado às origens do planeta, a época exata em que o Senhor Amado recebeu das mãos do Todo-Poderoso a Terra e suas humanidades para levantá-las do abismo inicial, educá-las e glorificá-las nas irradiações da Luz Imortal!

Mas... há milênios que vindes reencarnando na Terra e até agora, de tão preciosos tesouros nela depositados pelas inestimáveis bondades do Céu, jamais cogitastes de vos servir... por eles haveis passado indiferentemente, sem lhes examinar sequer o valor devido, sendo de temer que, se partirdes daqui sem as habilitações que lá, na Terra, também poderíeis colher, continueis debatendo-vos no mesmo círculo vicioso em que vindes permanecendo... pois sois fracos, não sabeis resistir às tentações do próprio orgulho e necessitais de forças para recomeçar a caminhada...

Dentre tantos que convosco aqui ingressaram há três anos, muitos continuam em condições de absolutamente nada poderem, por enquanto, tentar. Alguns, presos às recordações das paixões absorventes, endurecidos no erro das descrenças e do desânimo, completamente incapacitados moral e mentalmente para os serviços do progresso normal, requererão ainda a tolerância e a caridade do amor santo de Maria, que tanto se compadece dos desgraçados, como Mãe Modelar que é. Outros deverão, ao contrário, reencarnar imediatamente, a fim de corrigirem distúrbios gravíssimos que em seus corpos astrais permanecem como resultantes da violência do choque recebido com a morte voluntária. Sem que reencarnem para corrigir tais distúrbios, que lhes obscurecem até a razão, nada poderão tentar, nem mesmo a repetição do drama que os levou ao ato execrável, drama que fatalmente será vivido novamente, pois que era um resgate de crimes praticados em existências pretéritas, quando não conseqüências de desvios atuais pelos quais se tornaram responsáveis perante a Grande Lei, e aos quais se quiseram furtar através do suicídio, aos quais também terão de cobrir, porque assim o exigirá a consciência deles próprios, desarmonizada e aviltada perante si mesma! São, estes, aqueles mesmos cujo gênero de suicídio, muito violento, exorbitou da possibilidade de alívio através da terapêutica psíquica em vós outros aplicada, e os quais conheceis bastante para que se torne necessário enunciá-los. O estágio na matéria, longo, proveitoso, será, como se percebe, a terapêutica urgente e de excelência comprovada, visto que corrigirá a desordem vibratória por arrefecer a intensidade e ardência da mesma, tornando o Espírito, após tão alucinante parêntesis, à lucidez propícia a nova etapa, preocupando-se, só então, com as experiências de reabilitação, pois já se encontrará em estado de fazê-lo, com tendências para a vitória!

Como vedes, meus caros amigos, um século, dois séculos... talvez ainda mais!... e o suicida estará sorvendo o fel da conseqüência espantosa do seu ato de desrespeito à lei do Grande Criador de Todas as Coisas!"

Ouvíamos atentamente, curiosos e pávidos ante a perspectiva do futuro, incapazes de precisá-lo, temerosos da gravidade da falta em que incorrêramos, a qual nos sabia à alma tão ou mais acremente que uma condenação ao patíbulo, penalizados ao compreendermos a necessidade de deixarmos aquele caridoso abrigo a cuja sombra, se não encontráramos a satisfação por que suspirávamos – imerecedores que éramos dela – no entanto adquiríramos o mais precioso bem a que um Espírito delinqüente poderá aspirar para lhe servir de promissor farol nas estradas onde se assentará o seu calvário de expiações: – abnegados irmãos, amigos tutelares fiéis aos elevados princípios cristãos do Amor e da Fraternidade!

Continuou, porém, Teócrito, satisfeito por perceber nossa atitude mental, que solicitava conselho franco:

"– Chegou a oportunidade de visitardes a Terra, como tanto desejais! Forneceremos guardiães e meios seguros de transporte, visto que sois inexperientes e continuais ligados à Legião, porquanto não demos por terminado o concurso que devemos emprestar à causa da vossa reabilitação! Uma vez chegados à crosta terrestre, convém reflitais com a máxima prudência – orando e vigiando –, como aconselharia nosso Divino Modelo, isto é, raciocinando claramente às inspirações do Dever, da Moral, do Bem, e não vos deixando arrebatar por antigos desejos e seduções, pelas vaidades, pela ociosidade tão comum nas baixas regiões do planeta.

Advertimos-vos de que vos dareis mal se preferirdes permanecer na Terra olvidando vossos amigos desta Colônia, o aconchego fraternal e cristão que aqui desfrutais. Porfiai por não perderdes o desejo de voltar com os dedicados acompanhantes que vos servirão. Se voltardes a este lar, que temporariamente será o único verdadeiro a que pertenceis, entregando-vos de boa mente à direção maternal de nossa Augusta Protetora, ser-vos-á facultado ingresso em outro Departamento deste Instituto, melhor dotado do que a Vigilância e o Hospital, e para o qual subireis, não para desfrutar alegrias e venturas a que não tendes direito ainda, porquanto não as conquistastes, mas em busca de habilitações para os prélios do progresso que cumpre atinjais!

Antes de demandardes a Terra sois convidados a uma visita de instrução aos Departamentos que compõem os primeiros planos do nosso Instituto. Nada perdereis com os esclarecimentos que poderão ser fornecidos pela Vigilância, assim também as dependências do Departamento Hospitalar, isto é, o Isolamento, o Manicômio, e ainda o Departamento de Reencarnação e suas interessantes secções, que muito de perto vos interessarão... pois a verdade é que não deveis rever a Pátria terrena sem os conhecimentos que nossos Departamentos fornecerão: – estareis mais fortes para resistir às lembranças das antigas seduções... Convém, todavia, não conserveis ilusões quanto ao que vos aguarda nessa peregrinação pela Terra: – lembrai-vos de Jerônimo!... Há muitos anos já que deixastes os despojos carnais na lama do sepulcro... Muitos de vós já foram olvidados por aqueles a quem magoaram com o suicídio... se não completamente, pelo menos o bastante para se terem desinteressado pela sorte do ingrato que não trepidou feri-los com tão acerbo desgosto: – envolvido nas efervescências da vida material, o homem tudo esquece com facilidade... Não julgueis, portanto, encontrar alegrias nessa peregrinação! Aliás, a Terra jamais concedeu dádivas compensadoras àquele que, sabendo ser descendente de uma centelha divina, procura marchar para Deus empolgado pelas alegrias celestes que o espreitam... Sentimo-nos, porém, despreocupados quanto a tais particularidades! Convosco não sucederá o que surpreendeu Jerônimo: – estais preparados para as possíveis decepções, para os choques inesperados de sucessos que ignorais!

Agora, ide repousar... E que o Mestre Divino vos conceda inspirações..."

....

Na manhã seguinte, mudamos de residência.

Joel conduziu-nos a um pavilhão anexado ao Hospital, espécie de albergue onde se hospedavam os recém-desligados da grande instituição, engrinaldado de rosas trepadeiras e todo orlado de ciprestes esguios, recordando paisagens clássicas da velha Índia, tão querida e celebrada pela plêiade de mestres a que nos víamos ligados. Chamavam-lhe Pavilhão Indiano ou ainda Mansão das Rosas. Todavia, as névoas amortalhavam de nostalgias também a esse recanto plácido, envolvendo-o em seu eterno sudário branco.

Bem-estar indefinível visitava-nos a alma nessa manhã encantadora. Belarmino, que de ordinário se mantinha sério e pensativo, apresentava-se risonho, comunicativo. João d'Azevedo confessava-se muito esperançoso e afirmava estar disposto a só realizar o que Irmão Teócrito aconselhasse, para o que pretendia entender-se ainda com aquele boníssimo diretor. Quanto a mim, sentia-me até feliz, permitindo-me mesmo a veleidade de projetos literários para o futuro, pois tinha para mim que na próxima visita à Terra conseguiria estrondoso sucesso de além-túmulo, voltando às lides literárias que me foram comuns com o concurso do primeiro instrumento mediúnico que deparasse. Então, estávamos ainda longe de suspeitar o volume das árdegas lutas que a jornada das reparações exigiria de nossos esforços... e o conforto, o carinhoso acolhimento recebidos daqueles abnegados servos do Bem, tendo desfeito a clâmide trágica que recobrira de dores os nossos Espíritos, levava-nos a raciocinar que, afinal, o suicídio não fora tão cruel como quereria parecer...

Mário Sobral era o único que se não iludia, pois falou-nos, presenciando nossa satisfação nas primeiras horas que passamos no Pavilhão Indiano:

"– Que Deus assim vos conserve para sempre, amigos!... Minha consciência não me permite tanto!... Acusa-me intransigentemente, não permitindo tréguas ao meu desgraçado coração! O silêncio que nossos amigos guardam, acerca do crime por mim praticado, apavora-me mais do que se me acusassem diariamente, prenunciando-me represálias!... Não é possível que meu procedimento com minha esposa e meus filhos, com a desgraçada Eulina, com meus pobres pais, passe despercebido à Lei cujos umbrais começam a se descerrar para meu raciocínio... Se sou criminoso para comigo mesmo, suicidando-me, sê-lo-ei também pelo mal praticado em outrem... Sabes, Camilo?... Há já algum tempo venho sentindo as mãos entorpecidas... aéreas... vazias... como se houvessem sido decepadas... Às vezes procuro-as, confuso, pois deixo de senti-las comigo... e, de repente, enquanto a mim mesmo indago do que poderia motivar tal estranheza, visão excruciante conturba-me o cérebro: – vejo Eulina abatida sobre o canapé, estorcendo-se sob o fragor das bofetadas com que lhe torturei o rosto... a estertorar entre minhas mãos assassinas... que lá estão, separadas de meus punhos, estrangulando-a!... Oh, meu Deus! Que representará semelhante anormalidade?!... Que mais confusão mental aparecerá para castigar-me?!... Por quem és, Camilo amigo, dá-me tua opinião valiosa..."

"– Devem ser os pesares que te alucinam a mente, meu caro amigo... Os remorsos que te inquietam a consciência... pois, afinal de contas, não deixaste de amar aquela pobre mulher... Por que não te aconselhas com Irmão Teócrito?!..."

"– Já o fiz, Camilo, já o fiz..."

"– E então?... que te disse ele?!..."

"– Aconselhou-me a confiar na Providência Divina, que jamais abandona qualquer criatura que lhe suplique assistência; a resignar-me com o irremediável da situação por mim mesmo criada e a revigorar-me na Fé para corrigi-la... Incitou-me à oração constante, ao esforço para estabelecer corrente magnética simpática, em súplicas a Maria para que me socorra, esclareça, console, preparando-me intimamente para o futuro... pois não existe outro recurso a meu alcance a não ser esse, no momento..."

"– Pois faze-o!... Se ele a isso te aconselhou é que somente daí virá o de que necessitas..."

"– Tenho feito, Camilo, tenho feito!... – insistiu, excitado e sofredor. – Mas, quanto mais o tento e ao fervor consagro-me, mais me certifico ser essa visão um prenúncio do futuro: – ao reencarnar, como afirmam Alceste e Romeu que acontecerá, para expiar meu duplo crime, irei mutilado, sem as mãos... porque elas estão ocupadas noutra parte, a serviço do crime... elas se desonraram em minha companhia, estrangulando uma pobre mulher indefesa... Já nem sequer as tenho, Camilo!... Não as sinto, não as vejo... foram sepultadas com o corpo de Eulina... e a fim de reavê-las, honradas e redimidas da mácula infamante, precisarei padecer o martírio de uma existência terrena destituído delas, a fim de aprender no sacrifício, nas torturas inimagináveis daí conseqüentes, na vergonha da anormalidade humilhante, que as mãos são patrimônio sacrossanto do aparelho carnal, a advertir-nos de que somente deveremos empregá-las a serviço do Bem e da Justiça, e não do crime!... Eulina era duplamente indefesa: – por ser mulher, e, portanto, frágil, e desamparada da família e da sociedade, pois era apenas uma desgraçada meretriz! Mas... antes de ser assim, tão infeliz e desgraçada, era, acima de tudo, criatura de Deus, filha de um Ser Supremo, Todo-Poderoso e Justiceiro... como eu também o sou, como tu, Camilo amigo, e toda a Humanidade! Esse Pai, que a todos os filhos ama indistintamente, agora me pede contas da vida que eu tirei, bem supremo de que só Ele sabe e pode dispor, visto que só Ele sabe e pode conceder! O direito de filha do Criador Supremo ninguém poderia arrebatar a Eulina!... a ela, coitada, que nenhum outro direito possuía naquele mundo de abjeções, nem mesmo o de viver, pois que *eu não quis que ela continuasse a viver*, e por isso matei-a! Eu matei Eulina!... E, agora, ouço repercutir, nos recôncavos mais afastados do meu Espírito impregnado de remorsos, a voz austera e comovente da Consciência – que é como a voz do próprio Deus repercutindo em nosso ser imortal: '– Caim, Caim!... Que fizeste de teu irmão?!...' Oh, Camilo, Camilo, meu amigo!... Quando estrangulei Eulina, eu me esqueci de que também ela era filha de Deus! que também possuía sagrados direitos concedidos por esse Pai Misericordioso e Justiceiro! E agora..."

As lágrimas correram em borbotões interceptando-lhe a palavra, e nuvem comovedora recobriu de tristeza o ar sereno da Mansão das Rosas. Aliás, a satisfação que visitara nosso íntimo naquela manhã originara-se tão-somente do fato de havermos causado alegrias a Teócrito com o progresso conquistado durante aqueles três anos de internação...

....

Carlos e Roberto de Canalejas prontificaram-se a acompanhar-nos na visita de instrução sugerida pelo experiente diretor do Departamento Hospitalar. Opináramos por iniciá-la justamente da Torre de Vigia que, qual fortaleza invencível em plena região bárbara do Invisível, defendia um posto avançado de vigilância contra investidas nocivas de múltiplos gêneros, visto que até as emanações mentais inferiores, provindas do exterior, eram ali combatidas como das piores invasões a se temerem.

A extensão a percorrer era grande. Um carro singelo e alígero recolheu-nos, pois não vislumbráramos sequer, até então, a possibilidade de nos impulsionarmos com o pensamento, praticando a volitação. A certa altura da viagem, quando já bem distanciados do Pavilhão Indiano, respondendo a certa confidência de Mário Sobral, ouvimos que Roberto dizia:

"– O desânimo é mau conselheiro, amigo Sobral! Será de bom aviso meditares serenamente no alvitre fornecido pela experiência de Irmão Teócrito. Aparentemente é um conselho trivial e inexpressivo. Mas fica sabendo que encerra sabedoria profunda e representa a chave áurea com que descerrarás barreiras que se te afiguram existir nas estradas para a reabilitação! Que importa, aliás, uma existência de trinta, sessenta anos de sacrifícios, em a qual o corpo carnal poderá ser mutilado, se através dela é que reconquistaremos a honra espiritual, a paz que nos falta à consciência, no ensejo para a realização salvadora que nos identificará com a Lei que infringimos?!... Não temas os serviços da expiação, Mário, uma vez que todos nós, os que erramos, carecemos do seu concurso para desobrigarmos a consciência e, portanto, o destino, das responsabilidades aviltantes cujo volume tanto nos indispõe com as harmonias da Lei Divina, criando anormalidades em torno de nós. Tens o Futuro diante de ti a fim de auxiliar-te na renovação moral de que necessitas! Ele afirmará ao teu raciocínio, se te quiseres dar ao trabalho de ilações prudentes e sérias, que poderás expungir da alma o reflexo humilhante das más ações com a interferência dos deveres santificadores! Se, portanto, é necessário renovar a experiência terrena em corpo mutilado, a fim de que aprendas nas dificuldades daí originadas a te servires de todo o conjunto do envoltório carnal somente em sentido dignificante, não vaciles, enfrenta o sacrifício! pois estás convencido de que erraste, e por isso certamente entenderás justo o assumires a responsabilidade dos atos que praticaste em detrimento de tua própria individualidade, pois a honra espiritual e a dignidade moral do Espírito assim o exigem! E se a tempo souberes clarear o teu ser com os resplendores da confiança em Deus, da esperança na Sua paternal bondade, alimentando-o de coragem e resignação, certo de que jamais te abandonará nas asperidades do caminho reparador o Amor daquele Pai que não condena e sim ajuda a Sua criatura a se erguer do abismo em que se deixou resvalar, poderás até mesmo sorrir à desgraça, deparar encantos ao longo do calvário que palmilharás!"

A veemência com que o jovem doutor emitira suas abalizadas advertências parecera reanimar nosso mísero comparsa, que silenciou, mostrando-se sereno o resto do dia.

Eis, porém, que ao longe entreviam-se os sugestivos aldeamentos do Departamento a que pertencíamos. Pensativo, murmurei, sem prever que seria compreendido:

"– Em que recanto destes encontrar-se-á o pobre Jerônimo?..."

"– Vosso amigo Jerônimo de Araújo Silveira encontra-se acolá, detido no Isolamento – retorquiu Carlos de Canalejas –, como infrator que foi dos regulamentos hospitalares.

"– Por que dão a essa dependência a designação de Isolamento?..." – interpelou Mário receosamente.

"– Porque para ali são enviados aqueles cujo procedimento se contrapõe às disciplinas exigidas pelos regulamentos do Hospital, os inconformados, que abusariam da liberdade, sem serem, todavia, verdadeiros rebeldes... Será uma como prisão... Repugna, porém, este vocábulo humilhante aos diretores da Colônia, e que, ao demais, não traduziria a verdadeira natureza da finalidade a que se destina, como ainda haveis de verificar..."

"– Jerônimo encontra-se, pois, detido?..."

"– Perfeitamente!... A seu próprio benefício e para o bem daqueles a quem ama..."

Mário agitou-se, impressionado, voltando a perquirir:

"– Como é possível compreender-se, Dr. de Canalejas, que Jerônimo, esposo amantíssimo, pai extremoso, se encontre preso, enquanto eu, duas, três, dez vezes criminoso, permaneço entre bons amigos?!..."

"– És um Espírito sinceramente arrependido, Mário, que te deixas aconselhar pelos responsáveis por tua tutela diante de Maria; que desejas ser devidamente guiado a normas salvadoras, disposto que te mostras aos mais rudes sacrifícios a fim de apagar o passado culposo... enquanto que Jerônimo obsidiou-se com a inconformidade e a incompreensão, apegando-se intransigentemente a todas as recordações do passado, cuja perda lamenta e do qual vive, sem forças para esquecê-lo, avesso à cogitação de elementos para suavizar a situação, que seria bem outra se se desse à prudência da resignação!... Aliás, não estiveste longos anos prisioneiro das trevas sinistras do Vale, cativo, em desesperos, amargando o peso férreo que te esmagava a consciência?... E porventura não te conservas moralmente cativo de ti mesmo, pois tua mente desgostosa e inconsolável não proíbe ao teu coração e ao teu entendimento toda e qualquer satisfação?..."

"– Surpreende-me verificar que, quando morremos, poderemos sofrer, entre muitas coisas inesperadas e surpreendentes, o fato de nos vermos arremessados a uma enxovia..." – murmurei, contrariado com a novidade, que se me figurou absurda.

Carlos, porém, delicada e bondosamente, conquistou-me o raciocínio como conquistara o coração, apenas com esta sensata e lógica exposição:

"– Em primeiro lugar, Camilo, és tu que te referes a 'enxovia', quando eu apenas tratei de um Isolamento, pois o vocábulo prisão tornava-se impróprio para a finalidade que ali se verifica. Em segundo lugar, convinde, todos vós, que não deveria constituir surpresa a existência de prisões aqui, no além-túmulo. Fostes homens de muitas letras, pensadores eruditos, profundos dialéticos... e tal ignorância se torna notável justamente por serdes esclarecidos!

Pensamos aqui, muitas vezes, depois que chegamos a compreender as atuações gerais dos Espíritos desencarnados inferiores, sobre o que seria a Humanidade terrestre se não existissem repressões nas sociedades espirituais, uma vez que, mesmo havendo-as, hordas sinistras de malfeitores do plano invisível atacam a todas as horas os homens incautos que lhes favorecem o acesso, contribuindo para suas quedas e para a desordem entre as nações!

Na Terra há quem não ignore a realidade que acabais de descobrir aqui e que tanto parece desgostar-vos. Jesus referiu-se a esse importante fato várias vezes, e até mesmo aventou a possibilidade de se atar o delinqüente de pés e mãos. As religiões insistem em apregoar tão sombrio ensinamento; e, conquanto o façam imperfeitamente, nem por isso deixam de prever uma realidade! Por sua vez, a Terceira Revelação, que, na Terra, há já alguns anos vem apresentando extensas reportagens do Mundo Invisível, põe a descoberto, para o entendimento de qualquer inteligência, impressionantes pormenores a respeito da palpitante realidade que até mesmo os povos mais antigos aceitavam e compreendiam na sua justa expressão, como verdades dignas de respeito! Se vos surpreendeis neste momento com a informação de que vosso amigo se encontra detido no Isolamento dos rebeldes, será porque nunca vos preocupastes com assuntos realmente sérios, preferindo nortear vossos peregrinos dotes intelectuais para os declives das frivolidades improdutivas, próprias das sociedades humanas que se comprazem na ociosidade mental, na inércia do comodismo intelectual!...”

Calei-me, contrafeito, rememorando efetivamente não poucas referências que a tal respeito obtivera quando homem, através de leituras e estudos, mas às quais não prestara senão relativa atenção, pois, enceguecido pela vaidade de supor-me sábio, prudente e lógico, considerava as filosofias religiosas, em geral, fontes suspeitíssimas do interesse coletivo que as ideara, reservando respeitosas deferências apenas para os Santos Evangelhos, os quais reputava excelentes códigos de Moral e Fraternidade, estatuídos, com efeito, por um Homem Superior que se apresentaria como o padrão modelo da Humanidade, porém, excessivamente místico para poder ser imitado por criaturas em choques perenes com esmagadores obstáculos, tanto que, para o meu doentio entendimento, virulado pela ignorância presunçosa, que, fora do próprio âmbito azedado pelo orgulho, só trevas pode deparar, falira ele próprio na prática das normas áureas que expusera, pois deixara-se vencer num patíbulo infamante, enquanto a Humanidade continuou resvalando para a seqüência de insondáveis abismos.

De Canalejas, porém, continuou, atraindo-nos com a conversação:

"– Ao demais, por que não existiria deste lado da vida prisões e rigores se há cá maior percentagem de delinqüentes que do lado de lá?!... pois grandes erros existem, cometidos pelos homens, contra os quais não há penalidade estatuída na jurisdição humana, mas os quais sobremodo pesam nos incorruptíveis estatutos da Justiça de Além-Túmulo! Outrossim, quantos crimes deixam de receber corretivos na Terra, não obstante haver para eles penalidades na mesma jurisdição terrena?! Ou pensais poderia o homem viver à revelia da Justiça, ao sabor das próprias inconveniências?!... Porventura julgais que a morte transforme em bem-aventurados a quantos se excederam na prática de desatinos no mundo material?... Enganais-vos! O homem que viveu como ímpio, desafiando diariamente as leis divinas com atos desarmoniosos em desfavor de si mesmo, do próximo e da sociedade, em chocante desrespeito ao futuro espiritual que o aguarda, entrará como ímpio, como réu que é, no mundo das realidades, onde será punido pelas conseqüências lógicas e irremediáveis das causas que criou! Daí o que vedes aqui ou em outras regiões em que prolifere o elemento espiritual inferior, e também no próprio cenário terreno, porquanto a Terra oferece à Jurisdição

Divina campos vastíssimos para o exercício das penalidades necessárias aos seus réus: – acúmulo de sofrimentos, lutas árduas, incontáveis, no sentido de apagar das consciências culpadas os fogos dos remorsos alucinadores... E como nas estâncias sombrias do Invisível só ingressam Espíritos criminosos a se julgarem ainda homens, voluntariosos e prepotentes, querendo continuar a agir em prejuízo do próximo e de si mesmo, a necessidade de rigores se impõe, como na sociedade terrena sucede com aqueles que infringem as leis humanas, pois é bom saibais que as organizações terrestres são cópias imperfeitas das instituições modelares da Espiritualidade!"

Deslizava o veículo, já se aproximando da meta para a qual nos dirigíamos. Caiu o silêncio em torno, conservando-nos todos nós pensativos com o que acabáramos de ouvir. Tão simples, tão real se apresentava aquele mundo astral, que sua mesma realidade, sua impressionante simplicidade contribuía para a confusão de nos julgarmos homens, quando éramos Espíritos!

....

A Torre de Vigia desenhava-se como incrustada nas camadas acinzentadas da cerração, trazendo à lembrança antigas fortalezas da Europa. Majestosa e sugestiva, infundiria respeito, senão pavor, ao transeunte das vias do Invisível que lhe desconhecesse a finalidade.

Acompanhados dos guias que levávamos, obtivemos passagem livre em seus pórticos. Comoção penosa precipitou vibrações de angústias em nosso ser acovardado pelas recordações dos dissabores suportados, pois dir-se-ia que aquele ambiente pesado e sombrio falava à nossa alma dos dramas vividos nas penumbras do Vale Sinistro.

A Torre era, como sabemos, dependência do Departamento de Vigilância, e, conquanto tivesse direção autárquica, havia ela de trabalhar em harmonia com a direção-geral daquele Departamento, em coesão perfeita de idéias e fraterna solidariedade. Seria o posto de maior responsabilidade de toda a Colônia, se ali pudesse existir algum menos responsável que o seu congênere, porque situada em zona perigosa do astral inferior, rodeada de elementos nocivos e perturbadores, sendo dever seu a estes combater, desviar, impedindo o assédio de Espíritos assaltantes, encaminhar para outras paragens infelizes perseguidos por obsessores, que a todo custo na Colônia se desejassem abrigar, o que não seria possível, porquanto tratava-se de local especializado para alojamento de suicidas.

A direção interna achava-se a cargo de um ex-sacerdote católico, português, também havia muito iniciado dos Templos de Ciências da Índia. Sob sua orientação serviam vários outros condiscípulos não iniciados, obedientes, porém, aos mais exaustivos labores em regiões inferiores, serviços por eles próprios escolhidos voluntariamente, como expiação pelos desmandos com que haviam tratado os interesses do Evangelho do Crucificado, quando na Terra, investidos da alta dignidade de pastores de almas, e ao qual haviam conspurcado com a mentira, a hipocrisia, as falsas e ardilosas interpretações! As funções de diretor, todavia, eram apenas internas, limitadas a uma fiscalização (assistência de Maioral); as providências para a defesa cabiam à sede central do Departamento.

Recebidos por assistentes amáveis, fomos imediatamente conduzidos à sala da diretoria e apresentados por nossos bons amigos de Canalejas, os quais por sua vez apresentaram a credencial fornecida por Teócrito, solicitando a visita que tanto convinha aos grupos que iniciavam instrução.

Bondosamente acolhido, fomos saudados em nome do Mestre dos mestres e da Guardiã da Legião, tendo ainda o diretor apresentado bons votos pelo nosso restabelecimento completo e conseqüente progresso. Encantados, notamos não existir superficialidade ou afetação social nas maneiras daqueles que nos falavam. Ao contrário, a simplicidade, as formosas expressões de vera solidariedade irradiavam indefiníveis atrativos, cativando-nos gratamente!

Concertado o programa da visita entre nossos guias e o diretor, Padre Anselmo de Santa Maria, não se perdeu tempo em conversações ociosas, iniciando imediatamente o digno dirigente importantes explicações enquanto caminhávamos demandando os pavimentos superiores.

Não nos furtaremos ao grato dever de concluir este capítulo com os informes colhidos durante a curiosa visita.

"– Principiarei por esclarecer, meus queridos amigos – ia dizendo Padre Anselmo, enquanto subíamos –, que a Torre de Vigia, no momento, acumula afazeres, dada a circunstância de ainda não se encontrar nosso Instituto definitivamente estabelecido. Há carência de trabalhadores especializados, e todos os nossos Departamentos se encontram sobrecarregados, desdobrando-se em atividades múltiplas. Nós, por exemplo, os da Torre, atendemos a casos tão variados quanto espinhosos, como vereis, diferentes mesmo da especialidade de que só deveríamos tratar."

Havíamos, porém, alcançado o pavimento mais alto, pois nossa inspeção partiria em sentido inverso, isto é, do andar superior para os que lhe ficassem abaixo.

Um salão circular, vastíssimo, imerso em penumbra, como se as quintessências de que era construído se baseassem nos mais pesados exemplares que por ali existissem, surgiu à nossa frente, rodeado de cômodos bancos estofados. Portas largas, envidraçadas, estendiam-se em toda a circunferência, deixando ver o que se passava no interior de cada aposento. A convite do amável cicerone aproximávamo-nos das portas e examinávamos tanto quanto possível o interior, não nos sendo, porém, franqueada a entrada. No entanto, não ouvíamos um único som: – as vidraças seriam de substâncias isolantes, à prova total de ruído!

No primeiro gabinete existiam estranhas baterias de aparelhos que pareciam ser telescópios possantes, maquinarias aperfeiçoadas, elevadas ao estado ideal, para sondagem a grandes distâncias, espécie de "Raios X", capazes de perquirir os abismos do Espaço infinito, assim como do Mundo Invisível e da Terra. Outros, porém, desafiavam nossa compreensão de calouros do mundo espiritual.

No segundo gabinete, telas luminosas, colossais, das quais as existentes nas enfermarias do Hospital pareciam graciosas miniaturas, indicavam haver necessidade, ali também, de retratarem-se acontecimentos e cenas ocorridos a imensuráveis distâncias, tornando-os presentes aos técnicos e observadores para tanto credenciados, a fim de serem devidamente estudados e examinados. Semelhantes aparelhos, cuja perfeição o homem ainda não concebe, não obstante já se achar em seu encalço, permitiria ao operador conhecer até os mínimos detalhes qualquer assunto, mesmo o desenvolvimento dos infusórios nos leitos abismais do oceano, se necessário, bem assim a seqüência de uma existência humana que se precisasse conhecer ou as ações de um Espírito em atividades no Invisível, nas camadas inferiores ou durante missões penosas e excursões pertinentes aos serviços assistenciais. Todavia, os regulamentos, rigorosamente observados, rezavam sua utilização apenas em casos verdadeiramente necessários.

Existia, porém, ainda um terceiro, o maior de todos, pois ocupava todo um andar da majestosa torre, parecendo tratar-se antes de uma oficina por assim dizer mecânica, onde os operários seriam eminentes vultos da Ciência. Era este o local reservado à maquinaria magnética que permitiria o uso e a ação de todos os magníficos aparelhamentos existentes na Colônia, inclusive o do sistema de iluminação noturna, espécie de usina eletromagnética distribuidora de fluidos diversos, capazes para o bom funcionamento dos mesmos aparelhos. E em todos os compartimentos uma azáfama sem interrupções, labor incessante e árduo, quiçá exaustivo. Muitas damas figuravam no quadro de funcionários que em tais dependências víamos desenvolvendo meritórias atividades. Pareciam figuras aladas, indo e vindo em silêncio, sérias e atentas, envolvidas em belos vestuários brancos, tão alvos que se diriam lucilantes, particularidade que nos despertou atenção, fazendo supor à nossa incapacidade tratar-se de uniformes para uso interno, quando em verdade nada mais era senão o padrão do bom estado vibratório de suas mentes. Esforçavam-se por diminuí-lo, num local incompatível com suas verdadeiras expansões!

"– Esta fortaleza – continuou Anselmo de Santa Maria –, à qual pertence não só a Torre de Vigia como as demais que aqui se vêem, aquartela o regimento de milicianos e lanceiros especializados, que fazem a sentinela e defesa da mesma contra possíveis contratempos partidos do exterior. Muitos dos integrantes desse regimento são discípulos da Iniciação Crista popular, e ensaiam os primeiros passos na senda dos labores edificantes, caminho da redenção! Alguns foram também suicidas, que agora experimentam conosco a reparação de antigos deslizes. Outros, no entanto, saíram da mais negra impiedade, pois foram, além de suicidas, temíveis obsessores, e seus delitos, os crimes que praticaram durante tão lastimáveis ofícios, são bem fáceis de avaliar! Todos eles, porém, são tratados pela direção da Colônia com desvelado amor e caridade cristã, à qual se acham afetos os trabalhos de auxílio à sua reeducação. Sobre os últimos, isto é, os obsessores, existem mesmo recomendações especiais provindas de Mais Alto, visto que a Insigne Guardiã da Legião deseja vê-los o mais cedo possível integrados nas hostes dos verdadeiros conversos da Doutrina do Amado Filho, na Legião dos trabalhadores devotados da Causa Magnânima do Mestre dos mestres! Assim sendo, além dos trabalhos que desempenham e que também fazem parte da instrução que lhes é devida, todos estudam, aprendem com seus instrutores noções indispensáveis do Amor, da Justiça, do Dever, do Bem legítimo, habilitam-se na Moral do Cristo de Deus, no respeito devido ao Todo-Poderoso, até que tornem à reencarnação para os testemunhos decisivos. Não obstante, muitos já venceram as primeiras etapas dos testemunhos indispensáveis, isto é, voltaram já das terríveis reencarnações expiatórias, continuando aqui a instrução para progressos futuros! Não poderei deixar de fazer referências aos batalhões de lanceiros hindus aqui também aquartelados, os quais, voluntária e abnegadamente, se dedicam a servir de modelo para os recém-arrependidos, fiscalizando-os e cooperando conosco para sua reabilitação, enquanto prestam outros inestimáveis concursos à direção de nosso Instituto. Esses hindus, antigos discípulos particulares dos iniciados aqui domiciliados, alguns já bastante encaminhados para a luz da Verdade, são, como facilmente percebemos, o verdadeiro sustentáculo da ordem e da disciplina que mantêm a paz entre os demais.

Nossa vigilância há de ser incansável, rigorosa, minuciosa, dada a zona de desordens em que se encontra situada nossa estância, avizinhando-se da Terra e desta recebendo seus múltiplos reflexos perturbadores; das gargantas sinistras onde se localiza o vale em o qual aglomeramos nossos futuros hóspedes; das regiões inferiores onde prolifera o elemento maldoso proveniente das sociedades terrenas, e das estradas por onde perambulam hordas endurecidas no mal, cuja preocupação é seduzir, bandeando para suas hostes Espíritos incautos e inexperientes, como vós. Tudo isso sem nomear as ondas malignas invisíveis de fluidos e emanações mentais que sobem da Terra, engrossando as do invisível inferior, e às quais, desta Torre, damos caça como o faríamos a micróbios endêmicos de peste.

Através dos aparelhamentos que vedes, estamos em ligação permanente com os sucessos desenrolados no Vale dos Suicidas. Graças a eles permanecemos presentes ao que ali ocorre, de tudo sabemos e tudo ouvimos. Poderíamos exercitar a clarividência, a visão a distância, assim como outros dons anímicos que igualmente possuem os nossos técnicos, a fim de nos inteirarmos do que necessitarmos saber, pois temos, mesmo na Torre, funcionários capazes de tão vultoso quanto melindroso serviço, como aquelas operosas irmãs que acolá observamos atentas no cumprimento do Dever. Preferimos, porém, geralmente, os aparelhos, porque seria sacrificar demasiadamente, sem necessidade, tão preciosas faculdades anímicas num local heterogêneo como este, carregado de influências pesadas, que delas exigiriam grande dispêndio de energias preciosas, esforços supremos, quando o aparelhamento de que dispomos realiza o mesmo serviço sem exigências vultosas de ordem mental.

Por muito desgraçados, pois, que sejam os galés do Vale, ou os transviados que se aprazem no mal e cujo raio de ação se encontre no caminho de nossas atividades, jamais se acharão desamparados, pois os servos de Maria velam por eles com o auxílio destes magníficos aparelhos de visão e comunicação e os socorrem no momento oportuno, isto é, desde que eles mesmos estejam em condições de serem socorridos, transportados para outro local. Mas... existe uma como fatalidade a extrair-se do ato mesmo do suicídio, contra suas atribuladas presas, a qual impede sejam estas socorridas com a presteza que seria de esperar da Caridade própria dos obreiros da Fraternidade: – é o não se encontrarem elas radicalmente desligadas dos liames que as atêm ao envoltório carnal, isto é, o se conservarem semi-encarnadas ou semidesencarnadas, como quiserdes!

As potências vitais que a Natureza Divina imprimiu em todos os gêneros da Criação e, em particular, no ser humano, agem sobre o suicida com todas as energias da sua grandiosa e sutil atividade! E isso graças à natureza semimaterial do corpo astral que possui, além do envoltório material. Viverá ele, assim, da vida animal ainda por muito tempo, a despeito mesmo, em vários casos, da desorganização do corpo de carne! Palpitarão nele, com pujança impressionante, as atrações vivíssimas da sua qualidade humana, até que as reservas vitais, fornecidas para o período completo do compromisso da existência, se esgotem por haver atingido a época, prevista pela Lei, da desencarnação. Em tão anormal quão deplorável situação permanecerá o suicida, sem que nada possamos fazer a fim de socorrê-lo, apesar da nossa boa vontade![11a] Isso, meus filhos, assim é que é, e vós, mais do que ninguém, o sabeis! É de lei, lei rigorosa, incorruptível, irremediável porque perfeita e sábia, a nós cumprindo procurar compreendê-la e respeitá-la, para não nos infelicitarmos pelo intento que tivermos de violá-la!

Daí a calamidade que sobrevém aos suicidas e a impossibilidade de abreviarmos os males que os afligem. O que lhes sucede é um efeito natural da causa por eles próprios criada, pois se colocaram na melindrosa situação de só o tempo poder auxiliá-los. O que a benefício

[11a]A Excelsa Misericórdia encaminha, geralmente, tais casos, tidos como os mais graves, a reencarnações imediatas onde o delinqüente completará o tempo que lhe faltava para o término da existência que cortou. Conquanto muito dolorosas, mesmo anormais, tais reencarnações serão preferíveis às desesperações de além-túmulo, evitando, ao demais, grande perca de tempo ao paciente. Veremos então homens deformados, mudos, surdos, débeis mentais, idiotas ou tardos de nascença, etc. É um caso de vibracões, tão-somente. O perispírito não teve forças vibratórias para modelar a nova forma corpórea, a despeito do auxílio recebido dos técnicos do mundo invisível. Assim concluirão o tempo que lhes faltava para o compromisso da existência prematuramente cortada, corrigirão os distúrbios vibratórios e, logicamente, sentir-se-ão aliviados. Trata-se de uma terapêutica, nada mais, recursos extremos exigidos pela calamidade da situação. É o único, aliás, para os casos em que a vida interrompida devera ser longa. Ó vós que ledes estas páginas! Quando encontrardes pelas ruas um irmão vosso assim anormalizado, não pejeis de orar em presença dele: vossas vibrações harmoniosas serão também excelente terapêutica!

deles podemos tentar, nós o tentamos sem medir sacrifícios: – é, de quando em vez, ou melhor, em ocasião justa e adequada, organizarmos expedições de missionários voluntários, que até seu inferno desçam a fim de encaminhá-los para esta instituição, onde são asilados e devidamente orientados para o respeito a Deus, de quem não se lembraram jamais, quando homens; é nos reunirmos para o cultivo de orações diárias em seu benefício, irradiando centelhas benéficas de nossas vibrações em torno de suas mentes superexcitadas, procurando abrandar as ardências dos sofrimentos que experimentam com suaves intuições de esperança! Se não se conservassem tão alucinados, soçobrados nos boqueirões da desesperança, da funesta descrença em Deus, na qual sempre se comprazeram, perceberiam os convites à oração que todas as tardes lhes dirigimos, ao cair do crepúsculo, assim como as falas de encorajamento, intentando despertá-los para o advento da confiança nos poderes misericordiosos do Pai Altíssimo, pois não devemos olvidar que tratamos com povos cristãos que mais ou menos se emocionam ao recordar a infância distante, quando, ao pé da lareira, junto ao regaço materno, balbuciavam as doces frases da anunciação de Gabriel à Virgem de Nazaré, que receberia como filho o Redentor da Humanidade... e nós nos vemos na preocupação de lançar mãos de todos os recursos lícitos para, de algum modo, enxugar as lágrimas desses míseros descrentes que se precipitaram em tão pavoroso abismo!

Sempre que um condenado tiver extinguido ou mesmo aliviado o carregamento de vitalidade animalizada – esteja ele sinceramente arrependido ou não –, avisaremos o serviço de socorro da Vigilância, o qual partirá imediatamente ao seu encontro, trazendo-o para a guarda da Legião. Então, tal seja a sua condição moral – arrependido, revoltado, endurecido – será encaminhado por aquele Departamento ao local que lhe competir, conforme já sabeis: – o Hospital, o Isolamento, o Manicômio e até para estas Torres, pois, como dissemos, em virtude de ainda não nos acharmos devidamente instalados, acumulamos afazeres, mantendo, aqui mesmo, postos auxiliares para custodiar grandes criminosos dos quais seja cassada a liberdade por demasiada permanência nas vias do erro, isto é – suicidas-obsessores.

Com nossos aparelhos de visão a distância – (clarividente-magnético-mecânico) – os quais atrairão até nossa presença os fatos e as cenas que precisamos conhecer, selecionando-as de outros tantos, graças às disposições lúcidas com que são movimentados por nossos técnicos – assim como o ímã poderoso atraindo as estilhas do aço – localizamos aquele que deverá ser socorrido, traçamos o esquema do trajeto, apresentando-o em seguida à diretoria da Vigilância; esta fornece os elementos para a expedição... e arrebatamos, com o favor de Deus e o beneplácito do Seu Unigênito, mais uma ovelha das garras do mal...

É rigorosamente proibida a entrada nestes gabinetes a quem aí não exerça atividades. Por essa razão não vos convidarei a uma inspeção minuciosa no conjunto do aparelhamento. Os funcionários são Espíritos de escol, missionários do Amor, técnicos especializados no gênero do serviço, os quais, podendo desenvolver operosidades em esferas floridas de luz e de bênçãos, preferem descer aos báratros sombrios da desgraça para servirem, por amor ao Mestre Divino, à causa sacrossanta dos seus irmãos inferiores e infelizes – verdadeiros anjos-guardiães dos infortunados por quem velam!

São, estes, rendidos por outra turma, de doze em doze horas. Descansarão, se o desejarem, nos jardins do Templo, que, como sabeis, é o mais elevado plano de nossa humilde Colônia; ou se dedicarão a outros afazeres que lhes sejam afetos ou ainda alçarão às moradas a que em verdade pertencem. Refazem-se, aí, das angústias suportadas no ambiente trevoso onde heroicamente laboram em favor do próximo e retornam no dia imediato, fiéis ao dever que voluntariamente abraçaram... pois convém frisar, meus amigos, que, para os serviços de socorro e proteção aos párias do suicídio, não existem nomeações nem imposições de leis, uma vez que ele mesmo, o suicídio, está fora da Lei! São tarefas, portanto, realizadas por voluntários, florescência sagrada dos sentimentos de Caridade e Abnegação daqueles que desejam exercê-las por amor às doutrinas imaculadas do Cordeiro de Deus, daquele Modelo Divino que fez da Caridade a virtude por excelência, uma vez que a lei facultadora do direito de exercê-la confere o exercício de todo o bem possível em favor dos que sofrem!

"– Admira-me ver personagens tão altamente prendadas desdobrando-se em locais e labores tão pouco agradáveis – observou Belarmino com a azeda impertinência de quem, na Terra, levou vida afidalgada, de capitalista ocioso, para quem serão desdouro os trabalhos árduos, as lides contínuas do dever. – Não existiriam na Legião funcionários espiritualmente menos evolvidos, mais concordes, portanto, com a natureza do ambiente e dos exaustivos desempenhos nele decorridos?... Certamente sofreriam menos, visto que possuiriam menor grau de sensibilidade..."

Riu-se Anselmo com bonomia e simpatia, redargüindo:

"– Bem se vê, irmão Belarmino, que desconheceis a delicadeza e a profundidade dos assuntos espirituais, cuja intensidade não é sequer suspeitada no globo terrestre! Nosso corpo de funcionários menos evolvidos, policiais, assistentes, enfermeiros, vigilantes, etc., etc., poderá apresentar ótimo contingente de boa vontade, como realmente apresenta, permanente disposição para o trabalho, desejo de progredir através de atos heróicos, mas não se encontra ainda à altura de tão magno desempenho!

Somente um Espírito dotado de cândidas virtudes e experimentado saber poderia distinguir nos meandros do caráter complexo de um infrator, como o suicida, as verdadeiras predisposições para o arrependimento, ou se no seu invólucro físico-astral já não se refletem influências do princípio vital demasiadamente pesadas para, então, providenciar socorros que o encaminhem a local onde esteja seguro. Só um técnico, investido de extensos conhecimentos psíquicos, saberia extrair da memória profunda de um desses réus, martirizados pelos sofrimentos, o pretérito de suas existências, retrocedendo com ele pelas vias do passado, revendo-lhe a história vivida na Terra, para, daí, formando-lhe a biografia, estudar a causa que o impeliu ao fracasso, orientando destarte o programa reeducativo que no Instituto será aplicado, pois é com os apontamentos fornecidos pelos técnicos dos Departamentos da Vigilância e do Hospital que os padecentes admitidos na Colônia serão classificados e encaminhados para os vários postos de recuperação de que dispomos, os quais se estendem até mesmo às paragens terrenas, através dos serviços reencarnatórios. Só mesmo um ser abnegado, bastante evolvido na posse de si mesmo, poderia contemplar, sem se horrorizar até à loucura, as localidades inferiores onde a degradação e a dor atingem a culminância do mal, comparado às quais o Vale onde estivestes pareceria confortador!

Por exemplo: – Existem almas de suicidas que não chegam a ingressar no Vale por vias naturais. Ingressar ali já será estar o delinqüente mais ou menos amparado, porque sob nossa assistência e vigilância, embora oculta, registrado nos assentamentos da Colônia como candidato a futura hospitalização. Há no entanto aqueles que são aprisionados, ou seduzidos e desencaminhados, antes de atingirem o Vale, por maltas de obsessores, que, às vezes, também foram suicidas, ou mistificadores, entidades perversas e criminosas, cujo prazer é a prática de vilezas, escória do mundo invisível desnorteada pelas próprias maldades, que continuam vivendo na Terra ao lado dos homens, contaminando a sociedade e os lares terrenos que lhes não oferecem resistência através da vigilância dos bons pensamentos e prudentes ações, infelicitando criaturas incautas que lhes fornecem acesso com a própria inferioridade moral e mental! Se escravizado por semelhante horda, o suicida entra a experimentar torturas à frente das quais os acontecimentos verificados no Vale – que são o resultado lógico do ato de suicídio – pareceriam meros gracejos?

Porque não disponham de poderes espirituais verdadeiros, esses infelizes, que vivem divorciados da luz do Bem e do Amor ao próximo, aquartelam-se, geralmente, em locais pavorosos e sinistros da própria Terra, afinados com seus estados mentais, tais como o seio das florestas tenebrosas, catacumbas abandonadas dos cemitérios, cavernas solitárias de montanhas muitas vezes desconhecidas dos homens e até antros sombrios de rochedos marinhos e crateras de vulcões extintos.

Hipócritas e mentirosos, fazem crer às suas vítimas serem tais regiões obras suas, construídas pelo poder de suas capacidades, pois invejam as Colônias regeneradoras dirigidas pelas entidades iluminadas, e, aprisionando-as, torturam-nas por todas as formas, desde a aplicação dos maus-tratos 'físicos' e da obscenidade, até a criação da loucura para suas mentes já incendidas pela profundidade dos sofrimentos que lhes eram pessoais; infligem-lhes suplícios, finalmente, cuja concepção ultrapassa a possibilidade de raciocínio das vossas mentes, e cuja visão não suportaríeis por ainda serdes demasiadamente fracos para vos isolardes das pesadas sugestões que sobre vós cairiam, capazes de vos levarem a adoecer!

Mas... aos trabalhadores especializados, iluminados por um excelente progresso, nada afeta! São imunizados, dominam o próprio horror a que assistem com as forças mentais e vibratórias de que dispõem, e até às mais estranhas regiões do globo descem as lentes dos seus telescópios magnéticos, da sua televisão poderosa, assim como a solicitude dos seus elevados pensamentos de fraternidade cristã... E vão à procura da alma superatribulada dos desgraçados que se viram duplamente desviados da rota lógica do destino, pelo próprio ato do suicídio e pela afinidade inferior que os arrastou à junção com o elemento da mais baixa espécie existente no Invisível!

Encontram-nos, às vezes, depois de pesquisas perseverantes e exaustivas. Nem sempre, porém, ao localizá-las, e disso informando a direção da Vigilância, a qual, por sua vez, se entende com a direção-geral do Instituto, poderemos arrebatá-las imediatamente. Será necessário traçar um plano para o resgate, um programa definido, bem delineado; o concurso de outras falanges, às vezes muito inferiores à nossa, em capacidade e moral, mas conhecedoras do terreno áspero e trevoso em que seremos chamados a operar; *démarches*, embaixadas, negociações, empenhos e até truques, batalhas ríspidas, onde a espada não será chamada a intervir, é certo, mas em que a paciência, a tolerância, o interesse do Bem, a energia moral, a coragem para o trabalho, usados pelos libertadores, causariam admiração e respeito pelo heroísmo de que oferecem testemunho! Não raro descem estes aos locais satânicos onde a alma cativa se estorce flagelada pelos verdugos que a desejam adaptar aos próprios costumes. Imiscuem-se com a horda. Submetem-se à dramática necessidade de se deixarem passar, muitas vezes, por sequazes das trevas!... Invariavelmente sofrem em tais ocasiões, esses abnegados obreiros do Amor! Derramam lágrimas amargurosas, fiéis, porém, aos sacrossantos compromissos para com a causa redentora a que se consagraram! Mas não vacilam no posto de missionários, a que se comprometeram com o Divino Modelo que se sacrificou pela Humanidade, e prosseguem, enérgicos e heróicos, nos serviços a bem de seus irmãos menores!

E finalmente, após lutas inimagináveis, arrecadam os sofredores que, no tempo devido, não se encaminharam para o Vale; entregam-nos, como de direito, à Vigilância, que, por sua vez, os dirige para o local conveniente, geralmente para o Manicômio, pois os desgraçados saem enlouquecidos, com efeito, das teias obsessoras em que se deixaram enredar... E, o que é sumamente importante: – arrebanham também os próprios obsessores, os algozes, os quais mais não são do que Espíritos audaciosos, de homens maldosos que viveram envolvidos nas trevas do crime, apartados de Deus! Se, além de obsessores, são também suicidas, nossa Colônia poderá retê-los. Hospedamo-los, no entanto, aqui mesmo, na Vigilância, em local apropriado desta fortaleza, pois, não possuindo eles afinidades para nenhum outro plano melhor que este, são, ao demais, considerados elementos perigosos e indesejáveis em dependências onde se opera o alevantamento da moral de outros delinqüentes já predispostos ao bem! Mantemo-los sob severa custódia, procurando, tanto quanto possível, ministrar-lhes forças e meios para se reeducarem e reabilitarem. Daqui não se elevarão a planos mais rarefeitos e confortadores sem que primeiramente hajam tornado a nova existência carnal a fim de se despojarem do peso dos crimes mais revoltantes que cometeram, pois suas condições morais e mentais, excessivamente prejudicadas, lhes interceptam maiores possibilidades. A instrução deles limitar-se-á a pequeno aprendizado em torno de si mesmos, noções das leis fraternas expostas no Evangelho do Senhor e a labores regeneradores exercidos nos palcos da Terra, sob a direção de assistentes rigorosos, ou em nosso regimento de milicianos, onde mentores especializados no gênero guiá-los-ão à prática de serviços nobilitantes, em oposição ao muito mal que praticaram no passado. Como milicianos, darão caça a outras hordas obsessoras que conheçam, indicam-nos antros maléficos que bem sabem existir aqui e além, prestando, assim, concurso valioso à nossa causa, o que muito será levado em conta na programação das expiações a que se obrigaram. Se se tratar, no entanto, de elementos simplesmente perversos, não suicidas, não nos será permitido asilá-los. Todavia, nosso Serviço de Socorro encaminhá-los-á aos postos de abrigo existentes nas zonas de transição, um pouco por toda a parte – espécie de postos policiais do Invisível – e, uma vez aí, terão o destino que melhor convir a sua triste condição de Espíritos inferiores, destino concorde, não obstante, com as leis da afinidade, da justiça e da fraternidade."

Seguiu-se curto silêncio. Estávamos suspensos, surpresos com o inesperado da exposição que nos faziam, a qual, em verdade, valia por uma aula de elevada erudição! Anselmo de Santa Maria fitou docemente o olhar em nossos semblantes preocupados pela atenção despertada por sua palavra, e murmurou, como se estendesse o pensamento através das flóreas estradas perfumadas pela essência incomparável do Evangelho do Magnânimo Educador:

"– Sim, meus filhos!... Assim é que fatalmente teria de acontecer, pois o próprio Nazareno afirmou que o bom pastor deixa o rebanho obediente, amparado em seu redil, e parte em busca da ovelha transviada, só descansando após reconduzi-la, salva dos perigos que a cercavam!... E acrescentou, para justiça e glória dos nossos esforços em cooperar com Ele:

"– Das ovelhas que meu Pai me confiou, nenhuma se perderá..."

Os arquivos da alma

"Honrai a vosso pai e a vossa mãe."
(*Decálogo.*)

Êxodo, 20:12.

Ia entardecendo. As sombras se acentuavam no horizonte plúmbeo da pesada região. Descemos para o pavimento imediato e, pelo trajeto, arrisquei uma interrogação:

"– Desculpai, Rev.^mo Padre, o desejo de investigar pormenores de um assunto que tão bem soube aos meus sentimentos de cristão e à minha preocupação de aprendiz: – Como chegam os diretores desta magna Instituição a saber que Espíritos infelicitados pelo suicídio são aprisionados por falanges hostis, encontrando-se desaparecidos?..."

"– Se nos comprometemos perante Jesus ao serviço de auxiliares do seu ideal de redenção, filiando-nos à Legião patrocinada por Sua venerável Mãe – respondeu prontamente –, manteremos técnicos nesta Torre com o mister exclusivo de procurar os desaparecidos, auxiliados com o emprego infalível dos aparelhos que acabastes de entrever... Têm eles, cada um, demarcadas as regiões que deverão sondar... Por sua vez, antigos opressores, regenerados sob nossos cuidados e adidos ao corpo de milicianos, tocados pelo arrependimento vêm, voluntariamente, indicar localidades do Invisível ou da Terra, do seu conhecimento, onde são aglomeradas as vítimas da opressão obsessora e onde as maiores atrocidades se praticam. Verificados exatos, esses locais serão visitados e saneados... Geralmente, porém, os avisos e as ordens vêm de Mais Alto... de lá, onde paira a assistência magnânima da piedosa Mãe da Humanidade, a Governadora de nossa Legião... Se as entidades em apreço não pertencem à sua tutela direta de Guardiã, poderá o Guardião da falange ou da legião a que pertencerem impetrar o seu favor em prol dos transviados, seu amoroso concurso para o alvo a ser colimado, porquanto existe fraterna solidariedade entre as várias agremiações do Universo Sideral, infinitamente mais perfeitas que as existentes entre as nações físico-terrenas... Outrossim, por mais desgraçado e esquecido que seja um delinqüente, existirá sempre quem o ame e por ele sinceramente se interesse, dirigindo apelos fervorosos a Maria em seu favor, quando não o fizerem diretamente ao Divino Mestre ou ao próprio Criador! Se, portanto, um suicida não deixa na Terra alguém que se apiade de sua imensa desgraça, concedendo-lhe brandas e carinhosas expressões de caridade através da Prece generosa, será bem certo que no Além haverá quem o faça: – afeições remotas, antigos amigos, temporariamente esquecidos graças à encarnação; seres queridos que o acompanharam em peregrinações pregressas, na Terra; seu tutelar, o amoroso Guardião que lhe conhece todos os passos, como seus menores pensamentos, assisti-lo-ão com os veros testemunhos do amor fraterno, que cultivam à inspiração do amor de Deus! Se é dirigida a Maria a súplica, imediatamente ordens serão expedidas a seus mensageiros, as quais, por estes distribuídas aos vários postos e institutos de socorro e asilo aos suicidas, mantidos pela Legião, indicam aos servidores o momento das atividades em torno do novo sofredor, seu nome, sua nacionalidade, a data do desastre, o local em que se verificou, o gênero de suicídio escolhido. Com tais informes, se, por exemplo, o indivíduo em questão encontra-se em região pertencente ao raio de nossas ações, a busca será feita pelos servos da Vigilância, conforme ficou dito. Onde quer que se encontre será localizado a despeito de quaisquer sacrifícios! Geralmente, se não foi arrebatado da situação normal ao caso pelas hordas perversas e obsessoras que o assediavam desde antes, o trabalho será fácil. Se, no entanto, a tarefa, por muito espinhosa e árdua, carecer do concurso de outros elementos de nossa mesma Legião ou estranhos a ela, temos o direito de solicitá-los, sendo prontamente atendidos. Há casos, como ficou esclarecido, em que nos vemos na necessidade de apelar até para o concurso de elementos inferiores, isto é, o auxílio de falanges que nos ficam abaixo em moral e esclarecimentos!

No entanto, se a outro eminente Espírito for dirigida a súplica, será esta encaminhada a Maria e seguir-se-ão as mesmas providências, pois, como vimos afirmando, é Maria a sublime acolhedora dos réprobos que se arrojaram aos temerosos abismos da morte voluntária... Tudo isso, porém, não quererá certamente dizer que nossa Excelsa Diretora precisará esperar súplicas e pedidos de quem quer que seja a fim de tomar suas caridosas providências! Ao contrário, estas foram perenemente tomadas, com a manutenção dos postos de observação e socorro especiais para suicidas; com os não especializados, mas que igualmente os acolherão em ocasião oportuna, disseminados por toda a parte, no Invisível como na Terra, e com os próprios dispositivos da lei de amor e fraternidade, que manda pratiquemos todo o bem possível, fazendo ao próximo o que desejaríamos que ele nos fizesse, lei que no Invisível esclarecido é amorosa e rigorosamente observada!

De qualquer forma, porém, a Prece, como vistes, externada com amor e veemência em favor de um suicida, é o sacrossanto veículo que carreia, em qualquer tempo, inestimáveis consolações, mercês celestes para aquele desafortunado, porquanto é um dos valiosos elementos de socorro estatuídos pela citada lei em favor dos que sofrem, elemento com o qual ela conta a fim de acionar vibrações balsamizantes necessárias ao tratamento que a carência do mártir requer, constituindo, por isso mesmo, erro calamitoso a negativa, por parte das criaturas terrenas, desse ato de solidariedade, interesse e beneficência, pela injusta suposição de que seria inútil sua aplicação por irremediável a desgraçada situação dos suicidas! A Prece, ao contrário, torna-se ato de tão louvável e prestimosa repercussão, que aquele que ora, por um de vós, faz-se voluntário colaborador dos obreiros da Legião de Maria, coadjuvando seus esforços e sacrifícios na obra de alívio e reeducação a que se devotaram!

Como tendes percebido, por esta pálida amostra, nosso labor é vultoso e intenso. Se as criaturas que atentam contra o sagrado patrimônio da existência corporal – pelo Todo-Poderoso concedido à alma culpada como ensejo bendito e nobilitante de reabilitação – conhecessem a extensão dos sofrimentos e dos sacrifícios que por elas arrostamos, é certo que se deteriam à beira do abismo, refletindo na grave responsabilidade que assumirão, quando não por amor ou compaixão de si mesmas, ao menos em consideração e respeito a nós outros, seus guias espirituais e amigos devotados, que tantos prélios exaustivos, tantos dissabores suportamos, tantas lágrimas arrancaremos do coração até que os possamos encaminhar para as consoladoras estâncias protegidas pela Esperança!"

....

O amável cicerone falara da existência, numa daquelas sombrias dependências que circundavam a torre central, cognominada simplesmente – a Torre –, daqueles temidos obsessores, chefes ou prosélitos de falanges trevosas e perversas, os quais, além de suicidas, seriam também responsáveis por crimes nefandos, previstos nas leis sublimes do Eterno Legislador como puníveis de reparações duríssimas através dos séculos. Manifestáramos desejo de vê-los. Afigurou-se-nos tratar-se de entidades anormais, desconhecidas completamente pela nossa capacidade de imaginação, monstros apocalípticos, talvez, fantasmas infernais que nem mesmo apresentariam forma humana. Sorrindo paternalmente, o velho doutor de Canalejas interrogou ao emérito elucidador, que nos guiava, se seria possível defrontarmos algum deles, visto ser de utilidade conhecê-los a fim de nos acautelarmos durante a próxima viagem aos planos terrenos, onde enxameiam bandos numerosos da mesma espécie. Padre Anselmo bondosamente aquiesceu, não porém sem pequena restrição:

"– Estou informado, pela diretoria do vosso Hospital, das conveniências que cabem aos aprendizes aqui presentes. Concordarei portanto em apresentar-lhes pequeno panorama do local onde alojamos os pobres pupilos responsáveis por tantos delitos, justamente a Torre que nos fica fronteira. Ali estão localizadas as chamadas prisões, e ali são eles custodiados sem interrupção, como jamais o seriam prisioneiros na Terra!

Devo inteirar-vos de que tais obsessores se encontram já em vias de regeneração. Sacodem-lhes o pesado torpor em que têm mantido as consciências os embates aflitivos dos primeiros remorsos. Acovardam-se com o fantasma do futuro. Bem percebem o que os espera na angustiosa plaga das expiações, sob o ardor das variadas reparações que terão de testemunhar mais tarde ou mais cedo. Amedrontados ante o vulto infamante das próprias culpas, supõem que, enquanto resistirem aos convites que diariamente recebem para a regeneração, estarão isentados daquelas obrigações... Daqui, porém, não lograrão sair, reavendo a liberdade, sem que o arrependimento marque roteiro novo para suas consciências denegridas pela blasfêmia do pecado... ainda que permaneçam enclausurados durante séculos – o que não é muito provável venha a dar-se.

Oh, meus caros amigos, vós, que iniciais os primeiros passos nas sendas redentoras dessa Ciência Divina que redime e eleva o caráter da criatura, seja homem ou Espírito! Oh, vós, cuja visita ao meu posto humilde de trabalhador da Seara do Senhor tanto me honra e desvanece! Colaborai comigo e meus auxiliares desta espinhosa seção do Departamento de Vigilância! Colaborai com a direção deste Instituto, sobre cuja responsabilidade pesam tantos destinos de criaturas que devem marchar para Deus! Cooperai com a Legião dos Servos de Maria e com a causa da Redenção, esposada pelo Mestre Divino, orando fervorosamente por estas ovelhas transviadas que resistem ao doce chamamento do seu Meigo Pastor! Seja o primeiro ato com que iniciareis a caminhada extensa das reparações que devereis praticar – o gesto da sublime caridade que irá rescender seus imortais aromas de beneficências no seio amoroso do Cristo de Deus: – a Prece pela conversão destes infelizes trânsfugas da Lei, que se arrojaram, temerários e loucos, ao mais tenebroso e trágico báratro a que é possível chafurdar-se a criatura dotada de raciocínio e livre-arbítrio! Orai! E afianço-vos, acreditai! – que tereis começado formosamente a programação das ações que devereis realizar para a confirmação do vosso progresso!

Porém, são eles aqui – continuou, depois de uma pausa que não ousamos profanar com nenhuma indiscrição – assistidos por dedicados zeladores. Levada em conta a ignorância fatal de que deram mostras, escolhendo a prática do mal, único atenuante com que podem contar a fim de merecerem proteção e amparo, a misericórdia exposta na Lei que nos rege ordena lhes forneçamos ensino e esclarecimentos, meios seguros de se reabilitarem para o reingresso nas vias normais da evolução e do progresso, elementos com que combatam, eles mesmos, as trevas de que se rodearam. Para isso, retendo-os, cassando-lhes a liberdade, de que muito e muito abusaram, damos-lhes conselheiros e elucidadores, vultos traquejados no segredo das catequeses de selvagens e nativos das regiões bárbaras da Terra, tais como da África, da Indochina, das Américas, da Patagônia distante e desolada...

Vinde... e assistireis, através de nossos aparelhos de visão a distância, ao que se passa na Terra fronteira...

Encaminhou-se a um vasto salão que se diria gabinete de fiscalização geral do diretor. Mobiliário sóbrio, utensílios de estudo e farto aparelhamento de transmissão da palavra e da visão, permitindo rápido entendimento com toda a Colônia, era tudo o que compunha o solitário compartimento. Fez-nos sentar, e ao passo que se conservava de pé qual mestre que era no momento, prosseguiu na sua atraente elucidação:

"– Eis em que consistem as 'prisões' neste recanto sombrio do Instituto Maria de Nazaré..."

Aproximou-se dos aparelhamentos televisionadores, acionou-os destramente... e encontramo-nos miraculosamente em extensa galeria cujas arcadas, lembrando antigos claustros, exprimiam o estilo português clássico, que tanto nos falava à alma.

Não sei se as ondas fluido-magnéticas que se imprimiam como veículo desses aparelhos teriam o poder de se infiltrarem pelas fibras do nosso físico-astral, casando-se às irradiações que nos eram próprias; não sei se, irradiando suas propriedades ignotas pelo ambiente, nos predispunham a mente para o alto fenômeno da sugestão lúcida ou se seria esta o fruto poderoso da força mental dos mestres do magnetismo psíquico que invariavelmente nos acompanhavam quando nos levavam a examinar as transmissões. O certo era que, naquele momento, tínhamos a impressão de que caminhávamos, realmente, por aquela galeria toda envolvida em pesada penumbra, o que transmitia penosas impressões de angústia e temor aos nossos inexperientes Espíritos.

De um lado e outro da galeria, as "enxovias" apresentavam-se aos nossos olhos surpresos como pequenos recintos para estudo e residência, tais como sala de aula, refeitório e dormitório, oferecendo conforto suficiente para não chocar o recluso com a humilhação da necessidade insolúvel, predispondo-o à desconfiança e à revolta. Dir-se-iam pequenos apartamentos de internato modelar, em o qual o aluno recebesse hospedagem individual, pois esses aposentos eram para habitação de apenas um prisioneiro!

Não me pude conter e atrevi-me a externar impressões, dirigindo-me a Padre Anselmo:

"– Pois quê?!... Vejo aqui um educandário, não uma prisão!... Rodeados de amplas janelas e belos e sugestivos balcões por onde penetram ventos sadios, desguarnecidos de grades e de sentinelas, estes aposentos convidam antes ao recolhimento, à meditação e ao estudo proveitoso, dado o silêncio inquebrantável de que se rodeiam... Oh! bem vejo a influência generosa de eméritos missionários educadores, afeitos à direção de instituições escolares, não carcereiros a se imporem pela violência!..."

"– Sim – redargüiu sorrindo o nobre governador da Torre –, cumprimos os dispositivos das leis de amor e Fraternidade, sob as normas essencialmente educadoras do Mestre Magnífico. Realmente, não nos cumpre castigar quem quer que seja, por mais criminoso que se afigure, porquanto nem Ele o fez! Nosso dever é instruir e reeducar, levantando o ânimo decaído, o caráter vacilante, através de elucidações sadias, para a regeneração pela prática do Bem!... pois que a punição, o castigo, o próprio delinqüente os traz dentro de si, com o inferno em que se converteu sua consciência ininterruptamente conflagrada por mil diferentes aflições... o que dispensa atormentá-lo com mais castigos e represálias! Ele próprio é que se julgará e em si mesmo aplicará as punições que merecer... Quereis um exemplo vivo, dos mais sugestivos?... Prestai atenção..."

Aproximou-se de um daqueles aparelhos que ornavam a sala, acionou atentamente um novo botão luminoso e, enquanto se reproduzia no espelho magnético um vulto masculino, em tudo semelhante a nós outros, no vigor dos quarenta anos, ia gentilmente elucidando sempre:

"– Eis um dos temíveis obsessores, chefe de pequena falange de entidades endurecidas e maldosas, portador de múltiplos vícios e degradações morais, criminoso e suicida, que arrastou ao seu abismo de vileza e misérias quantos incautos – desencarnados e encarnados – pôde seduzir e convencer a segui-lo, e cujos crimes avultam com tal gravidade nos códigos das leis divinas que não nos admiraríamos ver chegar, de uma para outra hora, ordens do Alto para o seu encaminhamento aos canais competentes para uma reencarnação expiatória fora do Globo Terrestre, em planeta ainda inferior à Terra, ou para um estágio espiritual em suas circunvizinhanças astrais, em os quais, num período relativamente curto, poderia expiar débito que na Terra requereriam séculos! Tal cometimento, todavia, seria medida drástica que repugnaria à caridade e ao inimaginável amor do nosso Meigo Pastor, o qual preferirá, primeiramente, esgotar todos os recursos lógicos e legais para persuadir ao arrependimento assim como à regeneração, servindo-se da grande ternura e piedade de que só Ele sabe dispor!

Maria intercedeu por este infeliz, junto a seu Divino Filho, enquanto a nós outros recomendou a máxima paciência, a mais fecunda expressão de caridade e de amor de que formos capazes, a fim de serem aplicados no seu lamentável caso! Assim é que, prisioneiro embora, como o vedes, recebe sem interrupção toda a assistência moral, espiritual e até 'física', se assim me posso expressar, que a sua natureza animalizada e grosseira requisita. A moral cristã, que absolutamente desconhece, é-lhe fornecida diariamente, como alimento indispensável de que não pode prescindir, na indigência chocante em que se encontra... E recebe-a através do ensino do Evangelho bendito, durante aulas coletivas, figuradas e encenadas, como presenciastes naquelas reuniões terrenas a que fostes conduzidos, as quais não são mais do que pequenos postos auxiliares dos serviços realizados no Invisível; e é, como os demais alunos prisioneiros, ajudado a examinar os excelsos ensinos do Redentor e a confrontá-los com as ações que lhe foram próprias... aquele Redentor que, fiel à Sua finalidade de Mestre e Salvador, estende-lhe a mão compassiva, levando-o a erguer-se do pecado!

Nossos métodos, todavia, mantêm outra espécie de ensinamento, enérgico, quase violento, ao qual somente os iniciados poderão atender, dada a delicadeza da operação a ser tentada, que requer técnica especial... Por essa razão esta parte será sempre confiada a um especializado dos mais populares em nossa Colônia – um técnico – Olivier de Guzman, a quem conheceis como diretor do Departamento de Vigilância. Acumula ele, assim, tarefas das mais melindrosas, não só por ser esse o dever que lhe cumpre, visto que na Seara do Senhor jamais o bom obreiro estará inativo, como também devido à escassez de trabalhadores, a que me referi. Apreciai o que se passa no apartamento deste réu-aluno e avaliai por vós mesmos..."

Com efeito! Sentado à mesa de estudo, as faces entre as mãos, em atitude de desânimo ou preocupação profunda; cabelos revoltos, cheios e ondulados; semblante atormentado por pensamentos conflagrados, que emitiam em torno do cérebro evaporações espessas quais nuvens plúmbeas, encontrava-se o prisioneiro, ali, à nossa frente, como presente no mesmo salão em que nos achávamos! Surpreendidos, porém, nesse terrível obsessor reconhecemos apenas um homem, simplesmente um homem – ou um Espírito que fora homem! – mas não um ser fantástico! Um Espírito apartado das formas carnais, é certo, mas trazendo a configuração humana, grosseira e pesada, indiciando a inferioridade moral que o distanciava da espiritualidade! Trajava tal como no momento em que sucumbira, em sua organização carnal, sob o golpe do suicídio: – calça de fino tecido de lã preta, o que indicava que, na Terra, fora personagem de elevado trato social, e camisa de seda branca com punhos e peitilho de rendas de Flandres. A julgar pela indumentária entrevista fomos levados a crer que não andaria longe de um século sua estada entre as sombras da maldade do plano invisível, o que às nossas profundezas anímicas levou penoso frêmito de compaixão. À altura do coração, apesar do longo tempo decorrido, o estigma trágico denunciava-o como integrante da sinistra falange de réprobos à qual também pertencíamos: – o sangue, vivo e fresco, como se houvera começado a jorrar naquele momento, derramava-se de largo orifício produzido certamente por florete ou punhal, ferreteando impiedosamente o físico-astral; derramava-se sempre, ininterruptamente, apesar do tempo, como se se tratasse antes da impressão do fato ocorrido, sobre a mente alucinada e trevosa do desgraçado!

Eis, todavia, que entrava o mestre que o assistia, o qual, piedosamente, ia, de aposento a aposento, acender nos corações incultos daqueles míseros delinqüentes as lâmpadas estelíferas do Conhecimento, a fim de que se norteassem com elas a estradas mais compensadoras!

O antigo obsessor levantou-se respeitoso, fazendo vênia própria de um gentil-homem. Olivier de Guzman – pois era ele o mestre – cumprimentou-o carinhosamente:

"– A paz do Senhor seja contigo, Agenor Peñalva!"

O réu não respondeu, conservando-se de cenho contrafeito; e, a um sinal daquele, sentou-se novamente à mesa, enquanto o guia formoso permanecia de pé.

Fisionomia grave, atitudes delicadas, conversação paternal, Olivier de Guzman, que, como os demais iniciados superiores, trajava a indumentária da bela e operosa falange a que pertencia, entrou a expor ao discípulo a explicação do dia, fazendo-o anotá-la em cadernos, isto é, levando-o a analisá-la, a meditar sobre ela a fim de cuidadosamente imprimi-la na mente. No dia imediato deveria o discípulo apresentar a resenha das conclusões feitas em torno do assunto ventilado. Consistia essa aula, por nós presenciada, em importante tese sobre os direitos de cada indivíduo, assim na sociedade terrena que na astral, à luz da Lei Magnânima do Criador; nos direitos de mútuo respeito, solidariedade e fraternidade que a Humanidade a si mesma deve na harmoniosa cadeia das ações de cada criatura em torno de si mesma e dos seus semelhantes. Analisaria o aluno a tese melindrosa em presença das próprias ações cometidas durante a existência última, que tivera na Terra, e durante a permanência no Invisível até aquela data, confrontando-as ainda com as normas expressas nas leis que regem o mundo astral e nos códigos da moral cristã, indispensáveis ao progresso e bem-estar de todas as criaturas, e dos quais vinha ele recebendo esclarecimentos havia já algum tempo. Ao aluno assistia o direito de apresentar objeções, indagar em torno de dúvidas que pudesse ter, e até de contestar... observando nós outros o volume de preciosos esclarecimentos fornecidos pelo mestre a cada contestação do endurecido discípulo![12] E tal labor, da exclusiva competição da consciência, poderia ser tentado por todos os reclusos, independendo de cultura intelectual!

Perplexos diante da intensidade e extensão dos serviços na Torre, indagamos do paciente elucidador:

[12]Seria uma como "doutrinação" levada a efeito pelo Guia, como as que costumamos assistir nas sessões experimentais bem dirigidas, de Espiritismo, certamente avantajada pelas circunstâncias e pela sabedoria do expositor.

"– Uma vez que este pobre Espírito se convença da necessidade do Bem, para onde será encaminhado?... Que vai ser dele?... E por que obtém, apesar da má vontade manifesta, mestre de tal valor, lições profundíssimas como as que presenciamos, ao passo que nós outros, que nos dispomos a trilhar o futuro de boa mente, através de vossos conselhos, mal vislumbramos esses iniciados que tanto nos agradam, e nem conseguimos sequer um texto onde aprendamos as leis que nos regerão daqui por diante, quanto mais apetrechos de escrita?!..."

Foi concludente a resposta e não se fez esperar:

"– Em primeiro lugar – esclareceu Padre Anselmo –, não devíeis esquecer que sois enfermos a quem somente agora concederam alta do Hospital, e mais que, havendo ingressado há apenas três anos neste abrigo, não passais de recém-chegados que nem mesmo concluíram o reajustamento psíquico... Tão flagrante diferença, aliás, se patenteia nas vossas mútuas condições, que não admitem sequer um confronto para discussões! Não vos admireis, portanto, que esse, que acolá observamos, obtenha o que parece imerecido... Vossa época de iluminação virá a seu tempo e não perdereis por esperá-la... Há trinta e oito anos ingressou Agenor Peñalva nesta Torre e só agora concorda em aplicar-se ao indispensável estudo de si mesmo para acatar a Lei e minorar a situação própria, que lhe vem pesando amarguradamente... De outro lado, justamente devido à inferioridade moral de que se rodeia, necessita maior vigilância e assistência do que vós, cujos pendores para a conversão à Luz muito bem auguram para o futuro...

Trabalho prolongado tem requerido o endurecimento do coração em que se entrincheirou aquele pecador, temeroso qual se sente das conseqüências futuras dos desbaratos que converteram em trevas a sua vida. Fora mesmo necessária a perseverança paternal de um Olivier de Guzman, afeito ao trato com os nativos do Norte e semibárbaros do Oriente, a fim de convencer o grande transviado que aí tendes ao encorajamento para a emenda! Voltará ele muito breve à reencarnação! Encontra-se excessivamente prejudicado, em suas condições mentais, para que seja lícito conduzir-se a situações de verdadeiro progresso! Só uma existência terrena longa, dolorosa, operando-lhe decisivas transformações mentais, por alijar da consciência, sobrecarregada de sombras, considerável bagagem de impurezas, permitir-lhe-á ensejos para novos traçados na rota do progresso normal... E é a fim de convencê-lo satisfatoriamente a tal resolução, sem jamais obrigá-lo; é no intuito de prepará-lo para a aquisição de forças suficientes para as pelejas ardentes que enfrentará nos proscênios terrestres, que assim o detemos, procurando moralizá-lo o mais possível, reconciliando-o consigo mesmo e com a Lei! Se o não fizermos, sua próxima e inevitável reencarnação tornará ao mesmo círculo vicioso em que têm degenerado as demais, o que absolutamente não convém a ele e tampouco a nós outros, visto que por sua reeducação nos responsabilizamos perante a mesma Lei!

Continuai, porém, observando o que se passa em seus aposentos..."

Prestando seguidamente a máxima atenção, fomos surpreendidos com acontecimentos que se desenrolaram com precipitação, os quais por sua natureza altamente educativa merecem ser narrados com especial carinho.

A um gesto do preceptor, vimos que o paciente levantou-se a fim de acompanhá-lo submissamente, como tocado por influências irresistíveis. Caminharam ao longo da galeria extensa, onde se localizavam as "prisões" dos abrigados, Olivier à frente. Penetraram, dentro em pouco, espaçosa sala, espécie de gabinete de experimentações científicas. Dir-se-ia um tabernáculo onde mistérios sacrossantos se desvendavam, afirmando ao observador o quanto conviria aprender e progredir em psiquismo, para se tornar merecedor da herança imortal que o Céu legou ao gênero humano.

O citado gabinete mantinha-se perenemente saturado de vaporizações magnéticas apropriadas à finalidade para que fora organizado, as quais suavemente emitiam fosforescências azuladas, tênues, sutis, quase imperceptíveis à nossa visão ainda muito débil para as coisas espirituais, e absolutamente invisíveis à percepção embrutecida daquele que nelas penetrava a fim de se submeter à operação conveniente. Sobre um tablado polido como o cristal via-se uma cadeira estruturada em substâncias que igualmente se assemelhavam à transparência do cristal, mas pelo interior da qual perpassava um fluido azul, fosforescente, como sangue que corresse pelos canais arteriais de um envoltório carnal, desde que fossem acionados botões minúsculos, quais pequeninas estrelas, que se apresentavam no conjunto de todo o estranho aparelhamento. À frente da singular peça, congênere daquela existente na sala de recepções do Hospital, onde assistíramos ao fenômeno do nosso próprio desprendimento da organização material, retrocedendo mentalmente até à data do suicídio, sob a direção de Teócrito e a assistência de Romeu e Alceste, destacava-se um quadrângulo de cerca de dois metros, fulgurante qual espelho, placa fluido-magnética ultra-sensível, capaz de registrar, em sua imaculada pureza, a menor impressão mental ou emocional de quem ali se apresentasse, e a qual vimos ensombrar-se gradativamente, à entrada de Agenor, como se hálito impuro a houvesse embaciado.

Insofrido e curioso perquiri, pondo reparo no aparelho e descuidando-me da discrição que conviria conservar:

"– Dir-se-ia um gabinete de fenomenologia transcendental! Qual a utilidade disto, Rev.^{mo} Padre?..."

"– Raciocinais bem! Com efeito, trata-se de um sacrário de operações transcendentalíssimas, meu amigo! O aparelhamento que vedes, harmonizado em substâncias extraídas dos raios solares – cujo magnetismo exercerá a influência do ímã –, é uma espécie de termômetro ou máquina fotográfica, com que costumamos medir, reproduzir e movimentar os pensamentos... as recordações, os atos passados que se imprimiram nos refolhos psíquicos da mente, e que, pela ação magnética, ressurgem, como por encanto, dos escombros da memória profunda de nossos discípulos, para impressionarem a placa e se tornarem visíveis como a própria realidade que foi vivida!..."

Um frêmito de terror sacudiu nossa fibratura psíquica. O primeiro ímpeto que tivemos, ouvindo a resposta sucinta quanto profunda em sua vertiginosa amplitude, fora o de fugir, apavorados que ficamos ante a perspectiva de vermos também nossos pensamentos e ações passadas, assim devassados.

Intimamente presumíamos que nossos mentores conheciam minuciosamente quanto nos dizia respeito, sem exceção mesmo do pensamento. Mas a discrição, a caridade desses incomparáveis amigos, que jamais se prevaleciam de tal poder para afligir-nos ou humilhar-nos,

nos deixavam à vontade, prevalecendo em nosso imo a cômoda opinião de que seríamos inteiramente ignorados. O que, porém, em verdade nos alarmava não era o sermos totalmente conhecidos deles, mas a possibilidade de vermos, nós mesmos, essas fotografias do passado; de assistirmos, nós mesmos, às monstruosas cenas que fatalmente se refletiriam no insuspeitável espelho, analisando-as e medindo-as, o que inesperadamente surgia para nós como patíbulo infamante que nos aguardaria com um novo gênero de suplício!

"– Uma entidade iluminada – continuou explicando o lente emérito, diretor interno da Torre de Vigia –, já educada em bons princípios de moral e ciência, não se utilizará desses aparelhos quando deseje ou necessite extrair dos arquivos da memória os pensamentos próprios, as recordações, o passado, enfim. Bastar-lhe-á a simples expressão da vontade, a energia da mente acionada em sentido inverso... e se tornará presente o que foi passado, vivendo ela os momentos que foram evocados, tal como os vivera, realmente, outrora! Para a reeducação dos inexperientes, porém, assim dos inferiores, tornam-se úteis e indispensáveis, motivo pelo qual os utilizamos aqui, facilitando sobremodo o nosso serviço.

Todavia, tudo quanto obtivermos da mente de cada um será para nós como sacrossanto depósito que jamais será atraiçoado, podendo-se mesmo adiantar que apenas o mestre instrutor do paciente será o depositário dos seus terríveis segredos, guardando-os zelosamente para instrução do mesmo, pois assim determinam as leis da caridade. Esporadicamente, como neste momento, poderemos algo surpreender, visto tratar-se da iluminação da coletividade, ainda com maior razão quando essa coletividade se anima da boa vontade para o progresso e do critério que vemos irradiando de vós outros..."

No entanto, Agenor, visivelmente apavorado com a feição que iam tomando os acontecimentos, apelou para a mistificação, ignorando a alta mentalidade daquele por quem era servido, o qual piedosamente se diminuiu a fim de ser melhor compreendido:

"– Não senhor, meu mestre, não senhor! Não fui mau filho para meus pais!... As anotações que ontem apresentei dessa particularidade de minha vida são verdadeiras, juro-vos!... Existe, por certo, algum engano no pormenor que vos levou a rejeitá-las!... Engano e rigor excessivo para comigo!... Fazeis-me escrever as normas de um bom filho, de acordo com as leis do Senhor Deus Todo-Poderoso, que eu temo e respeito! Quereis que, mais uma vez, eu as estude para, amanhã, expor minhas recordações em torno de minha condição de filho, nas páginas do diário íntimo que sou forçado a criar, analisando-as em confronto com aquelas normas... Porém, se tenho certeza do que venho afirmando em torno de minhas recordações, para que tão exaustivo labor?!... Peço-vos, antes, encaminheis a quem de direito o meu rogo de libertação... Por que me fazem sofrer tanto?... Não existe, pois, perdão e complacência na lei do bom Deus, que eu tanto amo?... pois sou profundamente religioso... e estou arrependido dos meus grandes pecados... Encontro-me aqui há tantos anos!... Passei por infernais calabouços, nas mãos da horda malvada que me arrebatou, após o suicídio, para sua banda... Atormentado, vaguei por ilhas desertas, antes de me submeter aos seus detestáveis desejos... Enfrentei as fúrias tétricas do oceano, abandonado e perdido sobre rochedos solitários... Durante dez anos me vi acorrentado à cova imunda de um cemitério, onde sepultaram meu corpo asqueroso, enlameado e fétido! Perseguido fui por grupos sinistros de inimigos vingadores; batido como cão raivoso, maltratado como um réptil, corroído por milhões de vermes que me enlouqueceram de horror e angústia, sob a tortura suprema da confusão que nada permite esclarecer, sem lograr compreender a trágica aflição de sentir-me vivo e deparar-me sepultado, apodrecido, devorado por imundos vibriões!... Carregaram-me prisioneiro, os malvados, atado de cordas resistentes, e prenderam-me na própria sepultura em que jazia... bem... quero dizer... Vós já o sabeis, meu mestre... Em que jazia aquela que eu amei... Sim! Que eu desgracei e depois assassinei, temendo represálias da família, visto tratar-se de uma menina de qualidade aristocrata... Ninguém jamais identificou o assassino... Mas aqueles malvados sabiam de tudo e depois do meu suicídio vingaram a morta... De tal forma me vi perseguido que, a fim de me libertar de tal jugo e eximir-me dos maus-tratos que recebia, tive de unir-me ao bando e tornar-me um similar, pois era essa a alternativa que ofereciam... Devo, portanto, ter muitas atenuantes... Depois, além do mais, aprisionado por lanceiros, emasmorrado no Vale Sinistro, onde padeci nova série de horrores... E agora, nesta Torre, tolhido em minha liberdade, sem sequer poder recrear-me pelas ruas de Madrid, que eu tanto amava, nem respirar o ar puro e fresco dos campos, como tanto me apraz!... Sou ou não sou filho do Bom Deus?!... Ou serei irmão do próprio Satanás?!..."

Demonstrando a mais singular serenidade, replicou o mentor generoso:

"– Em ouvindo alguém estranho as tuas eternas queixas, Agenor Peñalva, suporia que se cometem injustiças no recinto iluminado pelos almos favores da Magnânima Diretora da nossa Legião!... No entanto, a longa série de infortúnios que expuseste teve origem apenas nos excessos pecaminosos dos teus próprios atos e na truculência dos instintos primitivos que conservas... Há trinta e oito anos vens sendo pacientemente exortado a uma reforma íntima, que te assegure situações menos ingratas! Porém, negas-te sistematicamente a toda e qualquer experiência para o bem, enclausurado na má vontade de um orgulho que te vem intoxicando o Espírito, por tolher os movimentos a prol dos progressos que de há muito deverias ter concretizado! Grande complacência há se desenvolvido aqui, em torno de ti, apesar de não a reconheceres! Bem sabes que tua retenção em nosso círculo de vigilância equivale à proteção contra o jugo obsessor da falange que chefiavas, assim como não ignoras que de ti depende a obtenção da liberdade que tanto almejas! Jamais foste molestado aqui. Tesouros espirituais diariamente te oferecemos desejosos que somos de ver-te enriquecido com a aquisição das luzes que deles se irradiam! Hóspede da Legião de Maria, foste por Ela recomendado à direção deste Instituto, no sentido de não concertarmos tua volta ao círculo carnal – à reencarnação – sem que positivasses grau de progresso eficiente para o bom êxito dos futuros testemunhos terrenos, que serão duros, dada a gravidade dos teus débitos no conceito da Lei!

Diariamente são expostos ao teu exame os motivos por que tua liberdade foi tolhida. Sabes que és culpado. Sabes que arrastaste ao sorvedouro do suicídio uma dezena de homens incautos, que se deixaram embair pelas funestas sugestões das tuas manhas de obsessor inteligente... desgraçando-os pelo simples prazer de praticar o mal ou por invejá-los de algum modo... assim como outrora, quando homem, desvirtuavas pobres donzelas enamoradas e levianamente confiantes, levando-as ao suicídio com a amarga traição com que as decepcionavas – prenúncios do obsessor que futuramente serias... Mas teu orgulho sufoca as conclusões lógicas do raciocínio e preferes a revolta e o sofisma por mais cômodos, furtando-te às responsabilidades por permaneceres dilatando a aceitação de compromissos que te apavoram, porque tens medo do futuro que tu mesmo preparaste com as iniqüidades que houveste por bem praticar! Agora, porém, existem ordens superiores a teu respeito: – urge apressemos tua marcha para o progresso, forrando-te da permanência indefinida no círculo vicioso que te prolonga os sofrimentos. Para que ponhamos fim a tão lamentável estado de coisas, faremos a experiência suprema! Quiséramos evitá-la por dolorosa, concedendo-te prazo mais que justo para, por ti mesmo, procurares o caminho da reabilitação. Advirto-te de que, a partir deste momento, diariamente farás um exame sobre ti mesmo, provocado por nós, lento, gradativo, minucioso, que te faculte a convicção da urgência na reforma interior de que careces... Sei que será penoso tal cotejo. Provocaste-o, porém, tu mesmo, com a resistência em que te vens mantendo para o ingresso nas vias do reerguimento moral!

Foste bom filho para teus pais, dizes?... Tanto melhor, nada deverás temer ante a evocação desse passado! Será, portanto, por esse confronto que iniciaremos a série das análises necessárias ao teu caso, uma vez que o primeiro dever que cabe ao homem cumprir na sociedade em que vive será no santuário do lar e da Família!

Vejamos, pois, os méritos que terás como filho, pois todos os que possas ter serão rigorosamente creditados em teu favor, suavizando tuas futuras reparações:

Agenor Peñalva! Senta-te à frente deste espelho, sob o pálio magnético que irá fotografar teus pensamentos e recordações! Volta tuas atenções para a época dos teus cinco anos de idade, na última existência que tiveste na Terra! Rememora todos os atos que praticaste em torno de teus pais... de tua mãe em particular!... Assistirás ao desfile de tuas próprias ações e serás julgado por ti mesmo, por tua consciência, que neste momento receberá o eco poderoso da realidade que passou e da qual não se poderá furtar, porque foi fiel e rigorosamente arquivado nos refolhos imperecíveis da tua alma imortal!..."

Como todo Espírito grandemente culpado, no momento preciso Agenor quis tentar a evasão. Encurralou-se, de súbito, a um ângulo do aposento, bradando apavorado, no auge da aflição, o olhar desvairado de perfeito réprobo:

"– Não senhor, meu mestre, por obséquio, eu vo-lo suplico!... Deixai-me regressar ao meu aposento ainda esta vez, para novo preparo! Eu..."

Mas, pela primeira vez desde que ingressáramos no magno educandário, soou aos nossos ouvidos uma expressão forte e autoritária, proferida por um daqueles delicados educadores, pois que Olivier de Guzman repetiu com energia:

"– Senta-te, Agenor Peñalva! Ordeno-te!"

O pecador sentou-se, dominado, sem mais proferir uma palavra! Suspendêramos a própria respiração. O silêncio estendera-se religiosamente. Dir-se-ia que a venerável cerimônia recebia as bênçãos da assistência sacrossanta do Divino Médico das almas, que desejaria presidir ao cotejo da consciência de mais um filho pródigo prestes a se encaminhar para os braços perdoadores do Pai.

Agenor parecia muito calmo, agora. Olivier, cujo semblante se tornara profundamente grave, como se concentrasse as forças mentais à mais alta tensão, acomodou-o convenientemente, envolvendo-lhe a fronte numa faixa de tessitura luminosa, cuja alvura transcendente denunciava-a como originando-se da própria luz solar. A faixa, no entanto, que lembraria uma grinalda, prendia-se ao pálio que cobria a cadeira por fios luminosos, quase imperceptíveis, de natureza idêntica, o que nos levou a deduzir ser o pálio o motor principal desse mecanismo tão simples quanto magnífico na sua finalidade. A tela, por sua vez, igualmente ligava-se ao pálio por múltiplas estrias lucilantes, parecendo harmonizada no mesmo elemento de luz solar.

A voz do mentor elevou-se, porém, autoritária, envolvida, não obstante, em intraduzíveis vibrações de ternura:

"– Contas cinco anos de idade, Agenor Peñalva, e resides no solar paterno, nos arredores de Málaga... És o único filho varão de um consórcio feliz e honrado... e teus pais sonham preparar-te um futuro destacado e brilhante!... São profundamente religiosos e praticam nobres virtudes de envolta com as ações diárias... acariciando o ideal de te consagrarem a Deus, fazendo-te envergar a alva sacerdotal... Acorda dos refolhos da alma tuas ações *como filho*, em torno de teus pais... de tua mãe particularmente! Faze-o sem vacilar! Estás em presença do Criador Todo-Poderoso! que te forneceu a Consciência como porta-voz de Suas Leis!..."

Então, surgiu para nossas vistas assombradas o inenarrável em linguagem humana! O pensamento, as recordações do desgraçado, seu passado, suas faltas, seus crimes mesmo, *como filho, em torno de seus pais*, traduzidos em cenas vivas, movimentaram-se no espelho sensível e impoluto, diante dele, retratando sua própria imagem moral, para que ele a tudo assistisse, revendo--se com toda a hediondez das quedas em que soçobrara, como se sua Consciência fosse um repositório de todos os atos por ele praticados, e os quais, agora, arrebatados do fundo da memória adormecida, por transcendentalíssima atração magnética, se levantassem conflagrados, esmagando-o com o peso insuportável da tenebrosa realidade!

A lamentável história dessa personagem – assassino, suicida, sedutor, obsessor – ocuparia um volume profundamente dramático. Furtamo-nos ao desejo de narrá-la. Para o complemento do presente capítulo, porém, apresentaremos pequeno tópico do que presenciamos naquela memorável tarde de além-túmulo, e que julgamos não será totalmente destituído de interesse para o leitor... já que, infelizmente, nem hoje são comuns os filhos modelos no respeitável instituto da Família terrena!

....

– Desde os primeiros anos da juventude fora Agenor Peñalva filho indócil e esquivo à ternura e ao respeito dos pais. Não reconhecera jamais as solicitudes de que era alvo: – seus pais seriam escravos cujo dever consistiria em servi-lo, preparando-lhe condigno futuro, pois era ele o senhor, isto é, o filho!

– Na intimidade do lar mantinha atitudes invariavelmente despóticas, hostis, irreverentes, cruéis! Fora do lar, porém, prodigalizava amabilidades, afabilidades, gentilezas!

– Insubmisso a toda e qualquer tentativa de corrigenda.

– Desejosos de lhe garantirem futuro isento de trabalhos excessivos, nas duras lides dos campos agrícolas, que tão bem conheciam; e sabendo-o, ao demais, ambicioso e inconformado com a obscuridade do nascimento, arrojaram-se os heróicos genitores a sacrifícios imensuráveis, mantendo-o na capital do Reino e pagando-lhe os direitos para a aquisição de um lugar na companhia dos exércitos do rei, visto que não sentira atração para a vida eclesiástica, desencantando logo de início o ideal paterno. Pretendera antes a carreira militar, mais concorde com as aspirações mundanas que o arrebatavam, e que facilitaria, ao demais, o ingresso em ambientes aristocráticos, que invejava.

– Envergonhara-se da condição humilde daqueles que lhe haviam dado o ser e velado abnegadamente por sua vida e bem-estar desde o berço; repudiou o honrado nome paterno, de Peñalva, por outro fictício que melhor retumbasse a ouvidos aristocratas, proclamando-se mentirosamente descendente de generais cruzados e nobres cavaleiros libertadores da Espanha do jugo árabe.

– Com o falecimento do velho pai, a quem não visitara durante a pertinaz enfermidade de que fora vítima, desamparou desumanamente a própria mãe! Arrebatou-lhe os bens, sorveu-lhe os recursos com que contava para a velhice, esquecendo-a na Província, sem meios de subsistência.

– Fê-la verter as inconsoláveis lágrimas da desilusão em face da ingratidão com que a brindara quando mais a vira carente de proteção e carinhos, legando-a a dolorosa *via crucis* de humilhações pelo domicílio de parentela afastada, onde a mísera representava estorvo indesejável!

– Negou-se a recebê-la em sua casa de Madrid

– pobre, velha, rude no trato, simples no linguajar, rústica na apresentação –, pois era sua casa freqüentada por personagens destacadas entre a alta burguesia e a pequena nobreza, em cuja classe contraíra matrimônio, fazendo-se passar por nobre.

– Encaminhou-a secretamente para Portugal, visto que teimava a pobre criatura em valer-se da sua proteção na miséria insolúvel em que se via soçobrar. Enviou-a a um seu tio paterno que havia muito se transferira para o Porto. Fizera-o, porém, aereamente, sem se certificar do paradeiro exato do aludido afim. Sua mãe, assim, não lograra localizar o cunhado que ali já não residia, e perdera-se em terras lusitanas, onde fora acolhida por favor pelos compatriotas piedosos.

– Escreveram-lhe os mesmos compatriotas, participando-lhe a angustiosa situação da genitora, que novamente lhe implorava socorro. Não respondera, desculpando-se perante a consciência com determinada viagem que empreenderia dentro em breve.

– Com efeito, alimentando ideais desmedidamente ambiciosos, transferira-se para a América longínqua, abandonando até mesmo a esposa, a quem iludira com falaciosas promessas, e a fim de furtar-se a conseqüências de revoltante caso passional, no qual mais uma vez assumira a qualidade de algoz, seduzindo, vilipendiando e até induzindo ao suicídio pobre e simplória donzela de suas relações. Desinteressando-se, assim, completamente de sua mãe, abandonou-a para sempre, vindo a infeliz velhinha ao extremo de arrastar-se miseravelmente pelas vias públicas, à mercê da caridade alheia, enquanto ele prosperava na livre e futurosa América!

Eram quadros dramáticos e repulsivos, que se sucediam em cenas, de um realismo comovedor, angustiando-nos a sensibilidade, desgostando os mentores presentes, que baixavam a fronte, entristecidos.

Agenor, porém, que, a princípio, parecera sereno, exaltara-se gradativamente, até o desespero; e, chorando convulsivamente, agora bradava, em gritos alarmantes, que o poupassem e dele se compadecesse o instrutor, repelindo as visões como se o próprio inferno ameaçasse devorá-lo, o semblante congesto, enlouquecido por suprema angústia, atacado da fobia cem vezes torturadora dos remorsos!

"– Não! Não, meu mestre, mil vezes não! – vociferava entre lágrimas e gestos dramáticos de desesperada repulsa. – Basta, pelo amor de Deus! Não posso! Não posso! Enlouqueço de dor, meu bom Deus! Mãe! Minha pobre mãe, perdoa-me! Aparece-me, minha mãe, para eu saber que não amaldiçoas o filho ingrato que te esqueceu, e me sentir possa aliviado! Socorre-me com a esmola do teu perdão, já que não posso ir até onde estás a suplicar-to, pois vivo no inferno, sou um réprobo, condenado pela sábia lei de Deus!... Não posso mais suportar a existência sem a tua presença, minha mãe! As mais angustiantes saudades desorientam o meu coração, onde tua imagem humilde e vilipendiada por mim gravou-se em caracteres indeléveis, sob os fogos devoradores do remorso pelo mal que contra ti pratiquei! Oh! venha o teu vulto triste clarear as trevas da desgraça em que se perdeu meu miserável ser, envenenado pelo fel de tantos crimes! Aparece-me ao menos em sonhos, ao menos em minhas alucinações, para que ao menos eu obtenha o consolo de tentar um gesto respeitoso para contigo, que suavize a mágoa insuportável da tortura que me esmaga por te haver ofendido! Aparece-me, para que Deus, por ti, perdoar-me possa todos os males de que vilmente te cumulei!... Perdão, meu Deus, perdão! Fui um filho infame, ó Deus clemente! Sei que sou imortal, meu Deus! e que Tu és a misericórdia e a sabedoria infinitas! Concede-me então a graça de retornar à Terra a fim de expurgar da consciência a abominação que a deturpa! Deixa-me reparar a falta monstruosa, Senhor! Dá-me o sofrimento! Quero sofrer por minha mãe, a fim de merecer o seu perdão e o seu amor, que foi tão santo, e o qual não levei em consideração! Castiga-me, Senhor Deus! Eu me arrependo! Eu me arrependo! Perdoa-me, minha mãe! Perdoa-me!..."

Retirou-lhe o lente sábio a faixa lucilante da fronte.

"– Levanta-te, Agenor Peñalva!" – ordenou, autoritário.

Levantou-se o desgraçado, cambaleante, olhos desvairados, como atacado de embriaguez.

Haviam cessado as visões.

Inconsolável, porém, ele – mísero furioso consciente – rojou-se de joelhos, cobriu as faces transtornadas com as mãos crispadas e deixou continuar o pranto, vencido pelo mais impressionante desalento que me fora dado presenciar em nosso Instituto até aquela data...

Olivier de Guzman não interveio, tentando consolá-lo. Apenas levantou-o e, amparando-o paternalmente, reconduziu-o aos seus apartamentos. Em ali chegando recompôs sobre a mesa de estudo um grande álbum, cujas páginas diz-se-iam amarfanhadas; e, numa folha em branco, escreveu um título e um subtítulo cuja profundidade abalançou nossa alma num frêmito de grande, de penosa emoção:

– TESE: O 4º Mandamento da Lei de Deus: – "Honrai o vosso pai e a vossa mãe, a fim de viverdes longo tempo na Terra que o Senhor vosso Deus vos dará."

– Relação dos deveres dos filhos para com seus pais.

Em seguida, afastou-se. Não mais articulara uma palavra! Outro discípulo esperava-o. Nova tarefa requisitava seus desvelados desempenhos...

Padre Anselmo torceu o botão minúsculo do aparelho. Findara igualmente a nossa visão!

Não me pude conter e, quase mal-humorado, perquiri:

"– Com que, então, deixam o infeliz assim desamparado, entregue a tão desesperadora situação?... Haverá em tal gesto suficiente caridade da parte dos obreiros da magnânima Legião que nos acolhe, incumbidos de sua proteção?..."

Carlos e Roberto sorriram vagamente, sem responder, enquanto o velho sacerdote iniciado satisfazia, bondosamente, minha indiscreta ansiedade:

"– Os mentores conhecem minuciosamente os seus discípulos e as tarefas a que se dedicam. Sabem o que fazem, quando operam!... De outro modo, quem vos disse que o penitente ficará só e desamparado?!... Ao contrário, não se encontra sob a tutela maternal de Maria de Nazaré?..."

Quando os portões da fortaleza se fecharam sobre nós, a fim de iniciarmos a marcha de retorno, ouvíamos ainda, ecoando angustiosamente em nossas mentes atordoadas, a grita do mau filho entre as convulsões rábicas do remorso:

"– Perdoa-me, minha mãe! Perdoa-me, ó meu Deus!"

O Manicômio

"Se a vossa mão ou o vosso pé vos é objeto de escândalo, cortai-os e lançai-os longe de vós; melhor será para vós que entreis na vida tendo um só pé ou uma só mão, do que, tendo dois, serdes lançados no fogo eterno."

Jesus-Cristo – O Novo Testamento.[13]

Não nos furtaremos ao desejo de transcrever as sensacionais impressões suscitadas ao nosso raciocínio pela segunda visita da série programada pela previdência do Irmão Teócrito, a bem da nossa instrução, na tarde do dia imediato ao em que visitáramos a Torre.

Abriram-se de par em par os magníficos portões do Manicômio, permitindo-nos passagem como se fôramos personagens gradas.

Como tão bem indiciava a sua denominação, o Manicômio recolhia as individualidades cujo estado mental excessivamente deprimido pelas repercussões origina-

[13]Mateus, 18:6 a 10; 5:27 a 30.

das do efeito do suicídio lhes impossibilitasse a faculdade de raciocinar normalmente.

Era o diretor do Manicômio antigo psiquista natural da velha Índia – berço da sabedoria espiritual da Terra –, conhecedor profundo da ciência esotérica da alma humana, lúcido e experiente alienista, cujos cabelos nevados a escaparem em torno de alvo turbante afiguravam formosa coroa de louros comprovando-lhe os méritos adquiridos no trabalho e no devotamento a seus irmãos infelizes. Seu nome – um nome cristão – adotado após a iniciação na luz redentora do Cristianismo, seria João, o mesmo do apóstolo venerando que lhe desvendara os arcanos radiosos da Doutrina Imaculada a que para sempre se devotara, desde então. E como Irmão João, simplesmente, foi que conhecemos essa encantadora personagem sobre cujos ombros pesava a tremenda responsabilidade dos enfermos mais graves de toda a Colônia! Suficientemente materializado, a fim de melhor permitir-nos compreensão, Irmão João acusava tez amorenada, como geralmente a têm os hindus; grandes olhos perscrutadores, fronte ampla e inteligente, cabelos completamente encanecidos e estatura elevada. Ao dedo anelar da sinistra a esmeralda, que indiciava sua qualidade de médico, assim como ao alto do turbante, pois, em verdade, não víramos ainda um só daqueles sábios iniciados que se não trajasse com as mesmas particularidades apresentadas pelos demais companheiros, exceção feita dos sacerdotes, que preferiam conservar a alva sacerdotal atendendo a injunções circunstanciais.

Extremamente simpatizados por essa figura veneranda, rodeamo-lo sem mais cerimônias, como se de longa data o conhecêssemos, atraídos pelas esplêndidas vibrações que lhe eram naturais, enquanto ia ele demandando o interior do importante estabelecimento que comprovávamos rigorosamente montado sob os reclamos da Fraternidade inspirada no divino amor cristão, assim como nas exigências da ciência médico-psíquica.

"– Antes de tratarmos de qualquer assunto interessante – esclareceu, gentil e atencioso –, deverei certificar-vos de que meus queridos pupilos são inofensivos, como entidades anormalizadas pelo sofrimento, que são. Alguns existem ainda em estado de alucinação; outros imersos em prostração impressionante, a requisitarem de nossos cuidados zelos especiais, conforme vereis. Digo, porém, que são inofensivos, tomando por base um louco terreno, pois os meus pobres pupilos não agravariam quem quer que fosse, conscientemente; não agrediriam, não atacariam, como geralmente acontece com os loucos dos manicômios terrenos. Todavia, são portadores dos mais nefandos perigos – não só para homens encarnados, mas até para Espíritos não ainda imunizados pelas atitudes mentais sadias e vigorosas –, razão pela qual temo-los separados de vós outros, mantendo-os isolados. Seus deploráveis estados vibratórios, rebaixados a nível superlativo de depressão e inferioridade, são de tal sorte prejudiciais que, se se aproximassem de um homem encarnado, junto dele permanecendo vinte e quatro horas, e se esse homem, ignorante em assuntos psíquicos, lhes oferecesse analogias mentais, prestando-se à passividade para o domínio das sugestões, poderia suceder que o levassem ao suicídio, inconscientes de que o faziam, ou o prostrassem gravemente enfermo, alucinado, mesmo louco! Junto a uma criança poderão matá-la de um mal súbito, se o pequenino ser não tiver ao redor de si alguém que, por disposições naturais, para si atraia tão perniciosas irradiações, ou uma terapêutica espiritual imediata, que o salvaguarde do funesto contágio, que, no caso, será o efeito lógico de uma peste que se propagou..."

Impressionado, Belarmino perquiriu, carregando o cenho:

"– Como poderia dar-se um caso melindroso desse, Irmão João?!... Com que então existem tais possibilidades sob as vistas da Lei Sábia do Criador?... Como hei de compreendê-las sem prejudicar meu respeito pelas mesmas?!...

O interlocutor esboçou gesto de indefinível amargura e retrucou, com sabedoria:

"– A Lei da Divina Providência, meu filho, estatuiu e preconizou o Bem, assim o Belo, como padrão supremo para a harmonia em todos os setores do Universo. Distanciando-se desse magnífico princípio – trilha evolutiva incorruptível –, o homem responsabilizar-se-á por toda a desarmonia em que se reconhecer enredado! Tais casos, como os de que tratamos, têm possibilidades de se verificar e são resultantes de infrações cometidas pelos nossos estados de imperfeicão, prejuízos desagradáveis e constantes da inferioridade do planeta em que se dão. Convém notificar, porém, que não estou afirmando que tais casos sejam freqüentes, mas que poderão acontecer, têm mesmo acontecido! E assim acontecerá quando exista semelhança de tendências – afinidades – entre as duas partes, ou seja, entre o desencarnado e o encarnado. Quanto à criança, ser melindroso e impressionável por excelência, convenhamos que será suscetível de molestar-se por bem insignificantes fatores, bastando não estejam estes concordes com sua delicada natureza. Não ignoramos, por exemplo, que um susto, uma impressão forte, um sentimento dominante, como a saudade de alguém muito querido, poderão igualmente levá-la a adoecer e abandonar o pequeno fardo carnal!

A mesma Lei, sob a contradita da qual aquelas possibilidades poderão subsistir, também faculta aos homens meios eficazes de defesa!

Através da higienização mental, no reajustamento dos sentimentos à prática do verdadeiro Bem, assim como no cumprimento do Dever; nas harmoniosas vibrações originadas da comunhão da mente com a Luz que do Alto irradia em tonos de beneficência para aqueles que a buscam, poderá a individualidade encarnada imunizar-se de tal contágio, assim como o homem se imuniza de males epidêmicos, próprios do físico-terrestre, com as substâncias profiláticas apropriadas à organização carnal, isto é, vacinas... Em se tratando de um vírus psíquico, é claro que o antídoto será análogo, harmonizado em energias opostas, também psíquicas... Por nossa vez, existindo, na Lei que orienta a Pátria Invisível, ordens perenes para que calamidades de tal vulto sejam evitadas o mais possível, todos os esforços empregamos a fim de bem cumpri-las, constituindo dever sagrado, para nós, o preservarmos os homens em geral, e a criança em particular, de acidentes dessa natureza.

Infelizmente, porém, nem sempre somos compreendidos e auxiliados em nossos intuitos, porquanto os homens se entregam voluntariamente, através de atitudes ímpias e completamente desgovernadas, a tais possibilidades, as quais conforme vimos afirmando, conquanto anormais, poderão verificar-se...

Para aquele que se deixou vencer pelo assédio da entidade desencarnada, os males daí resultantes serão a conseqüência da invigilância, da inferioridade de costumes e sentimentos, do acervo de atitudes mentais subalternas, do alheamento da idéia de Deus, em que se prefere estagnar, esquecido de que a idéia de Deus é o manancial imarcescível a fornecer elementos imprescindíveis ao bem-estar, à vitória, em qualquer setor em que se movimente a criatura! Para o causador 'inconsciente' do mal positivado, será o demérito de um ônus a mais, derivado do seu ato de suicídio, e cuja responsabilidade irá juntar-se às demais que o sobrecarregam..."

"– E não existirá, porventura, meio seguro de prevenir o homem do nefando perigo a que se encontra exposto, como se pisasse ele em terreno falso, solapado por explosivos mortíferos?..." – interroguei, pensativo, entrevendo muitos dramas terrenos cuja causa estaria na exposição que nos faziam.

"– Sim, existem! – replicou vivamente o esclarecido doutor. – Existem vários meios pelos quais são eles avisados, e até posso mesmo assegurar que o alarme é permanente, incansável, ininterrupto, eterno! – e não dirigido a este ou àquele grupo de cidadãos, apenas, mas à Humanidade inteira!

Os avisos de que carecem os homens para se desviarem não só desse ominoso resultado, como dos demais tormentos que poderão atingi-los durante os ensaios terrenos para o progresso, estão nas advertências da própria consciência de cada um, a qual é o porta-voz da legislatura por que se deverá pautar, esboçando-lhe a prática do Dever como proteção contra todo e qualquer malogro que possa surpreendê-lo na sociedade terrena como na espiritual! Estampam-se nos dispositivos que as crenças e tradições sagradas de todos os povos popularizam através das gerações, assim como se encontram nas resenhas da moral educativa legada ao gênero humano, como aos Espíritos pertencentes à Terra, pelo Grande Mestre Nazareno, a qual, longe de ser fruto do misticismo hiperbólico de um povo apaixonado e fantasista, como presumem os supostos espíritos fortes, é, ao contrário, a norma lógica e viva, cuja aplicação nos atos da vida prática diária virá garantir ao homem – à Humanidade – os estados felizes com que há milênios sonha, pelos quais se debate através de lutas incessantes e inglórias, mas para a conquista das quais tem desperdiçado tempo valioso deixando de abraçar os únicos elementos que o ajudariam na heróica odisséia, isto é, o respeito às leis que regem o Universo e presidem ao seu destino, a auto-reforma indispensável e dali conseqüente! E presentemente, com absoluta eficiência, estão nos códigos luminosos da chamada Nova Revelação que preside, nos tempos atuais, sobre a Terra, à transformação social que se esboça no mencionado planeta. Facultando francas relações entre os planos objetivo e invisível; estabelecendo e popularizando a comunhão de idéias entre nós, os Espíritos desencarnados, e os homens ainda retidos na armadura carnal, a Nova Revelação instruirá a quantos se interessarem pelos edificantes e magnos assuntos da sua especialidade, assim permitindo aos homens receberem do Invisível tudo o de que necessitarem realmente, a fim de se fortalecerem para a ciência da Vitória. Assim sendo, necessariamente o homem conhecerá todos os aspectos da vida do Invisível que o estado do seu progresso moral e mental permitir! Suas glórias e belezas ser-lhe-ão desvendadas; os supostos segredos que envolviam a morte, em planos indevassáveis, serão solucionados por fatos clarividentes e elucidativos, assim como os perigos que o cercam – como os de que tratamos –, os abismos, as calamidades de que poderia ser vítima por parte de habitantes do Invisível, ainda inferiorizado. Tudo quanto os Espíritos têm podido tentar para despertar a atenção dos homens no intuito de instruí-los, advertindo-os no que concerne aos seus destinos espirituais, há sido tentado através da Nova Revelação. Mas os homens só atendem de boa mente aos imperativos das paixões! Interessam-lhes tão-somente as opiniões pessoais, os gozos do momento! De preferência atendem à satisfação dos próprios caprichos, embora deprimentes, como às exigências do egoísmo gerador de quedas fatais... e, por isso mesmo, freqüentemente se dissuadem de tudo que os poderia levantar para Deus evitando-lhes desgraças e decepções – possibilidades pavorosas como as que acabei de mencionar –, pois não será desvirtuando-se diariamente, ao embalo das ruins paixões, que se imunizarão contra uma espécie de males cujo único antídoto se encontra na prática das virtudes reais, como na ascensão mental para os domínios da Luz! Fazem-se propositadamente surdos aos apelos do Protetor Divino, que deseja resguardá-los das investidas do mal à sombra do Seu Evangelho de Amor, assim como ao verbo da Revelação Nova, que, em Seu nome, a todos convoca para a sublime transformação, ao advertir:

– Ó Homem, criatura forjada dos haustos radiosos do Foco Divino: – lembra-te de que és imortal!... Pensa em que tudo o que vês, tudo o que apalpas e possuis – as conquistas hodiernas que em teu seio fomentam o orgulho, as vaidades que te cortejam o egoísmo, as loucas paixões que te arrasam o caráter, comprometendo-te o futuro; as fictícias glórias mundanas que te embalam e bajulam as presunções, escravizando-te à materialidade – tudo passará, desaparecendo um dia, destruindo-se aos fogos implacáveis da realidade, mergulhadas que serão no olvido das coisas insustentáveis que não poderão prevalecer no seio de uma Criação Perfeita. Mas tu persistirás para sempre! Ficarás de pé para contemplares os deploráveis escombros dos teus próprios enganos, aguardando pavidamente a aurora de novos sucessos do porvir! Lembra-te de que os mundos que rolam no infinito azul, esses focos de luz e energia, que te lenificam as idéias quando, à noite, desfrutando o merecido repouso após as lides diuturnas, te abandonas a namorá-los fulgurando em distâncias impenetráveis; os planetas longínquos, que em diversas paragens siderais do Universo Ilimitado crescem, progridem e se abrilhantam no carreiro dos milênios, carregando em seus dorsos generosos outras humanidades, tuas irmãs, em ascensão constante para o Eterno Distribuidor de Vida, e arrastando em sua órbita formosa plêiades de outras tantas jóias do inimitável escrínio do Universo; o próprio Astro Rei que te viu nascer e renascer tantas vezes sobre a Terra, emprestando-te vida, guiando e aquecendo teus passos, sorrindo às tuas vitórias de Espírito em marcha, velando por tua saúde e protegendo-te na noite dos milênios, colaborando contigo nas batalhas dos aprendizados necessários à tua educação de herdeiro divino – igualmente passarão, morrerão para serem substituídos por outros exemplares novos e melhores, que por sua vez atingirão idênticos destinos! Tu, no entanto, não passarás! Resistirás à sucessão dos evos, como Aquele que te criou e te tornou eterno como Ele próprio, dotando-te com a essência da Vida que é Ele mesmo, e de cujo seio promanaste!

Acautela-te por isso mesmo, ó Homem! Sendo tu, por direitos de filiação, fadado à glória divina no seio da Eternidade, não poderás fugir aos serviços da evolução que é imprescindível faças, dos movimentos de ascensão próprios da tua natureza, a fim de atingires a órbita de que descendes!... e, nesse longo trajeto que te será indispensável, quantas vezes infringires os dispositivos que determinam a harmoniosa escala da tua elevação, tantas sofrerás os efeitos da dissonância que criaste contrariando a Lei a que estás sujeito como criatura de um Ser Perfeito!... Cuida de ti enquanto é tempo!... enquanto estás a caminho do trajeto normal, que te solicita apenas realizações benemerentes... Não vá a Dor visitar-te, obrigando-te a estágios penosos, por negligência tua no cumprimento do Dever, forçando-te a lixiviar a consciência, com reparações inapeláveis, a par daquelas realizações!... Aprende com teu Pai Altíssimo, que tão bem te prendou para a glória do Seu Reino, o amor e o respeito ao Bem, base inconfundível em que te deverás apoiar para atingires a magnífica vitória que és convidado a concretizar em honra de ti mesmo, felicidade que, por lei, é apanágio do teu Espírito imortal!... Trata, pois, de modelar teu caráter abrilhantando de virtudes essa alma que deverá refletir, em algum dia da Eternidade, a imagem e semelhança do seu Criador!

Para a consecução de tão glorioso alvo foi-te concedido pelo Céu Magnânimo – o Modelo Ideal, o Instrutor Insuperável, capaz de guiar-te à culminância do destino que te é reservado: – Jesus de Nazaré, o Cristo de Deus!

Ama-o! Segue-o! Imita-o!... e alcançarás o Reino do Pai Altíssimo!..."

Assim fala a Revelação Nova, que os Invisíveis proclamam sobre a Terra.

Quem, no entanto, se dispõe a ouvi-la com reverência, porfiando em aceitar os sublimes convites que o Céu, abrindo-se através dela, aos homens dirige?!...

Os filhos do infortúnio, de preferência! Aqueles, cujas almas abatidas pelas supremas desilusões do mundo, tiveram os corações revivescidos ao influxo das verdades celestes que seus ensinamentos preciosos deixam entrever! Os bondosos idealistas de almas sensíveis e humildes, enamoradas do Bem e do Belo, os cérebros pensadores, não contaminados de indigestas teorias filhas de falíveis opiniões pessoais, e cujos surtos mentais ultrapassaram as barreiras terrestres, na ânsia incontida e generosa de se afinarem com as harmoniosas vibrações que se irradiam do Perfeito!... Os grandes e poderosos, porém, os mandatários endeusados pelas boas situações terrenas, cuja bolsa bem provida e mesa lauta desafiam preocupações: o caudal imenso que só em si mesmo crê e só a si mesmo adora, porque todos os caprichos poderá comprar, todas as paixões conseguirá regaladamente saciar, refocilando no engodo das ruins alegrias que enganam os sentidos enquanto envenenam a alma – esses preferem nada disso entender, voltando as costas a tudo quanto tenderia a deter-lhes a marcha para o precipício... Até que, com efeito, lá se despenham, não obstante os reiterados avisos esparsos desde milênios pelo mundo todo... Lá se enredam, reduzindo-se a este deplorável estado... Quereis verificar?...

Disse e, adiantando-se, encaminhou-se para um varandim que deitava vistas para extenso pátio, espécie de claustro pitoresco onde arbustos graciosos dispunham agradavelmente a paisagem limitada.

Alguns bancos artísticos enfeitavam as pequenas alamedas, onde vultos tristes e impressionantes, de entidades sofredoras que, como nós, haviam sido homens, sentavam-se para, em silêncio, descansar.

Irmão João convidou-nos a debruçar sobre o varandim, que se elevava cerca de um metro acima do nível do pátio, e continuou:

"– Estas estranhas figuras que daqui contemplareis, pois não convém que delas vos aproximeis, chegaram, como vós outros, do Vale dos Suicidas. Enquanto, porém, recuperastes a serenidade, conseguindo condições satisfatórias para tentativas prometedoras, estes pobres irmãozinhos apenas lograram desvencilhar-se das exasperações de que se perseguiam para caírem em apatia, o que indicará serem bem diferentes o vosso nível moral e o grau de responsabilidades no suicídio... Estão atordoados, entorpecidos sob impressões muito chocantes e, por enquanto, invencíveis! Não podem raciocinar como seria de desejar em um Espírito desencarnado; não conseguem refletir com a plenitude do senso, e apenas compreendem o que em derredor se passa como se do fundo de um sarcófago entrevissem a realidade!

Os empuxões dramáticos que os surpreenderam nas procelas das próprias inconseqüências e a truculência dos males de que desde muito se circundaram, elevaram-se a extensão tal que lhes adormentou a vivacidade própria do Espírito, do ser consciente que se originou de um impulso divino!

Aqui, na desoladora estreiteza deste pátio, que a misericórdia sempiterna do Senhor de Todas as Coisas permitiu fosse dotado de conforto e expressões agradáveis, encontram-se, em grande penúria moral, muitas entidades que foram homens ilustres na Terra, aos quais admiradores solícitos teceram necrológios eloqüentes em páginas de jornais importantes e em memória de quem exéquias pomposas se celebraram; que tudo possuíram do que de melhor existe sobre a Terra... mas que, infelizmente, se esqueceram de que nem tudo no Universo Ilimitado se resume em prazeres, em faustos; nem sempre as elevadas posições sociais ou as riquezas materiais serão garantias para aqueles que as associou aos erros; nem sempre a prática de abominações ou as inconseqüências da imoralidade, assim como as odiosas atitudes do egoísmo, ficarão impunes, abandonados seus dispensadores na descida irreparável para as trevas!

Encontram-se, aqui, orgulhosos e sensuais que julgaram poder dispor levianamente dos próprios corpos carnais, entregando-se à dissolução dos costumes, saciando os sentidos com mil gozos funestos, deletérios, sabendo, no entanto, que prejudicavam a saúde e se levariam ao túmulo antes da época oportuna prevista nos códigos da Criação, porque disso mesmo lhes preveniam os facultativos a quem recorriam quando os excessos de toda ordem traíam indisposições orgânicas em suas armaduras carnais – caso não se detivessem a tempo, corrigindo os distúrbios com a prática da temperança.

Todos estes, sabiam-no também! No entanto, continuavam praticando o crime contra si mesmos! Sentiam os efeitos depressores que o vício nefando produzia em suas contexturas físicas, como em suas contexturas morais. Mas prosseguiam, sem qualquer tentativa para a emenda! Mataram-se, pois, lentamente, conscientemente, certos do ato que praticavam, porquanto tiveram tempo para refletir! Suicidaram-se fria e indignamente, obcecados pelos vícios, certos de que se supliciavam, desrespeitando a prenda inavaliável que do Sempiterno receberam com aquele corpo que lhes ensejava progressos novos!

Observareis, meus caros amigos, que, dentre tantos, muitos quereriam esquecer pesados infortúnios no adormecimento cerebral provocado pelas libações. Que, inconsoláveis, premidos por angústias irremediáveis, buscariam supremo consolo na embriaguez que os levaria, possivelmente, a desejada trégua ao sofrimento. Mas esse suposto atenuante é sofisma próprio do inveterado rebelde, porque o convite ao alívio dos pesares, que afligem e perseguem a Humanidade, há dois milênios ressoa pelos recôncavos do Planeta, e posso mesmo garantir-vos que nem um só homem, desde que foi proferido pelo Grande Expoente do Amor que se deu em sacrifício no alto do Calvário, deixou de conhecê-lo, seja quando investido do indumento carnal ou durante o estágio no Invisível à espera da reencarnação, e, por isso, certamente, também estes pobres que aqui se acham tiveram ocasião de ouvi-lo em algum local da Terra ou da Pátria Espiritual:

> "– *Vinde a mim, vós que sofreis e vos achais sobrecarregados, e eu vos aliviarei...*"[14]

...Como, pois, quiseram esquecer mágoas e infortúnios pungentes nas libações viciosas, desmoralizadoras e deprimentes, as quais não só não poderiam socorrê-los como até lhes agravaram a situação, tornando-os suicidas cem vezes responsáveis?!... Pois ficai sabendo que infratores desta ordem carregam ainda mais vultoso grau de responsabilidade do que o desgraçado que, atraiçoado pela violência de uma paixão, num momento de supremo desalento se deixa arrebatar para o abismo!

Atentai, porém, para esta nova espécie: – são os cocainômanos, os amantes do ópio e entorpecentes em geral, viciados que se deixaram rebaixar ao derradeiro estado de decadência a que um Espírito, criatura de Deus, poderia chegar! Encontram-se em lamentável estado de depressão vibratória, verdadeiros débeis mentais, idiotas do plano espiritual, amesquinhados moral, mental e

---

[14]Mateus, 11:28, 29 e 30.

espiritualmente, pois seus vícios monstruosos não só deprimiram e mataram o corpo material como até comunicaram ao físico-astral as nefastas conseqüências da abominável intemperança, contaminando-o de impurezas, de influenciações pestíferas que o macularam atrozmente –, a essa constituição impressionável e delicada, entretecida de cintilações mimosas, a qual cumprirá ao homem alindar com a aquisição de virtudes sempre mais ativas e meritórias, enobrecer e exaltar através de pensamentos puros, irradiados em impulsos nobilitantes que confinam com os haustos divinos – mas, jamais! jamais rebaixar com a prática de tão entristecedores deméritos!..."

Efetivamente, víamos, acompanhando com o olhar interessado as indicações que o emérito moralista nos fazia, individualidades desfiguradas pelo mal que em si conservavam, conseqüências calamitosas da intemperança – atoleimadas, chorosas, doloridas, abatidas, cujas feições alteradas, feias, deprimidas, recordavam ainda os trágicos panoramas do Vale Sinistro. Excessivamente maculadas, deixavam à mostra, em sua configuração astral, os estigmas do vício a que se haviam entregado, alguns oferecendo mesmo a idéia de se acharem leprosos, ao passo que outros exalavam odores fétidos, repugnantes, como se a mistura do fumo, do álcool, dos entorpecentes, de que tanto abusaram, fermentassem exalações pútridas cujas repercussões contaminassem as próprias vibrações que, pesadas, viciadas, traduzissem o vírus que havia envenenado o corpo material!

Os "retalhados" integravam a desgraçadíssima falange relegada ao Manicômio. Conservavam ainda a impressionante armadura de cicatrizes sanguinolentas. De quando em quando espasmos cruciantes sacudiam-nos como se estertorassem à lembrança do passado. Pesados e tardos eram os movimentos que faziam; locomoviam-se a custo, dando a entender carência de forças vibratórias para acionarem a mente e usarem das faculdades naturais ao homem como ao Espírito. Dir-se-iam reumáticos, enfermos a quem ataduras envolvessem, tolhendo a agilidade das articulações...

Entristecidos à frente de tão ásperos sofrimentos, e tão espantosa decadência moral, interrogamos, cheios de angústia:

"– E que há de ser destas pobres criaturas?... Que futuro as aguarda?..."

Em gesto rápido e em idêntico diapasão, o eminente chefe do singular estabelecimento satisfez-nos a ansiosa expectativa, traduzindo a indubitável tristeza que enternecia sua nobre alma de discípulo do Evangelho, frente a tão lamentáveis manifestações de inferioridade:

"– Oh! dramático futuro aguarda-as, na confusão expiatória de reencarnação próxima e inevitável! – respondeu ele. – Os exemplos que apresento neste momento são irremediáveis na vida espiritual! Nada, aqui, poderá sanar as ferazes angústias que os oprimem, nem modificar a situação embaraçosa que para si mesmos enteteceram com as atitudes selvagens da incontinência, da imprevidência sacrílega em que acharam por bem se locupletarem, no livre curso aos vícios com que se diminuíram! Eles mesmos, unicamente eles, serão agentes de misericórdia para consigo próprios, já que voluntariamente se responsabilizaram pelos desvios de que se não quiseram furtar! Mas isto lhes custará desgostos, opressões e dores infinitamente amargosas, diante dos quais uma individualidade normal se quedaria estarrecida! Para que se convençam da situação própria, submetendo-se mais ou menos resignadamente às conseqüências futuras das passadas imprevidências, torna-se necessário da nossa parte, enquanto aqui se demorarem, trabalho árduo de catequese, aplicações incansáveis de terapêutica moral e fluídica especial, carinhosa assistência de irmãos investidos de sagrada responsabilidade. Acontece freqüentemente, no entanto, que muitos destes infelizes trazem a revolta no coração, a raiva impenitente pela desgraça de que se consideram vítimas e não responsáveis. Não se resignam à evidência do presente e, inconformados, partem a tomar novo envoltório terreno, agravando a situação própria com a má vontade em que se entrincheiram, a insubmissão e a impaciência, acovardados ante a expectativa dos embates tormentosos da expiação irremediável!

Tais como se encontram aqui, estes nada mais representam do que pequena malta de futuros leprosos que renascerão entre as amarguras das sombrias encostas do globo terrestre, nos planos miseráveis da sociedade planetária; de cancerosos e paralíticos, de débeis mentais e idiotas, nervosos, convulsos, enfermos incuráveis rodeados de complexos desorientadores para a medicina terrena, desafiando tentativas generosas da nobre ciência... enquanto pesarão desagradavelmente na sociedade humana, pois são fruto dela, dos seus erros, a ela pertencem, sendo justo que ela própria os hospede e mantenha até quando necessário... até quando a calamitosa situação for minorada!

Reencarnarão dentro em breve. Conosco permanecerão apenas o tempo necessário para se refazerem das crises mais violentas, sob os cuidados dos nossos dedicados cooperadores incumbidos da sua vigilância. Partirão para o novo renascimento tais como se acham, pois não há outro remédio capaz de lhes minorar a profundidade dos males que carregam. Levarão para o futuro corpo, que moldarão com a configuração maculada com que presentemente se encontram, todos os prejuízos derivados da dissolução dos costumes de que se fizeram incontidos escravos... e ali, como ficou esclarecido, serão grandes desgraçados a se arrastarem penosamente em estações de misérias e lágrimas...

Tão ardentes manifestações de sofrimento, no entanto, fá-los-ão colher boa messe de proveitos futuros. Sob os fogos redentores do infortúnio, as camadas impuras que impedem o brilho desse corpo astral se adelgaçarão, dando lugar a que as vibrações se ativem, desentorpecendo-se para movimentações precisas no campo das reparações. Seus corações, impulsionados pela dor educadora, ascenderão em haustos de súplicas frementes à procura da Causa Suprema da Vida, num crescendo constante de veemência e de fé, até atingirem as camadas luminosas da Espiritualidade, onde se farão refletir, afinando-se ao amparo de vibrações generosas e superiores, que, lentamente, educarão as suas... Pouco a pouco, assim sendo, o vírus se irá desfazendo até que, com a desagregação do envoltório carnal, se encontrem aliviados e em condições de algo aprenderem aqui conosco, incentivando a própria reeducação, depois de receberem alta do nosso estabelecimento..."

"– Se bem compreendi, então, a reencarnação punitiva que aguarda esses desgraçados lhes é imposta, simplesmente, como tratamento médico hospitalar desta seção do nosso Departamento?... Trata-se de um antídoto... um remédio, pois?..." – perquiri, sacudido por penoso desaponto.

"– Sim! – retornou tristemente o lúcido conferencista. – Medicamentação, apenas! Um gênero de tratamento que a urgência e a gravidade do mal impõem ao enfermo! Operação dolorosa que nos pesa fazer, mas à qual não vacilamos em conduzir os pacientes, certos de que somente depois de realizada é que entrarão eles em convalescença. Unicamente, não será propriamente uma punição, conforme considerada, pois ninguém infligiu o castigo ou determinou a sentença, senão que, todos quantos aqui servimos a Lei nos esforçamos, tanto quanto nos esteja ao alcance, por lenificar-lhes a insidiosa situação. Será antes – isso sim! – *o efeito da causa que o próprio paciente criou com os excessos em que se deleitou...* Como tivestes ocasião de saber, porém, a solicitude maternal de Maria, submetida à lei áurea da Fraternidade preconizada pelo Amigo Incansável que nos conduz à redenção, confere-lhes assistência desvelada e constante. Reencarnados, mergulhados nas ondas terrestres da expiação, continuarão sob nossa dependência, da mesma forma hospitalizados e registrados em nosso Departamento, visitados e assistidos por nossos médicos e vigilantes como se aqui ainda permanecessem... enquanto que será para aqui mesmo que tornarão, ao findar o terrível degredo para que os preparamos."

Seguimos, não obstante, a visitar os gabinetes médicos no interior do edifício. De passagem, porém, Irmão João fez-nos penetrar nas enfermarias onde se localizavam aqueles que continuavam presas de prostração impressionante desde o ingresso no Vale Sinistro, uma vez que, deprimidas por excessos de toda a natureza, notadamente os de caráter sexual, suas faculdades anímicas se haviam amesquinhado, reduzindo-os àquela insólita situação – atestado indubitável dos instintos a que se apegaram!

Deitados em leitos que a bondade excelsa de Jesus lhes conferia o direito de usar, através dos dispositivos amorosos das leis de Caridade que inspiravam todos os serviços da Colônia, achavam-se eles isolados dos demais, em recintos extensos, superlotados. Pertenciam a todas as classes sociais e nacionalidades comportadas na circunscrição da Colônia. Pesadelos atrozes traziam-nos em constantes sobressaltos, sem que, apesar disso, lograssem despertar do angustiante marasmo. Incapazes de se locomoverem, de externar a palavra, expondo as atormentações que lhes turbilhonavam no cérebro, apenas gemidos débeis proferiam, de envolta com repugnantes contorções, como se atacados de vírus desconhecido.

Emocionados, passamos entre as filas dos leitos, ligeiramente observando-os às indicações do lúcido mentor, que ilustrava a impressionante apresentação com o verbo atraente que tão bem sabia usar.

"– Se possuísseis bastante desenvolvimento da visão espiritual – ia elucidando –, verificaríeis terríveis emanações se levantarem de suas mentes, dando-se a contemplar em figuras e cenas deprimentes e vergonhosas, resultado da dissolução dos costumes que lhes foram próprios, dos atos praticados contra a decência e a moral, pois ficai sabendo que tanto os atos praticados pelos homens como os pensamentos evolados de sua mente imprimem-se em caracteres indeléveis na sua estrutura perispiritual, escapando-se depois, em flagrantes deploráveis, aos nossos olhos, quando, à revelia da Lei, se bandeiam para este lado da vida! Nestes leitos existem suicidas de todos os tipos: – desde os que empunharam a arma ou o tóxico fatais até aqueles que se consumiram vitimados pelos próprios vícios! Une-os a mais ignóbil afinidade, isto é, a da inferioridade do caráter e dos sentimentos!..."

Com efeito! Se não podíamos perceber as cenas mentais indicadas, como outrora no Vale Sinistro, quando destacamos as relacionadas com o ato violento do suicídio, no entanto percebíamos vapores escuríssimos, quais nuvens espessas, evolarem de seus cérebros, espalhando-se em ondas volumosas pelo ambiente, o qual se toldava envolvendo os aposentos em penumbra crepuscular acentuada, como se as sombras noturnas ali fossem eternas... o que será o mesmo que afirmar que, para aquelas pobres vítimas de si mesmas, não raiaria ainda a aurora confortadora que para nós já se destacava nos horizontes do futuro. Aliás, como não ser assim se ali portavam grandes criminosos morais, algozes que tanto perverteram e infelicitaram o próximo, impelidos pela torpeza dos instintos, monstros humanos que tantas vezes se saciaram na calamidade que faziam desabar sobre o coração e o destino alheios?!... Como não se encontrarem contaminados de trevas os recintos em que se abrigavam, se as trevas de que se rodeavam eram oriundas deles próprios, pois sempre se regalaram em suas dobras, provocando-as, produzindo-as, nelas se locupletando durante a vida social e íntima que viveram, acentuando-as com o remate acerbo do suicídio?!... Ali os víamos, tais quais eram, outrora, na Terra, homens galantes, sedutores, insinuantes, hipócritas, mentirosos, desmoralizados, muitas vezes suspensos aos melhores postos sociais, devassos, beberrões, descrentes do Bem, descrentes de Deus, servos do mal, escravos da animalidade, rastejando na lama dos instintos, a se ombrearem com o verme, esquecidos de que eram criaturas de Deus e que a Deus deveriam dar contas, um dia, do abuso que faziam da liberdade em que a Criação mantém o ser humano! Agora, porém, aniquilados, estigmatizados pelo passado vergonhoso, cuja imagem os seguia qual fantasma acusatório, atestando a situação de indigência, única que lhes cabia suportar como resultante do indébito procedimento!

Observando nosso interesse, o expositor prosseguiu, fiel à solicitação de Teócrito, para permitir-nos instrução:

"– Será a reencarnação o único corretivo assaz enérgico para levantar-lhes corajosamente as forças deprimidas. Aqui, só muito fracamente assimilarão os fluidos tônicos perenemente esparsos no recinto das enfermarias, pois muito espessas se encontram as camadas de impurezas que envolvem suas faculdades para que se permitam benefícios, como acontece a outros internos em nosso Instituto.

Tais como seus cômpares deste estabelecimento, freqüentemente são conduzidos à Terra a fim de lograrem benefícios ao contacto de médiuns moralmente aptos a favorecerem irradiações fluídicas capazes de agirem beneficamente, auxiliando-os no despertar...

"– E quando reencarnarão eles?... Como se apresentarão na sociedade em que viveram outrora?..." – indagou de chofre o antigo estudante de Coimbra, com os grandes olhos acesos pelo interesse.

"– No momento em que se atenue o estado de prostração, encaminhá-los-emos a novos renascimentos, sem que na realidade dêem por isso, o que equivale dizer que serão incapazes de algo solicitarem para a existência nova (ainda porque para tanto lhes escasseariam méritos), de colaborarem nas providências para o importante certame em que hão de desempenhar o principal papel – atendeu, bondoso, o servo de Maria. – Somente nós outros, portanto, os governadores do Manicômio, assim os técnicos do Departamento de Reencarnação, trataremos dos acontecimentos em torno deles, de acordo com a justiça das leis estatuídas pelo Criador e sob os ditames da amorosa caridade do Mestre Salvador, que a todos os desgraçados procura socorrer com o alívio da Sua imarcescível ternura, e a quem todos os obreiros devem submissão, respeito e veneração!

Que lúgubre falange emigrará então, em retorno expiatório, para as arenas da Terra, com meus pobres pacientes! Não poderei ainda precisar minúcias. Mas os conhecimentos por mim adquiridos em assuntos espirituais conferem-me o direito de prever aqui retardados mentais, loucos, epilépticos, possivelmente surdos-mudos de nascença e até cegos – todos deploravelmente ferreteados pela infâmia de que se rodearam, no grau equivalente aos delitos praticados!"

"– Não seria demasiadamente severo o castigo citado, venerando Sr. diretor?... partindo do princípio de que toda a Humanidade erra, cometendo crimes diariamente?..." – perquiri inconformado, enquanto à minha visão interior se desenrolavam panoramas análogos às sugestões apresentadas pelo eminente moralista e por mim outrora verificados diariamente, nos cenários terrenos.

"– Não acrediteis assim, meu amigo! – retrucou gravemente. – Refleti antes no que expus sobre as leis de causa e efeito, estatuídas pelo Legislador Supremo no intuito de advertir o homem, como os Espíritos, dos erros que praticam em oposição à harmonia das demais leis. Vede o castigo imposto pelo próprio dissoluto, que violou aquelas leis, colocando-se na situação de lhes sofrer o ricochete, pois as faculdades radiosas, pelo Sempiterno concedidas às criaturas, jamais serão contaminadas de impurezas pelo mau uso que delas faça o seu possuidor, sem que o atinjam dolorosamente conseqüências inevitáveis! Sendo o Bem a base suprema da Vida, em que amarga situação se colocará o ente que o conspurcou, dando-se ao mal, desarticulando-se todos os dias do trajeto natural que ascende para a Perfeição, arrastado por atos opostos aos que o Senhor estatuiu como carreiro normal na sublime jornada?... Esqueceis então as lágrimas que estes infelizes fizeram derramar a seus irmãos, aos quais infligiram tormentos oriundos do egoísmo e demais expressões vis que deixavam extravasar do coração denegrido?... Das difamações com que feriram suas vítimas, aprazendo-se em atirá-las ao descrédito das pessoas conceituadas?... Das delações, das críticas ferinas, das ignomínias com que muitas vezes enxovalharam a pessoa respeitável do próximo, valendo-se das faculdades do raciocínio e da inteligência apenas para infelicitar a outrem, preparando outrossim, para si mesmos, os abismos em que se haviam de despenhar?... Pensastes nas ingratidões e traições impostas aos simplórios corações femininos, que enredaram em suas garras abomináveis, forjadas em instintos sórdidos?... na inocência infantil e juvenil, que muitos destes que aqui vedes conspurcaram monstruosamente?... nas cenas degradantes por eles criadas e praticadas comumente, durante a existência terrena, levando a corrupção e a perversão aos circunstantes dos planos objetivo e invisível que as presenciassem, e infelicitando as correntes fluídico-magnéticas que sobem da Terra para o Invisível, a nós outros sobrecarregando de preocupações por obrigarem-nos a exaustivos serviços de saneamento e higienização, a fim de que nossas próprias colônias não fossem corrompidas?...

Ah! meus filhos! Como vos admirais, agora, de que renasçam estes pobres tolhidos por incapacidades invencíveis se da existência que lhes foi concedida, a fim de tratarem de progredir, fizeram arma contra os ditames sagrados do próprio Criador de Todas as Coisas, a quem muito e muito ofenderam, ofendendo a si mesmos e ao próximo?!... Ao demais, não estarão eternamente precipitados nos pélagos cheios das iniqüidades que cavaram!...

A dor educadora corrigirá as anomalias de que se cercaram, reconciliando-os com a Lei! Oh! Deus é a Misericórdia Infinita, meus amigos! E deseja as criaturas harmonizadas com a beleza eterna das suas leis! E se sabemos que essas leis são incorruptíveis, cumpre-nos observá-las e respeitá-las a fim de não virmos a tragar o fel irremediável das conseqüências que por nossa própria vontade criarmos com os desvios da rota natural e luminosa..."

Baixei a fronte, como sempre, em presença da lógica irretorquível de mais aquele discípulo do Mestre Nazareno...

....

Pelas galerias e antecâmaras próximas aos santuários, isto é, aos gabinetes médicos, onde a distribuição de eflúvios minorativos era sábia e caridosamente operada, vimos que enfermeiros iam e vinham, amparando doentes fracos e atemorizados provindos do pátio que acabáramos de visitar e de outras dependências, a fim de serem beneficiados. Pelos "retalhados" observamos que votavam especial comiseração, dado que mui penosamente se podiam locomover. A julgar pelas exposições do Irmão João, que tecia considerações importantes a respeito de quanto se nos deparava, seriam eles futuros paralíticos e enfermos de nascença, desde a infância revelando anormalidades impressionantes.

Com efeito! Suas atitudes eram tolhidas por dificuldades extremas de vibrações, dispersadas que foram estas pelo choque terrível; seus gestos pesados e desinteligentes, como que peados pelas sombras dos golpes e contragolpes que se fotografaram tragicamente no espelho sensível da organização astral! Choravam ininterruptamente, como se o choro houvesse degenerado em hábito atroz criado pela intensidade do martírio, inquietos sempre sob a cruciante angústia de perene mal-estar, conquanto submissos, incapazes de blasfemar, como geralmente sucede aos suicidas muito desgraçados.

Deixando, porém, para trás os santuários, onde não penetramos, atingimos salão amplo, espécie de auditório singelo e sugestivo, onde ensinamentos moralizadores eram ministrados por um jovem servo que, em existência remota, trouxera mui dignamente o feio burel de religioso franciscano, mas cuja alma se iluminara sob as virtudes hauridas nos ensinamentos redentores do Testamento do Divino Missionário, tão fielmente servido pelo seu patrono.

Usando daquela inconfundível doçura, apanágio dos caracteres moldados na verdadeira escola da iniciação cristã, esse novo legionário expunha singelamente, como quem aconselhasse ou ensinasse a observar, a idéia de Deus e de Sua paternidade sobre toda a Criação, bem assim a missão messiânica e suas dilatadas conseqüências beneficiando o gênero humano.

O convite à prece, ao exame individual interior, era repetido e satisfatoriamente explicado todos os dias, antes do ingresso nos gabinetes para a higienização fluídica operada pelos dedicados psiquistas. Esses os principais recursos a serem tentados na ocasião para tratamento dos enfermos, visto que seriam tentativas para a reeducação mental, exercícios que levariam o paciente a estabelecer mais tarde correntes harmoniosas com os benéficos poderes do Alto; e tão transcendente ensinamento era enunciado singelamente, ao critério de métodos ao alcance daquelas mentes conturbadas, e sob inspirações de uma doce e fraternal caridade cuja fragrância penetrou até o âmago das nossas almas comovidas ante a visão de tão nobres corações devotados ao auxílio amoroso em torno do próximo!

O jovem obreiro, sincero, humilde no seu imensurável esforço pela caridade, não enxergava, naqueles réprobos feios e repulsivos a quem servia, o indivíduo maculado pelos erros vergonhosos, nem a configuração astral execrável do que fora um homem dissoluto que dispersara a faculdade nobre dos sentidos no domínio dos gozos impuros. O que ele via e piedosamente amava, desejando servir e engrandecer, eram irmãos menores do que ele, os quais mandava o Dever fossem ajudados pelos mais velhos a galgar as escarpas do progresso; eram almas destinadas à glorificação da Luz, que necessitavam orientar-se na longa estrada em que realizariam o espinhoso trajeto da ascensão para o Foco Sublime, gerador da Vida!

"– Poderemos ser informados das *démarches* também em torno desses companheiros para o notável acontecimento da volta ao corpo material?!..." – solicitou novamente o doutor de Coimbra, a quem interessavam mui vivamente as alusões ao assunto melindroso de um renascimento na Terra, porquanto lhe afligiam incessantemente a consciência fortes intuições quanto ao dever urgentíssimo, pendente do seu caso, de nova permanência num corpo de homem, a fim de se desobrigar, através da expiação, do crime na pessoa indefesa daquela a quem amara.

"– Sim, meu jovem amigo – satisfez o amável guia –, será possível e até indispensável pô-los a par dos trabalhos gerais em torno desse importante assunto que tão de perto interessa a todos vós. Todavia, não é a esta repartição que compete esclarecimentos mais amplos, visto existir em nosso Instituto o Departamento autorizado aos serviços gerais do retorno às existências corporais. Certamente visitá-lo-eis ainda.

Nesse Departamento vereis que sobressaem, pela sua invulgar importância, os laboratórios onde se concertam planos para o melindroso certame, onde são preparados os desenhos e mapas para os futuros corpos a serem habitados pelos delinqüentes cuja tutela nos seja temporariamente confiada. Se este for suscetível de renascer com envoltório carnal deformado, ou adquirir enfermidade como a cegueira, por exemplo, na seqüência da existência, ou ainda acidentar-se em seu decurso, tornando-se mutilado, o mapa que lhe seja destinado será traçado com as necessárias indicações, pois já sobre o seu organismo perispirítico existirá o sinal da futura deformidade física, porque o seu estado mental e vibratório, coagido pelos remorsos, imprimiu na poderosa sensibilidade daquela sutil organização a vontade de se tornar mutilado, cego, mudo, etc., etc., a fim de expiar o mau passado, como vem sucedendo convosco mesmo, caro irmão Sobral, que vos tendes fortemente impressionado com o caso das próprias mãos...

Necessariamente, a preparação de tais debuxos estará sempre a cargo de técnicos cônscios do alto encargo que lhes é conferido, o que indicará serem eles Espíritos merecedores da plena confiança dos diretores desta Colônia.

Uma vez concluídos serão encaminhados à direção dos gabinetes de análises, os quais realizarão os serviços comparativamente com as premências expiatórias do interessado, levantando a justiça dos méritos que tenha, curvando-se às injunções das desvantagens dos deméritos, tudo concorde com as conclusões anteriormente feitas pela seção de 'Programação das Recapitulações'. Quanto seja possível para suavizar as penúrias das provações, será por lei concedido ao delinqüente que voltar a renascer na Terra. De outro lado, suas forças morais e suas capacidades de resistência serão igualmente balanceadas.

Convém acentuar, meus caros amigos, que a reencarnação é concessão sublime feita pelo Pai Supremo às Suas criaturas para que progridam e se engrandeçam, preparando-se para a herança que lhes estará reservada na glória do Seu reino. É de lei. E ninguém há que atinja o seu destino imortal sem palmilhar os degraus dos renascimentos, na Terra ou em outros mundos planetários! Todavia, se a alma rebelde há desperdiçado longo tempo, abusando dessa concessão, com manifesto desrespeito à Lei Magnânima que lhe permite tantas vezes o mesmo ensejo, tornar-se-á concessão ainda mais apreciável porque, geralmente, para tais casos, existirá a intercessão do próprio Mestre Redentor, que ao Criador Supremo suplicará novos ciclos de experimentações a fim de poder o rebelde reabilitar-se..."

"– Do exposto, respeitável irmão, só nos cumpre concluir que, sendo o corpo físico-terreno depósito sagrado, como verdadeira dádiva celeste que é, as criaturas encarnadas procederiam com muito mais inteligência se se conduzissem à altura da concessão recebida, portando-se com respeito, consideração e prudência durante o período em que se obrigassem a permanecer usufruindo as vantagens morais que a estada no planeta lhes confere?... e isso porque evitaria a repetição de existências expiatórias, dolorosas e inevitáveis, resultantes que são do uso do desrespeito às leis veneráveis a que é submetida a Vida Universal?...” – intervim eu, algo contrafeito.

“– Assim é, meu amigo! Muitas dores seriam assim evitadas! – tornou o diretor do Manicômio. – E se o corpo físico-terreno é depósito sagrado que ao homem cumpre respeitar e proteger, salvaguardando-o quanto possível de impurezas e danos, o físico-astral, que é o que trazeis no momento, não o será menos!... enquanto que nossa Alma-Inteligência, Consciência, Razão, Sentimento, o Ser, enfim, é a própria essência do Criador, partícula Sua, centelha extraída do Seu Supremo Ser!

Por aí percebereis, meus caros amigos, que todos somos templos veneráveis, pois que possuímos a glória de trazer Deus em nós, e que, quer na Terra, como seres humanos, ou no Invisível, como Espíritos libertos, devemos respeito e veneração a nós mesmos, bem assim aos nossos semelhantes, atendendo a que todas as criaturas são perfeitamente iguais diante do seu Criador, jóias muito amadas do escrínio sempiterno dAquele que é a Suprema Razão da Vida! Daí certamente se origina a lei básica divina:

“– Amar a Deus sobre todas as coisas e ao próximo como a si mesmo.”

Seguiu-se pausa dilatada enquanto o leal servidor atendia a injunções inadiáveis do seu cargo e durante a qual nos quedamos, pensativos e silenciosos, observando quanto possível as figuras angustiosas dos pobres internos que nos eram dados a contemplar. À volta do mentor, Mário Sobral, insofrido e interessado, quebrou o silêncio, exclamando de mansinho:

"– Gostaria, se possível, continuar ouvindo vossas explanações técnicas, venerável irmão..."

O velho servo de Jesus sorriu e, correspondendo à humilde solicitação com amigável gesto, continuou, atraindo novamente nossa atenção:

"– Todavia, consoante vos dizia, tem havido casos em que nossa Guardiã não permite a reencarnação tal como fora por nós ideada, concedendo-nos então o gracioso favor da sua inspiração para programação mais acertada, condizente com o estado do postulante. De qualquer forma, porém, os planejamentos para as peripécias de uma encarnação serão rigorosamente estudados, assentados, realizados e revistos, concordes sempre com a mais eqüitativa justiça... entrando em pleno cumprimento a alta expressão da sentença imortal sancionada pelo Mestre Divino, a qual vem esclarecer também todos os grandes e irremediáveis problemas que afligem e decepcionam a Humanidade:

> *"– A cada um será dado segundo as suas obras."*

Comumente é o próprio pretendente ao renascimento que escolhe as provações por que passará, os acres espinhos que lhe irão dilacerar os dias da existência terrena, e onde convirá que remedeie as conseqüências do pretérito culposo. Ele próprio suplicará às Potestades Guiadoras ensejos novos que lhe permitam testemunhar o arrependimento de que se achar possuído, assim como o desejo de iniciar caminhada regeneradora, que lhe favoreça ocasião de corrigir-se dos impulsos inferiores que o arrastaram ao mau procedimento... e tais testemunhos tanto poderão ser efetivados num corpo relativamente são, quando dominem os sofrimentos morais superlativos, como num mutilado ou tolhido por enfermidades irremediáveis, tais sejam os agravantes da falta, os deméritos acumulados...

Assim sendo, o próprio paciente organizará o traçado dos mapas para o seu futuro estado corporal e a programação dos acontecimentos principais e inevitáveis que deverá viver, efeitos lógicos e inseparáveis das causas criadas com as infrações cometidas, mas assistido sempre por seus mentores dedicados.

No que concerne aos internados nesta dependência hospitalar, não será, todavia, assim. Meus pobres pupilos não se encontram em condições de algo tentarem voluntariamente. Sua volta ao renascimento carnal será então o cumprimento de um dispositivo da Grande Lei, que faculta novo ensejo ao infrator sempre que houver fracassado o ensejo anterior... Será o movimento de impulsão para o progresso, o medicamento decisivo que há de colocá-los em situação de convalescentes, assinalando a alvorada de etapas redentoras em seus destinos..."

Aturdido em presença de tão profunda quanto melindrosa tese, que, eu bem o percebia, caberia em muitos volumes, seguidamente perguntei ainda, enquanto caminhávamos demandando o exterior, cogitando do regresso:

"– Desculpai minha insistência, venerável irmão diretor... Porém, o assunto que acabais de expor, por seu ineditismo, pela intensidade e profundeza dos raciocínios que provoca e inexcedível surpresa que proporciona ao pensador, não só empolga como sinceramente comove... Seria acaso possível examinarmos desde já alguns desses mapas, mesmo antes da preparação dos que nos disserem respeito?... Como são eles?... Ou será tão nobre labor oculto a olhos profanos?..."

E sentia-me realmente comovido, acorvardado mesmo, lembrando-me de que também eu era réu, que me suicidara fugindo à cegueira dos olhos, que tudo indicava teria o pobre Mário o seu futuro mapa corporal de mãos mutiladas, e que algo me segredava que eu deveria ser ainda cego, de qualquer forma cego!

Irmão João decerto percebeu a angústia que me ensombrava a mente e o coração, pois que assumiu expressão de inconfundível bondade ao responder:

"– Certamente que um serviço de tanta responsabilidade não será realizado publicamente, para divertir curiosos, que também os há aqui. Não obstante, com recomendações de autoridades competentes, as câmaras poderão ser franqueadas à visitação. Sereis encaminhados a elas, estou certo, visto tratar-se da necessidade de vos ministrar instrução... Porfiai por vos não desanimardes ante as perspectivas futuras, meu amigo! Confiai antes na inexcedível ternura de nosso Amado Mestre e Senhor, que é o Guia infalível dos nossos destinos... Lembrai-vos outrossim de que Aquele que estabeleceu a sabedoria das leis que regem o Universo também vos saberá fortalecer para a vitória sobre vós mesmos!..."

....

Tudo era suavidade em torno do Pavilhão Indiano, onde acabávamos de chegar. Aos nossos ouvidos soaram os doces convites para a meditação da noite. Era o momento solene em que a Colônia se consagrava à comunhão mental com sua augusta tutelar Maria de Nazaré...

Minhas recordações assinalam ainda que, nessa tarde, nossas preces foram mais ternas, mais humildes, mais puras...

OUTRA VEZ JERÔNIMO E FAMÍLIA

"Ai do mundo por causa dos escândalos; pois, é necessário que venham escândalos; mas, ai do homem por quem o escândalo venha."

Jesus-Cristo – O Novo Testamento.[15]

Carlos de Canalejas viera buscar-nos ao Pavilhão Indiano ainda cedo, e, após efusivos cumprimentos, dissera-nos:

"– Sou de opinião que a programação de hoje se inicie pelo Isolamento. Encontra-se ali vosso amigo Jerônimo de Araújo Silveira e aproveitareis o ensejo para fazer-lhe a visita que há tanto vindes projetando. Sentir-se-á ele certamente confortado com vossa presença, enquanto tereis cumprido suave dever de solidariedade e fraternidade."

Não distava muito o Isolamento do edifício central, em cujas imediações nos encontrávamos albergados.

---

[15]Mateus, 18:6 a 10, 5:27 a 30.

A perder de vista estendia-se o planalto onde a cidadela do importante Departamento se assentava, envolvida no seu triste sudário de neblinas. Ao longo dos caminhos que trilhávamos destacavam-se tabuleiros de açucenas e rosas brancas, que se diriam ser as flores mais adaptáveis ao melancólico retiro. Vinha-nos a impressão de que o Departamento Hospitalar, assim o da Vigilância, seriam arrabaldes bucólicos de uma grande metrópole, cujos ecos a distância nos não permitia suspeitar. E conversávamos familiarmente, pouco nos apercebendo de que já não éramos homens e sim Espíritos despojados das vestiduras carnais.

A direção do Isolamento, assim como o tratamento fraternal dispensado aos penitentes, eram idênticos aos das demais filiais que visitáramos, inspirados na mais convincente justiça, na caridade amorosa e fraterna.

Encontravam-se, com efeito, asilados além daqueles muros imensos, onde nem mesmo faltava a interdição de uma ponte levadiça, pobres colegas nossos a quem as dores impostas pelo desânimo ou a revolta sobrepujavam às do arrependimento pelo mau ato praticado. Nestes corações desolados e inconsoláveis, o arrependimento limitava-se ao insuportável pesar de concluírem que o suicídio para nada mais aproveitara senão para lhes dilatar e prolongar os sofrimentos antes julgados insuportáveis, além de lhes apresentar, entre outras, a desalentadora decepção de se reconhecerem com vida, mas separados dos objetos de suas maiores predileções. Pode-se mesmo afirmar que o Isolamento era especializado nos casos sentimentais... pois é sabido que o sentimentalismo levado ao excesso constitui gravíssimo complexo, enfermidade moral capaz dos mais deploráveis resultados. E encontramos, com efeito, ali, os mais variados casos de suicídios sentimentais, em que o réprobo é agitado por vero sentimento extraído do coração, não resta dúvida, conquanto desequilibrado, desde o amante ofegante de paixão e ciúmes pela felicidade concedida ao rival feliz até o chefe de família desorientado por impasses dificultosos ou o pai subjugado pelo desalento ante o esquife do adorado entezinho que era a razão da sua felicidade!

Consternação geral dominava o ambiente dessa filial do Hospital Maria de Nazaré. Invariavelmente insatisfeitos, seus hóspedes apresentavam o característico das criaturas irresignadas e impacientadas por tudo, além de se entregarem à dor sem se animarem a esforços para vencê-la, retendo-a, antes, com o exagero de um sentimentalismo doentio e piegas, enquanto engendravam novos motivos para sofrer, através de auto-sugestões pesadas que lhes envenenavam todos os instantes.

A direção interna do Isolamento, tal como a da Torre, achava-se confiada a um sacerdote católico, ao invés de um daqueles atraentes iniciados a quem já nos habituáramos ver à frente das organizações da Colônia.

Todo o corpo de auxiliares internos, aliás, era constituído de religiosos católicos, exceção feita do corpo clínico, que se compunha de psiquistas iniciados. Não obstante, o cargo mais importante, isto é, o de diretor, conselheiro e educador, se era ocupado por um sacerdote, era este também iniciado nas altas doutrinas secretas, Espírito de escol, possuidor de méritos assinalados perante a Lei, e benquisto na Legião dos Servos de Maria, além de honrosamente graduado no seio da falange de cientistas que governava o Instituto Correcional Maria de Nazaré.

A disciplina era verdadeiramente conventual.

Urgia fossem afastadas daqueles eternos insatisfeitos e voluntariosos as atrações pelas paixões mundanas e pessoais, os arrastamentos impuros e caprichosos que os perderam. Cumpria à instituição que os acolhia instruí-los para os ditames da resignação na desventura, para as resoluções decisivas, para as renúncias inalienáveis, reconciliando-os ainda com a verdadeira fé cristã, que até então desprezavam conhecer à luz do devido critério.

Haviam sido, todos eles, educados, na Terra, sob os auspícios de ensinamentos católicos-romanos. Em seus corações e em suas mentes, nas concepções religiosas que lhes dirigiam os pensamentos, não existia local para conceitos outros que não aqueles provindos da Igreja que acatavam desde a infância. Sentimentalistas fanatizados e caprichosos, amolentados mentalmente pelo descuido no exercício do raciocínio sobre alevantados assuntos, alongavam a morbidez dos preconceitos que lhes eram próprios às ilações religiosas fornecidas pelos catecismos, apaixonando-se intransigentemente por tudo quanto as tradições católicas houveram por bem infundir no senso pouco amadurecido da Humanidade. Muitos nem mesmo crença definitiva possuíam. Incrédulos, mesmo ímpios, jamais se haviam preocupado com a feição religiosa ou divina das coisas. Mas, habituados à Igreja pelo comodismo e a tradição, só a ela conferiam os direitos de guiar consciências, só a ela permitiriam sabedoria bastante para os serviços de exegese.

Seria caridoso, pois, que a reeducação de tais mentalidades se fizesse à sombra de ambiente idêntico àquele que lhes inspirava confiança e respeito.

O próprio padre, portanto, lhes falaria do Evangelho da Verdade, para que aprendessem que acima do seu fanatismo dogmático pairava o eterno luzeiro de realidades que necessitavam aceitar a fim de saberem venerar devidamente o Criador! O próprio padre instruí-los-ia sobre a vida do mundo astral, lecionando-lhes observações e experiências, varrendo-lhes do cérebro as suposições tacanhas a que se amoldaram preguiçosamente, rasgando ao seu entendimento os véus do conhecimento verdadeiro, a fim de que concluíssem por experiência própria que, tanto no seio da Religião como no da Ciência, poderá resplandecer o ardor daquela Fé que norteia o coração para o Alto, purificando-o ao calor sempre vivo do Amor de Deus!

Cientificado do desejo que trazíamos de visitar um amigo ali retido, após a visitação, cujas minúcias omitiremos por apresentarem a generalidade das demais, Padre Miguel de Santarém, maioral da comunidade, exclamou bondosamente, entre risonho e satisfeito:

"– Fizestes bem em vir, meus filhos!... Agradeço-vos o afetuoso interesse por um companheiro de jornada tão carecedor de reconforto como esse em questão. Visitar um enfermo, reanimar, com a presença consoladora, o pobre detento entristecido pela angústia de remorsos implacáveis, é obra meritória sancionada pelo Modelo Divino, amigo dos pobres e pequeninos... Jerônimo ficará satisfeito... Mandá-lo-ei chamar imediatamente..."

Enquanto falava, reconhecêramos nele o religioso que confortara o antigo mercador de vinhos, na memorável tarde da visita à família havia cerca de três anos! Irmão Teócrito, conforme estamos lembrados, requisitara-o a fim de assistir o revel, a pedido deste mesmo, e, desde então, encontrava-se Jerônimo sob as vistas do competente conselheiro.

Enquanto aguardávamos a presença do companheiro de desditas, ia dizendo o diretor do Isolamento:

"– Vosso amigo entra em fase de transição, precursora do restabelecimento. Podereis apreciar nas circunstâncias que o rodeiam o padrão dos demais internos do nosso educandário, pois o Isolamento se interessa por casos que têm, mais ou menos, os mesmos fundamentos, como não deixa de também suceder com as demais organizações do nosso Instituto.

Após vencer a apatia a que o conduziram as revoltas improfícuas, resultantes de desilusões cruciantes, estará preparado para a repetição das experiências em que fracassou.

Encontra-se sob assistência rigorosa, como é devido a todos que nos são confiados, pois seu invólucro perispiritual, assim a própria mente, carecem de profundos cuidados. Ao corpo clínico destacado para os serviços deste posto está afeto o tratamento daquele, o qual se resume em aplicações magnéticas especiais; a esta, porém, atendemos com as atenções inspiradas nos estatutos da Legião, que, no caso, aplica a reeducação, tratamento inteiramente moral, porque o mal que a Jerônimo infelicita, como o que atormenta a vós outros, somente com a renovação individual, operada interiormente pelo próprio paciente, será removido...

A paixão mórbida que desequilibradamente nutriu pela esposa e pelos filhos prestou-se a instrumento para as grandes expiações que os seus entes queridos tinham em débito nos assentos da Lei de Justiça que rege os destinos humanos! Jerônimo amava egoisticamente, desorientadamente, entrincheirando o coração contra toda a possibilidade de amparo que a razão e o lúcido raciocínio poderiam conferir... e, como não deveis ignorar, cumpre-nos estar sempre advertidos de que, nem mesmo aos próprios filhos, deverá o homem amar discricionariamente, com os impulsos cegos da paixão!

Certamente que o devotamento à família conceder-lhe-á méritos diante do Legislador Supremo. Porém, mais honrosos se tornariam os lauréis se houvera encaminhado os seres amados ao culto legítimo do cumprimento do Dever, e não proporcionando-lhes luxos e gozos mundanos enquanto descurava da educação moral que deveria prover em primeiro lugar, ainda que bracejando contra os arremessos da pobreza adversa, uma vez que todas as criaturas do Senhor são aproveitáveis e que, justamente a fim de auxiliá-las a progredir e educar-se em sentido benéfico, é que confere Deus a autoridade paterna ao homem encarnado. Se assim fizera, cumprindo o sagrado dever de pai previdente e honrado, Jerônimo ter-se-ia furtado ao amargor de situações embaraçosas, pelas quais se tornou responsável com o ato dramático do suicídio... Ei-lo, porém, que chega... Ele vos dirá coisas interessantes..."

Com efeito. Acompanhado por Irmão Ambrósio, um assistente religioso, o antigo negociante do Porto entrou no compartimento onde nos achávamos e atirou-se em nossos braços, comovidamente.

"– Obrigado, queridos companheiros! – exclamou – por vos terdes lembrado de minha humilde pessoa, tão gentilmente! Vossa visita cala-me docemente no coração! Se soubésseis quão terríveis têm sido as minhas aflições!..."

Abraçamo-lo com efusão, apresentando votos pela sua felicidade pessoal, pois outra coisa não sabíamos, até então, dizer ou desejar aos amigos.

Pareceu-nos Jerônimo assaz modificado. Reconhecemo-lo sereno, senhor de maneiras tocadas de encantadora distinção, a qual não lhe conhecêramos antes. E pensamos em que, certamente, o Isolamento, dirigido por virtuosos Espíritos de antigos sacerdotes, teria a missão de elevar também o nível da boa educação social, como internato conventual que era!

Ardíamos pelo desejo de interrogar o antigo comparsa do Vale Sinistro, de recolhermos novas dos seus desgraçados filhos, que lá ficaram, na Terra, amortalhados de lágrimas e desditas. Mas o receio de uma indiscrição deteve-nos, o que fez que o silêncio se prolongasse após os cumprimentos. Logo, porém, o virtuoso mentor Santarém encaminhou-nos a feliz ensejo, conhecendo a sinceridade que nos impelia.

"– Falávamos de ti, meu caro Jerônimo... Teus amigos desejam saber se te sentes melhor e mais reconfortado no amor de Deus, pois partirão em breve para outro plano de nossa Colônia e, vindos para se despedirem, estimariam levar a impressão de que deixam para trás um amigo em vias de verdadeiro reerguimento..."

Aplaudimos, corroborando tais expressões com o incentivo de nos mostrarmos, a ele próprio, resignados e confiantes nos dias porvindouros, e acrescentamos:

"– Amparados por amigos tão desvelados como os que deparamos desde que para aqui nos encaminharam, sentir-nos-íamos até felizes, não fora a inclemência dos pesares que nos perseguem pela desonra com que aviltamos nossa alma..."

O antigo comparsa curvou a fronte com enternecedora humildade, retorquindo:

"– Tendes razão, meus caros amigos! Será possível, sim! para nós outros, o alívio supremo na conquista da resignação e da fé, que levará à conformidade... Felizes, porém, não creio que poderemos ser tão cedo, porque não será pelas vias do suicídio que a individualidade encontrará essa deusa Felicidade, que mais se afasta quanto maiores forem a revolta e a insubmissão no coração que a deseja! Quisera eu que o suicídio me houvera para sempre exterminado o ser. Assim não foi porém!... E assim não sendo compreendi que só me restava curvar ao inevitável, enfrentando com resignação e fortaleza de ânimo a amargosa situação por mim mesmo criada! Devo à solicitude de Irmão Santarém, a seus conselhos e exemplos edificantes, como aos seus abnegados imediatos e às regras verdadeiramente providenciais desta mansão educadora, a transformação que em mim se vem operando. Tal como vós, sorvi o meu cálice de fel, traguei muitas amarguras entre uivos de desespero e blasfêmias de réprobo! Mas hoje me sinto outro indivíduo, a quem a confiança no amor do Ser Supremo ressuscitou dos escombros da mais nefasta descrença, porque descrença mascarada com a hipocrisia da falsa fé, da afetação da virtude, as quais se mostravam com a ostentação convencional, o que, se satisfaz à sociedade, não aproveita, no entanto, nem mesmo para convencer o próprio que as simulou, quanto mais para edificar a sua alma perante o Criador!...

Eu poderia ser feliz, meus amigos, de algum modo, rodeado com a atenção destes nobres e excelentes protetores, instruído, fortalecido, confortado como me vejo por sua incansável caridade, convencido das lutas e deveres que me cabem, disposto a enfrentá-los quanto me acho. Mas cometi um crime de duras conseqüências, de conseqüências extensíssimas para mim e os meus! Contemplo-me carregado de falhas... e não me posso, de nenhum modo, sentir satisfeito em parte alguma, quando o arrependimento vivo e ardente flagela minhas horas, exigindo resgate imediato a fim de que a serenidade me retorne ao coração, permitindo-me novos empreendimentos, dignificantes e honrosos... justamente o oposto dos atos de antanho!

Devo confessar-vos que, como comerciante que fui, falido, arruinado, traindo a confiança de firmas honestas, com as quais mantivera compromissos, de instituições bancárias, cuja honorabilidade não levei ao devido apreço, e até das autoridades municipais, pois grandes prejuízos dei também às fiscalizações legais, como aos direitos alfandegários, visto que pratiquei não raras vezes o contrabando, envergonho-me de tal forma, por não me ter esforçado por sair honrosamente desse emaranhado de inferioridades; pejo-me tanto de haver solvido tais compromissos acobertando-me sob a macabra ilusão do suicídio, que o rubor só me desaparecerá das faces quando me for possível ser comerciante outra vez, a fim de solvê-los pessoalmente, digna, honestamente! Oh, que ato indecoroso cometi perante a sociedade, meus amigos! Eu devo e não paguei! Eu defraudei os sacrossantos direitos da Pátria, da abençoada terra em que vivi! Tenho compromissos vencidos, empréstimos, contas e mais contas, letras e mais letras a pagar!... E nada resgatei até hoje! O peso desta desonra converteu-me os dias em torturas ininterruptas, a par das desventuras que, por minha incúria, atingiram meus filhos!..."

"– Felizmente, porém, a Lei da Sábia Providência confere ao Espírito falido meios honrosos para libertar-se de situações incômodas e vexatórias como essas, e Jerônimo, em futuro não muito afastado, poderá reparar tais compromissos, recuperando o beneplácito da própria consciência, servindo-se de experiências novas e novos ensejos, graças à reencarnação, que a todos é facultada como meio de progresso e reabilitação... e ele bastante animado se encontra para a jornada nova..." – acudiu irmão Santarém, cortando a expansividade humilhante para o próprio expositor.

"– Rejubilo-me sabendo-te confortado e decidido aos embates pela honra de uma vitória que encoberte de tua consciência a visão inglória da queda forte que também a ti arrastou à desgraça, amigo Jerônimo!... Praza aos céus que as forças se centupliquem em tua alma quanto as minhas em mim se multiplicam a cada nova vibração de minha própria dor... pois também me acho encorajado às mais rudes experimentações, contanto que se arrede de minhas íntimas visões o trágico fantasma dos remorsos pelo monstruoso delito que pratiquei" – vibrou Mário Sobral, a quem impressionante estremecimento sacudiu, fazendo-o agitar as mãos como que se esforçando por desvencilhá-las de algo que o inquietasse e afligisse.

"– A prece, que aprendi a praticar, tornando-a em manancial indispensável à minha pobre alma, guiado pelas férteis exortações de Irmão Santarém – continuou o ex-comerciante do Porto –, as súplicas veementes que aprendi a dirigir a Maria – nossa Mãe e Guiadora – concederam-me a trégua precisa para reunir os pensamentos atropelados pelo desespero e fixá-los no bom raciocínio... acontecimento que foi a chave áurea para a solução dos muitos problemas por mim considerados insolúveis...

A sorte imprevista de meus infelizes filhos, aos quais tanto e tanto amava, a conduta de Zulmira, prostituída e envilecida – como eu, incapaz de consagrar-se ao Dever, vencendo honestamente as difíceis circunstâncias da miséria – eram fatos que me dementavam até à loucura e à blasfêmia, convertendo minhalma na de um réu selvagem e danado como não o seria a fera dos sertões africanos! A prece, porém, continuada, humilde, tal como o bom conselheiro recomendava, corrigiu a anomalia; e, pouco a pouco, recobrei a lucidez do senso, parecendo-me, ao depois de serenado o ânimo, que estivera durante séculos mergulhado nas trevas inferiores da irresponsabilidade! Ainda assim, a situação de meus filhos, que haveis de recordar, levava-me a sofrimentos inconsoláveis!...

Ao vigor das evocações, Jerônimo reanimava-se. Nosso grupo quedara-se muito atento, vibrando homogeneamente com o emocionado narrador. E tais foram as tintas vivas e sugestivas com que soube esboçar os acontecimentos que lhe diziam respeito, tais as expressões ardentes emitidas pelas vibrações com que traduzia as sutilezas da memória, que julgamos rever com ele os episódios narrados. E será como se também os houvera assistido que os transmitiremos ao leitor.

"– Certo dia, ao entardecer – ia dizendo o enclausurado do Isolamento –, encontrava-me quase absolutamente só, perambulando tristemente pelas ruas melancólicas do imenso parque que vedes... Aproximava-se o doce, emocionante momento do Ângelus. A unção religiosa – consolo e esperança dos desafortunados irremediáveis – sutilmente infiltrou-se pelos escaninhos de meu ser, reportando-me o pensamento ao seio maternal de Maria, Mãe boníssima dos pecadores e aflitos... Não ignorais que o momento da saudação a Maria é fielmente respeitado pelos seus legionários, homenageado com sinceras demonstrações de gratidão nesta Colônia, a qual se edificou, cresceu e produziu excelentes frutos de amor e caridade, para servir-me das expressões que ouço dos meus bondosos instrutores, à sombra augusta da sua proteção.

Sentei-me na relva, disposto a recolher-me também. Com o coração palpitante de fé aguardei o solene momento da oração, o qual foi logo anunciado pelas dulçorosas melodias que do Templo se ampliam para os recantos mais distantes desta habitação – ecos das vibrações dos varões diretores maiores da Colônia em comunhão com os planos superiores – ainda me servindo das expressões dos mentores desta casa...

Orei, dessa vez, como nunca, jamais havia orado! Supliquei à amorosa Mãe do nosso Redentor assistência e misericórdia para meus filhos! Que intercedesse junto a Jesus Nosso Senhor, no sentido de beneficiar as infelizes crianças por mim abandonadas aos inclementes arremessos da adversidade! Nomeei Margaridinha, minha pobre caçula, atirada à lama das sarjetas pela orfandade em que se vira com o meu suicídio! Lembrei Albino, atirado a um cárcere no verdor dos anos, porque um pai não tivera, digno bastante, para lhe prover caminhos e orientações honrosas, pois que eu! eu! que fora o pai, que perante Deus e a sociedade me comprometera à nobre missão da paternidade, desonrara-me e desonrara-o com os maus exemplos deixados como única e pervertida herança! Bradei por sua maternal intervenção em torno da angustiosa situação de ambos, ainda que meus próprios sofrimentos se dilatassem por indeterminado tempo! Oferecia-lhe, como penhor do meu reconhecimento por qualquer benefício que lhes concedesse sua terna compassividade de Mãe, a renúncia a eles próprios, pois bem reconhecia eu não merecer a sacrossanta missão da paternidade! Afastar-me-ia para sempre, se tanto fosse necessário... mas que Margaridinha, sob seu maternal amparo, fosse afastada do Cais da Ribeira e Albino não levasse o desespero até arrojar-se ao suicídio, antes se resignasse ao cárcere, ao exílio, onde, mais tarde, poderia reabilitar-se, quem o saberia?!...

Irmão Ambrósio, vigilante incumbido de nos reunir ao anoitecer, veio encontrar-me lavado em lágrimas. Mais uma vez narrei-lhe minhas desventuras, pondo-o a par das súplicas que acabava de dirigir a Maria. Concedeu-me ele enternecidas expressões de reconforto, alentando-me de esperanças o coração dolorido, concluindo, enquanto bondosamente me amparava para o regresso à comunidade:

"– Deves perseverar nessas rogativas, meu caro Jerônimo! Faze-o com bom ânimo e coragem, exalçando energicamente, tanto quanto possível, o grau das tuas vibrações, a fim de que repercutam harmoniosamente teus pedidos, no momento muito justos, nas superiores camadas astrais onde viceja, irradiando flores de auxílios e bênçãos, a amorosa caridade da dulcíssima Guardiã de nossa Legião. Não obstante, aconselho-te ainda a orar em conjunto, reunindo a outros o teu pensamento, a fim de que tuas forças, ainda inexperientes, se revigorem e avantagem ao calor dos demais... pois tuas súplicas deste momento são assaz importantes, representando verdadeira mensagem dirigida a Maria... Falarei do ocorrido ao nosso bondoso conselheiro."

Na manhã seguinte, com efeito, Irmão Miguel de Santarém visitou-me discretamente, convidando-me a tomar parte em suas reuniões particulares, com mais alguns afins, para que, fraternalmente unidos, solicitássemos os favores por mim desejados em torno dos fatos que mais me afligiam, porquanto era justo que ajudassem, não apenas por ser eu um discípulo do internato que dirigiam, mas, acima de tudo, porque seria caridoso assistir a quem sofria, dever que alegremente cumpririam dada a justiça das aspirações por mim alimentadas em torno dos meus entes queridos.

Assim foi feito, realmente.

Sob as frondes farfalhantes, em certo recanto isolado do imenso parque, e quando as melodias da saudação diária a Maria enleavam de suaves sugestões a quietude harmoniosa do crepúsculo, Irmão Santarém alçava o pensamento fiel e, humildemente, transmitia em preces sentidas o meu pedido à celestial Senhora. Deixei, assim, por várias vezes, minhalma arrastar-se através do traçado luminoso que iam deixando as mentes virtuosas dos meus boníssimos conselheiros, e acompanhava, vibrante de confiança e de esperança, as expressões que, do âmago do ser, arrancavam em meu benefício. Repetiram-se estas simples e doces reuniões muito em segredo, durante algumas vezes seguidas, e sempre generosas e ardentes. Os nomes saudosos de meus filhos eram ali pronunciados diariamente! E como era consolador ao meu compungido Espírito ouvir que a eles caridosamente se referiam os amorosos seguidores do complacente Mestre e Senhor, que até alçado nos braços infamantes da cruz tratava de regenerar os pecadores, condoído de suas grandes misérias!... E terna esperança, e humilde paciência, e respeitosa resignação visitaram os meandros do meu ser, qual raio de sol levantando aleluias nas trevas angustiosas depois de uma noite de tormentas!

Passados que foram alguns poucos dias, tive a surpresa de ver reclamada minha presença no gabinete do

Irmão Diretor. Apresentei-me inquieto e comovido, pois havia muitos anos que me habituara a somente reconhecer dissabores em volta de meus passos. O Diretor, porém, serenou-me logo de início por apresentar-me pequeno rolo de pergaminho, espécie de "papiro" estruturado em raios de luz compensada, enquanto era eu informado do que acontecia:

"– Antes de mais nada, dai graças ao Senhor Todo Bondoso e Misericordioso, caro Jerônimo! Vossas mensagens a Maria alcançaram êxitos perante as leis eternas e incorruptíveis!... Aqui está a resposta de nossa Amável Senhora e Guardiã, a qual, em honra a seu Augusto Filho, atende à intervenção que lhe rogastes!... Do Templo, onde militam os responsáveis por nossa Colônia, e para onde chegam as instruções de Mais Alto, mandam os nossos orientadores estas instruções, espécie de programação a ser efetuada em torno de vossos filhos Albino e Margarida... Com o visto de Irmão Teócrito, como se encontra, hoje mesmo poderemos iniciar a tarefa..."

Aturdido com o inesperado da notícia, nada respondi de momento, deixando, porém, que minhalma, célere, externasse, no segredo do pensamento, o meu agradecimento ao Deus Bom, ao Deus Misericórdia, que tão prontamente permitia fosse eu atendido nos meus mais fortes desejos do momento!

Segurei o pergaminho lucilante, voltando-o várias vezes entre as mãos, sem ousar abri-lo. O próprio diretor, porém, com a bondade que lhe é peculiar, veio em meu auxílio, desdobrando-o cuidadosamente...

Eram quatro páginas destacadas, as quais cintilavam com reflexos de estrelas, em suas mãos. Caracteres azulados, como se estrigas do firmamento azul servissem aos iluminados do Templo para transmitirem as sublimes inspirações que recebiam no sentido de beneficência aos sofredores, traduziam as ordens que a Magnânima Senhora enviara para meu socorro supremo!

Ordenavam que minha pobre Margaridinha, assim como Albino, fossem, sem mais tardanças, atraídos a um posto de emergência mantido por este Instituto na Terra, ou em suas imediações, a fim de se submeterem a um tratamento magnético especial, com vistas ao reajustamento psíquico dos sistemas nervoso e mental, ambos muito enleados nas farpas do meio ambiente viciado em que se expandiam, desorganizados pela intensidade dos choques derivados das pelejas a que eram chamados a enfrentar nos testemunhos diários. Que fossem os pobrezinhos aconselhados, advertidos, esclarecidos, porquanto o de que mais careciam era da iluminação interior de si mesmos. E que, em torno de ambos, caridosa corrente de amor, simpatia e proteção se estabelecesse, porque o Astral Superior se encarregaria de criar os ensejos necessários aos acontecimentos...

Devo confessar-vos, no entanto, bondosos amigos, que bem pouco, até agora, entendo destas coisas... Narro-as como aquele que de um fato sabe por tê-lo presenciado, sem aptidões para a necessária análise...

Quanto a Marieta e a Arinda, que me tranqüilizasse: – eram honestas e trabalhadoras, encontrando-se ambas harmonizadas com as situações que lhes cumpriam. Perseverássemos, todavia, em socorrer o infeliz esposo da primeira – *por quem eu não rogara em minhas ardentes súplicas*, mas que não fora esquecido pela Amável Mãe do Senhor Jesus –, presa que era de arrastamentos inferiores, que dele faziam o tirano do lar. Severa vigilância se efetuasse em seu favor, pois seria dócil às influências generosas que lhe dispensassem. Seus obsessores deveriam ser aprisionados e encaminhados às respectivas comunidades astrais... o que novos ensejos e benefícios novos lhes proporcionariam..."

"– Vemos que é bem árduo o labor conferido ao Isolamento e que esforços máximos requerem, de todos vós, boa vontade sempre crescente – interrompeu Roberto de Canalejas, também visivelmente interessado. – Já iniciastes o movimento regenerador?..."

Irmão Santarém, a quem ele se dirigira, adiantou-se sorridente, satisfazendo a justa curiosidade.

"– Sim – disse ele –, e com muito bons êxitos, visto que temos a Mãe das Mães como patrocinadora destes casos de redenção... cujas excelentes conseqüências facilmente entrevemos..."

"– Rogo esclarecimentos quanto ao desempenho de tão espinhosa quão nobre tarefa, Irmão Santarém" – tornou o moço doutor.

"– Com muito prazer, meu jovem amigo, visto reconhecer que falamos a amigos generosos e sinceros, que poderão até mesmo emprestar-nos o auxílio de suas fraternas simpatias...

Conforme não poderia deixar de ser – continuou o nobre religioso –, assumi a direção do empreendimento, com ordens do Irmão Diretor do Departamento, certo de que a intervenção de nossa augusta Protetora, assim como a generosa assistência dos nossos maiorais do Templo, não nos abandonariam à indecisão das próprias fraquezas.

Naquela mesma manhã foi encaminhada à direção do Departamento petição requerendo auxiliares voluntários para o áspero certame, pois não ignorais que para essa natureza de tarefas não existe obrigatoriedade em nosso núcleo. Os obreiros para serviços externos hão de oferecer espontaneamente o seu concurso, atendendo apenas ao chamamento especial que se proclama... além de que são todos voluntários os próprios servidores da nossa Colônia...

Atendido sem tardança, entendi-me cordialmente com os preciosos colaboradores que se apresentaram, todos animados de interesse e boa vontade pela causa do Bem, ficando estabelecido que, antes da delineação do programa decisivo, visitássemos as personagens em questão, estudando todas as faces do assunto e comparando-as com as nossas próprias possibilidades. Assim fizemos, até que, na noite do terceiro dia, após a homenagem que mui gratamente prestamos diariamente à nossa Guardiã, partimos todos juntos, em demanda da Terra...

Fazia o plenilúnio. A luz doce e merencória da Lua – a humilde irmã da Terra – suavemente aclarava os caminhos tristes do astral inferior por onde deveríamos transitar. Para o transporte servimo-nos da levitação lenta, visto que as zonas pesadas por onde gravitaríamos não nos permitiriam o emprego da rapidez senão com grande esforço de nossa parte, o que de modo algum conviria fazer porque necessitávamos reservas de energias para os serviços a realizar.

Oh, meus caros amigos! – continuou o antigo sacerdote com doçura intraduzível. – Não foi sem delicados frêmitos de emoção que avistamos os contornos da velha cidade do Porto, envolta nos véus das ondas atmosféricas, que a tornavam como inundada de sutil torrente de fumaças esgazeadas aos nossos olhos de Espíritos, para quem o vácuo é vocábulo inexpressivo!

Nosso preclaro irmão, o Conde Ramiro de Guzman, que, como sabeis, chefia as expedições missionárias no exterior de nossa Colônia, e que, como sempre, foi o primeiro voluntário a se apressar em atender nosso humilde convite para o serviço extra, levou-nos a um giro pela cidade que tanto havíamos amado, pois também ele vivera no Porto e se abrigara sob aqueles tetos amigos, cujas cimalhas e vidraças agora distinguíamos beijadas pelas ternas cintilas do luar...

Procurávamos Margarida Silveira pelas imediações do Cais da Ribeira. O Douro amigo marulhava docemente, retornando sua poesia à nossa audição de portugueses, para quem as doçuras do antigo torrão natal – que o seria novamente, em posterior encarnação – não se extinguira ainda, muito apesar da longa permanência na Pátria Espiritual, o Espaço!..."

"– E Jerônimo fez, decerto, parte da importante expedição?!..." – indaguei, ansioso.

"– Oh, não! Não seria prudente que o fizesse! Cumpria-nos evitar-lhe o dissabor de realidades duríssimas... e mesmo seria Jerônimo um estorvo para nós, ao invés de auxiliar...

Não me permitirei, no entanto, descrever, meus amigos, o espetáculo amargo em que deparamos Margaridinha representando o principal papel! Imaginai, contudo, um daqueles antros de vícios e libertinagens, como tantos que, infelizmente, existem no sombrio globo terrestre, classificado policialmente como de quinta ordem, como se pudessem existir vícios menos degradantes uns do que outros! Pensai no que seria o impudor ali reinante, o deboche, os torpes arrastamentos dos instintos inferiorizados e deprimidos pela perversão dos costumes – e tereis pálida idéia do inferno de que deveríamos arredar Margarida Silveira – porque assim ordenara o Astral Superior, solícito aos nossos apelos!

Como fazê-lo, porém?!...

Ante as cenas lamentáveis que se nos deparavam, a angústia da repugnância intentou dominar nossas almas, tornando-se necessário da nossa parte a vigilância da comunhão mental com nossos diretores do Templo e de Mais Alto, a fim de que nossas vontades não enfraquecessem, prejudicando a missão,

Torturada por infâmias inclementes, vilipendiada pela degradação, manietada ao miserável tronco de situação insolúvel para a sua inexperiência, Margaridinha apareceu-nos como a grande vítima de um novo Calvário, onde também faltavam o conforto, o socorro de corações generosos dispostos a aliviar e consolar! Vimo-la, malgrado suas próprias repugnâncias íntimas, imediatamente por nós reconhecidas, submetida aos torpes caprichos de verdugos desalmados, os quais forçavam-na a sorver copázios de vinho, intoxicando-a, embebedando-a, impiedosamente! A desgraçada, seminua, pois trazia as vestes rotas pelas brutalidades infligidas pelos algozes, e empapadas de vinho; cabelos desgrenhados, olhos alucinados pelos desvairamentos do álcool; boca espumante, desfigurada por trejeitos ridículos, via-se também forçada a dançar ao som de guitarras enfadonhas, cantando as peças mais em voga, para divertir os ínfimos algozes. Sem que o pudesse fazer convenientemente, porém, dado o lamentável estado em que se encontrava, sentia-se por esta ou aquela personagem duramente esbofeteada, enquanto os vestidos eram ainda uma vez dilacerados pelas mesmas mãos brutais.

Lembrando-me de que as instruções recebidas de Mais Alto recomendavam fosse a pobre menina retirada com urgência daquele malsinado ambiente, não vacilei em tomar providências imediatas, lançando mão de medidas extremas.

A um aprendiz da Vigilância, que comigo levara, justamente daqueles que iniciavam experiências regeneradoras através dos serviços de beneficência ao próximo, indiquei a mísera jovem, dizendo:

– Será necessário arrebatá-la daqui... O Astral Superior recomenda assistência imediata em torno dela... Adormece-a, meu amigo, com uma descarga magnética forte, servindo-te dos elementos fluídicos dos circunstantes... Dá-lhe aparências de doente grave... e afasta com presteza estes infelizes que a maltratam...

Este aprendiz sabia operar com certo desembaraço, não obstante serem parcos os seus conhecimentos e pequeno o cabedal moral que possuía. Fora, não havia muito, chefe de falanges contrárias ao Bem e ao Amor. Convertido, porém, desde certo tempo, à aprendizagem sincera da Luz e da Verdade, agora se fazia obreiro submisso, subordinado à direção de individualidades esclarecidas, capazes de guiá-lo à regeneração completa, as quais não só o ajudavam a instruir-se como a elevar-se moralmente, oferecendo-lhe oportunidades de serviços reabilitadores. Chama-se Osório e, como é natural, ainda se encontra sob nossos cuidados. Outrora vivera nos sertões brasileiros, onde praticara ritos e magias africanas.

O resultado da ordem por mim emitida não se fez esperar.

Aproximou-se ele da infeliz peixeira do Cais da Ribeira, passou-lhe as mãos ambas à altura dos joelhos, como laçando-os. A pobre menina cambaleou, amparando-se a uma banca próxima. Quase sem interrupção, o mesmo "passe" repetiu-se à altura do busto e, em seguida, contornando a fronte, toda a cabeça! Margaridinha caiu estatelada no chão, presa de convulsões impressionantes, levando a mão ao peito e gemendo sentidamente. Sem interromper-se no afã da sua competência, e enquanto eu distribuía outras recomendações aos demais voluntários, Osório chegou-se a um dos comensais que se mantinham estupefatos ante o incidente, e segredou-lhe algo ao ouvido, com veemência e emoção, interessado em sair-se bem da tarefa. O indivíduo sobressaltou-se subitamente, exclamando aterrado, criando pânico indescritível entre os boêmios:

– Céus! A coitadinha está a morrer por culpa nossa!... Fujamos! Fujamos antes que apareçam os beleguins!...

Saíram em confusão, empurrando-se mutuamente, deixando a pobre vítima de tantas brutalidades à mercê dos possíveis sentimentos de caridade do proprietário do antro.

Margarida, com efeito, estrebuchava, parecendo nas vascas da agonia. Rodeamo-la, eu e meus dedicados auxiliares, no intuito de beneficiá-la com os bálsamos de que no momento poderíamos dispor. Convém frisar, no entanto, que nem eu nem meus adjuntos éramos sequer pressentidos, quer por ela ou pelos demais circunstantes do plano material, pois nossa qualidade de Espíritos desencarnados tornava-nos inatingíveis à visão deles.

No entanto, a moça experimentava a ação nervosa produzida pela rispidez da descarga magnética necessária ao seu lamentável estado. Aplicamos bálsamos sedativos, compungidos ante seus sofrimentos. Tornou-se inanimada, gradativamente acalmando-se, continuando, porém, estendida sobre as lajes do antro, enquanto o taverneiro, apavorado com o acontecimento, providenciava socorros médicos e um leito no interior da casa, pois cumpria ocultar a verdade em torno do caso, por não desejar complicações com a polícia, dada a ilegalidade do comércio.

Quanto a nós outros, os servos de Maria, desejávamos vê-la em um hospital e jamais num cárcere! Por essa razão afastamos a possibilidade da presença de policiais, enquanto providenciávamos o concurso de algum facultativo cujos sentimentos de caridade nos inspirassem confiança.

Alguns minutos depois, chegando o facultativo, que a considerou gravemente doente em virtude de grande intoxicação pelo álcool, providências humanitárias foram tomadas, pois tecêramos em torno dele corrente harmoniosa de sugestões compassivas...

E assim foi que, tal como desejáramos e tornava-se necessário, passadas que foram as sombras dramáticas daquela noite decisiva, a filha do nosso pupilo aqui presente dava entrada em modesto hospital, caridoso bastante para resguardá-la enquanto providenciássemos quanto aos seus dias futuros, guiados pelas inspirações generosas de Maria..."

"– Se nosso Jerônimo não deveria tomar parte na expedição, a fim de que lhe fossem poupados cruciantes amargores, como está informado dos acontecimentos?!... Não te sentes compungido, chocado com estas descrições, meu amigo?... Principalmente porque são estranhos que as ouvem?..." – inquiri ousadamente, desejoso de tudo investigar.

"– Com efeito, sinto-me amargurado, e nem poderia deixar de ser assim... Aliás, a amargura e o pesar têm sido meus companheiros de todos os momentos... Não obstante, o sofrimento e as instruções que venho aqui recebendo elucidaram-me o bastante para hoje melhor raciocinar do que em outro tempo... Convém reflitais, meu caro Sr. Botelho, que, se Irmão Santarém descreve, para vós outros, os acontecimentos que a mim dizem respeito, será porque aqui viestes para os serviços de instrução, além de que sois amigos sinceros, irmãos afins capazes de atitudes fraternais não apenas em meu benefício, mas também daqueles que me são caros! Não data de hoje a nossa afeição... lembro-me bem que estamos unidos por uma comovedora amizade desde as tristes peripécias do Vale Maldito..."

"– Sim! – cortou o lúcido instrutor –, ele deveria ser de tudo informado, em ocasião oportuna, embora a caridade houvesse aconselhado sua ausência do teatro dos acontecimentos... Nada poderia mesmo ignorar, uma vez que se tornou responsável por tudo que resultou do abandono a que legou a família e porque ainda urgia meditar sobre os delicados acontecimentos com vistas aos planos para as próximas reparações..."

Ao incidente seguiu-se pequena pausa, a qual foi quebrada pelo próprio Jerônimo, ao exclamar:

"– Rogo-vos continueis elucidando meus companheiros de jornada com a seqüência do meu drama pessoal, venerando Irmão Santarém, pois julgo-o bastante expressivo, conforme tantas vezes me tendes feito analisar, para também a outrem edificar e instruir..."

"– Sim, meu filho, estou certo de que calarão bem em suas almas o ouvirem o episódio que vimos narrando... – aquiesceu pacientemente o sacerdote, cujo sorriso bondoso dulcificou o mal-estar criado pela minha impertinência. – Aliás, a vida de cada um de nós encerrará ensinamentos majestosos e sublimes, desde que nos demos ao trabalho de compreendê-la à luz das leis divinas que regem os destinos humanos..."

Interrompeu-se por um momento, como se concatenasse lembranças, continuando em seguida:

"– No instante em que Margarida Silveira tombava nas lajes da taverna, tratamos de remover o seu Espírito – parcial e temporariamente desligado do fardo carnal – para o Posto de Emergência que este Instituto mantém nas adjacências do globo terrestre.

Os serviços ali são variados e constantes como no interior da Colônia. Muitos enfermos encarnados são ali curados pela medicina do plano espiritual, muitas criaturas transviadas no caminho do Dever hão recebido sob aqueles hospitaleiros abrigos forças e vigores novos para a emenda e conseqüente regeneração, enquanto que muitos corações aflitos e chorosos têm sido consolados, aconselhados, norteados para Deus, salvos do suicídio, reintegrados no plano das ações para que nasceram e do qual se haviam afastado.

Para aí conduzida em Espírito, Margarida foi submetida a exame rigoroso, observando os nossos irmãos incumbidos do mandato as precárias condições em que se encontrava sua organização – fluídica – o perispírito – e que urgente se fazia um tratamento a rigor. Enquanto isso o corpo carnal também o era pelo cientista terreno – o médico assistente do hospital para onde fora transportado em estado comatoso.

Assentado ficara por nós outros que, a benefício do futuro de Margarida Silveira, o estado letárgico se prolongasse por vários dias, tantos quantos necessários à assistência moral mais urgente que a premência da situação exigia. Por isso mesmo, todo o interesse, os cuidados mais delicados tributamos ao seu corpo físico-material, ao qual transmitíamos as vitalidades necessárias à saúde e conservação. A jovem não se achava, ao demais, verdadeiramente doente, senão apenas intoxicada pelas forçadas libações de álcool. Apresentava órgãos normais, exceção feita do sistema nervoso, que sofria os resultados da amargurosa anormalidade que vivia. Seus sofrimentos graves, cuja natureza estava a requisitar desvelos abnegados, eram morais, razão por que os facultativos do hospital do Porto, onde se encontrava o fardo carnal, a deixaram em observação, confundidos com o estado letárgico singular."

Irmão Santarém deteve-se durante alguns instantes, consultando se nos interessaria a seqüência da narrativa. Em coro suplicamos que se não detivesse, porquanto, não só a sorte da pobre menina nos preocupava muitíssimo, pois, à força de nela ouvirmos falar por seu pai, havia tantos anos, muito de coração a estimávamos agora, como também o ensinamento nos atraía profundamente, calando em nosso âmago com fortes repercussões. De outro lado, o próprio Jerônimo animava a exposição dos passados fatos, o que era o melhor incentivo para o narrador.

Agradeceu o bondoso conselheiro com amável sorriso e continuou, enquanto nossa atenção recrudescia.

"– Ficai sabendo, meus amigos, que Margaridinha não só não era má como não se amoldava de boa mente ao vício. Repugnava-o até, ansiando libertar-se dele. No seu caso doloroso, o que havia era tenebrosa expiação, seqüência funesta e imprescindível de arbitrárias ações por ela mesma praticadas em antecedentes encarnações e que ficaram a clamar justiça e reparações através dos séculos, não apenas nos refolhos de sua própria consciência, mas também nos harmoniosos códigos da Lei Suprema, que absolutamente não se harmoniza com quaisquer transvios do caminho reto!"

"– Poderíeis dar-nos pequena amostra das ações praticadas pelo Espírito dessa jovem em antecedentes encarnações e que dessem causa às graves situações que no momento ela experimenta?" – atrevi-me a solicitar, levado por sincero desejo de aprender.

"– O estudo da Lei de Reencarnação é profundo e melindroso, meu amigo, ao mesmo tempo que singelo e fácil de compreensão, porquanto nos apresenta o indício esclarecedor de muitos problemas que perseguem a Humanidade, os quais aparentemente se apresentam insolúveis. Futuramente fá-lo-eis em vós próprios, relendo as páginas do livro da consciência... Até lá, no entanto, não haverá nenhum inconveniente em satisfazer-vos a natural curiosidade, uma vez que tereis a lucrar conhecendo mais um dos seus múltiplos aspectos.

Sim, meus amigos! A profundidade das leis divinas é vertiginosa, podendo mesmo apavorar os Espíritos medíocres, não ensaiados ainda para a sua compreensão! Mas a justiça que ressalta dessas leis destila tanta sabedoria e tão grande misericórdia, que o pavor se transformará em respeitosa admiração, a um exame mais prudente e minucioso!

Por mais incrível e incômodo que vos pareça, meus filhos, em antecedentes vidas planetárias, isto é, em mais de uma existência terrena, o Espírito que atualmente conheceis sob o nome de Margarida Silveira andou reencarnando em corpos masculinos! Existindo como homem – porque o Espírito não é subordinado aos imperativos do sexo, tal como na Terra se compreende – abusou da liberdade, das prerrogativas que a sociedade terrena concede aos varões em detrimento dos valores do Espírito, e conspurcou deveres sagrados! Como homem, levou a desonra a lares respeitáveis, aviltou donzelas confiantes, espalhou o fel da prostituição em torno dos seus passos, desgraçou e destruiu destinos que pareciam róseos, esperanças docemente acariciadas!... Mas... Veio um dia em que a Suprema Lei, *que não quer a destruição do pecador, mas que ele viva e se arrependa* – impediu-o de continuar o execrável atentado à Sua Soberania! Cassou-lhe a liberdade, impôs-lhe ensejos favoráveis para se refazer da anomalia de tantas iniqüidades, impelindo-o a renascer sob vestes carnais femininas, a fim de mais eficientemente provar o mesmo fel que fez a outrem sorver, e a si mesmo poupar tempo precioso na programação dos resgates, por sujeitar-se ao rigor de penalidades idênticas às outrora impostas pelo seu mal orientado livre-arbítrio! Reencarnou como mulher a fim de aprender, na desgraça de ser atraiçoada na sua castidade, desacreditada, vilipendiada, abandonada, a empolgante lição de que não é em vão que se infringe um só dos mandamentos assinalados no alto do Sinai como padrão de honra para a Humanidade, que antes se deveria educar com vistas à finalidade sublime do amor a Deus e ao próximo!"

Inquietante mal-estar trouxe emoções de pavor à nossa mente surpreendida com a expectante novidade. Estremecemos, enquanto sentimos como que porejar suores gelados de nossa epiderme. Naquele momento lembrávamos, vivamente, de que fôramos homens, de que nossas consciências não acusavam apenas ações angelicais em torno do gravíssimo assunto. Não obstante, fiel ao enraizado defeito de polemista, que teimava em acompanhar-me assustadoramente, até nas paragens além da morte, vibrei, decepcionado, atordoado:

"– Se assim foi, como Jerônimo se tornou responsável pelos desastres da filha?..."

"– Ah, meu amigo! Bastaria pequena dose de raciocínio para compreender que nem por ser assim deixará a consciência do pobre pai de acusá-lo duramente!... – suspirou tristemente o sacerdote iniciado. – 'O escândalo há de vir, mais ai do homem por quem o escândalo venha' – asseverou nosso Mestre Sábio e educador incomparável, visto que, se assim procedeu, era que ele se achava, positivamente, em desacordo com os ditames virtuosos da Lei Suprema! Margarida Silveira tinha reparações a testemunhar, é certo; mas, infelizmente, o suicídio de seu pai, desamparando-a, foi a pedra de toque que a levou a se precipitar nos tristes acontecimentos! A dívida tenebrosa deveria ser resgatada através do tempo. Poderia não ser obrigatória para a existência presente, permanecendo pendente de ocasião oportuna. O livre-arbítrio de seu pai, no entanto, levando-o ao erro fatal do suicídio, precipitou acontecimentos cuja responsabilidade bem poderia deixar de pesar sobre seus ombros, a fim de que, agora, não sofresse ele as conseqüências do remorso! Que me direis, caro amigo, de um homem que se tornasse causa da morte trágica de um ser amado, embora não alimentasse intenção de assassiná-lo, abominando até a idéia de vê-lo morrer?!... Não sofreria, acaso?!... Não viveria corroído de remorsos o resto dos seus dias, amargurado, desolado para sempre?!... Margaridinha deveria expiar o passado, é certo. Mas não seria necessário que a pedra do escândalo que a devesse atingir fosse engendrada pelas conseqüências de um ato praticado pela imprevidência de seu próprio pai!..."

Desapontado, silenciei, enquanto Irmão Santarém continuava:

"– Uma vez que a jovem peixeira não se comprazia no vício, antes sofria a humilhante situação ansiando pela hora libertadora de a ele eximir-se, fácil foi a nós outros ajudá-la a reerguer-se, convencê-la à regeneração, norteando-a para finalidade segura.

Durante os seis dias em que a hospedamos na mansão de repouso do mencionado Posto, longas conversações estabeleci com ela, já que, em torno da solução para esse drama imenso, fui indicado como conselheiro e agente hierárquico dos verdadeiros Guias que trabalham a prol da regeneração da penitente. Ali albergada, era encaminhada a certo gabinete apropriado ao gênero de confabulações que convinha promover, espécie de palratório, em que ondas magnéticas, de excelência capital, favoreciam a retenção de minhas palavras em sua consciência, agindo fielmente sobre sua memória e assim levando-a a colecionar, nas camadas caprichosas da subconsciência, todas as recomendações que eu lhe fazia e que lhe convinha recordar quando desperta, na ocasião oportuna para a execução, o que, com efeito, veio a fazer mais tarde, sem perceber, no entanto, que apenas cumpria as recomendações que haviam sido aconselhadas ao seu Espírito durante a letargia em que estivera mergulhado o corpo material, pois, ao despertar, esquecera tudo, como era natural!

Exortei Margarida, em primeiro lugar, à prece. Fi-la orar, o que fez banhada em lágrimas! Dei-lhe a conhecer o recurso salvador da oração como luz redentora capaz de arrancá-la das trevas em que se confundia, para guiá-la a paragens reabilitadoras. Ministrei-lhe, tanto quanto me permitiam a exigüidade do tempo de que dispunha, e bem assim a circunstância incomum que me fora preciso provocar, rudimentos de educação moral religiosa, e ela, que jamais a recebera, falando dos deveres impostos pelo Criador Supremo em Suas Leis, recordando ainda que, no amor do Divino Crucificado, encontraria ela fortaleza de ânimo a fim de remover as montanhas das iniqüidades que a vinham escravizando à inferioridade, assim como bálsamos bastante eficazes para lenificar o fel que infelicitava sua vida. Infundi-lhe esperanças, novo ânimo, coragem para uma segunda etapa que se fazia mister em seu destino, confiança no Amigo Celeste que estendia mão compassiva e protetora aos pecadores, amparando-os na renovação de si mesmos... e convenci-a de que, se como mulher fora desgraçada, no entanto sua alma encerrava valores cuja origem divina da sua força de vontade exigia ações nobres e heróicas, capazes de promoverem sua reabilitação perante sua própria consciência e no conceito dAquele que de Si mesmo extraiu estrigas de luz para nos dar a Vida!

Fiel às observações que do Templo recebia por via telepática, concitei-a a envidar esforços para afastar-se do Porto, mesmo de Portugal! Continuar no berço natal seria impossibilitar a reação da vontade para a consecução da emenda... quando ela necessitava até mesmo esquecer de que um dia vivera no Cais da Ribeira! Criasse, com o esforço heróico da boa vontade, um abismo entre si própria e o passado nefasto, a fim de iniciar nova fase de vida. Era imprescindível que confiasse em si mesma, julgando-se boa e forte para vencer na peleja contra a adversidade!... porque o Céu enviaria ensejos propícios à renovação! O Brasil era terra hospitaleira, amiga dos desgraçados, enquanto seus portos, como o coração de seus filhos, generosos bastante para acolhê-la sem cogitar de particularidades pretéritas... Que preferisse o exílio em solo brasileiro, porque tal exílio converter-se-ia mais tarde em mansão confortadora... ainda porque o Espírito é cidadão universal e sua verdadeira pátria é o infinito, o que o levará a entender que, onde quer que se encontre, o homem estará sempre em sua Pátria, à qual deverá sempre amar e servir, honrando-a e engrandecendo-a para os altos destinos morais! Esquecesse! Esquecesse o passado! E, com alma e coração voltados para o Eterno Compassivo, esperasse a ação do tempo, as dádivas do futuro: – a solicitude celeste não a deixaria órfã na experiência para a regeneração!"

Ouvíamos comovidos, apreciando o valor inerente à tese, vasta bastante para servir a quantos se vissem incursos em penalidades idênticas. Guardávamos todavia silêncio, enquanto o digno educador, cujo fraseado mais se ameigava à proporção que se empolgava na preleção formosa, continuou, após alguns instantes de pausa:

"– Convinha despertar Margarida, isto é, fazer seu Espírito voltar ao templo sagrado do aparelho carnal, retorná-lo a fim de continuar as tarefas impostas pelo curso da existência.

Como, realmente, não se achava doente, o despertar operou-se natural e suavemente, sob nossa desvelada assistência, tal como se voltasse de prolongado e benfazejo sono. Médicos e enfermeiros confessaram-se atônitos. A jovem, porém, mostrava-se penalizada por haver tornado à vida objetiva, e derramava abundantes lágrimas. Incoercível angústia pesava-lhe sobre o coração. Do que se passara com seu Espírito durante aqueles seis dias de sono magnético não se recordava, de modo algum. Apenas vaga sensação de ternura imprimia-lhe no imo do ser misteriosa e doce saudade, que não poderia definir...

Após alguns dias de ansiosa expectação, deliberara transportar-se para Lisboa à procura de sua irmã Arinda, a quem sabia servindo num hotel de boa reputação.

A situação, porém, apresentava-se difícil para a desventurada jovem. Não possuía recursos a fim de empreender a viagem. Seu passado cheio de máculas e sua infeliz reputação inibiam-na colocar-se em casas honestas, como criada de servir. Todavia, em torno dos desgraçados existem sempre anjos-tutelares prontos a intervir na ocasião oportuna, remediando situações consideradas insolúveis. Em torno de Margaridinha a intervenção do Céu fez-se representar, para os recursos necessários ao transporte, por suas pobres companheiras de enfermaria, as quais, vendo-a chorar freqüentemente, dela arrancaram a confissão da amargurosa situação. Pobres, humildes, bondosas, sofredoras, e, por isso mesmo, podendo melhor interpretar as desditas alheias, as boas criaturas cotizaram-se, exigiram ajuda dos maridos e parentes e, no fim de poucos dias, Margarida recebeu o necessário para transportar-se à capital do Reino.

Arinda acolheu a irmã. Perdoou-lhe os passados desvarios, compreendendo, finalmente, que em tão lamentável drama houvera mais ignorância e desgraça do que verdadeira maldade, pois não possuía esclarecimentos filosóficos capazes de perceber, nos acontecimentos em torno da manazinha caçula, os antecedentes espirituais que acabei de revelar.

Empregou-a no hotel, ao pé de si, procurando habilitá-la nos misteres domésticos visando a colocá-la futuramente em ambientes familiares. Acontece, porém, meus amigos, que a filha de Jerônimo irá para o Brasil mais depressa do que se esperava... É que, neste hotel, hospeda-se atualmente uma família portuguesa residente em S. Paulo – o grande centro industrial brasileiro. Visita a terra natal e excursiona pela capital, a qual só agora tem ocasião de conhecer... Margarida, guiada pela irmã, serve-a com atenções e bondade... Há simpatias de parte a parte... A menina acaba de ser convidada a partir para o Brasil, em companhia da família, como criada de servir... Arinda interveio, compreendendo as vantagens daí conseqüentes... Margaridinha concordou prazenteira... e dentro de alguns dias será encerrada a página negra de sua existência para recomeçar experiências novas, com novos ensejos de progresso e realizações..."

Entreolhamo-nos ansiosos, como num singular desabafo, detendo-nos compungidamente a fitar Jerônimo, personagem que figurava na tormentosa odisséia que acabávamos de ouvir, com a tremenda responsabilidade, perante a lei divina, de havê-la provocado com a ação relapsa do suicídio! O ex-comerciante de vinhos, porém, conservava-se de fronte curvada, concentrado em pensamentos profundos.

De súbito, em meio do silêncio augusto que sucedera à comovedora exposição, uma voz compassiva, a revelar carinhosas entonações, interrogou, sinceramente interessada:

"– E Albino, Irmão Santarém?... Decerto o Céu concedeu-lhe também alguma dádiva?..."

Era Belarmino, cuja alma bondosa, convertida para a emenda, apresentava já os melhores e mais sólidos característicos de fraternidade, dentre os do nosso grupo.

"– Albino?!... – disse sorridente o digno sacerdote, como absorvido em grata recordação. – Albino vai muito bem, melhor muitas vezes do que a irmã!... O insulamento do cárcere foi-lhe propício à meditação, fazendo-o refletir maduramente e levando-o a procurar Deus através das asas remissoras do sofrimento! Tal como foi feito à irmã, doutrinamo-lo em nosso campo de repouso, e, facilmente aceitando nossas admoestações, depressa resignou-se à dolorosa situação, compreendendo justa a punição, pois que realmente errara no seio da sociedade! Dedicou-se a leituras e estudos educativos, guiado muito de perto por uma alma de escol em quem depositamos muita confiança, e presentemente encarnada na Terra – nosso agente fiel e porta-voz sincero – isto é, um médium, um iniciado cristão da Terceira Revelação, por nome Fernando...

Pois bem, ainda nos serviços realizados no Posto de Emergência já citado, instruções foram dadas ao caro intérprete a respeito do que deveria fazer a fim de auxiliar-nos em torno do jovem em apreço, transportado que fora para aquele local o seu Espírito operoso, durante sono profundo. Ora, assim sendo, Fernando, que exerce atividades profissionais na própria inspetoria de polícia, como adepto que é da Terceira Revelação vem procurando, tanto quanto possível, testemunhar os preceitos do Divino Missionário. Dentre os inúmeros atos generosos que vem evidenciando como espírita-cristão, destacaremos o interesse tomado pelos encarcerados e sentenciados, aos quais procura assistir e servir. Leva-lhes um raio de amor em cada visita que lhes faz. Infunde-lhes esperanças aos corações desfalecidos. Acalma-lhes a revolta interior com a suavidade fraterna e boa da sua palavra inspirada, de onde jorram esclarecimentos regeneradores para desalterar-lhes a sede de justiça e proteção!

Albino sentiu-se atraído por aquelas expressões maviosas que lhe revelaram as doçuras do Evangelho do

Reino de Deus, como falando de um mundo novo, uma era nova que surgiria em sua vida de rapaz desamparado! Os olhos grandes e sonhadores de Fernando, como refletindo o manancial de Luz que deslumbrava sua alma de escolhido do Céu, impressionaram fortemente o filho de Jerônimo, que, aturdido e dominado por singular simpatia, lhe confiou a própria história atormentada! Nosso querido agente comoveu-se sinceramente. Confortou o rapaz, ministrou-lhe educação moral-religiosa sob as inspirações da Terceira Revelação, tal como lho havíamos recomendado, o que nos evitou grandes trabalhos em torno do jovem encarcerado...

Na solidão do próprio cárcere, assim, bem cedo Albino pôde receber diretamente nossos incentivos, pois, graças aos piedosos esforços do servo do Senhor e à boa vontade do próprio penitente, tornou-se possível a este falarmos tomando-lhe da mão e ditando-lhe preceitos educativos, dos quais tanto e tanto necessitava a fim de se fortalecer para as caminhadas redentoras! E o próprio Albino escreveu o que lhe sussurrávamos ao pensamento através da intuição, banhado em lágrimas, protestando interiormente continuada boa vontade para o futuro!

Porém, não paralisou aí a solicitude verdadeiramente fraterna do nosso caro Fernando.

Possui ele relações de amizades sociais achegadas ao Paço das Necessidades. Desdobrou-se e obteve as atenções de Sua Majestade, a Rainha D. Amélia, para o infeliz filho do nosso suicida. Fê-la compreender tratar-se da pessoa de um órfão desamparado, a quem a inexperiência e seduções maléficas haviam infelicitado, mas a quem se poderia auxiliar ainda, tornando-o útil à sociedade, com um pouco de proteção e ajuda fraterna.

Aqui, em o nosso Instituto, não se ignora que o Espírito dessa ilustre dama da sociedade terrena é assaz generoso, compassivo, desejoso sempre de acertar. Para o progresso moral e espiritual de Albino, por sua vez, segundo as instruções que recebêramos de Mais Alto, seria dispensável a prova do cárcere a alongar-se ainda por três anos. Coadjuvamos, portanto, no momento, os esforços de Fernando, fielmente inspirado por nós outros, no sentido de obtermos quanto antes a projetada remoção do prisioneiro para a África, onde, consoante foi estabelecido, ficará em liberdade..."

"– Perdão, respeitável Padre Santarém! Preferiria eu que Albino fosse encaminhado para o estrangeiro... Para o Brasil, por exemplo, a segunda pátria dos portugueses, onde gostamos tanto de viver e também de morrer, em deixando Portugal... Pobre Albino! A África!... Inóspita e inclemente!..." – atreveu-se ingenuamente Mário Sobral, sem medir a inconveniência que proferia.

"– Não, meu jovem amigo! Albino necessita ainda ser conservado em custódia, quer policial terrena quer espiritual, por parte dos que zelam por seu futuro... No Brasil encontraria demasiadas facilidades, que poderiam afastá-lo da unção em a qual se vem conservando desde que conheceu Fernando e se filiou à magna Ciência da Espiritualidade! Teria liberdade excessiva, pois a grande democracia brasileira não é o que lhe convém no momento... Arrastá-lo-ia, possivelmente, a desvios prejudiciais, quando, ao iniciar a própria regeneração, rodeado de responsabilidades, se encontra ainda muito fraco para vencer tantas e tão grandes tentações, como as que se lhe depararíam no seio daquele generoso país. A África inclemente ser-lhe-á mais propícia aos interesses espirituais! Há mais caridade encaminhando-o para ali do que para ambientes contrários à emenda que lhe cumpre tentar a bem dos próprios destinos imortais!

Estamos, pois, na expectativa de vê-lo transportar-se para Lourenço Marques ou outra qualquer localidade africana..."

Considerando que os acontecimentos descritos pelo verbo eloqüente e sugestivo do conselheiro do Isolamento necessariamente influiriam no coração aflito daquele pai suicida, fornecendo-lhe a um mesmo tempo lembranças torturantes e esperanças reanimadoras, felicitei-o sinceramente pelo formoso êxito das suas rogativas de prece, louvando ainda com júbilo, a amorosa solicitude da Virgem de Nazaré, cuja intervenção remediara situações supostas definitivas. E concluí com uma interrogação, cuja resposta tão interessante me pareceu, que não me furtarei ao desejo de ajuntá-la a estas notas, finalizando o capítulo. Indaguei de Jerônimo, abraçando-o fraternalmente, enquanto os companheiros de caravana pareciam apoiar meu gesto, com sorrisos amistosos:

"– ...E agora, meu caro Jerônimo, resolvidos os mais prementes problemas que te ensombravam de amarguras o viver, não te sentirás, porventura, mais sereno a fim de cuidares do futuro que, segundo depreendo, bastante prejudicado já foi pelas aflições constantes e impaciências contraproducentes, em que te trazia a recordação dos filhos queridos?... Não exultas, sabendo o herdeiro do teu nome prestes a poder servir honradamente a sociedade, o coração aberto às auras celestiais de uma fé religiosa que é como a bênção do Todo-Poderoso glorificando-lhe o futuro?... Não sorrirás, resignado, sabendo tua loira Margaridinha recebida no seio de uma família respeitável, tão respeitável que foi honrada com as atenções da Virgem, a quem suplicaste, para encaminhá-la à reabilitação imorredoura?... Sim, Jerônimo, estarás jubiloso! Todos nos congratulamos contigo, meu amigo!..."

Só então levantou o semblante entristecido, enquanto respondia com entonações lacrimosas:

"– Sim, amigo Camilo! Tão vastos e de tão profundo alcance foram os benefícios por mim recebidos através da assistência dispensada aos meus entes mais caros, que jamais serão bastante eloqüentes quantas expressões possa eu ter para testemunhar à Mãe Santa do meu Salvador a gratidão que me enternece o seio... a não ser que, por misericórdia ainda mais extensa, venha a me transformar em protetor de órfãos e abandonados, evitando que se despenhem pelos abismos em que vi submersos meus queridos filhinhos!

Alenta-me a esperança de que um tal milagre se concretize, ó Camilo! Pois aprendi com meus dedicados mestres desta casa acolhedora que o Espírito vive sobre a Terra sucessivas vidas, nascendo e renascendo em formas humanas quantas vezes sejam necessárias ao desenvolvimento do seu ser em busca da bênção de Deus! Espero, portanto, aquilo mesmo fazer um dia, na Terra, com outra forma humana que me seja concedida! Se, como hoje ardente e sinceramente aceito, possuímos uma alma imortal, marchando progressivamente para Deus, demonstrarei meu reconhecimento às Potestades Celestes, criando, reencarnado na Terra, orfanatos, internatos amorosos e acolhedores, lares cristãos onde pequeninos órfãos estejam ao abrigo das dramáticas situações em que meu suicídio arremessou meus indefesos filhos!... Sim! Reconfortado, agradecido, esperançado, eu estou! Mas, jubiloso, ainda não, porquanto uma avalancha incômoda de dívidas a solver abrasa-me a consciência, requeimando-a com os fogos impiedosos de mil razões para os remorsos! Oh! eu não acuso Zulmira, porque também me sinto culpado da sua queda nefanda! A pobreza irremediável, as privações acumuladas, a fome torturadora, foram algozes que a perseguiram e venceram, encontrando-a moralmente desaparelhada para a resistência necessária às pelejas diárias contra a adversidade, pois a infeliz, que no lar paterno fora educada às brutas, por mim, que a amava tanto, habituada fora a conforto excessivo e contraproducente, à ociosidade nefasta que o dinheiro mal dirigido produz! Se eu, o varão, a quem cabia o dever sagrado de velar pelo futuro da família, educando a prole, defendendo-a, honrando-a, fraquejei desastrosamente, abandonando-a na desgraça, ocultando-me atrás de um suicídio a fim de evitar a luta honrosa, completamente desencorajado para o desempenho da missão que até os seres inferiores da Criação observam com apego, ternura e satisfação; se eu, o chefe natural, que perante os homens com o Matrimônio, e perante Deus com a Paternidade, comprometera-me a conduzir o rebanho da Família ao santuário da Honra e da Felicidade, abandonei-a ao fogo vivo das iniqüidades mundanas, escondendo-me debaixo do túmulo cavado pela covardia de um suicídio – quem mais se obrigaria ao dever que era meu?!... Que poderia fazer a pobre Zulmira, se eu, pior que ela, cheguei a matar-me para evitar o cumprimento de deveres inalienáveis?!... Oh! para que Zulmira vencesse à frente da desgraça, defendendo e honrando quatro filhos menores, seria preciso que se houvesse habilitado à luz de princípios elevados, sob orientação de adiantada compreensão cristã, como tantas vezes asseverou Irmão Santarém, vendo-me sofredor e inconformado com o seu procedimento! Pobre Zulmira, porém, que, como eu, ignorava até mesmo se, com efeito, era criação divina!... não obstante a afetação religiosa exigida pela sociedade herética e hipócrita em que vivíamos! A oração é o meu conforto, assim como os estudos que venho fazendo em torno da pretensão à nova concessão de um corpo terreno... E rendo graças a Deus por tudo isso, meu amigo, pois já é muito para quem, absolutamente, nada fez para merecer tanta misericórdia..."

"– Podeis prestar-nos alguns informes quanto às condições em que se verificarão as experiências novas do nosso caro Jerônimo, Irmão Santarém?" – inquiri, atraído pela sucessão dos ensinamentos que de todos aqueles fatos se depreendiam.

"– Será raciocínio simples, meu amigo, ao alcance de todo aprendiz aplicado.

Quando, na sociedade terrena, praticamos delitos irremediáveis, ao voltarmos à Pátria Espiritual havemos de nos preparar para mais tarde tornar ao teatro das nossas infrações, em existências posteriores, a fim de recapitular o passado *operando de modo contrário ao em que fracassamos.* Partindo dessa regra, no caso vertente veremos, necessariamente, meu pupilo em apreço novamente defrontar-se com a ruína financeira, a desonra comercial, tal como a Terra considera a falência de uma firma comercial; com a pobreza, com o descrédito – motivos estes que ontem o levaram ao suicídio –, a fim de que prove o arrependimento de que se acha possuído e os valores morais que a amarga experiência de além-túmulo levou-o a adquirir. Para que assim seja, a ruína deverá positivar-se, no entanto, a despeito dos seus esforços por evitá-la e apesar da sua probidade, mas nunca pela incúria de que acaba de dar provas, depredando em gozos e vaidades mundanas o empréstimo da fortuna que o Distribuidor Supremo lhe confiara com vistas a amplas possibilidades de progresso para ele próprio, como para seus semelhantes... Restará o grave impasse criado com a família, a quem abandonou em situação espinhosa, fugindo ao dever sagrado de lutar para defendê-la... A consciência aconselhá-lo-á as particularidades do desempenho de tão melindrosa reparação, de acordo com os seus próprios sentimentos, pois ele possui o livre-arbítrio. As pelejas da expiação, no entanto, os testemunhos amaros, os dramas que será levado a viver no âmbito das reparações inadiáveis serão agravados por um precário estado de saúde orgânica e moral, males indefiníveis, que a ciência dos homens não removerá, porque serão repercussões danosas das vibrações do perispírito prejudicado pelo traumatismo, resultante do suicídio, sobre o sistema nervoso do envoltório físico-material, que então possuirá. É possível que até mesmo a surdez e uma paralisia parcial, que poderá afetar o aparelho visual, assinale seu futuro estado de reencarnado... porquanto preferiu ele matar-se dilacerando o aparelho auditivo com um projetil de arma de fogo... e sabeis, meus amigos, que o corpo astral – o Perispírito –, sendo, como é, organização viva e semimaterial, também se ressentirá, forçosamente, com a bruteza de um suicídio... e assim modelará o futuro corpo padecendo mentalmente dos mesmos prejuízos..."

....

Despedimo-nos do Irmão Santarém com as lágrimas a oscilarem em nossas pálpebras. Não tínhamos expressões com que agradecer a gentileza das elucidações proporcionadas. Abraçamos Jerônimo e saímos, penalizados com a gravidade da situação que o premia, pois, apesar de tudo quanto acabáramos de saber, o pobre companheiro não passava de um solitário circunscrito ao Isolamento, de onde não se afastaria nem mesmo a fim de visitar os filhos, senão para se instruir dentro da medida das próprias capacidades, e sob vigilância severa dos mentores. Carregado de vibrações pesadas e chocantes, o contacto com os seres amados poderia sugestioná-los angustiosamente, arrastando-os a possibilidades desastrosas.

"– Deveis encerrar esta série de visitas com uma pequena demora pelo Departamento de Reencarnação – advertiu o velho doutor de Canalejas –, pois, dentro de alguns dias mais, devereis realizar o antigo sonho, revendo a Pátria e o antigo lar..."

Pequeno veículo esperava-nos. Sobre nós fechou-se a imensa ponte levadiça. Saímos para o extenso campo marchetado de açucenas. Indefinível amargura cruciou nossos corações, enquanto eu mesmo traduzia as impressões de todos os meus pobres cômpares, ao exclamar:

"– Adeus, pobre Jerônimo! Não sei se nos veremos ainda, antes que a grande e inevitável jornada da reencarnação nos separe!... Que o Celeste Benfeitor se amerceie do teu Espírito, iluminando com os favores da Sua paternal clemência a rota por onde peregrinarás rodeado de espinhos e decepções! A tua história é também a nossa, eu bem o sei!... Quando o nobre Irmão Santarém ilustrava os teus problemas com o seu verbo sugestivo e elucidador, bem percebia eu que, caridosamente, ele desejava advertir-nos quanto aos momentos difíceis que a nós outros também esperam..."

PRELÚDIOS DE REENCARNAÇÃO

"Na verdade, na verdade, te digo que aquele que não nascer de novo não pode ver o reino de Deus."

"Não te maravilhes de te ter dito: Necessário vos é nascer de novo."

Jesus-Cristo – O Novo Testamento.[16]

O Departamento de Reencarnação localizava-se no extremo da Colônia Correcional Maria de Nazaré, limitando com as regiões propriamente consideradas espirituais, ou zona educacional. E isso será facilmente compreendido ao raciocinarmos que, tanto da zona inferior como da regeneradora da Colônia, batiam à sua porta, freqüentemente, grupos de pretendentes aos grandes testemunhos do estágio na carne, isto é, da reencarnação planetária.

Compunha-se o importante núcleo de serviços das seguintes seções, todas exercendo funções destacadas, conquanto interdependentes:

[16] João, 3:3 e 7.

1 – Recolhimento.

2 – Análise – (Gabinete secreto, inacessível aos visitantes).

3 – Programação das recapitulações.

4 – Pesquisas.

5 – Planejamento dos envoltórios físico-terrenos.

6 – Laboratório de restringimento – (Gabinete secreto, inacessível aos visitantes).

Começava então a aparecer o elemento feminino, pois grande parte dos obreiros e funcionários, que ali dedicavam energias, era composta de Espíritos que se engrandeceram na hierarquia espiritual insistindo nas encarnações em corpos femininos. Todavia, os postos chaves, assim como a direção-geral do Departamento, ainda cabiam a iniciados da plêiade brilhante que conhecemos.

Ao transpormos os seus limites demarcados por muralhas intransponíveis para visitantes não credenciados, a luz suave do Sol ofereceu-nos grata surpresa, pois deu-nos a contemplar os primeiros tons coloridos que nos foram dados perceber em quatro anos de hospitalização.

Com surpresa, verificamos tratar-se de metrópole movimentadíssima, onde se elevavam edifícios soberbos, em apurado estilo hindu. A Índia lendária, de tão sábias sugestões, surgia naquelas avenidas pitorescas e encantadoras, parecendo convidar à meditação, ao estudo, ao elevado cultivo das coisas sagradas da Espiritualidade, dos destinos da Alma!

Naqueles palácios circundados de colunas ou enfeitados de cúpulas típicas, bem assim nas mansões residenciais, graciosas e sugestivas, miniaturas formosas daqueles, e onde residiam servidores dedicados à Causa Redentora do Mestre de Jerusalém, imprimia-se a beleza grave e indescritível do ambiente sacrossanto do Invisível, servido por entidades de escol cujo ideal era a observação da Lei Suprema, os serviços de Jesus e a proteção aos fracos e pequeninos. Dir-se-ia encontrar-se ali a verdadeira civilização hindu, a que só foi entrevista entre os êxtases dos iniciados dos antigos santuários secretos, e que nunca foi compreendida e, por isso mesmo, jamais praticada sobre a Terra!

Sentíamo-nos bem. Emoções alvissareiras falaram de reconforto e de esperanças às nossas almas. E para maior realce da nossa satisfação, o Sol formoso, reunindo nas mesmas dulçorosas expressões de beleza parques e jardins, lagos e cascatas faiscantes, o casario como o horizonte que se alongava infinito, acariciando-os com tonalidades mansas, como se a sua luz de ouro fluido se coasse através de véus esgazeados, adelgaçando o volume do panorama lindo como se tudo fora construído em finíssimas porcelanas...

Guiados por nossos caros amigos de Canalejas, penetramos o belo edifício onde se estabelecia o governo central do Departamento.

A bondade e gentileza do eminente governador iniciado, Irmão Demétrio, houveram por bem conceder-nos até mesmo um instrutor local, capacitado a prestar esclarecimentos possíveis à nossa assimilação de iniciantes na vida espiritual. Era este uma jovem dama, cujo semblante risonho e atraente nos infundiu imediata confiança. De tão amável personagem nada mais logramos saber senão que se chamara Rosália e vivera em Portugal sua última romagem terrena.

Fazia-se dispensável a presença de Carlos e Roberto. Entregaram-nos, pois, aos cuidados de Rosália e despediram-se a fim de atenderem a labores mais urgentes, com a promessa de virem ao nosso encontro, para o retorno ao Pavilhão onde residíamos.

Reuniu-nos a dama em seu redor, e, centralizando o grupo, disse-nos, já descendo as escadarias do edifício:

"– Principiarei a pequena tarefa ordenada por nosso querido chefe, Irmão Demétrio, meus caros amigos, adiantando-vos ser imensamente grato ao meu coração o servir à vossa instrução, tal se o fizesse a irmãos estremecidos. Sinto que louvável desejo de examinar para aprender e progredir floresce em vossas mentes. Por isso mesmo, auguro-vos compensador futuro no âmbito de nossa agremiação, cuja finalidade é servir para engrandecer o próximo carente de amor e auxílio! Todavia, deixo de apresentar quaisquer felicitações, porque seriam prematuras. Almejo antes, para vós, o alento misericordioso do Alto, a fim de ajudar-vos na permanência dos bons propósitos atuais..."

Agradecemos, encantados. Seguimos caminhando por uma daquelas magníficas avenidas orladas de tufos de caprichosas folhagens, enquanto iam e vinham, cruzando conosco, funcionários e obreiros apressados, emprestando grande animação ao ambiente. Singular silêncio continuava a reinar nesse novo núcleo, tal como sucedia aos demais já conhecidos, o que não deixou de despertar nossa atenção.

A jovem senhora continuou, enquanto sensível corrente de superioridade se desprendia de sua personalidade, infiltrando-se em nosso âmago e assim despertando as melhores atitudes de respeito e veneração de que éramos capazes:

"– Conforme verificareis, ninguém que, acolhido neste Instituto, como tutelado temporário, necessite recapitular experiências terrenas, poderá fazê-lo sem antes ingressar em nosso Departamento para um estágio que varia de um a dois anos, conforme seja o seu estado, antes de se providenciarem as atividades relacionadas com o corpo que será chamado a animar. Diariamente comparecem aqui Espíritos ansiosos por voltarem ao teatro das próprias quedas, pressurosos de repararem o passado cuja lembrança os desespera, de expiarem faltas, de recapitularem o drama íntimo, a fim de conseguirem vencer o remorso esmagador que lhes estorce a consciência – fantasmas sangrentos de si mesmos, atados ao infamante resultado do suicídio!

Obtendo o beneplácito do Templo para a reencarnação que traz em mira, o qual, por sua vez, já o recebeu de Mais Alto, onde paira a direção soberana da Legião, o pretendente, apresentando-se à chefia deste Departamento, será encaminhado, primeiramente, à seção do Recolhimento, onde se farão seus registros relativos à Terra, e em cujo internato será admitido, sob os cuidados paternais de guias que o assistirão fielmente a partir daquela data, acompanhando-o incondicionalmente e sem esmorecimentos durante sua 'via crucis' expiatória nos proscênios terrenos.

Resolvido o primeiro problema, acudirão os técnicos da seção de Análises, os quais deverão estudar, naqueles internos, as tendências características, fazendo-lhes pormenorizadamente a psicologia. Sua alma, seu ser, os refolhos mais remotos da sua consciência serão perscrutados por esses criteriosos operários do Senhor, os quais, invariavelmente, por serem iniciados superiores da falange brilhante, se encontram à altura da delicada incumbência. Para isso, servindo-se das faculdades magnéticas superiores que possuem, obrigam o paciente a desdobrar as páginas do livro imenso da Alma, nele recapitulando o pretérito, e assim se revelando tal como realmente é, pois, ficai sabendo – caso o ignoreis ainda – que todas as criaturas trazem a história de si mesmas impressa em caracteres indeléveis nos labirintos do ser, sendo capazes de, em determinadas circunstâncias, revivê-la em minúcias e dá-las a outrem para igualmente examinar, quer se encontrem presas aos laços carnais, quer estejam deles libertadas...

Existe exceção, no entanto, para os asilados do Manicômio. Estes, infelizmente, reencarnarão tais como se encontram! Nada será possível tentar a fim de beneficiá-los a não ser o retorno ao estágio na carne, que então passará a figurar como terapêutica imposta para corretivo do descontrole geral das vibrações, criando, assim, ensejos para novas tentativas futuras. Essa terapêutica, balsamizada pela prece que diariamente lhes será ministrada em correntes simpáticas, dulçorosas e benéficas, partidas daqui, em seu favor, é tudo quanto, no momento, lograrão aqueles infelizes obter, não obstante o grande desejo que temos de vê-los serenos e ditosos!

Uma vez concluídos os trabalhos analíticos do caráter de cada um, os mesmos técnicos farão relatório do que verificarem, minucioso e rigorosamente exato, passando então o caso à seção de Programação das Recapitulações.

Pelo exposto tereis compreendido que estas análises justamente serão indispensáveis por fornecerem o cabedal para o programa da existência a seguir. Os méritos e os deméritos do reencarnante, as quedas pretéritas mais graves e que, por isso mesmo, mais urgência exigirão na reparação; as concessões balsamizadoras que se lhe possam fazer, a urdidura, enfim, da existência projetada, será estabelecida através da investigação descrita. Preciso será esclarecer, todavia, que tão importante laboração destaca-se em duas partes distintas, ocasionando sensível diferença na forma de operar. Será dificultosa, exigindo até várias experiências, torturantes mesmo até para o próprio operador, quando o condenado à galé da carne provém da zona inferior da Colônia, isto é, dos departamentos hospitalares, assim como das prisões da Torre; ao passo que será simples revisão para efeito de técnica, constatação indispensável aos relatórios quando o pretendente haja sido interno do Instituto propriamente dito, ou seja, da região regeneradora onde se efetivam os estágios para a reeducação, o Colégio da Iniciação, etc., para os quais não tardareis a ser encaminhados. De qualquer forma, esse trabalho será grandemente facilitado pelos informes derivados do Templo e pelo concurso dos Guias missionários indicados pelo Astral Superior, sem a presença dos quais absolutamente nada será tentado para a finalidade da reencarnação.

Estabelecida a programação, concluído o esboço das lutas expiatórias ou reparadoras do reencarnante, de acordo com suas forças de resistência moral – possibilidades de que disponha para a vitória –; previstos os empreendimentos que possa concretizar a par das expiações; as realizações para que possua capacidade; as facilidades que deva encontrar pelo caminho, justo efeito dos méritos anteriormente conquistados; ou as dificuldades que, a seu próprio benefício, venha a deparar durante o desenrolar da existência, justa conseqüência de deméritos que arraste do mau passado; firmado, enfim, o panorama da vida que o espera dentro da reencarnação terrena, que tanto lhe convém, e a qual, geralmente, tão desejada é pelo próprio pecador batido pelo arrependimento, será o belíssimo trabalho, verdadeira epopéia sabiamente traçada, encaminhando à direção-geral da Colônia, que o examinará.[17]

Existem casos em que serão necessárias emendas. Estas, tanto poderão referir-se à diminuição das provas, retardando para futuro remoto a solução de alguns problemas, da concessão de um acréscimo de misericórdia, portanto, como do aumento do volume das reparações para um período mais curto, tais sejam as possibilidades gerais do tutelado! O próprio Templo, porém, só expedirá ordens deste último teor quando de Mais Alto receba autorização. Como, no entanto, Guias missionários do penitente, assim os técnicos do Departamento da Reencarnação, são Espíritos de elevada linhagem nas regiões virtuosas do Além, portadores de grande saber e gloriosa inspiração a serviço da causa da redenção humana, geralmente os programas estabelecidos por eles conquistam o beneplácito do Governo Geral da Legião a que pertencemos, o qual, por intermédio do Templo, autoriza a preparação do aparelho físico-terreno para o aprendizado na crosta do planeta..."

Havíamos estacionado sob as frondes dos arvoredos ao longo da avenida por onde palmilhávamos, e ouvíamos tais exposições interessadíssimos, lembrando-nos ainda das notícias que nos forneciam certos livros antigos sobre aulas ministradas por Pitágoras, Sócrates e Platão, rodeados de discípulos, e mais ou menos baseadas

---

[17]Não se deverá fazer conclusões exageradas dessa exposição. Antes da encarnação, o Espírito poderá escolher as provacões da pobreza, por exemplo, sujeitando-se então às peripécias do grau de pobreza que lhe convenha acarretar para sua existência. Não se inferirá, portanto, que no além-túmulo houvessem sido discriminados minuciosamente todos os detalhes e acidentes da pobreza prevista.

em princípios análogos, à sombra dos cortinados dos plátanos, nos parques de Atenas.

Pensativo, interveio Belarmino, que sorvia as palavras de Rosália com manifesto fervor:

"– Depreender-se-á de vossas asserções, minha senhora... minha irmã! que os dramas da vida humana, as desgraças, as tragédias que diariamente sacodem o Globo, fazendo da Humanidade um como joguete de forças cegas e superiores, são dirigidas por uma fatalidade irreprimível?..."

Sorrindo com encantadora singeleza, a lúcida serva de Maria retrucou, enquanto acenava, convidando-nos a subir a escadaria de nobre edifício rodeado de colunas e velado por aprazíveis rendilhados de arbustos floridos e arvoredos frondosos, em cujos pórticos se lia esta simples inscrição – "*Recolhimento*":

"– Não, meu amigo! O senso indica que não poderá a Humanidade ser regida pela cegueira de uma fatalidade abominável! Deveríeis antes ter compreendido que aquilo a que chamais fatalidade não é senão o efeito de uma causa que o próprio homem criou no enredo das ações praticadas na Terra, quando nela viveu divorciado do bem, da moral e do dever, ou, no Além, como Espírito desnorteado da Lei, embrutecido nas trevas de que se rodeou, pois é ele mesmo, através dos atos bons ou maus que pratica, que determina a natureza, consoladora ou punitiva, do próprio futuro! A fatalidade existirá, se assim

---

Se houver de cegar ou tornar-se mutilado, isso virá a acontecer sem que se torne necessário apontar na programacão feita antes da volta ao corpo carnal o acidente ou enfermidade que o conduzirá ao estado conveniente de provacão. Isto o que se depreende das obras básicas da Doutrina. (*Nota da médium.*)

o quiserdes, não cegamente, reduzindo a Humanidade a mero joguete, mas como seqüência lógica, inteligentemente corretiva, de desvios delituosos, programada por seu próprio livre-arbítrio ao preferir o erro aos ditames da razão e da consciência! Tratando-se, pois, de um corretivo, esse estado de coisas desaparecerá no momento em que se corrigir a causa que lhe forneceu origem, ou seja, o traço inferior da maldade em que se estribaram os atos praticados. Assim também, nos programas que se elaboram aqui, visando ao futuro do delinqüente, não se incluirão os pormenores, as atividades diárias, que será chamado a desenvolver nas operosidades da vida terrena, assim como não se cogitarão das particularidades que lhe sejam necessárias a fim de atingir o inevitável! Apenas os pontos capitais serão por nós anotados, os que constituam reparação, trechos decisivos, seqüências que marcarão justamente a lógica dos antecedentes acontecimentos, isto é, da Causa! A própria expiação encontra-se de tal forma arraigada na consciência do pecador, como efeito dos remorsos, das necessidades de progresso de um passado criminoso, que *ele mesmo, sob o impulso de sua vontade livre, dar-lhe-ia cumprimento, ainda que não fosse delineada, sob o critério dos nossos relatos*. Convém, porém, que assim o façamos, porque, entregue a si mesmo, resvalaria para excessos prejudiciais, criando possibilidades desastrosas.

Outrossim, as capacidades que tenha para realizações meritórias serão também anotadas, e estas poderão até mesmo ser discriminadas, indicadas... pois nenhum Espírito, encarnado ou não, só porque se encontre jungido ao ergástulo das provações, será inibido de auxiliar o progresso próprio com a dedicação às causas nobres, devotando-se aos empreendimentos generosos para o bem do próximo. Ele, porém, o reencarnado, será livre de efetuar ou não aquelas realizações, que, antes da reencarnação, quando se preparavam as linhas do seu futuro, se comprometeu a atender. Será livre, sim. Mas, no caso de se desviar do compromisso assumido, grandes pesares o angustiarão mais tarde, ao sentir que, além de ter faltado com a palavra empenhada com seus Guias, deixou de se aureolar com méritos que muito poderiam ter abreviado as caminhadas ríspidas das recapitulações a fazer... Como vê, meu amigo, não se trata de fatalidade, senão encadeamento harmonioso de 'causas' e 'efeitos...'"

Penetramos vasta antecâmara, cujas portas jamais eram trancadas, velando-se apenas o ingresso no interior de cada uma com discretos reposteiros de suavíssimo tecido azul-celeste. Silêncio impressionante continuou ali despertando nossa atenção, fazendo-nos julgar o nobre edifício imerso em solidão. Aroma delicado e sugestivo, no entanto, emprestava encanto indefinível a esse interior cheio de atrativos, onde luz docemente aloirada penetrava por ogivas graciosas engrinaldadas de rosas brancas. Ramalhetes das mesmas flores ornavam discretamente o recinto, deixando entrever o gosto feminino inspirando a ornamentação.

A um ângulo do salão, destacamos uma como tribuna talhada em meia-lua. Uma senhora de idade indefinível ergueu-se imediatamente ao avistar-nos, e, deixando aflorar nos lábios bondoso sorriso, saudou-nos com esta fórmula singular, enquanto caminhava em nossa direção, estendendo gentilmente a destra:

"– Seja convosco a paz do Divino Mestre!"

Rosália apresentou-nos a ela, amavelmente:

"– Eu vos esperava, meus amigos! Irmão Teócrito comunicou-se comigo esta manhã, cientificando-me de vossa necessidade de esclarecimentos rápidos, relativamente a este núcleo... Acompanhar-vos-ei eu mesma pelo interior do nosso albergue... este Recolhimento, que a todos vós receberá um dia, pois ninguém há, internado nesta Colônia, que deixe de passar sob seus umbrais..."

Era uma religiosa. Seu hábito níveo, como esbatido por fosforescências de ouro pálido, que se diriam provindas da luz que se projetava sobre o aprazível recinto, era muito belo, assemelhando-se à túnica de uma virgem lendária glorificada por poema sacro arrebatador.

Não cogitei saber a que congregação religiosa pertenceria, quando na Terra, essa dama encantadora que, agora, no mundo espiritual, nos surpreendia como funcionária de uma Colônia auxiliar para correção de suicidas, colaborando, ao lado de ilustres iniciados das Doutrinas Secretas, nos serviços da Vinha do Senhor. Sei, porém, que, honrando certamente o hábito humilde no desempenho de tarefas terrenas nobilitantes, eu a via agora sublimá-lo no Além, no seio de congregação fraterna e modelar, onde merecia dirigir uma das mais importantes seções, tal como a seção do Recolhimento, como fiel iniciada cristã que era!

Gentil e bondosa, convidou-nos a repousar por alguns instantes, oferecendo a cada um de nós, assim como a Rosália, uma das suas belas rosas, enquanto falava, risonha e simples como grácil menina:

"– Na época em que vivi, reclusa e quieta, no Convento de Santa Maria, em o nosso exílio terreno, cultivava rosas em minhas horas de lazer, quando um ou outro enfermo não requisitava meus serviços para além dos muros que me insulavam... Foi esse o único passatempo que fruí no mundo das sombras, durante minha última romagem nele realizada! Eu falava às rosas, como às outras demais flores! Entendia-as, educava-as, criava-as como se o fizesse a seres pensantes muito queridos, divertia-me com elas, e com elas confidenciava, depositando em suas corolas perfumosas as lágrimas que os infortúnios oriundos das desilusões e das saudades ternas me extraíam do coração! Na comunidade não se permitia possuir sequer um animalzinho, um pássaro que fosse, nada que pudesse desviar o afeto e as atenções das reclusas dos deveres austeros a que eram obrigadas ou da contemplação íntima a que se deveriam invariavelmente quedar, no intuito de alimpar caráter e sentimentos para a boa sintonização com os eflúvios divinos... Mesmo as flores, não eram para mim que cultivava, senão para a comunidade... Mas eu seguia as normas estatuídas por Francisco de Assis e estava certa de não haver nenhum mal em dedicar um pouco dos meus afetos também às mimosas flores que despontavam dos canteiros sob meus cuidados... Habituei-me a elas, desde então... e não só não me impediram de harmonizar vibrações com os planos do Amor e do Bem, como até as continuo cultivando em plena intensidade da vida espiritual, sem jamais esquecê-las..."

Bem impressionado com os encantos que se desprendiam da virgem religiosa, Belarmino aventou uma interrogação, que reputei indiscreta e de muito mau gosto.

"– Sim – disse ele –, vejo que continuais cultivando rosas nestas paragens do mundo invisível... Sinto-me, porém, confuso... É, pois, possível uma tal coisa, irmã...?"

"– ...irmã Celestina... para vos servir, caro irmão Belarmino! Como assim?!... Não vedes aí as flores?... Como não ser, então, possível? Oh! e por que não se cultivariam flores no Além-Túmulo, se é aqui, e não nos mundos materiais, que existe o verdadeiro padrão da Vida, enriquecido cada dia com os progressos de cada um de seus habitantes?!... Acaso existirá na Terra alguma coisa, no que concerne ao Bem e ao Belo, que não seja pálida reminiscência conservada da Pátria Espiritual pelos precitos ali retidos?... O fluido da Vida, que faz germinar as flores e plantas terrenas, perfumando-as, alindando-as, encantando-as, não é porventura o mesmo que fecunda e anima a quintessência e suas derivações, das quais nos utilizamos nestas regiões?... O Artista Divino que enfeitou a Terra, com tantos motivos galantes, não é o mesmo, porventura, que vivifica e embeleza o Universo todo?..."

Agradecemos a dádiva mimosa, que parecia refulgir e vibrar, possuída de ignotos princípios magnéticos. Aspiramos o aroma sutil que impregnava o salão, enquanto a interlocutora nos fazia passar a extensa galeria, sustida por colunatas majestosas. Dir-se-ia um claustro. De um lado e outro, portas esculpidas em motivos clássicos hindus alinhavam-se. E, de cima, a mesma claridade fluida e doce, acendendo tonalidades aloiradas, a cada passo infundindo confiança e alegria.

Guiou-nos a gentil senhora a algumas daquelas portas e, enquanto entrávamos, surpreendidos verificávamos pertencerem a extensos dormitórios. Esclarecia ela:

"– Quando se positivam a necessidade e a época de o asilado desta Colônia retornar ao aprendizado da carne, a fim de completar o compromisso da existência interrompida com o suicídio, apresenta-se ele ao Departamento de Reencarnação acompanhado dos mentores pelos quais vem sendo assistido e oferecendo as recomendações e autorizações necessárias, provenientes da chefia do Departamento em que fez o estágio entre nós.

Do gabinete, pois, de Irmão Demétrio, será encaminhado a esta seção e aqui passará a residir como interno. Hospedamo-lo com afeto e satisfação, procurando tornar o estágio o mais consolador e reanimador possível... porquanto, geralmente, o suicida é um triste a quem coisa alguma alegrará, um inconsolável que, sabendo que não tardará a voltar à arena terrestre em duríssimas condições, mais se angustia ao penetrar estes umbrais...

Aqui se demorará enquanto durarem os preparativos para a grande caminhada. Suas apreensões, as meditações acerca do que passará futuramente, enclausurado novamente na vestimenta carnal, vão-se dilatando a cada minuto decorrido, pois ele não ignora, antes percebe com clareza, o que o aguarda na arena em que deverá representar o heróico papel daquele que se deverá habilitar para a conquista de si mesmo, para os planos do verdadeiro Bem! Tal estado de ansiedade, agravando-se à proporção que se vão formando os preparativos, torna-se verdadeiramente angustioso, provocando lágrimas freqüentes de seus corações dilacerados pelo arrependimento, pelo temor, pelas saudades... pois, desde o dia que um pretendente à reencarnação transpõe os umbrais do Recolhimento, despede-se da Colônia ou do Instituto, dos mestres que o instruíram, dos companheiros e amigos que ali adquiriu, só os reencontrando mais tarde, ao findar o exílio... É bem verdade que, uma vez reencarnado, não estará destes separado, tal como à primeira vista se poderia supor. Ao contrário, continuará alvo das atenções de quantos por ele zelaram durante a internação na Colônia, porquanto a permanência no plano físico não diminuirá o dever destes para com ele, nem estará, por isso, desligado dela. Poderá mesmo continuar a ser recebido aqui, aconselhado, instruído, confortado por seus antigos mentores, graças ao sono do corpo físico, que lhe facultará relativa liberdade para tanto, e o fará, necessariamente, pois não se desligou ainda de nossa tutela, está da mesma forma internado em nosso Instituto porque a reencarnação a que se submete não é senão um dos recursos com que contamos para o trabalho de educação que se torna necessário para a sua recuperação ao plano normal da marcha gloriosa para o Progresso!

Mas... eles sabem que, uma vez de posse do pesado fardo de limo terrestre, já não serão tão lúcidos, esquecerão o convívio fraterno, as benfazejas bênçãos da presença daqueles que lhes foram como anjos-tutelares a enxugar-lhes as lágrimas da desgraça, e, por isso, se angustiam e sofrem!

Eu e meus auxiliares velaremos por eles aqui, no Recolhimento, ajudando-os à readaptação às coisas da Terra, despertando-lhes o gosto pela existência no seio generoso do planeta tão bem dotado pela Sabedoria do Todo-Misericordioso, e que só os desvarios do homem tornaram inclemente e ingrato!... pois convém não esquecer que o suicida desencantou-se da permanência na sociedade terrena, ele a detesta e quisera afinar-se com outra que lhe falasse melhor aos anseios íntimos! Muitos, apavorados com as perspectivas das expiações, que só passam a conhecer minuciosamente depois que aqui são internados, arrependem-se do intuito que traziam e, acovardados, pedem para dilatar um pouco mais a época do renascimento, no que são atendidos. Em lágrimas, são reconduzidos, então, ao local de onde vieram e entregues a seus tutores locais, lá ficando sem outros progressos até que se decidam ao único recurso que lhes conferirá, com efeito, possibilidades de dias melhores: – a reencarnação!

Uma vez aqui recolhidos, porém, não permanecerão inativos, à espera de quem lhes prepare a moradia terrena do futuro. Com seus instrutores trabalham nos preparativos para o renascimento próprio, colaboram no exaustivo labor das pesquisas para a escolha dos genitores que melhor convenham à espécie de testemunhos que deverão apresentar à frente das leis sacrossantas que infrigiram, porquanto, geralmente, os suicidas não reencarnam, para a expiação, nos círculos de afetos que lhes são mais caros, e sim fora deles; estudam, sob orientação dos guias missionários, a programação de suas atividades na Terra, aprendendo, numa espécie de aula prática, fornecida através de quadros inteligentes e movimentados quais cenas teatrais ou cinematográficas, a desenvolvê-las, realizá-las, remediá-las, levá-las a finalidade heróica, agindo com acerto e prudência; viajam assiduamente à Terra, onde se demoram, sempre acompanhados de seus tutelares generosos, procurando orientar-se nos hábitos a que terão de se adaptar, conforme sejam os ambientes em que arrastarão a condenação vergonhosa que consigo levam, porquanto, a eles mesmos convém que se resignem à situação antes do ingresso no corpo carnal, para que não sintam demasiadamente ardente a mudança dos hábitos que a convivência conosco forneceu; e, depois das pesquisas ultimadas e escolhido o meio familiar em que ingressarão, demorar-se-ão ainda em torno dos futuros pais, procurando com eles se afinar, conhecê-los melhor, adaptarem-se aos seus modos, principalmente se couber como punição ou necessidade para o progresso a difícil situação de aceitarem para o renascimento um meio hostil, onde existirão apenas, rodeando-os no decorrer dos dias, inimigos de existências pretéritas, Espíritos estranhos, indiferentes portanto aos infortúnios que os sacudirão..."

"– Quer dizer, minha irmã, que essas pesquisas a que vos referis..." – perquiri eu, aproveitando pequena pausa da eloqüente interlocutora.

"– ...movimentam-se em torno da procura de uma família, de um ambiente, de genitores principalmente, caridosos bastante para concordarem em receber em seu seio um rebento estranho, que lhes será motivo de constantes preocupações, pois que condenado aos dolorosos testemunhos que acompanham a reencarnação de um suicida! Existem mesmo casos penosos, difíceis de serem resolvidos, meus amigos! E é quando desgraçados, como aqueles que vistes no Manicômio, ficam aqui, detidos no Recolhimento, esperando que se lhes consigam genitores, pois, como sabeis, eles, além de incapacitados para a colaboração com seus mentores em torno da causa própria, o estado que arrastam é de tal forma precário que, para o renascimento, só lhes permitirá a possibilidade de um invólucro material entorpecido por achaques insolúveis, inacessível ao estado normal da criatura encarnada, constituindo angustiosa provação para os pais que os receberem! Consoante já foi explanado perante vosso entendimento, muitos daqueles infelizes voltarão à vida planetária ocupando corpos carnais paralíticos, dementes, possivelmente surdos-mudos, enfermos incuráveis, etc., etc., e apenas deverão planar em ambientes onde existam grandes provações a serem expiadas pelos pais. Então, seus guias e dedicados mentores estabelecem, com aqueles que têm possibilidade de se tornarem genitores e possuam débitos gravosos a solverem perante a Divina Justiça, comoventes convênios, acordos supremos como este:

"– Que concordem em receber em seu seio aqueles desditosos, como filhos, e os amparem na 'via crucis' da expiação, pois eles necessitam da reencarnação a fim de voltarem a si do entorpecimento a que o suicídio os arrojou, e, assim, melhorarem de situação.

"– Que pratiquem, pelo amor do Divino Cordeiro, imolado no alto do Calvário por muito amar os pecadores e desejar reavê-los para as aleluias da Vida Imortal, tão sagrada caridade, porque a Suprema Lei do Amor ao Próximo lhes conferirá o mérito da Boa Obra, favorecendo-lhes oportunidades dignificantes para realizações rápidas no plano da evolução, para os estados compensadores e felizes.

"– Que consintam em se tornarem temporariamente agentes da Legião de Maria, agasalhando em seu lar generosos pupilos seus, dos mais infelicitados pelo passado pecaminoso, até que finde a expiação necessária, a qual lhe sobrou da lição pavorosa do suicídio!... Pois, determina a Lei que a Caridade cubra uma multidão de pecados... e eles, genitores, que também faliram contra a supremacia da Incorruptível Lei, veriam muitos delitos levados à conta dessa sublime virtude que bem poderiam praticar, servindo aos sagrados desígnios do Criador!

No entanto, meus amigos, se alguns bondosamente concordam em se desincumbirem da honrosa quão amarga tarefa, outros existem que as rejeitam, preferindo reparar as próprias faltas até o último ceitil, a contribuírem com seus préstimos para que um destes infelizes repare a conseqüência do gesto macabro que preferiu, sob um teto amoroso e honradamente constituído. Não se sentindo a isso obrigados por lei, preferem as asperezas das próprias provações, ao lado de prole sadia e graciosa, à suavização das penas, com a concessão de oportunidades generosas e compensadoras, sob a condição de exercerem a sublime caridade de se prestarem à paternidade de pequenos monstrengos e anormais, que só lhes acarretariam desgostos e inquietações..."

"– E como, pois, reencarnarão esses miseráveis companheiros de desgraça, ó Deus do Céu?!... Como nos reencarnaremos então, nós, a quem tudo faltará, até mesmo pais?..." – inquiri, impressionado e ansioso, lembrando-me de que eu voltaria ao corpo certamente cego, Mário sem as mãos, Belarmino enfermiço e infeliz desde o berço..."

"– Obtereis novos informes na Seção de Pesquisas, meus caros irmãos! Por agora, porém, visitemos estas dependências que também a vós abrigarão um dia, ao iniciardes as jornadas reparadoras..."

Era o Recolhimento como enorme internato, compondo-se de quatro pavimentos bem distintos, conquanto não existissem quaisquer diferenciações nas disposições internas.

No primeiro, reuniam-se Espíritos provenientes de regiões menos infelizes da Colônia, ou seja, os internos e aprendizes do Instituto, já iniciados na Ciência da Espiritualidade propriamente dita. No segundo, permaneciam os abrigados do Hospital Maria de Nazaré que preferiram reencarnação imediata, bem assim os do Isolamento, ao passo que o terceiro abrigava os prisioneiros da Torre, e o quarto era reservado aos do Manicômio. Ao elemento feminino reservava-se hospedagem idêntica, localizada, porém, em sítio vizinho ao nosso, em edifício separado.

Celestina levou-nos a tudo esmiuçar. O reencarnante seria ali registrado: – seu nome, o local onde renasceria, a data do acontecimento, o nome dos pais, o período que deveria passar investido da existência planetária, etc., etc., tudo, em torno dele, ficaria modelarmente arquivado!

Os internos viviam ali irmanados por idênticas preocupações, orientados pelos assistentes incansáveis, que tudo tentavam a fim de vê-los vitoriosos nas pelejas dos testemunhos das lides terrenas. A qualquer parte a que as obrigações do momento os requisitassem, isto é, a Terra, os gabinetes de Análises, onde eram submetidos à melindrosa intervenção já descrita; as seções de Programação das Recapitulações e de Pesquisas, seria o Recolhimento o ponto de retorno, para onde convergiriam todos até o término dos preparativos e para onde gravitariam mais tarde, quando extinguida a existência corporal para que então se preparavam. Estes, isto é, os preparativos, freqüentemente se dilatavam por algum tempo, exceção feita aos pupilos do Manicômio, cujas providências para o retorno à gleba terrestre eram sucintas, resumindo-se quase que exclusivamente aos trabalhos de pesquisas.

Uma vez concluídos os penosos prelúdios, advinham as fases das realizações. Era quando a chefia do Departamento expedia ordens à direção do Laboratório de Restringimento para iniciar a operação magnética necessária ao caso do renascimento, assim como a respectiva atração para o feto, cujos elementos biológicos já se encontrariam em processo de desenvolvimento no óvulo fecundado, no santuário das entranhas maternas, as quais mais não seriam, então, do que o prosseguimento do mesmo Laboratório, uma como dependência temporária, ou de emergência, do Departamento de Reencarnação, sujeita à vigilância dos técnicos incumbidos do magnificente serviço e dos guias missionários do Espírito que, assim constrangido e restringido em suas vibrações normais, ia modelando o corpo à proporção que se adiantava o fenômeno da gestação. E explicaram-nos, ainda, que o molde ideal para se definir a forma desse feto em elaboração seria justamente o corpo astral que no momento trazíamos – o perispírito –, o que amplamente ao nosso entendimento esclareceu quanto ao que viria a ser o futuro corpo que ocuparíamos, estruturado sob o magnetismo doentio de vibrações oriundas de grandes desgraçados, como nós, segundo o que, com efeito, já nos haviam participado os pacientes mentores!

Não nos permitiram entrada no "Laboratório de Restringimento", assim como não fora permitida a visita aos gabinetes de Análises. No entanto, informaram-nos de que, ao se internar no Laboratório, não se prenderia a ele o condenado. Ao contrário, poderosas correntes magnéticas que partiriam das próprias forças ilimitadas e divinas, que mantêm o Universo, impeliam-no para o corpo que deveria habitar, afinando-o com este, ao mesmo tempo que harmonizava o seu perispírito ao daquela que consentira, voluntariamente ou constrangida por um dispositivo da Grande Lei, em ser sua mãe, para com ele sofrer e chorar a conseqüência dramática e irremediável do suicídio, de delitos graves e desonrosos! Que, durante a época dessa atração, que se opera lentamente, à proporção que a gestação progride, vai o condenado perdendo a pouco e pouco a faculdade das recordações do próprio passado, uma vez que seu corpo astral sofreu restringimentos necessários ao fenômeno da modelagem do feto, coisa que se verifica também graças ao auxílio magnético e vibratório dos psiquistas afetos ao delicado certame, sobre a vontade e sobre as vibrações mentais do paciente. Que, à proporção que se adianta o estado de gestação no seio materno, suas vibrações, mais e mais se comprimindo, vão calcando mui profundamente, na organização astral, as lembranças, as recordações, as impressões vivazes dos dramas dolorosos por ele vividos no pretérito, produzindo-se então o Esquecimento imposto como acréscimo de Misericórdia pelo Legislador Supremo, condoído das desgraças que adviriam se os homens pudessem recordar livremente os verdadeiros motivos por que nascem na Terra em condições lastimosas, muitas vezes lutando e chorando do berço ao túmulo! Que, ao entrar para ali, inicia-se em seu amargurado ser um como estado pré-agônico, fácil de ser compreendido em virtude do constrangimento que sofrem todas as suas faculdades, a sua mente, as suas vibrações! Que tal estado, mui penoso para qualquer Espírito, torna-se odioso a um suicida, dado que sua organização astral se encontra angustiosamente abalada com o choque sofrido pela violência nele operada pelo suicídio, e do qual só será aliviado muitos anos mais tarde, quando se verificar o desenlace natural e lento das cadeias magnéticas que o prendem ao corpo, ao qual ele começa a estar ligado desde a intervenção no Laboratório. Soubemos ainda que toda essa epopéia, digna de uma Criação Divina, será facilitada em seu cumprimento, e suavizada em suas perspectivas, quando o paciente demonstrar arrependimento sincero pelo mau passado que andou vivendo, e boa vontade e humildade para reparar erros cometidos e progredir em busca dos beneplácitos dignificantes da consciência, pois, então, sua vontade se tornará maleável sob a ação protetora dos Guias desvelados, os quais, bem certo, todos os esforços empregarão a fim de levá-lo a sair vitorioso e reabilitado desse feio enredo de quedas e delitos contra a Lei Incorruptível do Todo-Poderoso!

Passando, assim, por todas as dependências e obtendo sempre, ora de Irmã Celestina, ora de Rosália, ou de um e outro chefe de gabinete, valiosas elucidações, chegamos aos recintos reservados à Programação de Recapitulações, cuja finalidade foi razoavelmente descrita neste mesmo capítulo. Acrescentaremos apenas que, ao ingressarmos no confortável edifício onde se estabelecia aquela seção, fomos colhidos por agradável surpresa: – eram senhoras, jovens algumas, mesmo moçoilas mal saídas da infância; outras já em plena maturidade e até anciãs veneráveis, que compunham o corpo de funcionários! Ativas, lúcidas, perfeitamente capazes do alto desempenho que lhes era confiado, consultavam as notas provindas dos gabinetes de Análises e as ordens do Templo e traçavam com sabedoria o esquema fecundo da existência que conviria a cada pupilo da Colônia que à Terra voltasse em vestes carnais. Eram, porém, dirigidas por sábios iniciados e Guias missionários de cada um, aos quais prestavam filial obediência. Conforme já foi assinalado, vimos que muitos dos próprios pretendentes colaboravam nesses mesmos mapas que constituiriam, nada mais, nada menos, do que o extremo rosário de suas expiações, os dias de angústias que lhes arrancariam lágrimas escaldantes do oprimido coração; os testemunhos decisivos que todo delinqüente sente necessidade de apresentar assim mesmo a fim de desagravar a consciência da desonra que entenebrece, mormente um suicida, mais que qualquer outro inconsolável diante do abismo por si mesmo criado.

Não me pude conter. Diante de um exemplar dos mesmos esquemas – verdadeiro compêndio de salvação que, a ser observado, faria do pecador o homem ideal, convertido à sublime ciência do Dever –, perquiri, dirigindo-me a um dos ilustres técnicos que dirigiam o importante estabelecimento:

"– ...E todos nós, os suicidas, uma vez reencarnados, chegaremos a observar perfeitamente tal programação?..."

Sorriu o insigne psiquista, não encobrindo, no entanto, certa expressão melancólica, ao tempo que respondia:

"– Se tudo quanto aí fica, meu amigo, se deriva de uma causa, é evidente que a mesma causa deva ser corrigida a fim de que os respectivos efeitos se harmonizem com a lei incorruptível que rege a Criação! Se há uma programação a ser observada, é que a Justiça Suprema pôde ditá-la, e, por isso, será observada a despeito de quaisquer conveniências ou sacrifícios! A legislação que fundamenta os princípios desta instituição é a mesma que move o Universo Absoluto! Daí o serem as nossas determinações concordes com a mais perfeita equanimidade, o que equivale dizer que não será possível o deixar de ser rigorosamente cumprida pelo penitente uma programação destas, uma vez que, se ela existe, é porque o próprio paciente a originou com as causas que forneceu com seu mau proceder! Ela, pois, existe com ele! Está nele, tomando parte na sua personalidade! E será preciso que a observe para libertar-se do cortejo de sombras que sua inobservância em sua alma projeta! Aliás, ele pode observá-la, tendo para isso todas as possibilidades. Se nem sempre, porém, o faz, será porque se deixou novamente desviar da boa rota! Então, adquirirá novas responsabilidades, e repetirá duas, três, quatro romagens planetárias para que possa pagar, até o último ceitil, os débitos que haja adquirido para com a Suprema Lei, segundo a advertência do Mestre Insigne!..."

A essa altura despedimo-nos da amável cultivadora de flores, deixando a seção de Programação de Recapitulações para atingirmos a de Pesquisas.

Grande número de funcionários emprestavam ali eficiente colaboração, sob a direção de um chefe e vários subchefes, pois os serviços haviam de ser elaborados por comissões compostas de duas a quatro personagens e um dirigente, os quais recebiam incumbência da preparação de possibilidades para a reencarnação de determinado grupo de asilados.

Havia, porém, como não ignoramos, escassez de trabalhadores. Assim foi que encontramos, prestando valiosos concursos a mais esse Departamento, algumas personagens nossas conhecidas de outras localidades, tais como o próprio Teócrito, dirigindo pequena caravana de investigações, cujas operações se desenvolveriam, como sabemos, sobre a crosta terrestre, e composta de seus discípulos Romeu e Alceste; o Conde Ramiro de Guzman, chefiando outra comissão, da qual faziam parte os dois Canalejas; Olivier de Guzman, o emérito educador da Torre, ao lado de Padre Anselmo; Irmão João, venerável no seu porte impressionante de oriental, e vários outros, eficientemente prudentes e esclarecidos para o desempenho da alta missão conferida.

Reconhecíamos comovidamente a benevolência insofismável desses servos do Meigo Nazareno, os quais, a exemplo do Mestre que tanto amavam – que não desdenhara em se apresentar à Terra trajando a configuração humana, por servir à instrução das criaturas confiadas pelo Pai Supremo à Sua Guarda –, diminuíam-se também, detinham as próprias vibrações, materializavam-se, tornando-se densos e quase humanizados, no intuito de servirem à causa esposada por Aquele Mestre inesquecível e incomparável! Admirava-nos o fato de merecermos da parte deles tão expressivas demonstrações de fraternidade, enquanto, enternecidas, nossas almas murmuravam ao nosso senso que cumpriria correspondêssemos a tão amorosas solicitações, dispondo-nos a atitudes passivas, dignas de tão nobres instrutores. Irmão Teócrito desviou-nos de tais cogitações, encaminhando-se até nós e saudando-nos, após o que interrogou, sorrindo:

"– Segundo o que venho observando, meus amigos, tendes aproveitado bastante das instruções que vos têm sido ministradas... Estou informado do vosso interesse por tudo, o que a mim causa excelente impressão, por prenunciar modificação compensadora em vossas resoluções e, necessariamente, em vossos destinos... Que deduzis do quanto até agora observastes?..."

Foi Belarmino de Queiroz e Sousa quem se fez portador da opinião geral:

"– Deduzimos, eminentíssimo irmão – disse com veemência –, que, se nos fora dado conhecer estas coisas quando homens, seria mais que provável termos evitado o suicídio, conduzindo-nos por sistemas opostos aos que nos perderam!... Quanto ao que a mim particularmente concerne, entendo que serei forte para as conseqüências que terei de arrostar destino em fora... até cobrir os déficits que me enxovalham a consciência! Oh! caro Irmão Teócrito! Conquanto sofra, sinto-me agora um outro homem... ou seja, um outro Espírito! Acenderam-se em meu ser fachos de esperanças inapagáveis, que me fortalecem e reanimam poderosamente, induzindo-me a partir em busca do futuro, seja qual for! Saber positivamente que *Existo*, que *Sou*, que *Serei*, convencendo-me de que nem um só dos meus afetos mais santos, de minhas aspirações, meus ideais, assim como dos esforços empregados para o enriquecimento de meus cabedais intelectuais e morais se perderão jamais, triturados nas crenas execráveis da morte, por mim julgada outrora o ponto final de tudo quanto existe; certo de que a Eternidade é a minha sublime herança, à qual me assistem direitos legítimos, pela filiação divina de que, como Espírito, descendo; e, por isso, também capacitado de que deverei alcançar a sucessão dos evos progredindo incessantemente, enriquecendo minhas faculdades com atributos que me levarão a atingir honrosamente planos magníficos da Espiritualidade, com a conquista de mim mesmo para a realização do ideal divino, é para mim felicidade arrebatadora, que fará escurecer sacrifícios e lágrimas, domar fadigas, arrostar todas as conseqüências delituosas do passado, para só me ocupar da conquista do futuro, ainda que tenha de galgar calvários dolorosos, excruciantes! Jamais, como homem, concebi possibilidades de tornar-me herói de tão sublime epopéia! Estou disposto a lutar, Irmão Teócrito! A lutar e sofrer, para aprender, realizar e vencer! Sei o que me aguarda no embater das existências que se sucederão no meu trajeto! Sei que de horas amargas hão de sacudir-me as potências da alma, nos séculos que se dobarão no carreiro de minha jornada evolutiva. Mas não importa! Não importa! Eu sou imortal! E se um Deus Todo-Poderoso me destinou à Eternidade, será para a realização de um ideal sublime, cuja verdadeira perfeição escapa às minhas concepções ainda bisonhas de precito de uma Colônia Correcional; não, porém, para errar e sofrer sempre, porquanto o Criador Onipotente não se limitaria a deixar à sua descendência tão parcos recursos de ação!... Oh, venerável Teócrito! Sinto-me inferiorizado ainda! Ainda não me despojei sequer dos bacilos que corroeram minha última organização animal, por mim destruída antes que o vírus da tuberculose terrível a apodrecesse de vez, enervado que fiquei ao vê--la nauseabunda e detestável! Sei que terei de voltar à

Terra muito brevemente, pobre, órfão, tuberculoso ainda, tolhido por decepções diárias, precito a quem não acalentará o calor de uma só ilusão! Sei disso! Mas estou disposto a tudo levar de vencida! Regozijo-me até, com a severidade dessa Justiça Soberana, porque a lógica irrefragável que a proclama revela-a também oriunda de uma sabedoria que impõe com a força do Direito! E curvo-me, então, resignado e respeitoso!..."

Teócrito sorriu. Passou, complacentemente, a destra sobre o ombro do interlocutor e observou, paternalmente:

"– Tens o verbo inflamado e luzido, meu caro Belarmino!... e, enquanto falavas, estive a pensar em como seriam belos os discursos que proferias em tuas aulas clássicas de Dialética!... Que perseveres em tão formosas quanto edificantes resoluções são os meus mais sinceros votos... pois que, assim sendo, os caminhos do progresso que serás compelido a realizar serão aplainados e fáceis de vencer!... Todavia, não te deixes arrebatar demasiadamente pelo esplendor do panorama divino da Vida que, a muitos outros, antes de ti, ofuscou... A evolução do Espírito para a Luz é bela e grandiosa, não resta dúvida. A vida do homem, na sua incessante escalada para o melhor até ao divino, é gloriosa epopéia que honra aquele que a vive! Mas o trajeto é duro, meu amigo! Os espinhos e as urzes semeiam essas estradas redentoras, exigindo do peregrino da Luz as mais ativas energias, os mais edificantes sacrifícios! Reconheço-te sincero, idealista animado de dignificante boa vontade, e isso muito me satisfaz! Contudo, o entusiasmo por si só não levará ninguém à vitória real, senão à aventura duvidosa! Pondera na necessidade de te aprestares com armas morais sólidas, para a travessia tumultuosa a que te obrigarás a fim de conquistares o primeiro degrau dessa imensa espiral evolutiva do teu destino, e o qual há de ser, simplesmente, a próxima existência que tomarás na arena terrestre... Vieste de uma encarnação em que foste primogênito de família conceituada, no seio da qual não te faltaram atenções e respeito! Foste indivíduo culto, vivendo facilmente entre gozos e confortos vários, emprestados pelo ouro e pelas solicitudes insofismáveis de uma mãe terna e dedicada... Apesar de tudo isso, faliste, não suportando sequer as aflições de uma enfermidade física, patrimônio comum de toda a Humanidade! Pensa, agora, meu caro Belarmino, no que será a tua vida, sendo tu, como desejas, órfão, pobre, doente, baldo de consolações e esperanças, perseguido por adversidade irremovível!... Será também uma epopéia, não pequena e nem despida de sublime grandeza, a ser vivida e vencida – pois tu queres vencer! – porque será um calvário de redenção que deverás palmilhar com resignação e dignidade, jamais entre revoltas e ultrajes à Providência, porquanto isso empalideceria a vitória, se não a anulasse!... Será necessário algo mais do que o entusiasmo, Belarmino, muito mais!... e convém que te prepares antes da peleja iniciada..."

Mário Sobral aproximou-se, intranqüilo como sempre:

"– Dignai-vos atender-me um instante, Irmão Teócrito?..."

"– Aqui me tens, filho! Dize tudo, confiante..."

"– É que... desejo tomar uma resolução... tomei-a já... mas preciso ser auxilado... sinto-me um tanto desorientado..."

"– Bem sei, Mário, continua..." – tornou enternecido o diretor do Hospital Maria de Nazaré.

"– Irmão Teócrito! Quem é o responsável direto por mim, nesta Colônia Correcional em que me vejo internado?..."

"– Sou eu, Mário!..."

"– Ainda bem! Espero, assim, encontrar facilidades para os projetos que me empolgam... Senhor... Irmão... Por quem sois, apiedai-vos de mim, não posso mais! Providenciai meu retorno à sociedade terrena, quero ser homem outra vez! Quero desafrontar-me dos ultrajes por mim mesmo levados a efeito no seio de minha família!... à minha mãe, Deus do Céu, a quem cobri de desgostos, desde o berço até o túmulo, à minha esposa, a quem atraiçoei e abandonei às vicissitudes diárias! A meus filhos, os quais rejeitei e esqueci... e a Eulina... Quero forrar-me da obsessão exercida em minhas recordações pelo remorso do crime cometido contra aquela pobre mulher! Preciso esquecer, Irmão Teócrito, oh! acima de tudo, esquecer, a fim de lograr tréguas, serenidade, para desenvolver ações apaziguadoras, capazes de amansarem as angústias que me aferventam a consciência! Tudo quero tentar, a fim de que eu também progrida – já que a Lei é progresso incessante para toda a Criação, conforme as instruções que aqui recebemos. Quero expiar e reparar!

A imagem humilhada e frágil de Eulina, indefesa sob minha brutalidade, debatendo-se na agonia malvada do estrangulamento entre minhas mãos, absorve minhas faculdades, anulando ensejos para quaisquer outras ponderações, obsidiando-me as idéias, enlouquecendo as fibras mais íntimas do meu ser! E eu preciso afastar da mente esse quadro satânico a fim de poder sentir o perdão do Céu orvalhar de esperanças a minha consciência inconsolável! Quero sofrer, Irmão Teócrito! A trágica tormenta do Vale Sinistro não bastou! Não foi por Eulina que ali me debati, mas por mim mesmo, seguindo os escalões dissonantes do meu ato de suicídio! Prometi, de joelhos, à sombra dolorosa de Eulina agonizante, ser outra vez homem, arrastar uma existência, do berço à velhice e ao túmulo, destituído das mãos que a estrangularam!... Eu mesmo me darei tal punição, como testemunho do meu sincero arrependimento! Não é o Senhor Deus que ma impõe! Não é a Lei que ma exige: sou eu que, voluntariamente, suplico ao Pai Todo-Misericórdia que ma conceda como supremo reconforto à minha desventura de trânsfuga da Sua Lei de Amor ao Próximo, como supremo ensejo de reabilitação em meu próprio conceito, já que a morte é quimera a iludir os incautos que se arrojam pelas brenhas do suicídio! Sim! Passarei sem as mãos que serviram para assassinar uma pobre mulher indefesa! Que se volte contra mim o crime cometido contra Eulina! E que eu me veja tão indefeso, destituído das mãos, como Eulina destituída de forças, naquela noite abominável, acometida de surpresa ante minha ferocidade! Creio, Irmão Teócrito, que somente assim obterei alívio para, depois, encarar de frente os demais débitos a serem saldados, com a ajuda paternal de meu Deus e meu Criador!..."

O antigo boêmio de Lisboa discorria desfeito em prantos, ao passo que nosso digno tutor espiritual, enternecido, obtemperou gravemente:

"– Já refletiste maduramente na extensão das responsabilidades que arrostarás com semelhante reencarnação, meu pobre Mário?..."

"– Já, Irmão Teócrito!"

"– Sim! Reconheço-te sincero e forte para o resgate, plenamente arrependido do passado culposo! Realmente, esse será o recurso aconselhável para o teu caso, medida drástica que te moverá com muito menor morosidade à reabilitação honrosa que de ti exige a consciência! Pondera, no entanto, que foste também suicida e, por isso, necessariamente, as condições precárias em que se encontra tua presente organização, teu envoltório fluídico, modelador que será da tua futura estruturação carnal, levar-te-á a receberes, com o renascimento, um corpo enfermo, debilitado por achaques irreparáveis no plano objetivo ou terreno..."

"– Eu o desejo, Irmão Teócrito!... Tudo, tudo ser-me-á preferível ao suplício deste remorso que me mantém agrilhoado ao inferno que se alastrou por minhalma!... Ao menos, como homem, quando tudo me faltar, para só as desgraças me flagelarem, terei um consolo, o qual a Misericórdia do Todo-Generoso Pai concederá como esmola suprema à minha irremediável situação: o Esquecimento!..."

Condoído, o belo iniciado prometeu interessar-se imediatamente pela sua pretensão, acrescentando paternalmente:

"– No momento que se concluam as Instruções que vos temos propiciado, visita-me, no meu Departamento, Mário, a fim de estabelecermos entendimentos para os preparativos de tão melindrosas realizações..."

Em seguida convidou-nos a tomar parte na comitiva que sob seus cuidados buscaria pesquisar meios para a reencarnação, já ordenada e programada, de alguns pupilos seus, os quais se submeteriam, assim, à terapêutica por excelência, ainda sob sua vigilância, muito embora vários deles já se não encontrassem dependentes do Hospital Maria de Nazaré. Iríamos, no entanto, como simples observadores, visto nossas condições não permitirem colaboração de qualquer natureza.

Já de posse das instruções necessárias e pronto para encetar a espinhosa missão, o abnegado paladino de Maria voltou-se para nós outros, exclamando:

"– Temos ainda muito tempo, pois os serviços que me estão afetos somente serão realizáveis pela calada da noite. Ide repousar, meus caros amigos, até que vos mande buscar a fim de seguirmos para o local indicado, uma vez que só pela alta madrugada estaremos de volta..."

Roberto e Carlos de Canalejas aproximavam-se, no intuito de reconduzir-nos ao Pavilhão onde residíamos. Rosália despedira-se, prometendo reencontrar-nos no mesmo local, já no dia imediato, para o prosseguimento das recomendações do nosso muito querido tutor, Irmão Teócrito.

"A CADA UM SEGUNDO SUAS OBRAS"

"Digo-vos, em verdade, que dali não saireis, enquanto não houverdes pago o último ceitil."

Jesus-Cristo – O Novo Testamento.[18]

Foi com emoção que, cerca de zero hora, deixamos o Pavilhão Indiano atendendo ao chamamento do nosso paternal amigo, por intermédio dos dois Canalejas.

Até então não saíramos jamais à noite. A disciplina rigorosa das mansões hospitalares, verdadeiro método correcional, impunha-nos o dever de nos recolhermos às seis da tarde, não sendo permitido jamais a um interno a permanência fora dos muros do seu albergue depois dessa hora. Somente o diretor do Departamento poderia ordenar uma exceção, e muito raramente era que o fazia, e unicamente para fins de instrução.

Os locais por onde transitaríamos até ao bairro da Vigilância, assim como os demais núcleos e Departa-

---

[18]Mateus, 5:25-26.

mentos, não se encontravam, no entanto, em trevas, mas aclarados por um sistema de iluminação a que nenhuma outra concepção congênere pudéssemos comparar. Não compreendíamos qual a natureza dessa luz que se estendia através das alamedas imensas contornadas de arvoredos recobertos de neblinas. Mais tarde, no entanto, chegamos à dedução de que seria a própria eletricidade condicionada de modo favorável ao ambiente astral. O que era certo é que esse fulgor, não obstante sóbrio, discreto, irisava-se ao sereno produzindo efeitos cristalinos muito apreciáveis, mesmo belos, sobre a estruturação nívea local.

Aguardava-nos um veículo dos que comumente usavam os internos para giros locais. Ao chegarmos todavia à sede da Vigilância, vimos que enorme caravana se dispunha a partir, enquanto milicianos e lanceiros a integravam, zelando pela tranqüilidade geral.

Durante algum tempo sentimo-los deslizar suavemente, sem que adviesse qualquer incômodo. E tanta a naturalidade que de forma alguma daríamos conta da verdadeira natureza do meio de tração.

Subitamente estacou o veículo, enquanto, atencioso, um vigilante nos convidava a descer, o que fizemos, curiosos e satisfeitos.

Encontrávamo-nos em vasto pátio cercado de possantes muralhas, o qual, apesar do adiantado da hora, apresentava grande movimentação de transeuntes, desencarnados e até de encarnados, conquanto se apresentassem estes apenas com suas configurações astrais, enquanto os corpos materiais jaziam descansados em seus leitos, entregues a sono reparador. Ao fundo, o edifício, imenso, fartamente iluminado, todo branco e lucilante à claridade de possante lampadário, afigurou-se-nos hotel ou repartição pública destinada a expedientes noturnos. Na verdade tratava-se apenas de um apêndice da Colônia, aldeamento necessário à variedade de serviços afetos àquela nobre instituição, posto de emergência móvel de que falara o chefe de nosso Departamento, e o qual não nos era totalmente estranho por dele ouvirmos referências no caso de Margaridinha Silveira. Milicianos da Legião postavam-se de sentinela nos portões de entrada, ainda contornando a vigilância pelos arredores.

Cada grupo de caravaneiros possuía nesse edifício dependências particulares, onde estabeleciam gabinetes de trabalho. Em chegando ao local reservado a Teócrito observamos resumirem-se tais dependências em um gabinete de trabalho com aparelhamentos variados, já conhecidos da Colônia, e um palratório secreto.

Teócrito reuniu Romeu e Alceste e, enquanto nos fazia sentar nas confortáveis poltronas que guarneciam a antecâmara, entregou-lhes dois endereços diferentes, observando:

"– Há cerca de duas horas que estas damas, cujos endereços vos confio, conciliaram sono reparador. Trazei-mas aqui, depois de prevenir-lhes o corpo físico com reservas magnéticas... Porfiai por trazerdes com elas seus respectivos esposos ou companheiros... Todavia, não é indispensável esta última recomendação..."

Forneceu-lhes auxiliares retirados da guarnição do próprio Posto e milicianos para as garantias necessárias, despedindo-os com animadoras palavras. Em seguida, voltou-se para nós e, sentando-se ao nosso lado, iniciou conosco animada palestra.

Sentíamo-nos grandemente satisfeitos. A presença dessa atraente personagem, cujas atitudes democráticas tanto nos desvaneciam, infundia em nosso imo tão suaves e benévolas impressões, que nos confessávamos revivescidos e encantados. Natural timidez, no entanto, inibia-nos dirigir-lhe a palavra antes de sermos interpelados. Ele, porém, lendo em nossos pensamentos as ânsias que flutuavam, não se fez esperar, vindo ao nosso encontro com esclarecimentos utilíssimos, bondoso e sorridente:

"– Bem sei – disse ele – a interrogação que desde hoje à tarde vos excita a curiosidade, louvável curiosidade no caso vertente, porquanto vejo irradiar de vossas cogitações o desejo nobre de aprender. Enquanto esperamos o regresso dos meus caros discípulos em missão, aproveitaremos o ensejo para pequenas observações. Estou ao vosso dispor, interrogai-me."

Foi Mário, como sempre, que se atreveu, pois, como sabemos, agitava-se todas as vezes que ouvia referências à Terra e aos renascimentos em seus proscênios:

"– Poderíamos saber, caro mestre, o que foram fazer à Terra os vossos discípulos?..."

"– Sim, meu amigo! Nem eu aqui vos traria senão para proporcionar-vos algumas observações em torno dos nossos trabalhos de pesquisas. Romeu e Alceste foram à ilha de S. Miguel e a um lugarejo do Nordeste brasileiro – locais onde a penúria do infortúnio atinge proporções inconcebíveis aos felizes habitantes dos centros civilizados – à procura de duas irmãs nossas cujos nomes estão registrados em nossos arquivos como grandes delinqüentes do pretérito, as quais, no momento, procuram erguer-se moralmente, através de existência de severos testemunhos de arrependimento, resignação, humildade, paciência... Meus discípulos atrairão seus Espíritos para aqui, uma vez que seus envoltórios materiais estão mergulhados em sono profundo e reparador, graças ao adiantado da hora. Aqui, entraremos em entendimentos sobre a possibilidade de se tornarem mães de dois pobres internos do Manicômio, cujo único recurso a tentar, no momento, a fim de se aliviarem, será a reencarnação em círculo familiar obscuro e sofredor, pois só aí conseguirão libertar-se das deprimentes sombras de que se contaminaram..."

"– Pelo que vimos observando, esses infelizes renascerão em condições assaz embaraçosas?..." – interveio Belarmino, impressionado.

"– Realmente, irmão Belarmino! – continuou. – Encontram-se em situação tão desfavorável que, antes das experiências mesmas, que deverão repetir, uma vez que a elas se furtaram com o suicídio consciente e perfeitamente responsável, só poderão animar envoltório carnal enfermiço, meio deturpado, onde se sentirão tolhidos e insatisfeitos através da existência toda! Assim, de posse de tal envoltório – com o qual se afinaram pelas ações que praticaram –, cumprirão o tempo que lhes restava de permanência na Terra, interrompida, antes do tempo justo, pelo suicídio. Dessa forma se aliviarão dos embaraços vibratórios que se criaram, e obterão capacidade e serenidade para repetir a experiência em que fracassaram... mas isto implicará uma segunda etapa terrena, ou seja, nova reencarnação, como será fácil depreender... Temos já consultado várias damas, em outras localidades análogas, se se prestariam, de boa mente, à caridade de aceitarem filhos doentes, por amor ao Bem e respeito aos sublimes preceitos da Fraternidade Universal. Infelizmente, porém, nenhuma delas possuía princípios de moral bastante elevados a fim de aquiescer em serviço à Causa Divina com abnegação, voluntariamente! A volta ao mundo das expiações, daqueles sofredores, em vista disso, sofria delongas, quando urgia proporcionar-lhes alívio por esse meio supremo! Então, a direção-geral do Instituto enviou-nos dados sobre as duas senhoras já mencionadas, capazes ambas de enfrentarem a espinhosa missão por devedoras de grandes reparações às Leis da Criação!..."

"– Suponhamos, Irmão Teócrito, que se recusem?..." – alvitrei, fiel ao azedo pessimismo que me não deixara ainda.

"– Não será provável, meu caro Camilo, uma vez que se trata de duas almas bastante arrependidas de um mau passado, e que, atualmente, humildes, ignoradas, só desejam a reabilitação pelo sacrifício e a abnegação! Estou incumbido de convencê-las a aceitarem de boa mente a melindrosa e heróica tarefa. Todavia, se se recusarem, a Divina Providência encarnada na Lei que rege o plano das Causas estará no direito de impor-lhes o mandato como provação nos serviços de reparação dos maus feitos passados, pois ambas são Espíritos que, em antecedentes existências planetárias, erraram como mães, furtando-se, criminosamente, às sublimes funções da Maternidade, sacrificando, nas próprias entranhas, os envoltórios carnais em preparo para Espíritos que delas deveriam renascer, alguns em missão brilhante, e descurando-se, lamentavelmente, dos cuidados e zelos aos filhos que a mesma Providência lhes confiara de outras vezes... Agora, imersas nas trevas dos crimes que cometeram contra a Divina Legislação, por menosprezarem a Natureza, a Moral, o Matrimônio, os direitos alheios e a si mesmas, encarceradas, uma na solidão de uma ilha de onde jamais poderá escapar-se, outra na aspereza de um sertão inclemente, ao em vez de filhos missionários, inteligentes, considerados nobres e dignos no plano Astral, e, por isso mesmo, úteis e benquistos – que o seriam forçosamente na sociedade terrena – terão de expiar os infanticídios passados, debruçando-se sobre miseráveis berços onde *gemerão, rangendo os dentes*, outros Espíritos, agora culposos, reputados grandes condenados no plano espiritual, transformados pelo renascimento expiatório em monstrengos repulsivos, aos quais deverão dedicar-se como verdadeiras mães: amorosas, pacientes, resignadas, prontas para o sacrifício em defesa do fruto de suas entranhas, por mais desarmonioso que seja!..."

Após penoso silêncio, em que todos nós, raciocinando angustiosamente, nos perdíamos em conjecturas confusas, adveio ainda Belarmino, justificando o antigo renome de professor de dialética:

"– Dizei, Irmão Teócrito: obriga-nos a Lei a reencarnarmos entre estranhos?... como filhos de pais cujos Espíritos nos sejam completamente desconhecidos?... Pensamos que semelhante corretivo será sumamente doloroso!..."

"– Sim, é doloroso, não resta a menor dúvida, meu amigo! Mas nem por isso deixará de ser justo e sábio o acontecimento! Geralmente, tal acontece não só a suicidas, como também àqueles que faliram no seio da família, levando, de qualquer forma, o desgosto aos corações que os amavam! O suicida, porém, desrespeitando o seio da própria família ao infligir-lhe o áspero desgosto do seu gesto, ultrajando, com o menosprezo de que deu prova, o santuário do Lar que o amava, ou incapacitando-se para a conquista de um novo lar afim, colocou-se, de qualquer forma, na penosa necessidade de reeditar a própria existência corpórea fora do círculo familiar que lhe era grato. Existem casos, não obstante, em que poderá voltar em ambiente afetuoso, se possuir afeições remotas que se encontrem novamente presentes às experiências terrestres, na época em que haja de reencarnar, se estas consentirem em recebê-lo para ajudá-lo na expiação... De qualquer forma, porém, renascerá em círculo favorável ao gênero de provação que deverá testemunhar. Casos outros não raramente se verificam, são os mais dolorosos, em que terão de reiniciar o aprendizado carnal, a que se furtaram, entre Espíritos inimigos, o que será muito pior do que se o fizer entre estranhos, simplesmente... Acresce a circunstância de que todas as criaturas são irmãs pela sua origem espiritual e que há mister de que tais coisas se verifiquem sob a sublime lei de Amor que deve atrair e unir, indissoluvelmente, todos os filhos do mesmo Criador e Pai!..."

Entrementes, davam entrada no singular gabinete dois infelizes asilados do Manicômio, amparados por auxiliares de Irmão João. Passaram tristemente, parecendo alheios a tudo que os cercava, o olhar vago e indeciso, tardos os passos, expressões de angústias indefiníveis! Conduzidos ao palratório, foram ali introduzidos por Teócrito, desaparecendo de nossas vistas. Escoaram-se alguns minutos. Os assistentes de Irmão João aguardavam novas ordens na própria sala onde nos encontrávamos, conservando respeitosa atitude. Não nos atrevíamos a emitir sequer um monossílabo. O silêncio dominava o vasto ambiente do Posto singular e vago temor inibia-nos prosseguir na conversação.

De súbito, movimentou-se o exterior como se algo de muito importante se passasse... e Romeu e Alceste, e Carlos e Roberto, com alguns mais auxiliares, entraram no salão conduzindo duas senhoras, duas mulheres de humílima condição social, ladeadas por lanceiros, quais prisioneiras de grande responsabilidade!

Curiosos, examinamo-las. Uma, franzina, delicada, parecendo enfermiça e frágil, aloirada, refletindo em seu físico-astral os trajes a que se habituara na existência objetiva diária, era portuguesa e não contaria senão dezoito primaveras, tudo indicando tratar-se de uma recém-casada. O marido acompanhava-a, humilde, respeitoso: era um pescador! A outra, atrigueirada, vivaz, espantadiça e nervosa, revelava-se imediatamente como sendo a brasileira, fazendo lembrar o tipo clássico egípcio, com os cabelos negros e lisos esparsos nas espáduas, bem pronunciadas as maçãs do rosto, a expressão enigmática nos belos olhos cavados e luzentes, onde as lágrimas pareciam assinalar incoerentes amarguras! Encontrava-se só. Não era casada! O ludíbrio de um sedutor abandonara-a à mercê dos acontecimentos oriundos de um amor infeliz, malconduzido e profanado pela traição masculina – numa sociedade que não perdoa à mulher o deixar-se enganar pelo homem em quem depositou confiança! – soubemo-lo mais tarde, penalizados!

Os três eram como que protegidos por tenuíssimo envoltório que se diria de cristal, cuja forma correspondia exatamente à da silhueta que traziam, e deles se desprendia estreita faixa luminosa, estendendo-se, alongando-se como se estivesse atada ao tronco de prisão invencível![19]

Teócrito acolheu-os bondosamente, e, tratando-os com imensa ternura, fê-los penetrar os gabinetes do pal-

[19]Trata-se do revestimento de fluidos vitais próprios de todos os seres vivos e do cordão fluídico que une o Espírito ao corpo material, durante a encarnação, respectivamente.

ratório, onde já se encontravam os pupilos de Irmão João. Em seguida nos surpreendemos com a presença do próprio Irmão João, que se aproximara, sorridente. Levantamo-nos respeitosos e emocionados à sua passagem, dele recebendo cordial cumprimento. Penetrou, com Teócrito, no palratório... e o silêncio caiu novamente no salão.

Conquanto ali nos encontrássemos para instrução, não assistimos ao que se passou em secreto entre os obreiros de Jesus e os delinqüentes necessitados de redenção. Hoje, porém, traçando o esboço destas memórias – trinta anos depois destas cenas se passarem – poderei esclarecer o leitor quanto ao dramático episódio desenrolado naquele augusto recinto que então nos era vedado, pois, nesse longo espaço de tempo, sólido conhecimento adquirimos que a tanto nos autorizam.

....

Teócrito e João procuravam entrar em entendimentos com o casal português e com a brasileira nordestina sobre a vantagem do renascimento, por seu intermédio, daqueles míseros infratores da Soberana Lei, necessitados da existência corporal terrena para se aliviarem dos insuportáveis sofrimentos por que vinham passando! Os acontecimentos foram explicados com minudências a todos três, enquanto os pretendentes à qualidade de filhos lhes eram apresentados em toda a dramática veracidade das circunstâncias em que se debatiam. Os pacientes paladinos da Fraternidade agiam como eméritos causídicos, que eram, da Suprema Legislação, expondo com eficiência e nobreza de vistas o sublime alcance da medida que aconselhavam. Os indicados para a grandiosa missão de caridade, isto é, de receberem o sagrado depósito dos filhos de Deus que necessitavam fazerem-se filhos do homem a fim de se reabilitarem do pecado, resistiam, porém, esquivando-se ao impressionante convite:

"– Oh, não, não! – diria o humilde casal de portugueses. – Não desejamos filhos doentes, aleijados ou débeis mentais! Casamo-nos há apenas um mês!... e nosso sonho mais querido é que o bom Deus nos conceda para o primogênito a alminha de um querubim rosado e sadio! Queremos filhos, oh, sim! mas que sejam fortes e alegrinhos... e que nos sirvam de arrimo precioso na velhice!...

E diria a brasileira, debatendo-se, envergonhada, diante de uma entidade como Teócrito, que conhecia seus mais secretos pensamentos, revelando-se senhor de todas as ações por ela praticadas:

"– Não, meu senhor, não posso ser mãe, prefiro antes a morte! Como arrastarei tal vergonha diante de meus pais, de meus vizinhos, de minhas caras amiguinhas?!... Seria por todos, certamente, menosprezada... e até mesmo por 'ele', bem o sei! Um filho paralítico!... Deus do Céu, como criá-lo e suportá-lo?..."

Intervinha, porém, Teócrito, secundado por Irmão João, lógico e grave, digno defensor da Causa Redentora, cujo chefe expirou nos braços de uma cruz mostrando aos homens o roteiro sublime da abnegação:

"– Se, como mulher, erraste, negligenciando quanto ao dispositivo sexto da Lei Suprema, que impõe à donzela o respeitoso dever da castidade até o advento sacrossanto do Matrimônio, carecerás, forçosamente, da reabilitação pela abnegação do sacrifício, observando com fidelidade dispositivos outros da mesma Lei, capazes, pela largueza de expressão, de cobrir a infração do primeiro! O ensejo aí está, naturalmente advindo dos teus próprios atos! Se, necessariamente, serás mãe, visto que a maternidade é uma função natural da mulher fecundada para o divino serviço da reprodução da espécie humana, que aceites para animar a argila que se reproduzirá de ti um pobre Espírito delinqüente, como tu, e também necessitado de reabilitação! Ajudando-o a erguer-se do báratro onde se arrojou, operarás a tua própria redenção, e afianço-te, minha filha, em nome do Divino Messias, que, cumprindo os teus deveres de mãe, enquanto os homens te cobrirem de opróbrio e humilhações, castigando-te pelo teu erro, o Céu te reanimará a fim de que resistas a todos os embates e venças a provação, glorificando-te espiritualmente pelo heroísmo que testemunhares como mãe de um miserável enfermo, de um pobre suicida do passado, carente de alguém caridoso bastante para amá-lo e protegê-lo apesar da sua desgraça, e que, servindo aos misericordiosos desígnios do Senhor, por ele vele, conduzindo-o nas expiações de nova permanência na carne! Debruçada sobre o berço pobre e humilhado do teu filho menosprezado por todos, mas não por ti nem pela Divina Providência, sorrindo com amor ao pequenino paralítico que te buscará com os olhos tristes cheios de confiança, reconhecendo tua voz entre mil e aquietando-se aos teus murmúrios afetuosos, terás encontrado, minha filha, a linfa generosa que lavará a mácula desonrosa de que te contaminaste..."

Recalcitravam, entretanto, os interlocutores. Mas Teócrito e João continuavam a exposição das vantagens de tal desprendimento, dos méritos que conquistariam perante a Lei Suprema, da assistência celestial de que se tornariam credores, da palma honrosa que receberiam, futuramente, da Legião patrocinada por Maria, como prêmio supremo ao gesto de caridade para com aqueles seus pobres tutelados!

Enquanto se verificavam tais *démarches*, estes, presentes à grave confabulação, entrevendo dificultosamente o que se passava, sentiam-se singularmente atraídos para as duas senhoras, afinando-se com o tônus vibratório emitido por suas emanações mentais e sentimentais, podendo-se mesmo asseverar que a atração magnética, indispensável ao fenômeno de incorporação através do nascimento, desde aquele momento principiara a receber o impulso divino que a deveria consolidar! Porém, porque chorosas e irresignadas as três personagens humanas não se animassem a estabelecer o acordo definitivo, os dois incansáveis instrutores, requisitando a colaboração de Romeu e Alceste, decidiram-se a uma medida vigorosa, capaz de encaminhá-las de boa mente a razoável assentimento.

Sob a ação da vontade dos dois abnegados obreiros da Fraternidade, passaram as duas mulheres e mais o varão a rever os panoramas das próprias existências pretéritas vividas sobre a Terra e arquivadas nas camadas incorruptíveis do organismo perispiritual: as ações inconfessáveis praticadas contra a Soberana Legislação, em prejuízo do próximo e de si mesmos, portanto; os crimes nefastos, cujas conseqüências estavam a exigir séculos de reparações e reajustamento, por entre as lágrimas de mil dores decepcionantes!

O casal de portugueses reviu-se como abastados fidalgos emigrados para o Brasil, a extorquirem de braços escravos o bem-estar de que se ufanavam, levando ao desespero míseros africanos que vergavam, doentes e exaustos, sob a rudeza de labores excessivos, maltratados cada dia por novas disposições arbitrárias e impiedosas! A infeliz nordestina, por sua vez, reconheceu-se como dama orgulhosa da própria formosura, que o fora em antecedente existência planetária, irreverente e vaidosa, profanando os deveres conjugais com o desrespeito aos juramentos consagrados no altar do Matrimônio, recusando-se, ao demais, ao tributo às leis sublimes da Natureza, que dela exigiam o desempenho da Maternidade, recusa que a levara até mesmo ao infanticídio!

Desfile sinistro de faltas abomináveis, de erros calamitosos, de ações irreverentes e infaustas emergiram dos escrínios conscienciais daqueles infortunados, que haviam reencarnado desejosos dos testemunhos de reabilitação, os quais, agora, como acréscimo de misericórdia concedida pelo Todo-Generoso, recebiam o dadivoso convite para ajudarem a própria causa praticando a excelente ação de se prestarem aos serviços de paternidade terrena a outros delinqüentes, como eles, carecedores de evolução e progresso moral! E tal foi a intensidade das cenas revividas, que gritos lancinantes eram ouvidos do salão onde nos encontrávamos, o que vivamente nos emocionava e surpreendia.

Ao fim de algum tempo tornou o silêncio a dominar. Reabriram-se as portas dos gabinetes secretos, dando passagem a quantos ali se achavam. Tristonha, mas resignada, pronta para cumprir sua generosa missão, a portuguesa caminhava ao lado do esposo, que compartilhava da sua conformidade com o inevitável, enquanto a brasileira, desfeita em lágrimas ardentes, se via reconduzida sob a ajuda fraterna do velho de Canalejas e de seu inseparável filho Roberto.

....

No dia imediato, era já adiantada a hora em que nos vieram buscar para o prosseguimento da visita-instrução que nos cumpria levar a efeito antes de nos desligarmos da tutela do Departamento Hospitalar.

Reconduzidos ao edifício central do Departamento a ser visitado, ali encontramos Rosália, tal como fora por ela mesma prometido, e que, solícita, nos aguardava.

"– Faremos hoje a nossa derradeira excursão – esclareceu. – Irmão Teócrito deseja conduzir-vos à Terra, onde culminareis o giro instrutivo que vindes experimentando. Como tendes já idéia do que seja um trabalho de 'Pesquisas' para se firmar o meio ambiente favorável às condições em que deverá um de vós encarnar, levar-vos-ei à Seção de Planejamento de Corpos Físicos.

Não ignorais, meus amigos, que antes de que a reencarnação de um de vós esteja definitivamente estabelecida, foi estudado não só o meio ambiente como até o estado fisiológico dos futuros pais, isto é, sua saúde, as questões de hereditariedade física, etc., etc., mormente se o Espírito culpado é passível de sofrer deformações físicas, doenças graves e incuráveis, etc. Somente depois de tudo isso esclarecido, esboçar-se-ão os planos para os futuros corpos, os quais, absolutamente, não serão construídos à revelia do Espírito reencarnante e tampouco dos cientistas, prepostos do Senhor para o notável empreendimento que deverão fiscalizar.

"– Sede bem-vindos a esta casa, meus amigos! – exclamou a dama que nos recebera, e a quem fomos apresentados por nossa gentil acompanhante. – Entrai confiantemente... Irmã Rosália vos acompanhará..."

Em seguida, conduziu-nos a uma sala de grandiosas proporções, rodeada de portas cujas arcadas de fino lavor artístico deixavam-se velar por extensos reposteiros lucilantes e flexíveis como a melhor seda.

Penetramos o interior por uma daquelas passagens, e logo se nos apresentou um iniciado risonho e simpático.

Surpreendidos, verificamos haver ingressado em recinto que se afigurava à nossa apreciação como legítimo cenáculo de Arte, recanto sedutor, se assim nos podemos referir a um ateliê de artistas eméritos, onde mestres das artes plásticas exerciam sublimes encargos, cônscios das responsabilidades de que os investia a ação da Divina Providência.

Várias salas se sucediam em bonita perspectiva circular, todas deixando passagem umas para as outras em sentido reto e através de arcadas magníficas, traçadas por bem inspirados engenheiros da mais pura arquitetura hindu, e cada uma comunicando-se para o exterior com uma entrada independente, como vimos na antecâmara guardada pelo vigilante.

Na primeira dependência dessa admirável fileira de salas circulares destacamos obreiros curvados sobre páginas de apontamentos e documentações importantes para os serviços a se realizarem, provindos de outras seções como a de Análise e a de Pesquisas, bem assim do Templo, e relativos aos vários pretendentes ao ingresso no mundo objetivo ou material.

Era uma longa fila de bancas de estudo e trabalho, disposta à feição da sala, isto é, em semicírculo, sob a impressionante claridade azul-dourada que descia de majestosas cúpulas, lembrando velhas catedrais. Das janelas, sugestivos primores de arquitetura, destacava-se o panorama vasto do Departamento com seus jardins suavemente coloridos à influência magnânima do azul do céu alcandorado pela luz do Sol, que, ali, espalhava os valores sadios do seu magnetismo, parecendo bênção inspiradora iluminando a mente dos artistas.

Uma vez estudado aí o teor dos apontamentos provenientes do exterior, seguiam ordens para a seção de Modelagem, disposta na sala seguinte, no sentido de se esboçar o corpo futuro tal como as instruções determinavam, a saber:

a) – mutilado desde o nascimento;

b) – passível de o ser no decurso da existência, por enfermidade ou acidente;

c) – passível de aquisição de doenças graves e incuráveis;

d) – normais,
o que indicaria, portanto, fatos decisivos na programação do carreiro a ser vivido pelo paciente, harmonizados ao feitio das expiações e testemunhos a cada caso, pois convém não esquecermos que muitos daqueles míseros albergados, nossos cômpares, reencarnariam possivelmente em envoltórios físicos normais e até belos e sadios, por exigirem as suas novas experiências que assim fosse, avultando, em casos tais, lutas e sofrimentos irreparáveis, de ordem moral tão-somente.

Ora, no gabinete seguinte viam-se também os esboços dos corpos primitivos, isto é, dos que o suicídio havia malbaratado, destruído antes da época normal, habilmente classificados da seguinte forma, em local apropriado, de fácil acesso ao observador, porque em pedestal conveniente, pois estes esboços eram como estátuas móveis, grandemente belas, dadas a perfeição e naturalidade que apresentavam, sugerindo a presença real do próprio envoltório já destruído:

a) – o envoltório primitivo, tal como existiu e foi aniquilado pelo suicídio;

b) – ao lado, numa placa fosforescente, a descrição do estado em que se encontrava o mesmo envoltório na ocasião do sinistro, a saber: – estado da saúde, volume das forças vitais, grau de vibrações, estado mental, grau de instrução social, ambiente em que viveu, data do nascimento, data da época normal que se deveria dar o trespasse e a extinção da força vital, data em que se verificou o suicídio, local do desastre, o gênero do mesmo, causas determinantes, nome do infrator;

c) – o órgão atingido pelo atentado, e cuja alteração motivara a extinção das fontes de vida localizadas no envoltório, era assinalado, no esboço, com lesão idêntica à que sofrera o corpo material;

d) – casos especiais: afogamentos, trituração por esmagamento, queda. Reprodução plástica dos restos do envoltório, tal como o suicídio o reduziu.

A impressionante perfeição desta última reprodução chocaria qualquer outro observador não esclarecido como aqueles mestres ou não dolorosamente experimentados como nós outros.

A esta sala, que seria a mais bela e sugestiva, se houvesse ali algum local inferior aos demais, seguia-se a da preparação de esboços para os corpos futuros e seqüente encarnação. Seria a seção de Modelagem. Idêntica às suas congêneres, esta recâmara sobrepunha-se, no entanto, pela intensidade e delicadeza do labor desenvolvido e pelo número elevado de obreiros. Os mapas ou esboços encomendados eram organizados sob rigorosa obediência às instruções recebidas, encaminhando-se ao depois para revisão e aprovação do Templo, das seções de Análises e Pesquisas e até para o Recolhimento, onde os pretendentes os examinavam demoradamente, sob o critério de seus mentores e Guias particulares. Não raramente seus futuros ocupantes aprovavam-nos por entre crises de angustiosas lágrimas, dando-se mesmo casos de requererem delongas para os preparativos finais, a fim de se fortalecerem ainda um pouco e melhor se encorajarem para o inevitável! Mas se, porventura, o estado do penitente, por demasiado precário, lhe não permitisse lucidez para exame conveniente e respectiva aprovação, o Templo e os seus Guias missionários supriam-lhe as deficiências, zelando por seus interesses com justiça e amor, quais criteriosos advogados com seus constituintes.

Percorremos o agrupamento e salas possuídos de singular comoção, tudo observando com interesse máximo. Acompanhava-nos, lecionando esclarecimentos preciosos, além de nossa boa Rosália, o iniciado responsável pela seção, Irmão Clemente, cuja cultura e grau de elevação no mundo em que vivíamos seriam fáceis de entrever através das responsabilidades de que era investido.

"– Sim, meus caros amigos, meus irmãos! – dizia Clemente, enquanto paternalmente nos guiava de sala a sala, propondo-nos teses formosíssimas e reconfortadoras em torno das Soberanas Leis de que era digno intérprete, as quais tantas elucidações levaram à minha pobre alma obscurecida pelo erro, que não me negarei ao desejo de também transcrevê-las para estas despretensiosas páginas de além-túmulo. – Sim, meus amigos, bendito seja o Criador Supremo, Dirigente do Universo, cujas sabedoria e bondade inexcedíveis nos soerguem das incompreensões do erro para as alcandoradas vias da regeneração, através dos serviços ininterruptos dos renascimentos planetários! Na Terra, os homens estão ainda longe de conhecer a sublime expressão dessa Lei que só o Pensamento Divino, com efeito, seria capaz de estabelecer a fim de à Sua Criação dotar com possibilidades de vitória!

A ignorância dos elevados princípios que presidem aos destinos da Humanidade, a má vontade em querer participar de conhecimentos que os conduziriam às fontes elucidadoras da Vida, assim como os preconceitos inseparáveis das mentalidades escravizadas ao servilismo da inferioridade, têm impedido os homens de reconhecerem esse vasto e glorioso alicerce da sua própria evolução, da sua emancipação espiritual! O homem de ciência, por exemplo, considerado semideus nas sociedades terrenas, das quais exige todas as honrarias e fictícias glórias, não admitirá, em hipótese alguma, que o grande orgulho que arrasta, a par da ilustração, posteriormente possa condená-lo a uma reencarnação obscura e humilde, na qual seu coração, ressequido e árido de virtudes edificantes, adquirirá os doces sentimentos de amor ao próximo, as delicadas expressões da vera fraternidade, que só o respeito e a veneração à causa cristã poderão inspirar, enquanto o intelecto repousa... O soberano, o magnata, as classes consideradas 'privilegiadas' pela sociedade terrena, que levianamente se utilizaram das concessões feitas pelo Soberano Supremo a fim de que contribuíssem no labor de proteção à Humanidade e desenvolvimento do planeta, não admitirão que os despautérios cometidos em desencontro das divinas leis os induzam a renascimentos desgraçados, em os quais existirão miséria, servidão, humilhações, lutas contínuas e adversas, a fim de que em tão laboriosas recapitulações expiem pela indiferença ou maldade de que deram provas no passado, deixando de favorecer as classes oprimidas, o bem-estar geral da sociedade e da nação em que viveram, preferindo à solidariedade fraterna, devida pelos homens uns aos outros, o egoísmo acomodatício e pusilânime! O branco, o de pele alva, cioso da pureza da raça que o preconceituoso conluio do orgulho com a vaidade lhe faz supor seja privilegiada pelo favor divino, não concordará em render homenagem a uma Lei Universal e Divina capaz de impor-lhe, um dia, a necessidade de renovar a existência carnal ocupando um envoltório cuja pele será negra, ou amarela, bronzeada, mestiça, etc., etc., obrigando-o a reconhecer que o Espírito, e não o seu passageiro e circunstancial envoltório físico-material, é que necessitará clarear-se e resplandecer, através das virtudes abnegadas e aquisições mentais e intelectuais, coisas que poderá obter no seio de uma ou de outra raça! E mais: que negros, brancos, amarelos, etc., todos descendem do mesmo Princípio de Luz, do mesmo Foco Imortal e Eterno, que é o Pai Supremo de toda a Criação!

Entretanto, meus amigos, admitam ou deixem de admitir todos esses respeitáveis cidadãos terrenos, ainda que a eles e também a vós repugne o imperativo dessa Lei magistral, o certo é que ela é irremediável e indestrutível e que, por isso mesmo, todos os homens morrem num corpo para ressurgirem em uma vida espiritual e depois voltarem a renascer em novos corpos humanos... até que lhes seja concedido, pelo progresso já realizado, ingressar em planetas mais ditosos – também reencarnados – e em cujas sociedades iniciarão novo ciclo de progresso, na escala ascensional da longa e gloriosa preparação para a Vida Eterna! Isto, porém, levará milênios sobre milênios!...

Nenhum homem, portanto, como nenhum Espírito, poderá fugir às atrações irresistíveis dessa Lei, quer dela se desagrade ou lhe tribute respeito, uma vez que é necessária a toda a Criação, como fatora que é do seu progresso, da sua ascensão para o Melhor, até o Perfeito!

Na Vinha do Senhor – o Universo Infinito – existem obreiros indicados ao melindroso serviço de promovê-la. No que concerne à Terra, encontram-se eles sob as vistas do Unigênito de Deus, a quem se acha afeta a redenção do gênero humano. Assim como diariamente o homem assiste ao romper do Sol e ao seu declínio no horizonte; assim como sente soprarem os ventos e vê caírem as chuvas, crescerem e frutescerem as plantas, as flores rescenderem seus perfumes e os astros rebrilharem no infinito dos espaços, sem avaliar a imensidão e aspereza do trabalho que tudo isso significa, e ainda menos a dedicação, os sacrifícios que tão sublime labor requer das legiões de servos invisíveis que, no mundo astral, são incumbidos da conservação do planeta, segundo os altos desígnios do Onipotente Criador, também diariamente assiste a milhares de renascimentos de semelhantes seus, e de muitos outros seres vivos e organizados, ignorando a emocionante, encantadora epopéia divina que contempla! E tanto se habituou o homem a ver-se rodeado das manifestações divinas, que se tornou a elas indiferente, não cogitando da apreciação e do louvor às suas grandezas, considerando-as naturais, mesmo comuns, como realmente são! Como, porém, não ser assim, se ele próprio está mergulhado no seio do Universo Divino, como descendente do Divino Criador de Todas as Coisas?!..."

Ouvíamos com muito agrado, sem nos animarmos ao menor aparte. Tudo aquilo era novo e muito emocionante para nós. Sentíamo-nos como diminuídos, vexados em face de uma sociedade para a qual nos reconhecíamos incapacitados. E admirava-nos de que dela recebêssemos trato tão gentil, amistosas atenções, como naquele momento!

Fomos atraídos para uma das esplêndidas galerias onde se alinhavam as belíssimas estátuas-mapas.

À frente de cada uma, a mesa de trabalho do operador. Vários iniciados ali se encontravam, fiéis ao nobilitante dever de servir a irmãos menos experientes da ciência da Vida, mais atrasados na peregrinação para Deus! Alguns examinavam detidamente as minúcias da configuração a seu cuidado, outros estudavam apontamentos e instruções, enquanto ainda outros examinavam a fotografia dos despojos, esboçando mapas de futuros envoltórios a serem encaminhados para a provação, etc., etc. E cada um, empregando nesse extraordinário ministério o máximo da atenção e da boa vontade de que eram capazes, fez-nos conceber o ideal do funcionalismo perfeito, cônscio do dever a cumprir!

Aproximamo-nos das estátuas. Eram o mapa antigo, anterior ao suicídio. Surpreendidos, observamos serem esses modelos singulares animados de movimentos e vibrações, tornando-se, assim, o tipo ideal a ser plasmado. Assim era que, através das artérias, víamos deslizar, em toda a pujança e precipitação naturais ao corpo humano, um filete de líquido rubro luminoso, indicando o sangue com suas manifestações normais num corpo material terreno. As vísceras, tal como o sangue, eram traçadas por substâncias fluídicas luminosas sutilíssimas, translúcidas, como se para obtê-las houvessem de comprimir reflexos da luz delicada do luar... Quanto às cartilagens, o rendilhado dos nervos, a carne, eram igualmente representados por tessituras mimosas, de cambiantes níveo, jalde, róseo, respectivamente, o que à peça fornecia expressão de grande beleza!

O pequeno universo do corpo humano, pois, com todos os seus pormenores, ali se encontrava ideado com mestria de verdadeiros artistas e verdadeiros anatomistas!

Havia dependências particularizadas para os modelos e para os casos femininos. Jamais, em nossas observações, observamos serviços mistos, em quaisquer setores!

Ao fim de alguns minutos, ouvimos que Rosália exclamava, traindo singular emoção:

"– Com efeito, meus amigos! É um maquinismo magnífico!... O homem terrestre deveria considerar-se honrado e ditoso, por obter da inexcedível bondade do Criador a mercê de poder fazer a própria evolução planetária na posse de um veículo assim!... No Universo Infinito existem mundos físicos onde o Espírito que neles reencarna tem de arrastar ciclos de progresso ocupando fardos materiais pesadíssimos, os quais, comparados a estes, seriam considerados monstruosos..."

Silenciamos, chocados, sem ânimo para divergir, encetando polêmicas tão do nosso agrado, dada a ignorância em que nos achávamos quanto ao palpitante e arrojado assunto... O nobre instrutor, porém, interveio, dirigindo-se a nós outros, risonho como sempre:

"– Sim! É mais do que um simples maquinismo, meus amigos! É o próprio Universo em miniatura, onde suntuosos fenômenos a todo momento se reproduzem, pois, com efeito, sua natureza participa de muitas condições contidas na organização do próprio Universo! É um templo!... Um santuário onde será depositada a centelha sagrada que emanou do Todo-Poderoso, isto é, a Alma Imortal, para que nele se alinde e aperfeiçoe na seqüência dos renascimentos...

Vede o coração! Órgão sensível e heróico, infatigável sentinela, destinado aos mais elevados serviços de uma reencarnação, escrínio onde o Espírito localiza a sede dos sentimentos que consigo carrega desde a vida espiritual!... Examinai o cérebro, aparelhamento prodigioso, jóia só imaginada pelo Excelso Artista, tesouro inapreciável que o homem recebe ao nascer, sobre o qual agirá a mente espiritual, dele servindo-se para as novas aquisições dos labores efetuados! É um outro universo em miniatura, farol que norteia a própria vida humana, bússola generosa em meio das trevas do encarceramento físico-terrestre!

E o aparelho visual?!... que carreia para o cérebro a impressão das imagens, traduzindo-as em entendimento, compreensão, certeza, fato?!... Não será, porventura, digno similar dos primeiros?... Será nesse precioso relicário de luz que se acumularão as potências sublimes da visão espiritual, dosadas harmoniosa e sensatamente, para o uso conveniente do indivíduo durante o estágio carnal, assim lhe facilitando as realizações que lhe competirem no concerto das sociedades humanas...

Atentai, não obstante, nestes escaninhos auditivos, caprichosos labirintos que apresentam indubitáveis harmonias com os antecedentes! Tão bem-dotados, tão perfeitamente dispostos que permitirão ao encarcerado terrestre alcançar as mais delicadas vibrações, aquelas que lhe forem necessárias ao progresso e tarefas que deverá realizar, e até mesmo, em muitos casos, a sutil expressão provinda de um anseio, de um murmúrio dos planos invisíveis!...

Porém, não é só. Eis a organização gustativa, detentora do paladar. Sutil, obscura, modesta, tão preciosa qualidade do envoltório carnal, no entanto, absolutamente indispensável ao gênero humano, a este auxilia generosamente, co-participando do trabalho alimentar, fiel colaboradora da conservação do fardo precioso do corpo! Quão grandioso deverá, outrossim, parecer o labor da língua ao observador consciencioso, órgão que traduz, ao demais, o pensamento da criatura encarnada, através da magia da palavra enunciada! Oh! como o homem seria respeitável se desse aparelho sublime se utilizasse apenas a serviço do Bem, do Belo, da Verdade! É da complexa fibratura da língua que se desprendem as vibrações emitidas pelo pensamento, tornando possível o entendimento entre a Humanidade através da palavra. É graças ao seu produtivo labor que se concretizam os sons das mais belas expressões conhecidas na Terra, tais como as doces promessas de amor, quando o coração entusiasta, nobilitado por alevantados projetos sentimentais, se inflama de ardentes aspirações; as harmonias arrebatadoras dos vossos mais caros poemas, assim como as suaves nênias do amor materno junto ao berço em que adormece o querubim risonho... e também o nome sacratíssimo do Todo-Poderoso, nos cicios férvidos da oração!...

Nem uma peça inútil! Nem uma linha supérflua, votada à inatividade! Todas as particularidades são essenciais, integrando o todo generoso; são indispensáveis à sua harmonia magistral, completam-se, correspondem-se, atraem-se, confraternizam-se, numa beleza majestosa de atividades subseqüentes e heróicas, dependendo umas das outras para a sublimidade de vistas do gracioso conjunto favorável ao equilíbrio do Espírito que nele temporariamente habitará, qual lâmpada sagrada em sanuário eficaz!...

A Natureza, meus amigos, que é a Vontade de Deus manifestada sob a pressão soberana do Seu Divino Poder Magnético, tornou o corpo humano habitação suntuosa para o Espírito necessitado da reencarnação para o aprendizado que lhe cumpre no ciclo terreno... pois ficai certos de que a finalidade da reencarnação é o preparo do ser espiritual para o triunfo na imortalidade, e não apenas para os serviços da expiação! Esta será a conseqüência do desvio da verdadeira rota, simplesmente, e existe unicamente pela responsabilidade do 'eu' de cada um!

O estado definitivo dos fardos humanos para a temporária habitação daquele que se derivou de um hausto divino, o modelo originado da vontade do Sublime Artista, penosamente evolutido através dos séculos, é a beleza! A existência de desarmonias no conjunto provém de que os Espíritos que o modelaram a fim de nele habitarem, servindo ao próprio progresso ou a causas excelentes, assim o desejaram, fossem por modéstia e humildade, fosse comodidade e receio de situações perturbadoras, pois a beleza física, muito admirada sobre a Terra, torna-se, no entanto, qualidade perigosa em suas sociedades, diante das tentações e excessos a que se vê exposta. Também muitas vezes a rejeitam, preferindo o seu inverso ou a mediocridade de linhas discretas, aqueles que renascem expiando grandes erros pretéritos, pois não ignorais que o estado de fealdade, de anormalidade de traços, por não ser o natural, torna-se repugnante, penoso para aquele que o arrasta, constituindo provação!

Vede estes modelos em tamanho natural!... Ao reencarnarem, seus possuidores receberam corpos carnais assim, perfeitos: formosos, dotados de forças vitais e magnéticas que garantiriam excelentes funções orgânicas, saúde permanente, capacidade para as competições diárias. Nada faltou aos seus ocupantes senão a força de vontade, a coragem para lutar e vencer! O auxílio que dependeu da Natureza, para que vencessem, ela o forneceu com o invólucro carnal apropriado ao gênero de labor a que eram chamados a desenvolver, qual armadura sólida de outros cruzados que pleiteassem vitória do Espírito! Apesar, porém, de todas as reservas concedidas pelo Céu em seu proveito, não só faliram, furtando-se aos deveres para que reencarnaram, como até destruíram o precioso fardo posto em seu poder, tão bem-dotado, aniquilando-o com o suicídio!..."

Não nos calavam bem na consciência as exposições do ilustre técnico do Planejamento. Amarga tristeza ia avassalando nossas mais íntimas faculdades a cada novo conceito proferido. Não obstante, seguimo-lo de boa mente, à renovação do convite para nos aproximarmos das mesas onde inspirados anatomistas traçavam os mapas de futuros envoltórios a serem modelados na carne pelo Espírito culposo, prestes a reencarnar.

"– Nestas bancas de trabalho – continuou, minucioso – auxiliares meus preparam mapas corporais para suicidas portadores de débitos vultosos, os quais, antes do malogro, haviam recebido aparelhos materiais bem-dotados em toda a sua admirável organização.

Abusaram eles da magnífica saúde que possuíam. Saúde! bem inapreciável de que o homem desdenha, fingindo ignorar que se trata de um auxílio divino que a solicitude do Altíssimo concede às criaturas, com vistas a encorajá-las nos trabalhos dignificantes que lhes facultarão os lauréis do progresso espiritual!

Sem a mínima demonstração de respeito à autoridade do Criador, aqueles nossos inditosos irmãos envenenaram os fardos preciosos com excessos de toda a natureza! Lentamente, depredaram-nos com os abusos do álcool! Intoxicaram-nos com as inalações do fumo!

Aviltaram-nos com os vícios sexuais! Brutalizaram-nos com as imoderações alimentares, desviando-se para a gula, o que para aqueles conquistou alterações nas funções gástricas, ingurgitamento das glândulas hepáticas, danificando lamentavelmente, por acúmulo de operosidade, o delicado aparelho digestivo, que vedes acolá, no modelo primitivo, retratado naquelas estátuas que tanto admirastes! Outros, não satisfeitos com esse gravoso desrespeito a si mesmos como ao Generoso Doador da Vida, o qual, só por si, responderia por um autêntico gesto de suicídio, incapazes de suportar as conseqüências de tanta intemperança, isto é, um câncer, muitas vezes, a tuberculose torturante, uma úlcera, a neurastenia, um desvio mental, alucinações produzidas pelo péssimo estado do sitema nervoso, a hipocondria, enfermidades físicas, mentais e morais que para si mesmos criaram, usaram de violência igualmente reprovável... e coroaram o acervo de inconseqüências destruindo completamente, matando brutalmente o fardo concedido pela bondade paternal de Deus, empunhando contra si próprios armas homicidas!

Eis, todavia, o resultado de que se apavoram!

Não morreram, porque o verdadeiro ser não era aquele santuário destruído, mas a individualidade que nele habitava! E agora, arrependidos, excruciados pela inalienável dor dos remorsos e convencidos do erro que praticaram, voltam ao teatro dos desatinos cometidos, animando argilas corporais não mais idênticas às destruídas por sua espontânea vontade, mas apropriadas ao gênero de expiação que criaram com a conseqüência natural das mesmas infrações..."

A essa altura sentíamo-nos como fatigados de aflição, profundamente melancólicos. A realidade forte que se irradiava daqueles planejamentos, o próprio ambiente, contornado por sugestões inerentes às reencarnações expiatórias, infiltravam angustioso mal-estar em nossos corações, acovardando-nos até à ansiedade! Mas o estado de apreensão e angústia era acontecimento tão vulgar em nosso ser que de nada nos queixamos, antes silenciávamos, pensativos.

Convidou-nos a continuar ouvindo-o, em repouso, apresentando-nos confortáveis poltronas onde nos sentássemos. Em seguida, tomando lugar ao nosso lado, fraternalmente recomeçou o operoso Irmão Clemente:

"– Estais inteirado por Irmã Celestina de como se verifica vossa internação neste Departamento, para que me alongue nas mesmas exposições. Direi apenas que seremos por vós responsáveis enquanto durar a vossa existência planetária, essa existência anormal que criastes fora da programação estatuída pela Divina Providência; assistiremos vossos momentos difíceis na ardência da expiação; enxugaremos vossas lágrimas nos momentos culminantes, insuflando novo ânimo nos vossos corações através de sugestões benéficas, que não regatearemos em vosso favor; segredaremos alvitres mediadores para as aflições que vos atingirem através da vossa faculdade de intuição, acesa pela solércia do sofrimento; zelaremos por vossa saúde, por vossas condições físicas, necessárias à permanência na experimentação terrestre; vigiaremos para que se não agravem as provações por que passareis, dadas as condições egoísticas em que se mantêm as sociedades em que sereis chamados a testemunhar o arrependimento em que permaneceis, as quais vos poderiam dificultar demasiadamente a vitória, acumulando dores excessivas em vosso trajeto, já de si mesmo contaminado de urzes e espinhos... E somente encerraremos tão vasta quão espinhosa missão quando, cessada vossa expiação reparadora do ato de suicídio, cortarmos os liames fluídicos que vos ligarem ao fardo tornado naturalmente cadáver, e vos reconduzirmos para aqui, encaminhando-vos ao Departamento do qual vos recebemos, e o qual, por sua vez, aguardará ordens do Templo a fim de encaminhar-vos a locais novos que por direitos e afinidades vos convierem...

Jamais – repitamos – o retorno ao campo físico-material se efetivará a contragosto vosso. Poderá dilatar-se vossa permanência nesta Colônia por longo tempo, porque, contra a vossa vontade, não reencarnareis. Nem mesmo a Lei Soberana constranger-vos-á a novas tentativas nas liças terrenas, porquanto, um dos seus mais sublimes dispositivos, que nos impulsiona à aquisição de honrosos méritos, é justamente não impor o cumprimento do Dever a quem quer que seja, senão facultar a todos possibilidades de voluntariamente observá-lo! O mais que faremos, tendo em mira o animar-vos para o formoso desempenho, é aconselhar-vos, procurando convencer-vos ao renascimento através do raciocínio e do exame dos fatos. Tais diligências, entretanto, serão efetuadas durante o estágio no Departamento em que ingressastes e não neste, conforme tivestes ocasião de observar durante as instruções que tendes obtido.

Geralmente, porém, o suicida vê-se em tão precárias condições, quer físico-astrais, quer morais e mentais, que bem poucas vezes nos obrigamos ao trabalho de catequese para a reencarnação! Ele próprio deseja-a ansiosamente, apressa-se em obtê-la, suplica-a mesmo ao Todo-Misericordioso, através de preces ardentes, não raro em ocasião inoportuna, o que nos força a contrariá-lo, obrigando-o a uma espera que permitirá maiores probabilidades de êxito..."

Permitiu-se nosso respeitável expositor pequena pausa, durante a qual atendeu a alguns discípulos, que o consultavam acerca dos importantes serviços em elaboração.

Observamo-lo com muito interesse, durante os rápidos minutos em que confabulava com os seus. Não distinguimos o de que tratavam. Em compensação notamos que conservava, invariavelmente, no delicado semblante, sorriso cativador que bem poderia ser o característico do seu ser eternamente afável! Irmão Clemente era, ao demais, jovem e dotado de grande pureza de linhas. Dir-se-ia o modelo ideal que aos estatuários da Grécia antiga inspirou as obras-primas que nunca mais os homens produziram! Parecia não contar ainda as trinta primaveras, o que bastante nos surpreendeu, dada a alta responsabilidade de que o víamos investido, pois, então, ignorávamos que o Espírito é independente de idades, podendo apresentar-se sob o aspecto fisionômico que lhe for mais grato ao coração como às recordações. Víamo-lo como se fora realmente um homem, nobremente trajado com o uniforme da falange. Mas algo se irradiava de sua individualidade, indefinível para nós, atestando sua excelente qualidade espiritual, não obstante o caridoso favor de materializar-se tanto, a fim de nos consolar e servir.

Retomando ao nosso grupo, continuou, paciente e grave:

"– De toda a extensa falange de penitentes que por estes umbrais têm passado, excetuo da exemplificação em apreço os internos do Manicômio. Excessivamente prejudicados, sob pressão vibratória limitadíssima, reencarnarão sob os imperativos da Lei, mas igualmente assistidos pela Paternal Solicitude daquele que é o Amor Supremo para todas as criaturas! Não se encontrando em situação de facilitar auxílio em proveito próprio, suas lacunas serão preenchidas pelo seu Guardião Maior e demais guias dedicados, os quais passarão a dirigir diretamente tudo o que de melhor convenha ao pobre tutelado, incapacitado para o exercício do raciocínio, do livre-arbítrio!..."

Ofereceu-nos a examinar certos mapas que lhe baloiçavam entre as mãos, tomados a um de seus discípulos. Eram esboços para o futuro, miniaturas encomendadas para a encarnação próxima, ao passo que as estátuas em tamanho natural eram o que, em verdade, deveriam estar em atividade, porque representavam a configuração carnal aniquilada pelo suicídio. Tomando das miniaturas, observamos não se encontrarem nelas, desenhados sequer, os arremedos daquelas, mas figuras esquálidas, torturadas por sintomas impressionantes de funda amargura interior, caricaturas assinaladas por indicações de enfermidades atrozes, tais como a paralisia, a cegueira, a demência, etc. – que tanto afligem as criaturas em todas as classes sociais terrenas!

Fez-nos caminhar com ele até um dos clássicos modelos que se viam ao longo da formosa galeria das estátuas e explicou, não sem deixar entrever expressivo acento de tristeza, enquanto, com assombro, líamos sobre a placa do pedestal esta curiosa indicação:

"Vicente de Siqueira Fortes.[20]

Reencarnado a 10 de Outubro de 1868.

Deveria retomar ao Lar Espiritual aos setenta e quatro anos de idade, ou seja, pelo ano de 1942.

Suicidou-se na cidade do Rio de Janeiro, Brasil, no

[20]Nome fictício. Qualquer semelhança será mera coincidência.

ano de 1897, atirando-se à frente de um comboio de estrada de ferro, contando vinte e nove anos de idade."

"– Vedes esta miniatura? – continuou Clemente, destacando uma das que examinávamos. – Pois, assim alterada, reproduz o estado mental e vibratório a que se reduziu Vicente com o desesperado gesto que praticou! Foi extraída do próprio estado atual do seu físico-astral, o que é o mesmo que dizer que, se assim se encontra, é porque assim se fez, pois a Lei que cria a Beleza não impõe este estado dramático e feio às suas criaturas! Agora, o pobre Vicente, como tantos outros que entre nós se acham, é obrigado a retomar o corpo carnal, *nascer de novo a fim de completar o tempo que lhe faltava para o compromisso da existência que destruiu*! Urge, ao demais, que reencarne, com apenas nove anos de estada no Invisível, porque, tão grave foi o choque vibrado em sua organização astral pela infernal resolução de matar a organização animal que, a fim de lograr compreensão que lhe permita progresso razoável, será preciso a permanência na carne, única terapêutica, como já sabeis, bastante eficaz para reconduzi-lo ao estado de alívio! Mas voltará plasmando o barro carnal sob o molde perispiritual que no momento arrasta, o que significa dizer que renascerá enfermo, presa de males atrocíssimos, irremediáveis no plano objetivo, indefiníveis fora das leis psíquicas; abalado por vibrações anormais, que o incapacitarão para o desfrute de boa saúde, ainda que herde dos genitores composição animal vigorosa, assim como de qualquer expressão de paz e de alegria! E tal seja aquela composição, de pais sifilíticos, por exemplo, anêmicos, alcoólatras, etc., etc., será possivelmente paralítico, ou débil mental, ou ainda tuberculoso, etc., etc.!"

"– Não poderia o desgraçado demorar-se ainda no Manicômio até que, de qualquer forma, se minorasse tão lamentável estado de coisas, a fim de se não expor a situações tão dramáticas e dolorosas, no plano da reencarnação?" – perquiri, desolado.

"– Oh, não! Absolutamente não conviria aos seus interesses espirituais semelhante delonga! – tornou o erudito chefe do Planejamento. – Seria demasiadamente longo e doloroso tal processo! Ele não possui nem poderá adquirir percepções para a vida espiritual enquanto se encontrar neste estado! Cumpre-lhe refazer-se ao contacto das forças vitais que, com o suicídio, se dispersaram indevidamente pelo seu físico-astral, com o qual concertavam poderosas afinidades químico-magnético-psíquicas, dando em resultado este tenebroso efeito, esta inqualificável intoxicação perispirítica e mental, não prevista por lei, mas realizável por aquele que se dissociou das leis mentais e morais que se inclinam para a verdadeira idéia de Deus!..."

"– Mas... meu ilustre Irmão!... Semelhante estado de coisas positivará o elevado padrão da Justiça Celeste, em a qual tanta esperança depositávamos?... considerando o que há pouco afirmastes, isto é, que o Supremo Amor do Pai Altíssimo acompanharia estes desgraçados em seus renascimentos expiatórios?... Que digo eu?... acompanharia a mim, a Belarmino, a Mário, a João, pois também estamos acorrentados a esta falange infortunada?... Existirá misericórdia no consentir a Providência este acúmulo de desgraças quando – infelizes que somos! – se nos perdemos nos brenhais do suicídio, foi porque múltiplas desventuras já nos infelicitavam a existência?..." – investiguei eu mesmo, possuído de superlativa angústia.

Irmão Clemente sorriu com bondade, não levando meus protestos em consideração. Respondeu simplesmente, com naturalidade desconcertante para nós:

"– Esquecestes, meu amigo, de que o Universo todo está submetido a Leis Imutáveis e Harmoniosas, as quais nos cumpre procurar conhecer e respeitar, enquanto nos honramos com a sua sublime observação? Por que tanto se descuram os homens encarnados quanto ao dever de a si mesmos estudarem a fim de melhor se conhecerem, procurando respeitarem-se, dando a si mesmos o valor que merecem como criação divina que são?... O de que cuidamos no momento apenas se trata de uma inobservância das mencionadas Leis... É um simples efeito lógico de desarmonia, nada mais!... É o que é, o que os homens inventaram para se torturarem, em desacordo com o que para a sua felicidade o Criador estabeleceu com Suas Leis Harmoniosas, Imutáveis e Perfeitas... Aliás, não é para aliviar o suicida, justamente, desligando-o desse estado de coisas, insustentável para um Espírito, que a Lei o impele à reencarnação?... O que julgaríeis, então, que faríamos a Vicente ou a qualquer de vós, sob as vistas amorosas do Médico Celeste e os conselhos maternais de Sua Mãe, por quem somos orientados?!... A reencarnação para Vicente – tal como se acha ele, e tal como será ela – é a medicamentação apropriada para o caso! Reencarnado, continuará albergado em nosso Instituto! Estará, da mesma forma, hospitalizado pelo Manicômio, tal como se encontra no momento! Assistido pelos médicos e psiquistas daquele estabelecimento, além da vigilância exercida pela direção do Departamento Hospitalar, do Departamento da Reencarnação, da Direção-geral do Templo, assim como pelos assistentes missionários nomeados pelo Alto! Essa reencarnação, que vos parece horrorizar, será como intervenção cirúrgica melindrosa, medida drástica, prevista pela Grande Lei para reação do Melhor sobre o inferior, mas que proporcionará alívio e cura, reerguimento das forças vibratórias, desentorpecimento das faculdades contundidas pelo traumatismo atroz!

Se há amor e misericórdia em permitir a Lei o retorno à arena carnal na condição atual?!... Oh! como ousais conceber maior soma de tolerância, de amparo, de misericórdia do que essa, de conceder o Altíssimo novos ensejos para o grande pecador – denominado suicida – reerguer-se do báratro em que se despenhou, mas reerguer-se honrosamente, sob a tutela do Meigo Nazareno, e à custa dos esforços próprios, da nobreza edificante do Dever fielmente cumprido?... Porventura estará ele destituído dos direitos de criatura de Deus, de Espírito em marcha evolutiva para a glória da Vida Imortal?!... Não lhe estão sendo, ao contrário, conferidas oportunidades preciosas, com a reencarnação?... Não estará, porventura, amparado, hoje como amanhã, pelos cuidados de Jesus Nazareno, paternalmente assistido por obreiros Seus, por legionários de Maria, que o ajudarão na caminhada áspera desse calvário forjado do ato insano que praticou à revelia da Lei de Deus?... Espíritos que pairam em esferas celestes, como o próprio Divino Médico das Almas, não estão, porventura, preocupados com ele, solicitando ao Soberano Onipotente novas oportunidades para que se reedifique ao calor de atos justos e meritórios, forrando-se da humilhante situação em que jaz no momento, dentro do mais breve prazo possível?!...

Se ele sofre, de quem foi a responsabilidade?... Não é, aliás, o sofrimento, lição magnificente, que acumula sabedoria através da experiência?...

Quem, na Terra, ignora que o suicídio é infração que se não deve cometer por ser contrária à Natureza e à Lei e ao Amor de Deus?!...

Na Terra, as religiões, a razão, o sentimento, o senso, a honra, tudo o reprova e condena!...

Aí está por que: o pensamento, a intuição que o bom-senso tem da deplorável situação a que se reduz a alma de um suicida!...

A Vicente, como vedes, a Lei outorgara o sagrado direito de existir sobre a Terra animando um envoltório físico-material perfeito, como este modelo que aqui se encontra, neste pedestal!

Que fez ele desse corpo, porém?...

Rejeitou-o! Espezinhou-o! Atirou-o brutalmente à destruição!... Tão desrespeitosamente como se o atirasse de retorno à face do próprio Deus!

O insulto à Lei, porém, muito caro lhe há de custar!

Expiará as conseqüências naturais do ato, reparará os desastres ocasionados a si mesmo, como a outrem, se alguém, além dele, foi prejudicado; amargará sacrifícios e lágrimas, herança lógica do desatino praticado, até que consiga forças vibratórias suficientes para obter da Providência a concessão de outro empréstimo corporal equivalente ao destruído, um outro templo, perfeito e sadio, a fim de recomeçar o carreiro normal da evolução, interrompido pela queda nos desvios do suicídio!

Ele sofre, é certo. Mas... quem o fez sofrer?... Por que sofre?...

Onde o maior responsável pelos seus sofrimentos?..."

Contrafeito e triste, baixei a fronte, preferindo silenciar.

Os primeiros ensaios

"Todas as vezes que ajudastes a um destes meus irmãos mais pequeninos, foi a mim que o fizestes."

Jesus-Cristo – O Novo Testamento.[21]

Dois dias se passaram após os acontecimentos há pouco narrados, durante os quais nos entregamos a sérias ponderações sobre quanto víramos e soubéramos nas visitas aos Departamentos Hospitalares.

Compreendêramos as lições.

Nenhuma ilusão seria mais possível reter depois de concluído o estudo daquela bíblia espelhante e sábia que representava cada uma das seções visitadas!

Estávamos angustiados! E no recinto plúmbeo do Pavilhão Indiano, rodeados de nostalgia e solidão, vimos as lágrimas banharem as faces uns dos outros!

Na manhã do terceiro dia foi ainda Roberto de Canalejas quem contribuiu para arredarmos o estado de

[21] Mateus, 25:31 a 46.

depressão para o qual resvalávamos, convidando-nos a passear pelo parque em sua companhia.

Servindo-se da encantadora afabilidade que era o seu característico, discreta e singela, advertiu enquanto caminhávamos:

"– O desânimo é sempre mau conselheiro, cujas sugestões devemos fustigar com todas as nossas melhores forças! Reagi, meus amigos, voltando vossas vontades para a Força Suprema, de onde emanam as energias que alimentam o Universo... e logo sentireis que disposições regeneradoras reerguerão vossas capacidades para o prosseguimento da jornada...

Quando vos sentirdes pusilânimes e tristes diante do inevitável, trabalhai! Procurai na oportunidade, na ação enobrecedora e honesta o restaurador para as faculdades em crise! Nunca seremos tão insignificantes e destituídos de possibilidades, quer na Terra quando homens ou no Invisível como Espíritos desagregados da carne, que não nos permitamos servir ao nosso próximo, cooperando para seu alívio e bem-estar. Ao invés de vos aprisionardes neste Pavilhão, dando largueza de expansão a pensamentos cruciantes e improdutivos, que vos agravam os sofrimentos, vinde comigo, a visitar vossos irmãos que sofrem mais do que vós e se acham hospitalizados ainda, ergastulados no drama de trevas que sobre vós também já se estendeu... Voltemos ao Hospital a fim de rever os amigos, os colegas, os enfermeiros que bondosamente por vós zelaram, consolando vossos corações esmorecidos pela dor, os médicos que vos auxiliaram a expulsar da mente as impressões contumazes que vos amorteciam a coragem..."

Aquiescemos. O dia todo, por ele acompanhados, visitamos novos enfermos, dirigimos frases solidárias a pobres recém-chegados do Vale Sinistro, abraçamos Joel e demais dedicados amigos que por nós se desvelaram por dias e noites de angustiada memória, apresentamos respeitos e homenagens aos eminentes psiquistas que tantas vezes se abeiraram de nossos leitos levando-nos caridosos refrigérios nas reconstituintes energias das suas virtudes hialinas!... E por tudo isso suave reconforto bordejou nossas apreensões, ensinando-nos a buscar tréguas para as próprias dores, aliviando as dores alheias, aquecendo-nos junto de corações virtuosos capazes de nos compreenderem!

À tarde, já de regresso ao albergue, um emissário de Teócrito comunicara-nos que, no dia imediato, deveríamos atingir a sede da Vigilância, reunindo-nos a grande caravana que demandaria a Terra.

Teócrito não fizera parte da assistência para essa caravana. Todavia, sua autoridade fez-se representar nas pessoas de seus dignos discípulos Romeu e Alceste, os quais zelariam por nossos interesses e necessidades enquanto nos encontrássemos em liberdade, não obstante houvessem de fazê-lo ocultamente, a fim de não nos privar do mérito e da responsabilidade. Carlos e Roberto de Canalejas, no entanto, Ramiro e Olivier de Guzman, Padre Anselmo e outros amigos a quem nos habituáramos a querer, integravam o numeroso cortejo, incumbidos, por ordens superiores, das instruções que se tornassem precisas, caso nosso procedimento durante a liberdade arrastasse a necessidade de mais vultosos empreendimentos.

...E quando as primeiras paisagens do torrão natal se desenharam indecisamente, entre as emanações pesadas da atmosfera, o pranto rolou-me dos recôncavos do ser, num sacrossanto hausto de saudade, respeito e alegria!

Havia dezesseis anos que o fardo carnal, por mim recebido da Natureza-Mãe para, através de seu inestimável concurso, habilitar-me para o radioso reinado da Imortalidade, tombara em convulsões sinistras, triturado nas garras tétricas do suicídio!

Dezesseis anos de prisão, de lágrimas, de dores cruciantes e inenarráveis em sua verdadeira expressão!

Atordoado, já desambientado da minha própria terra natal, assaltou-me incoercível receio de perlustrar sozinho as tão conhecidas e saudosas ruas de Lisboa, do Porto, de Coimbra, que eu tanto amara! Senti-me constrangido e triste, verificando-me de posse da liberdade. Nossos amigos retiraram-se de nossa visão, refugiando-se em invisibilidade inatingível pelas nossas capacidades, e deixaram-nos entregues a nós mesmos, não obstante não nos terem de todo abandonado. Profundas modificações, de certo, o longo estágio de sofrimentos no Invisível havia cavado em meu interior, porque me reconheci tímido e apavorado face a face, outra vez, com aquela sociedade a quem eu amara e desprezara a um mesmo tempo; que eu fustigara em iras incontidas ao lhe deparar as mazelas, para em outra vez exaltar em comovidas páginas extravasadas do coração, ferido sempre por bem dramáticas razões! Lembrei-me de que adversas etapas constituíram minha existência a que o desespero acabou por destruir, a qual, se não primou pelas virtudes, que não demonstrei possuir, ao menos se impôs pelo padrão de infortúnio que arrastou!

Despertada a subconsciência, tão carinhosamente embalada e adormecida pela terapêutica do Instituto Maria de Nazaré, ante o retorno ao teatro do pretérito, o drama que vivi desenrolou-se às minhas lembranças com o mesmo acre sabor de antanho, alvoroçando-me as entranhas anímicas com as agruras e tribulações outrora suportadas! Lembrei-me dos que amei, dos que me amaram, ou, pelo menos, dos que tinham o dever de me amar, e tive medo de buscá-los!

As desilusões sofridas por Jerônimo Silveira encontravam-se ainda muito vivas em minhas recordações para que imprudentemente me arrojasse a provocá-las para mim, visitando, sem muito ponderar, o velho lar, os amigos, a parentela de quem eu apenas tivera fugidias notícias, por jamais dela receber demonstrações saudosas através de bons votos que me dirigissem, no fervor de uma prece!

Vali-me, então, da afeição de Belarmino, a quem eu conhecera nos dias de desgraça, suplicando-lhe que me não abandonasse, antes marchássemos juntos, nas idas e vindas que pretendêssemos... pois Mário lá se fora à cata de noticiário da esposa e dos filhos, dos quais jamais soubera no Invisível, até aquela data!

O antigo professor de línguas deixara-se bordejar por idênticas impressões. Conservava-se mudo e compenetrado, enquanto eu dava elasticidade ao pensamento, externando-o por todos os motivos.

Voltei com ele ao antigo solar que o vira nascer e vicejar, onde desfrutara o convívio amoroso da família, que tanto o prezara, e por cujas salas atapetadas o vulto de sua inconsolável mãe parecia ainda mover-se alucinadamente, desde o momento em que o vira extinguindo-se, com os pulsos seccionados! Já não pertencia aos de Queiroz e Sousa a quinta formosa, nem lá se encontrava a amorosa velhinha que ele, agora, os remorsos porejando dos escaninhos da alma, buscava com aflição, inconsolável por não lograr jamais notícias, quando todo o seu ser vibrava em ânsias de saudades!... Vi o antigo professor de Dialética chorar diante da lareira, posto de joelhos no local justo onde outrora se conservava o balanço da velha senhora, rogando seu perdão pelo desgosto atroz infligido ao seu terno coração de mãe; a suplicar, entre pranto aflitivo e comovedor, sua presença saudosa, ainda que por alguns instantes, a fim de que se amenizasse em seu peito a dor feraz da saudade que lhe estorcia a alma!

Qual peregrino desolado procurou-a por toda a parte onde supôs provável encontrá-la. A amorosa velhinha, porém, para quem vida, alegria e felicidade se resumiam nele, não era encontrada em parte alguma! Até que idéia desconcertante lhe apontou a derradeira possibilidade: dirigiu-se ao jazigo da família, onde repousavam as cinzas dos seus antepassados. Sua mãe decerto também lá estaria...

Com efeito! O nome adorado lá se encontrava, gravado na pedra tumular, ao lado do seu próprio nome...

Belarmino ajoelhou-se então, à beira do próprio túmulo, e orou por sua mãe, desfeito em lágrimas.

Entardecia quando, silenciosos, descemos a encosta alfombrada do Campo Santo. Procurei, à medida das minhas possibilidades, levantar o ânimo do amigo querido; e, enquanto vagávamos pelas ruas, observei, esforçando-me por parecer confiante e consolativo:

"– Será fácil deduzir quanto ao destino de tua veneranda mãe, ó meu amigo! Não se achará, com certeza, enclausurada naquela gaiola de mármore e podridão, pulverizando-se com os últimos elementos materiais que ali se encerram... uma vez que nem tu lá te encontras!... O senso indicará que, sendo nós ambos seres portadores de personalidade eterna, também ela o será... e que, como nós, se encontrará em local apropriado à sua existência extracorporal, mas nunca no poço tumular..."

"– Sim!... Eu já o havia pensado, Camilo... Porém, onde estará ela?... Em que local do Infinito Invisível? ...E por que será que nunca mais, nunca mais, sendo eu imortal, pude encontrar minha mãe querida?... Por que não a entrevi jamais, refletida nos possantes aparelhos de nossa enfermaria, em visita telepática?... Vê-la-ei porventura algum dia?..."

"– Perdão, Belarmino... Pareceu-me ouvir-te dizer que também a senhora tua respeitável mãe compartilhava das crenças materialistas que professaste?...

Como quererias, então, que vivesse a orar por ti, fazendo-se refletir na sensibilidade de um medidor de vibrações espiritualizadas, para servir-me das explicações dos nossos caros amigos da Colônia?... Indaguemos antes do seu paradeiro ao Dr. de Canalejas ou ao nosso Roberto... Quanto a mim não anteponho dúvidas à possibilidade de a reveres tu! Se tudo quanto nos tem envolvido, desde que penetramos o além-túmulo, impõe-se pela justeza da lógica, a mesma lógica conduzir-te-á a reveres tua mãe, mais tarde ou mais cedo..."

"– Sim, perguntemos ainda uma vez aos doutores de Canalejas... Quantas vezes já o fiz, esquivando-se ambos a respostas decisivas?!... Mas... onde os encontraremos agora?... Não deixaram endereços!..."

"– Esperemos, então, até encontrá-los... Sejamos pacientes... Amigo de Queiroz e Sousa! Em dezesseis anos de desgraças surpreendentes, creio que aprendi rudimentos da sublime virtude denominada Paciência!...”

“– Todavia, Camilo amigo, preferia não ter voltado a Portugal... Sinto-me intranqüilo e triste...”

Não obstante, sentíamos fadiga e queríamos descansar.

Onde, porém, achar abrigo?!...

O decoro, o respeito ao domicílio alheio inibia-nos buscar hospedagem em casas estranhas... Quanto aos velhos amigos, não nos podendo perceber, tornavam-se ainda mais respeitáveis para nós, por não desejarmos participar de sua intimidade como intrusos ou indiscretos.

Habituados à disciplina confortativa do Instituto, era premidos pela saudade do suave aconchego que continuávamos a transitar pelas ruas da cidade. Incoercível tristeza anuviava-nos o coração, ao passo que o crepúsculo derramava nostalgia em derredor, avolumando as sombras e as impressões que nos chocavam.

Belarmino alvitrou nossa hospedagem em uma igreja, cuja nave, repleta de fiéis, convidava francamente à intrusão. Repeli, no entanto, a sugestão, fiel à antiga incompatibilidade com os representantes do clero. Numerosos locais foram, em conseqüência, lembrados, mas tanto os indicávamos como imediatamente eram rejeitados...

De súbito, como se a fraternal solicitude de Teócrito nos observasse através dos espelhos magnéticos, acompanhando nossos passos como fizera a Jerônimo, idéia salvadora iluminou-me a mente e bradei, jubiloso:

Fernando!...

Sim, Fernando de Lacerda! o protetor inesquecível, cujos caridosos pensamentos de amor e de paz, diluídos em cintilações de preces, tantas vezes me visitaram no desconsolo apavorante do tugúrio de trevas, onde minhalma expiava a ousadia de se haver antecedido à determinação da Justa Lei!

Sim, Fernando! o coração boníssimo, que continuava, incansável e piedoso como ele só, a cativar-me com suas constantes visitas mentais, seus abraços amoráveis convertidos em radiações benfazejas de novas preces para novas conquistas de dias melhores para o meu destino!...

Não ignorávamos o domicílio do velho amigo. Tampouco a repartição onde exercia seu honesto labor. Tampouco o local onde se reunia de preferência, para experimentações científicas e culturais, a que, ao lado de atenciosos companheiros, emprestava os melhores esforços, por já o havermos visitado quando da primeira vez que lográramos descer à Terra. Para seu domicílio, pois, nos dirigimos, ali nos abrigando, discretos e humildes, ocupando cômodo acima do telhado, "água-furtada" que se diria apropriado pelo Invisível para hóspedes de nossa categoria.

Alguns dias de permanência ao lado de Fernando e seus cômpares foram suficientes para me readaptarem aos acontecimentos terrenos, reambientando-me na vida social. Não foi, todavia, sem sensíveis constrangimentos que o fiz, sinceramente saudoso do convívio sereno e leal da sociedade invisível a que já me habituara.

Largamente confidenciei-me com o precioso médium tão benquisto em nosso Instituto. No suave abrigo oferecido pelas "águas-furtadas" reuni idéias e deliberei realizar um programa, com vistas à efetivação das recomendações de Teócrito. Deveria, antes de tudo, voltar a esclarecer aos meus antigos amigos, colegas, editores, e até aos adversários, que o suicídio não lograra decepar-me a vida, tampouco a inteligência e a ação. Escrevi, então, falando ao cérebro de Fernando, em colóquios amistosos que muito me confortavam, e servindo-me de sua mão como de uma luva que calçasse à minha própria mão, longas cartas a amigos de outrora, que a morte me não fizera olvidar; noticiário sincero e verídico de minhas impressões, procurando identificar-me no estilo literário que me conheciam. Não comportava já, porém, vaidades o meu gesto! Pretendia antes preparar ambiente para mais amplas reportagens futuras. Meu intento era avisá-lo, antes de mais nada, de que eu continuava vivo, bem vivo e pensante, não obstante a tragédia inconcebível que o túmulo ocultara aos débeis olhos humanos! Meu desejo era revelar-me àquela mesma sociedade que me conhecera, rejubilá-la com as alvíssaras de que, como eu, também ela era imortal; preveni-la, enfim, conscienciosamente, dos perigos existentes atrás das sombrias ciladas forjadas pelo monstro – Suicídio!

Mas... apesar da boa vontade de que me sentia possuído, da dedicação do generoso amigo que me emprestava inestimável concurso, passei pela decepção e a vergonha de ser repelido pela maioria daqueles mesmos a quem desejava servir revelando-me individualidade pensante, inteligência viva, independente e normal, não obstante a invisibilidade do estado em que me achava. Sem o desejar, grandes desgostos atraí para o pobre Fernando, a quem antes eu quisera respeitado e honrado em virtude do magnífico dom que trazia, tal o de transmitir facilmente o pensamento das almas defuntas: e foi ele alvo de críticas demasiado ardentes e injustas, insultos ingratos, remoques abusivos!

Desapontei-me, contrariado. Não era possível à minha boa vontade o defender o nobre amigo, visto que me não desejavam ouvir. De nada valiam tantos e tão interessantes noticiários que trazia eu das minhas bandas nevadas do Além a fim de surpreender antigos competidores na literatura; tantos e tão impressionantes dramas e narrativas com que enriquecer outros editores que necessariamente me reconheceriam através da linguagem que lhes fora habitual! Via-me forçado a calar, porque bem poucos eram os que me aceitavam a volta!

Entretanto, o convívio com Fernando compensava-me das derrotas nos outros setores, muito edificado me senti graças às palestras que comumente com ele empreendia, reservando-lhe eu a minha melhor afeição, um tono sempre crescente de gratidão pelas simpatias que a mim, como aos meus cômpares, infatigavelmente demonstrava.

....

Por uma tarde de sol, um mês depois de nossa chegada a Portugal, quando os perfumes amenos dos aloendros se misturavam ao sugestivo olor dos pomares fartos, espalhando vida e encantamento pela atmosfera serena, voltei, sozinho e pensativo, num gesto abusivo e temerário, à Quinta de S...

Recordações doridas erguiam-se quais duendes obsessores a cada palmilhar pela estrada alfombrada e tépida... e o Passado impunha-se a pouco e pouco, sacudindo de minhas lembranças as cinzas do esquecimento, que os dúlcidos favores celestes haviam espargido sobre minhas dores, assim aviventando-as para novamente me cruciarem o coração!

Afigurou-se-me desguarnecido o velho casarão. Um por um dos solitários compartimentos foram por mim visitados sob o cáustico mental de recalcitrantes ansiedades. Sombras de odiosas amarguras incidiam sobre meu raciocínio, compelindo-o para trás a cada ressurgimento das lembranças que estabeleciam estranha retrospecção da vida que tão fértil me fora em episódios adversos, decepcionantes! Panorama autêntico do que havia sido o meu viver, com lutas e responsabilidades imanentes em cada dia, desenvolveu-se milagrosamente em minha consciência superexcitada pelo fenômeno da introspecção voluntária, obrigando-me à subserviência de outra vez sentir, sofrer e reviver integralmente o que para trás me pungira, calcando-me a alma! E suores de agonia porejavam das sutilezas do meu ser astral, denunciando à consciência a completa ausência de méritos que, naquele instante melindroso, me galardoassem com honrosos beneplácitos! Dir-se-ia que os episódios evocados pelas emoções abeberadas no ambiente em que outrora vivi, pensei, agi e impregnei de forças mentais deletérias se agigantavam à minha hipersensibilidade momentânea, transmutando-se em fantasmas tirânicos que me deprimiam, quando deixavam de acusar!

O insuportável convívio da intimidade doméstica, que as vetustas paredes testemunharam; as desarmonias e incompatibilidades constantes, que me tornavam a vida oceano conflagrado; o peso lúgubre de pensamentos viciados por insatisfação doentia, que a tara neurastênica arrastou à completa desorganização nervosa; a desolação das trevas que se confirmavam, tapando-me a luz dos olhos, que cegavam; a longa premeditação para o desfecho sinistro; o desespero supremo; a queda final para o abismo, tudo se ergueu assombrosamente, das entranhas do meu "eu", sob as sugestões pesadas do ambiente malsinado que presenciou os últimos dias da minha existência de homem! E – ó grandiosa faculdade, que tanto premia como pune a consciência, tais sejam as ações desempenhadas que se hajam fotografado em suas suscetibilidades! – revi, sentindo-lhes os efeitos, até mesmo as cenas derradeiras, isto é, os estertores macabros da morte aniquilando, antes do justo prazo, aquele fardo que me fora confiado pela solicitude divina como sagrado depósito, para a recuperação honrosa de um passado ominoso, carregado de opróbrios!

Desorientado, tomado de crise atordoante, perdi a memória do presente, embrenhado que me deixei ficar pelos espinheiros do pretérito, como absorvido por infernal demência retrospectiva, e entrei a bramir, réprobo que fora nas convulsões sinistras de antanho, a ulular e gemer, a blasfemar e chorar o pranto satânico daquele para quem se extinguiram a esperança de consolo, a trégua para repousar e refletir!... E quem, porventura, ali ainda residisse, ou pelos arredores passasse então, e pudesse dilatar os dons psíquicos, percebendo a tragédia por mim rememorada, afirmaria que dezesseis anos depois de minha morte ali me pressentira ainda, entre gemidos e atroamentos de incontidas dores!

Quando voltei a mim, refeito do colapso maldito, Romeu e Alceste, ternos e solícitos, ungiam minha fronte com os refrigerantes eflúvios de suas peregrinas potências magnéticas, os quais me tonificavam a alma quais neblinas benfazejas sobre a planta ressequida e débil!

O céu enluarado revelava que muitas horas eu assim passara, alucinado dentro do círculo ígneo do Passado, pois era já noite, as estrelas longínquas lucilavam, alindando o firmamento!

Vi-me em repouso sob o frescor dos arvoredos perfumosos, e os velhos ramados do vinhedo próximo disseram-me que me encontrava ainda na Quinta. Inaudito desgosto pungia-me o coração, enquanto as lágrimas deslizavam suavizando a opressão que me sufocava o seio.

Roguei aos eminentes Guias que, por mercê especial, me reconduzissem ao Pavilhão Indiano, onde me consideraria seguro, a coberto de qualquer cilada da mente entrechocada pelos passados despautérios. Portugal com suas recordações amaríssimas, Lisboa, o velho Porto – a Terra enfim – tudo enoitava meu Espírito, predispondo-o à extração de sombras e sofrimentos que eu desejava, precisava esquecer! Mas não fui atendido, a benefício de minha própria reabilitação moral, asseverando-me os nobres mentores que algo eu deveria realizar naqueles mesmos ambientes, como testemunho das capacidades de renunciação e desprendimento adquiridas para incursões novas nos planos espirituais, os quais nem eu nem tampouco meus cômpares havíamos verdadeiramente atingido até então, não obstante a repugnância infligida pelas atormentadoras recordações locais!

Comovido até às lágrimas, emiti então ardente súplica, intimidado diante das pesadas responsabilidades que me sobrecarregavam:

"– Nobres e queridos mentores, indicai-me então o que seja lícito tentar a fim de mitigar as torturas morais que me intoxicam as energias, depauperando-me a vontade! As lembranças revivescidas, o ambiente, as desilusões, o olvido sentimental a que lançaram minha memória aqueles em que mais confiei, são dissabores que me excruciam dolorosamente o coração, superexcitando-me a sensibilidade a um grau desolador!... Que eu saiba agir com acerto, algo praticar de meritório, bastante honroso para me permitir refrigério e consolo eficiente! Aconselhai-me!..."

Proferida que foi minha súplica, e enquanto as imagens formosas dos dois jovens se adelgaçavam cada vez mais, rarefazendo-se sob os raios opalinos do crescente lunar que romantizava a paisagem, ouvi que me respondiam com uma interrogação:

"– Quais foram as advertências de Roberto ao vosso grupo, na véspera da descida para estas instruções?..."

"– Oh!... Ah! sim, lembro-me... Que procurássemos refrigerar as faculdades convulsionadas pelo sofrimento... levando balsamizador auxílio a sofredores em mais críticas situações... E nos reanimássemos ao contacto dos bons e sinceros amigos, cujos corações, iluminados pelas refulgências de lídimas virtudes, fossem fortes bastante para aquecer-nos o frio do desânimo, indicando-nos os passos para roteiros prometedores..."

"– Pois fazei isso... Roberto aconselhou como devia..."

Reuni então todas as forças de que era capaz, impus serenidade aos sentidos abalados pelas emoções, alcei energias mentais recordando as invocações ao Mestre Nazareno, e orei também, fervoroso e humilde, a pedir socorro e proteção.

A solidão em redor aterrava-me! contemplei o casario sinistro e arrepios de odiosas emoções incentivaram em mim o desejo de afastar-me, mas afastar-me para muito longe, onde fosse possível esquecer a tragédia que, para mim, tudo aquilo recordava! Fustiguei os passos e afastei-me... mas, ao transpor os umbrais malditos, compensadora surpresa aguardava-me, resposta, certamente, à súplica feita ao Amigo Divino:

Ramiro de Guzman e Roberto de Canalejas ali estavam à minha espera!

"– Louvado seja Deus!" – exclamei, num hausto de gratidão profunda...

E confiante segui tão valiosa companhia, que me reconduziu piedosamente ao modesto domicílio terreno, retirando-se em seguida.

....

Obedientes a impulsos de longas elucubrações, oriundos de antigos conselhos, advertências e exemplos dos nossos vigilantes e instrutores, organizamos uma como "associação de classe" no intuito de estudarmos e realizarmos ações combativas às idéias de suicídio, às inclinações mórbidas, detentoras de infernal predisposição que contaminava as diferentes classes sociais, às quais, agora, poderíamos voltar, como entidades invisíveis que éramos. Eivada de duros percalços, todavia, se nos apresentou a vultosa empresa... E não fora os eficientes socorros da luminosa assistência que nos inspirava, certamente não lograríamos quaisquer resultados satisfatórios.

Quiséramos de início nos tornarmos vistos e compreensíveis pelos homens, acreditados nos seus conceitos através de testemunhos, francos e minuciosos, que lhes forneceríamos, da realidade do mundo em que vivíamos, fosse positivando nossa identidade ou por várias outras particularidades ao nosso alcance. Quiséramos com eles entreter relacões amistosas e sérias, confabulações interessantes e elucidativas, intercâmbio permanente de noticiário, por nós considerado da mais alta utilidade para todo o gênero humano, porquanto tendia a adverti-lo do perigo desconhecido que representava o suicídio para a sociedade terrena. Raros, porém, aqueles que consentiram em aceitar nossas tão sinceras efusões, e, assim mesmo, quase todos estranhos para nós, fora, mesmo, de Portugal! Comumente, no entanto, sucedia que, após grandes esforços e fadigas no trabalho de criarmos oportunidades para o almejado momento; depois de consecutivos dias de experiências exaustivas em torno de médiuns ansiosamente descobertos aqui e ali, porque nossos versos ou nossa prosa de além-túmulo se apresentassem algo desfigurados à falta da puridade do estilo que nos fora habitual, como se não tivéssemos a vencer exaustivas dificuldades apresentadas, não apenas por aqueles instrumentos como, principalmente, pela exigente e impiedosa comitiva que geralmente os cerca, negavam-se a dar-nos crédito e repeliam-nos ríspida e chocantemente, servindo-se para as críticas, com que nos recebiam, de zombarias e remoques ofensivos, impróprios de corações educados, correndo conosco como a vagabundos e indesejáveis do Astral, acoimando-nos de mistificadores e mal-intencionados! Se tentávamos narrar as surpreendentes peripécias deparadas pelo desvio adentro do suicídio, ou descrever a vida para além fronteiras do túmulo, com todas as cores mais fortes do ineditismo, por entendermos dever de solidariedade o ajudar os incautos a se precatarem, desviavam as atenções do plano espiritual sério e dignificante para se permitirem interrogar-nos sobre assuntos subalternos que só a eles próprios diziam respeito e interessavam, e os quais ignorávamos completamente, vexando-nos a idéia de solicitarmos auxílio de nossos nobres instrutores a fim de nos tornarmos agradáveis; preferiam tratar de frivolidades e questões medíocres, pouco criteriosas muitas vezes, o que nos decepcionava e entristecia, provocando freqüentemente nossas lágrimas, pois o tempo corria e nada obtínhamos que registrasse algo de bom e meritório no severo livro da Consciência!

Encontrávamo-nos, assim, em luta para a consecução desse desiderato, quando nos assaltou desejo ardente de nos transportarmos para o Brasil. Sabíamos ser o país irmão campo vasto e fácil para os exercícios que trazíamos em mira, certamente muito menos preconceituoso do que o deparado em nossa Pátria. Repercutia ainda em nossas lembranças a formosa reunião a que assistíramos certa noite, no interior de Minas Gerais, onde fôramos levados em falange por nossos desvelados educadores do Instituto, e quiséramos, agora, experimentar falar com os brasileiros, a ver se lograríamos algo de mais positivo. Como fazer, porém, para chegarmos até lá?!...

Foram ainda aqueles incansáveis legionários que acudiram aos veementes brados de socorro dirigidos por nossas mentes ansiosas, unidas em preces, à Caridade Sublime de que eram dignos representantes. Encaminharam-nos ao local almejado transportando-nos facilmente sob sua proteção, felicitando-nos com novas instruções em asilo seguro, sob a proteção do qual estaríamos a coberto de surpresas desagradáveis. Tratava-se de benemérita instituição registrada no Mundo Espiritual como depositária de inspirações superiores, a servir de padrão para as demais que se quisessem expandir em terras de Santa Cruz, dedicando-se aos estudos e práticas das doutrinas secretas e aos feitos benemerentes próprios de veros iniciados cristãos.

Iniciamos, então, luta árdua e exaustiva.

Todos os recursos, no entanto, de que podíamos dispor, tentamos a fim de aproveitarmos médiuns brasileiros para o almo, sacrossanto projeto que tínhamos em mira! Humildes, dóceis, afáveis, amorosos, sinceros no desejo de servir, encontramos vários deles que se poderiam ter tornado cireneus de nossas aflições, suavizando nosso calvário de reparações e experiências. Tudo fizemos por utilizarmos suas faculdades para os trabalhos literários com que quiséramos testemunhar a Deus nosso arrependimento por infringirmos Suas Leis.

Mas, oh! a tortura do idioma!

Por que os brasileiros, Deus do Céu, descendentes nossos, nossa raça, mesmo nosso sangue, tanto se desviaram do nosso culto pela língua pátria?!... E por que ao menos os homens não tratavam de se habilitar num idioma tornado universal, que a nós, Espíritos, como a eles, concedesse possibilidades de expansões brilhantes?!... O que, então, poderíamos produzir, servindo-nos de médiuns como os há em terras do Brasil!...

Lembrei-me, certa vez, das advertências de Roberto, prevenindo das dificuldades com que esbarraria para me comunicar com os homens, e reconheci-as justas, verdadeiras!

O desânimo invadia-me! Profunda tristeza ameaçava renovar dissabores deprimentes, apoucando-me a alma, quando, uma noite em que nos achávamos reunidos, tratando tristemente do que tanto nos preocupava, em nosso abrigo da magna instituição brasileira, fomos surpreendidos pela visita de Fernando, cuja vestidura carnal adormecera profundamente, em seu domicílio, no velho e amado Portugal, pois ia já alta a noite. Orara ele em nosso benefício ao recolher-se, impressionado com nossas freqüentes aparições ao seu peregrino dom mediúnico; e, certamente impulsionado por inspirações caritativas do plano etéreo, não tardou a descobrir-nos a fim de piedosamente nos servir ainda uma vez, prestativo como sempre.

Estabeleceu-se então amistosa e útil confabulação no silêncio propício da magna agremiação. Convidou-nos ele a exercer com mais freqüência o almo dever da oração, criando, através dele, meios de comunicação mais diretos com nossos mentores, a fim de lhes recebermos com maior viveza a inspiração permitida no caso, pois éramos como alunos que pusessem à prova ensinamentos já recebidos para se permitirem ensejos novos no futuro. Reiterou oferecimentos para os intuitos que trazíamos, aflitos que nos reconheceu ante as impossibilidades que se nos antolhavam. Concitou-nos a continuar dizendo algo ao mundo por seu intermédio, não nos dando por vencidos ante as algaravias de adversários vezados ao hábito da crítica insana, abandonando ao nosso dispor, como sempre, suas hialinas faculdades psíquicas, onde nos sentíamos refletir como num espelho! Do seu coração generoso soube extrair conselhos e advertências, com o que nos mitigou a ansiedade do terror que nos oprimia à idéia de um fracasso nos penosos exames a que de direito nos víamos expostos. E acrescentou, comovido e sincero, desejoso de nos impelir à linha reta:

"– Se em vez do que vindes tentando improficuamente, procurásseis meios de vos tornardes agentes da lídima Fraternidade, exercida com tanta eficiência pelo Divino Modelo do Amor, já vos encontraríeis vitoriosos, espalmando alegrias que longe estariam de vos manter a alma assim torva e encapelada.

A Caridade, meus amigos – permita-me que vo-lo recorde –, é a generosa redentora daqueles que se desviaram da rota delineada pela Providência! Por isso mesmo o sábio Rabi da Galiléia ofereceu-a como ensinamento supremo à Humanidade, que Ele sabia divorciada da Luz, por mais fácil e mais rápido caminho para a regeneração!

É tempo já de pensardes com desprendimento na Divina Mensagem trazida por Jesus e de saturardes os arcanos do ser com algumas gotas das suas essências imortais e incomparáveis!

Reparando o rápido gesto que vos impeliu ao abismo, podereis praticá-la, a um mesmo tempo servindo à vossa e à causa alheia.

Avultam nas camadas sociais terrenas, como nas invisíveis, problemas dolorosos a serem solucionados, desvarios a serem moderados, infinitas modalidades de desgraças, desventuras acérrimas a afligirem a Humanidade, requisitando concurso fraterno de cada coração generoso a fim de serem ressarcidas, consoladas!

Nos hospitais, nas prisões, nas residências humildes como na opulência dos palácios, por toda a parte encontram-se mentes enoitadas pela incompreensão e pelo desespero, corações precipitados pelo ritmo violento de provações e de problemas insolúveis neste século! Em qualquer recanto onde se haja ocultado a descrença, onde a paixão se instale e a desventura e o infortúnio se mesclem de revolta ou desânimo; onde a honra, a moral, o respeito próprio e alheio não forem consultados para a prática das ações, e onde, enfim, a vida se converteu em fonte de animalidade e egoísmo, lavra a possibilidade de uma queda nos abismos de trevas onde vos agitastes entre raivosas convulsões!

Diligenciai por encontrar tais recantos: estão por aí, a cada passo!... Aconselhai o pecador a deter-se, em nome da vossa experiência!... e apontai-lhe, como bálsamo para as amarguras, aquele mesmo que desdenhastes quando homem e hoje reconheceis como o único refrigério, a única força capaz de soerguer a criatura da desgraça para enobrecê-la à mirífica luz da conformidade nos prélios dignificantes de onde sairá vitoriosa, quaisquer que sejam as decepções que a açoitem: o Amor de Deus! A submissão ao Irrevogável! Tornai-vos consoladores, exercitando agenciar a Beneficência, segredando sugestões animadoras e reconfortativas ao coração das mães aflitas, dos jovens desesperados pelas desilusões prematuras, das desgraçadas mulheres atiradas ao lodo, cujos infortúnios raramente encontram a compassividade alheia, as quais sofrem insuladas entre os espinhos das próprias inconseqüências, desencorajadas de reclamarem, para si também, a ternura paternal de Deus, a que, como as demais criaturas têm sacrossantos direitos! São, todos estes, seres que estão a requisitar alento protetor dos corações sensíveis, bem-intencionados, quando mais não seja com a dádiva luminosa de uma prece! Pois dai-lho, uma vez que também o recebestes de almas serviçais e ternas, quando vos encontráveis a bracejar entre bramidos de dor, nas trevas que vos surpreenderam após a tragédia em que vos deixastes enredar! Contai-lhes o que vos sucedeu e concitai-os a sofrerem todas as situações deploráveis que os deprimem, com aquela paciência e aquele valor que vos faltaram, a fim de que não venham a passar pelos transes dramáticos que vos endoideceram além das fronteiras da vida objetiva!

...E quando, virtualmente, encontrardes médiuns cujas organizações vibratórias se adaptarem às vossas, não vos preocupeis com os lauréis passados, que aureolaram o vosso nome entre os humanos. Esta glória despenhou-se convosco nos pélagos do pretérito, que não soubestes legitimamente honorificar! Furtai-vos ao vaidoso prazer de identificar-vos ao fazerdes vossos discursos ou mensagens psicográficas através dos médiuns. Ainda que afirmando grandes verdades, não seríeis tais como fostes, como até agora não o tendes sido! Vosso nome glorificou-se de singular popularidade sobre a Terra, para que a Terra se conforme em vê-lo retornar à sua sociedade filtrado pela mente humilde de médiuns obscuros!...

Preferi, portanto, as manobras santificantes da Caridade discreta e obscura, preferi!... E bem cedo reconhecereis, através das trilhas que haveis de palmilhar, as florescências de muito doces alegrias..."

Ouvimo-lo com muito agrado e interesse. Fernando, mesmo a falar em corpo astral, enquanto a armadura carnal ressonava acolá, em Portugal, dir-se-ia inspirado por alguém de nossa Colônia saudosa, interessado em nossos êxitos. Reconhecemos mesmo, por várias vezes, em seu fraseado vigoroso e terno a um mesmo tempo, as expressões dulçorosas de Teócrito, o acento paternal, singelo, amoroso, do amigo distante que não nos esquecia... e as lágrimas rolaram de nossos olhos, enquanto funda saudade nos transportava o coração...

No dia imediato deliberamos visitar hospitais, enfermos em geral, deixando para mais adiante empreendimentos outros, relativos aos serviços de auxílios ao próximo, que nos fossem sugeridos. Éramos ao todo trinta entidades, e entendemos dividir-nos em três grupos distintos, por imitarmos os métodos do nosso abrigo do mundo astral.

Com surpresa notamos que, não só nos percebiam os pobres enfermos em seus leitos de dores, como até naturalmente nos ouviam, graças à modorra em que os mantinha suspensos a gravidade do mal que os afligia, a febre como a lassidão dos fluidos que os atavam ao tronco do fardo corporal. Tanto quanto se tornou possível, levamos a essas amarguradas almas enjauladas na carne o lenitivo da nossa solidariedade, ora insuflando-lhes conformidade no presente e esperança no futuro, ora procurando, por todos os meios ao nosso alcance, minorar as causas morais dos muitos desgostos que percebíamos duplicando seus males.

Belarmino, a quem a tuberculose impelira à deserção da vida objetiva, preferira dirigir-se aos enfermos dessa categoria, a fim de segredar sugestões de paciência, esperança e bom ânimo aos que assim expungiam débitos embaraçosos de existências antigas ou conseqüências desastrosas de despautérios do próprio presente. Eu, que fora paupérrimo, que preferira desobrigar-me do dever de arrastar a vida, até final, pelas ruinosas estradas da cegueira, dando-me à aventura endiabrada de um suicídio, fui impelido, mau grado meu, pelo remorso, a procurar não só nos hospitais aqueles que iam cegando a despeito de todos os recursos, mas também pelas ruas, pelas estradas, pobres cegos e miseráveis, para lhes servir de conselheiro, murmurando aos seus pensamentos, como mo permitiam as dificuldades, o grande consolo da Moral Radiosa por mim entrevista ao contacto dos eminentes amigos que me haviam assistido e confortado no estágio hospitalar onde me asilaram os favores do Senhor Supremo! E muitas vezes compreendi que obtinha êxitos, que corações tarjados pelo desânimo e pela desolação se reanimavam às minhas sinceras e ardentes exortações telepáticas! João d'Azevedo, o desgraçado que se aviltara nas trevas de inomináveis conseqüências espirituais, escravizando-se ao vício do jogo; que tudo sacrificara ao abominável domínio das cartas e da roleta: fortuna, saúde, dignidade, honra, e até a própria vida, como a paz espiritual, voltara, angustiado e oprimido, aos antros em que se prejudicara a fim de sugerir advertências e conselhos prudentes a pobres dominados, como ele o fora, pelo letal arrastamento, tudo tentando no intuito de afastar do abismo ao menos um só daqueles infelizes, suplicando forças ao Alto, concurso dos mentores que ele sabia dedicados à ação de desviar do suicídio incautos que se deixam rodear de mil possibilidades desastrosas.

Eram mais rudes ainda, porém, os testemunhos do desventurado Mário Sobral!

Ulcerada pelos hábitos do passado, sua mentalidade arrastava-o para os lupanares, malgrado o sincero arrependimento por que se via possuído; exigia-lhe reparações dificultosas para um Espírito, atividades heróicas que freqüentemente o levavam à violência de sofrimentos indizíveis, provocando-lhe lágrimas escaldantes! Víamo-lo a querer demover, desesperadamente, a juventude inconseqüente da contumácia nos maus princípios a que se ia escravizando, narrando a uns e outros, através de discursos em locais inadequados, as próprias desventuras, no que não era absolutamente acatado, porque, nos antros onde a perversão tem mantido o seu império letal, as intuições de além-túmulo não se fazem sentidas, porquanto, as excitações dos sentidos animalizados, viciados por tóxicos materiais como psíquicos, de repulsiva inferioridade, tornam-se barreiras que nenhuma entidade em suas condições será capaz de remover a fim de se fazer compreendida!

Estendemos tais ensaios, após, às prisões, obtendo êxito no sombrio silêncio das celas onde se elaboravam remorsos, no trabalho da meditação... E por fim invadíamos domicílios particulares à cata de sofredores inclinados à possibilidade de suicídio, e que aceitassem nossas advertências contrárias através de sugestões benévolas. Havia casos em que o único recurso que nos ficava ao alcance era o sugerir a idéia da oração e da fé nos Poderes Supremos, induzindo aqueles a quem nos dirigíamos, geralmente mulheres, a mais amplo devotamento à crença que possuíam. No entanto, sofríamos, porque o trabalho era demasiado rude, excessivamente vultoso para nossa fraqueza de penitentes cujo único mérito estava na sinceridade com que agiam na boa vontade para o trabalho reparador!

Assim foi que viajamos pelo interior do Brasil procurando, quanto possível, prevenir contra a malfazeja tendência observada, tristemente, por nossos Guias, no caráter impulsivo dos brasileiros, tendência que dava em resultado estatísticas inquietadoras nos casos de suicídios!

Conhecemos, assim, as extensões desoladas do Nordeste inclemente, rendendo homenagens ao sertanejo heróico que, em lutas árduas e incessantes com a penúria da eterna estiagem, não descria jamais nem do seu Deus nem do futuro, esperançado sempre no advento de dias melhores, de uma Pátria compensadora que, em verdade, só encontraria no seio da Imortalidade!

Nas caravanas altamente instrutivas a que nos levavam, grandes lições recebemos então, as quais mui profundamente calaram em nossos corações, iluminando nossas mentes com novas e fecundas apreciações filosóficas. Representantes da direção espiritual das terras de Santa Cruz, como o grande, o bonissimo Bezerra de Menezes, e o mavioso poeta do Senhor – Bittencourt Sampaio – lecionavam para nós outros, ao lado de nossos mentores, exemplos fecundos colhidos na vida cotidiana de muitos brasileiros, sobre os quais choramos de pena e arrependimento, pois tivemos ocasião de examinar com eles modalidades de desgraças e sofrimentos comparados aos quais aqueles que nos haviam levado ao desespero não se apresentariam senão como truanices próprias de boêmios piegas... No entanto, nordestinos, amazônicos e mesmo nativos do centro incivilizado do país tudo suportavam resignadamente, até mesmo a indiferença de seus compatriotas mais felizes, com o pensamento vigoroso daquele que sabe crer, que sabe esperar!

Entrementes, víamos com desgosto que Mário Sobral distanciava-se a pouco e pouco das possibilidades de outro futuro imediato que não aquele por ele mesmo escolhido, único, aliás, para que se sentia impulsionado: o retorno imediato à encarnação, para resgates pesados, em meio familiar afinado com seu estado mental!

Mário desatendia freqüentemente ao chamamento do dever para as reuniões e caravanas elucidativas presididas pelos assistentes; faltava às expedições piedosas de visitação aos sofredores, olvidando deveres sagrados que conviria cumprisse a bem da reabilitação própria! Dir-se-ia que, ao contacto da sociedade terrena, se deixava brutalizar pelas antigas atrações mundanas, esquecido dos veementes protestos de obediência durante a retenção no Departamento Hospitalar. Sentia-se arrastado para os locais degradantes que fizeram suas preferências de outrora; e, a pretexto de tentar converter transviados e inconscientes à moderação dos costumes, comprometia-se grandemente diante dos Guias observadores, afinando-se com o passado a tal ponto que, em torno dele, pressentíamos a possibilidade de um renascimento nas baixas esferas do vício! Já várias vezes fora advertido piedosamente, por Alceste e Romeu, que procuravam convencê-lo dos perigos daquela predileção para exercer atividades reparadoras.

Infelizmente, porém, a paixão por Eulina, que o desgraçara na Terra e perturbara no Invisível, soldava-o ao presunçoso desejo de, em sua memória, procurar reerguer do lodaçal dos vícios, prematuramente, outras tantas criaturas decaídas do pedestal do Dever!

Nosso estágio na Terra era um como exame para ascendência a novos cursos. Tínhamos liberdade de ação, conquanto não estivéssemos ao desamparo e fosse muito relativa a liberdade com que contávamos.

Nós outros vínhamos obtendo aprovação nos exames.

Mário, porém, incidia nas causas passíveis de reprovação.

Novos rumos

"Não se turbe o vosso coração. Crede em Deus, crede também em mim. Há muitas moradas na casa de meu Pai."

Jesus-Cristo – O Novo Testamento.[22]

Havia cerca de dois meses que findara nosso estágio nas camadas terrenas. Regressáramos ao Instituto Maria de Nazaré e novamente nos instaláramos no pavilhão anexo ao Hospital, onde residíamos desde quando recebêramos alta. Não lográramos ainda, porém, avistar-nos com Irmão Teócrito a fim de conhecermos sua opinião relativamente ao modo pelo qual nos conduzíramos em liberdade.

O que mais nos preocupava era a opinião de Teócrito, as deliberações da direção-geral sobre nosso futuro.

Para onde iríamos?... Que seria de nós uma vez ausentados de Teócrito, de Roberto, de Carlos, de Joel, da-

[22]João, 14:1, 2 e 3.

quela elite acolhedora dos Departamentos Hospitalares?... Reencarnaríamos imediatamente, no caso de não termos conseguido méritos para mais longo estágio no aprendizado espiritual?...

Por um daqueles dias de ansiosa expectação, fomos surpreendidos com a visita do velho amigo Jerônimo de Araújo Silveira.

Chegara ao Pavilhão Indiano pela manhã, acompanhado do assistente Ambrósio, a cuja bondade tanto devia. Passara já pelo Hospital, a despedir-se de Teócrito e seus auxiliares, em cujos corações encontrara sempre sólidas afeições; e agora nos procurava a fim de retribuir as visitas que lhe fizéramos e também despedir-se, pois que naquela mesma semana encaminhar-se-ia para o Recolhimento, a cuidar dos preparativos da reencarnação próxima. Via-se a amargura timbrar-lhe as feições, num aspecto de acabrunhamento iniludível. Jerônimo não fora jamais resignado! Desde o Vale Sinistro conhecíamo-lo como dos mais desarmonizados da nossa desarmoniosa falange! Penalizado, alvitrei, medindo pelos meus os acicates que o deviam ferir:

"– Por que não retardas um pouco mais a volta ao teatro dos infortúnios que te pungiram, amigo Silveira?!... Consta-me não ser obrigatório, em determinados casos, o constrangimento à volta... Quanto a mim dilatarei o mais possível a permanência aqui... a não ser que me demovam resoluções ulteriores..."

Mas, certamente, as deliberações tomadas após a última visita que ao Isolamento fizéramos foram muito sérias e importantes, porque respondeu com ardor e veemência:

"– Absolutamente não convém aos meus interesses pessoais dilatar por mais tempo o cumprimento do dever... que digo eu?... da sentença por mim mesmo lavrada no dia em que comecei a desviar-me da Lei Soberana que rege o Universo! Fui grandemente preparado por Irmão Santarém e Irmão Ambrósio, meus dignos tutores, para esse serviço que se impõe às minhas críticas necessidades do momento. Depois de muito ponderar, cheguei à conclusão de que devo, realmente, renovar a existência humana quanto antes, uma vez que meus erros foram graves, vultosas as minhas responsabilidades, os quais, portanto, onerando de exorbitantes débitos, agora, minha inquieta consciência, me obrigam a expungir dela os reflexos desonrosos que a ensombram, o que só poderá efetivar-se em voltando eu ao teatro das minhas infrações a fim de novamente realizar – mas realizar honrosamente – o mesmo que no passado indignamente desbaratei, inclusive minha própria organização material!"

"– Quererás, assim, dizer que renascerás no Porto mesmo?..." – indagamos em coro.

"– Sim, amigos! Deus seja louvado!... Renascerei no Porto mesmo, como ainda ontem... Poisarei na vida objetiva em casa afazendada!... Serei novamente pessoa abastada, cuidarei de capitais financeiros, meus como alheios, enfrentarei segunda vez as rijas tentações sopradas pelo orgulho, pelas vaidades e pelo egoísmo!... Subirei no conceito dos meus semelhantes, considerar-me-ão personagem honrada e grada... Serei o mesmo, tal qual ontem o fui!... Apenas, não mais me conhecerão sob o desonrado nome de Jerônimo de Araújo Silveira, porque outro receberei ao nascer, a fim de acobertar-me da vergonha que me segue os passos... Apenas tudo isso realizarei como expiação, a terrível expiação de possuir riquezas, mais arriscada e temerosa que a da miséria, mais difícil de conceder méritos ao seu infeliz possuidor!...

À beira de um novo berço para ainda uma vez ser homem e ressarcir antigos delitos, comove-me até às lágrimas o verificar a paternal bondade do Onipotente, concedendo-me a graça do retorno protegido pelo Esquecimento, pelo disfarce de uma nova armadura carnal, um nome novo, a fim de que minha desonra de outrora não seja por toda a sociedade em que vivi reconhecida e execrada; e eu, assim confiante e fortalecido, possa tentar a reabilitação perante a Lei Universal que de todas as formas infringi, perante mim mesmo, finalmente!... Pois sabei todos vós, amigos: a vergonha da desonra ruboriza-me ainda as faces espirituais, como no dia aziago em que me confiei ao suicídio, no intuito de livrar-me dela!..."

"– Impressiona-me a tua argumentação, ó Jerônimo! Com satisfação verifico que não foram inúteis os esforços de Irmão Santarém e Irmão Ambrósio em torno do teu caso..." – interveio João d'Azevedo.

"– Sim – acudi, comovido e preocupado em esmiuçar notícias para os apontamentos de minhas projetadas memórias. – Observo que modificações sérias realizaram milagroso efeito em teu modo de ponderar... Porém, de que família renascerás, ó Silveira?!... Ainda por lá nos recordamos de várias famílias abastadas..."

"– Ainda que o soubesse, não vo-lo poderia revelar, meu caro Sr. de Botelho! Fui informado por meus tutores de que tão sutil realização verifica-se no santuário de sigilos indevassáveis, por não permitir a Lei Magnânima quaisquer indiscrições que venham perturbar o bom andamento da evolução a confirmar-se... Segundo explicações de Irmão Ambrósio saberemos, quando muito, apenas o local onde emigraremos... até que nos internemos no Recolhimento, onde, então, tudo se delineará para nós..."

"– Todavia, assisti a certa entrevista de dois reencarnantes do Manicômio com seus futuros pais... e tenho ouvido dizer, a alguns vigilantes nossos, que muitos pormenores poderão ser fornecidos sobre o assunto, até mesmo aos homens..." – retruquei agastado, recordando a visita feita ao Posto de Emergência da Colônia, com a expedição do Departamento de Reencarnação.

Foi Irmão Ambrósio que interveio, corroborando com autoridade as assertivas ouvidas ao já agora futuro capitalista do Porto:

"– Sim! Para estudo coletivo ou esclarecimentos pessoais que produzam efeitos salutares, e também como prêmio à sinceridade das intenções e ao devotamento ao trabalho, serão permitidas certas revelações em torno do melindroso acontecimento, até mesmo aos leigos! Aos homens, principalmente, têm sido facultadas muitas indicações a respeito, a fim de que lhes sirvam de incentivo ao progresso e mesmo de conforto durante as asperidades das reparações. Para satisfação de mera curiosidade, porém, quer entre nós ou entre os humanos, nada será concedido de positivo. O reencarnante será esclarecido, ao internar-se no Recolhimento, do que lhe disser respeito, do que lhe seja útil e necessário.

Referis ao acontecimento do Posto de Emergência?... Mas, quem são aquelas personagens?!... Seus nomes?... Suas residências?... Uma ilha existente sob bandeira portuguesa, apenas!... Certa localidade do imenso nordeste brasileiro... Convenhamos, meu amigo, que o sacrossanto segredo não foi revelado, não é verdade?..."

Baixei a fronte, desarmado, enquanto Belarmino, interessado, voltava-se para o velho amigo Jerônimo:

"– E tens confiança na vitória da reabilitação?..."

"– Sinceramente, tenho! conquanto me sinta compungido à idéia de reproduzir, ato por ato, com circunstâncias agravantes, a existência em que fracassei! Creio estar, todavia, preparado para tanto, porque, se o não estivera, deixaria de receber beneplácitos de meus mentores maiores para prosseguir no único intento reabilitador que me é dado! Aliás, meu caro Sr. professor, absolutamente nada mais lograrei alcançar do plano Invisível sem o expurgo triunfal dos meus imensos débitos! Forçoso será compreender que desgracei minha própria família! Que lancei nas torrentes dificultosas da miséria outras famílias cujos chefes me emprestavam o concurso dos próprios bens e de labores sagrados, os quais por mim se viram vilipendiados graças à minha insânia de jogador e devasso! Será preciso outrossim recordar que lesei a Pátria, crime que repugna a qualquer homem honrado, deixando mal, ainda, funcionários que, bondosamente, intentando socorrer-me, por me facultarem prazo para reabilitação, deixavam de agir como lhes era dever, lavrando penhoras, denunciando-me à Justiça, levantando falência, etc.! Todas estas feias coisas pesam na balança de uma consciência acordada pelo arrependimento, ó Belarmino! pois constitui crime perpetrado sob as inspirações da incúria, da má-fé, da devassidão dos costumes, da inconseqüência leviana, do desamor ao Bem! Enredei-me de tal forma no sinistro porquê do suicídio, que me sinto agora agrilhoado ao pretérito por tão insidiosa cadeia que, a fim de algo realizar nos planos espirituais, deverei voltar ao cenário dos meus deslizes para quebrá-las, refazendo dignamente o que insensatamente andei praticando!"

Como nenhum de nós ousasse aparteá-lo, o visitante prosseguiu, ao passo que rija tristeza ensombrava nossos corações:

"– Não mais terei filhos junto a mim! Deixando de zelar pela família até final; rejeitando a meio do caminho a honrosa incumbência de chefe do Instituto do Lar, pelo Céu concedida no intuito de me fazer ascender em méritos, coloquei-me na desgraçada situação de não conseguir oportunidades, nessa próxima existência, de constituir um lar e ser novamente pai!

Não obstante, a fim de ressarcir a feia atitude contra Zulmira e meus filhos, prometi a Maria, mãe boníssima do meu Redentor, cuja solicitude maternal reabilitou Margaridinha e Albino, envidar todos os esforços, quando na Terra, no sentido de amparar crianças órfãs, levantar, de qualquer modo, abrigos que agasalhem a infância, e tornar-me o zelador dos pobrezinhos como o seria de filhos por mim gerados! Será o meu ideal na existência expiatória a que não tardarei a regressar..."

"– Praza aos Céus que suspendas os teus abrigos para a infância desvalida, antes que a ruína financeira te cerceie as possibilidades futuras, amigo Jerônimo!" – interrompi eu, surpreendido com a coragem que transparecia de suas asserções.

"– Praza aos Céus, amigo!... porque, antes ou depois da ruína financeira que me aguarda na expiação terrestre, hei de tornar-me arrimo de muitos órfãos: os vultos chorosos de meus filhos votados ao desamparo e à desgraça pela minha morte prematura estão indelevelmente fotografados em minha consciência, a requisitarem de minha parte um resgate à altura, seja à custa de que sacrifício for!..."

Novamente aparteou Irmão Ambrósio, elucidando cautelosamente:

"– Sim, praza aos Céus que, seja no apogeu das possibilidades monetárias ou no ocaso das mesmas prosperidades, seus pensamentos e sua vontade se não desviem da rota reabilitadora que resolveu palmilhar! No momento é o nosso penitente animado das melhores intenções. Todavia, dependerá da sua força de vontade, da permanência nos bons propósitos que agasalha, a vitória das realizações pretendidas. Geralmente o Espírito, uma vez reencarnado, deixa-se embair pelas falaciosas atrações do meio ambiente a que se vê submetido, esquecendo compromissos de honra assumidos na Espiritualidade, os quais muito conviria, ao próprio que os esquece, serem cumpridos à altura da importância que representam... Mas, se vontade firme de vencer impulsioná-lo perenemente, sobrepondo-se às influenciações deletérias do mundanismo egoísta, será bem certo que estabelecerá harmoniosa correspondência telepática com seus mentores invisíveis, os quais procurarão impeli-lo para a frente através de inspirações sadias, embora discretas, auxiliando-o segundo a lei de solidariedade estabelecida no intuito de fraternizar o Universo inteiro..."

"– Suponhamos que Jerônimo venha a descurar-se das promessas feitas ao reencarnar... Que sucederá?..." – interroguei, apegado ao azedo critério de repórter pessimista.

"– A consciência inquietá-lo-á perenemente, e, mais tarde, regressando à Espiritualidade, se envergonhará de ter faltado com a palavra, compreendendo, ao demais, a necessidade de cumpri-la em uma nova migração terrena... Esperamos, no entanto, que tal não aconteça no caso em apreço. Jerônimo possui o principal fator para realizar o prometido: a boa vontade, a ternura pelo órfão abandonado..."

Subitamente, em meio do rápido silêncio que se verificou em seguida, Belarmino, cujos sentimentos delicados o leitor já teve ocasião de apreciar, levantou o olhar interessado para o futuro capitalista do Porto e interrogou afetuosamente:

"– Que notícias darás aos amigos da tua Margaridinha?... Transportou-se sempre para o Brasil?... E Albino?!... continua na prisão?... Sua Majestade interessou-se por ele, realmente?..."

"– Ah! sim!... – fez o inconsolável pai suicida, como se houvesse vibrado acordes pungentes nas mais sensíveis cordas do seu coração. – Estava mesmo para vos participar alvíssaras!... Nunca mais pude visitá-los, como sabeis, por não mo permitir a situação moral apaixonada, capaz de muitas indiscrições... No entanto, estou seguramente informado de que Margaridinha, em chegando ao Brasil, casou-se com um compatriota, homem honesto e probo, que lhe ofertou afeição leal e um nome honrado! Louvado seja Deus! Que bem faz à minhalma o dar-vos esta notícia!... Quanto a Albino, é comerciante, embora modesto, em Lourenço Marques, corresponde-se assiduamente com o seu amigo Fernando, que o tem aconselhado mui honradamente, que todos os esforços envidou para favorecer-lhe meios honestos de viver, instruindo-o ainda, ao demais, na Ciência dos Espíritos, da qual é fiel adepto. Casou-se também, há pouco mais de um ano, com bonita morena portuguesa-africana... e agora é pai de duas lindas gêmeas recém-nascidas!..."

"– Tu os vês, decerto, ó Jerônimo, se bem os não visites?..." – interroguei, partilhando a saudade que transparecia de suas expressões.

"– Sim, amigo Botelho! Vejo-os através dos aparelhos do Irmão Santarém, e é como se os visse de bem perto e com eles falasse, pois isso me é permitido... Quanto a Zulmira, cúmplice infeliz dos meus desatinos, termina sua desgraçada vida amparada pelas duas filhas mais velhas, as quais não se negaram – mercê de Deus – a socorrê-la, quando as procurou. Tentou interceptar a ida de Margarida para o Brasil, sem o conseguir. Pobre Zulmira! Amava-a tanto, meu Deus! Fui o responsável por suas quedas! Também a ela devo reparações, que mais tarde proverei, com o favor do Céu..."

Dois dias depois, Roberto de Canalejas voltou a visitar-nos de posse de um convite de Irmão Teócrito para, à noite, atendermos à reunião solene a realizar-se na sede do Departamento Hospitalar. Tratava-se, dizia o moço de Canalejas, de uma cerimônia de despedida, durante a qual seríamos desligados da tutela do Departamento e considerados habilitados para outros carreiros em busca das reparações para os serviços do progresso.

Dos bairros anexos aos hospitais seguiriam antigos tutelados a assistirem ao importante conclave, que a todos profundamente interessava. Como será fácil entrever, a movimentação era intensa, nesse crepúsculo em que todas as dependências do grande Departamento enviavam contingentes de Espíritos considerados aptos ou necessitados dos prélios terríveis da renovação carnal expiatória, devido ao crime da maior infração da criatura à face do seu Criador!

Pela primeira vez penetrando a sede do Departamento onde Teócrito mantinha os gabinetes de direção e trabalhos que lhe eram próprios, fomos surpreendidos pela majestosa estruturação interior do mesmo, a qual apresentava, como os demais, o estilo português clássico, de grande beleza e sobriedade de linhas.

Ao chegarmos, éramos gentilmente encaminhados a vasta e modelar sala de assembléia, à maneira de Câmaras representativas, onde as tribunas dos discursantes seriam ocupadas pelo grande público, isto é, por nós outros, os tutelados, cabendo o nível aos diretores, como em anfiteatro. Sobrepunha-se ao cenário, não destituído de magnitude, singular palor iluminado que se diria jorrar do exterior, irisando o ambiente de miríficas gradações branco-azuladas.

Pouco a pouco encheu-se o recinto. Os lugares reservados às seções eram rigorosamente separados por linhas divisórias, tornando-se as arquibancadas, ou tribunas, como grandes camarotes destinados a classes sociais diferentes. Ali, porém, se não era social a diferenciação existente, era-o, não obstante, moral e vibratória, o que quer dizer que os grupos que enchiam cada camarote harmonizavam-se satisfatoriamente, apresentando grau idêntico na escala das responsabilidades, dos méritos e deméritos.

Enquanto conosco assim acontecia, os responsáveis pelas diferentes dependências do grande Departamento mantinham-se ao lado do seu diretor, isto é, de Teócrito, à tribuna de honra situada no nível da sala. Assistentes e vigilantes, por sua vez, acompanhavam os internos nas arquibancadas, com estes fraternalmente ombreando, quais modestos espectadores.

Assim foi que, entre os primeiros, notamos a presença do Padre Anselmo, educador da falange de suicidas-obsessores aprisionados na Torre; de Irmão Miguel de Santarém, o abnegado conselheiro do Isolamento; de Irmão João, o venerável ancião, guia paciente e caridoso da triste falange do Manicômio, todos ladeando o diretor do Departamento, responsável, por sua vez, pelo Hospital Maria de Nazaré, ao passo que seus assistentes se mantinham conosco, exceção feita de Romeu e Alceste que, como iniciados, pertenciam a gradação mais elevada na hierarquia espiritual, não obstante a qualidade de discípulos de Teócrito.

De longe podíamos bem distinguir, à claridade argêntea que descia de majestosa cúpula, alguns antigos companheiros, como Jerônimo, cabisbaixo e pensativo; e como Agenor Peñalva, o obsessor convertido sob cuidados de Padre Anselmo e Olivier de Guzman, depois de trinta e oito anos de pacientes esforços, e cujas feições, severas, duras, dir-se-iam traduzir desconfianças, expectativa ansiosa e sombria, pavor indefinível.

Em meio a augusta simplicidade, no entanto, foi que se desenrolou a magna cerimônia. Nenhuma particularidade ou traço de ineditismo surpreendeu nossas atenções ávidas do sensacionalismo mórbido da Terra. Praza aos Céus que, um dia, os homens encarnados, responsáveis pelos graves problemas que agitam a Humanidade, aprendam com os Espíritos a singeleza que então tivemos ocasião de apreciar, quando se reunirem em festividades ou deliberações! No entanto, tratava-se de uma sessão magna, em a qual se resolveriam destinos de centenas de criaturas que se deveriam recuperar do erro a fim de marcharem para Deus!

Efetivamente, Teócrito levantara-se, deixando irradiar do semblante fino, quase translúcido, um sorriso amável para seus pupilos, como se mui fraternalmente os saudasse, e, depois de aceno afável, começou instilando novos anseios de vida em nossas almas, rejuvenescimento para a peleja do porvir, que vinha anunciar:

"– Nós vos saudamos, diletos pupilos! caros irmãos em Jesus-Cristo! E é em Seu nome excelso que vos desejamos a gloriosa conquista da Paz!"

A voz do insigne diretor, porém, ou as vibrações do seu pensamento generoso em nosso favor, o qual entendíamos como se se tratasse da sua voz, chegava ao nosso entendimento doce e murmurante, quase confidencial. No entanto, a grande assistência ouvia-o nitidamente, sem que um só monossílabo se perdesse. Espanhóis afirmavam, mais tarde, que o orador falara, naquela noite, em seu idioma pátrio, havendo até mesmo expressões costumeiras do lar paterno, deles conhecidas desde a infância, o que muito os comovia e sensibilizava. Nós, os portugueses, porém, contestávamos, pois o que ouvíramos fora o bom português clássico de Coimbra; ao passo que os brasileiros presentes pretendiam ter ouvido o suave e terno linguajar das plagas nativas, com seus acentos próprios e o sotaque que tanto desagrada em Portugal...[23]

E sincero encantamento a toda a assistência impregnava de lenientes emoções...

[23]Mesmo entre desencarnados, somente os Espíritos muito elevados poderão produzir semelhante fenômeno telepático.

Ele, não obstante, prosseguiu:

"– Não sois estranhos, meus amigos, ao móvel da presente reunião. É o vosso futuro que aqui se delineia, o destino que vos aguarda que será concertado em programaçao que devereis não apenas conhecer, mas, acima de tudo, estabelecer e aprovar!

Desde o dia em que os umbrais desta Colônia Correcional se descerraram, por ordens do Alto, a fim de vos recebermos e hospedarmos, tendes vivido entre as alternativas de um hospital-presídio. A vosso próprio benefício o fizemos, porém, para que mais fundas não se tornassem as vossas desgraças, mais ríspidas vossas responsabilidades nos desvios das inconseqüências funestas que fatalmente vos teriam absorvido totalmente, por séculos de gravíssimas transgressões, não fosse a intervenção caridosa do Pastor Imaculado que partiu à vossa procura, ansioso por vos trazer ao aprisco. No entanto, hoje venho para vos participar que, a partir deste momento, os mesmos portões que se fecharam sobre vós, aprisionando-vos por impositivos de severa proteção e vigilância, descerram-se agora, permitindo-vos liberdade! Sois livres da tutela do Departamento Hospitalar, meus irmãos! Tudo quanto a estes hospitais e a estes presídios competia tentar a fim de vos auxiliar na emergência crítica em que estáveis embaraçados, foi realizado! De agora em diante novas tentativas se impõem no vosso trajeto, novos afazeres e condições de vida reclamam da vossa parte atividades e energias que sinceramente desejamos sem esmorecimento nem tibieza... pois já tereis bem compreendido que jamais! jamais haveis de morrer! jamais conseguireis desaparecer da frente de vós mesmos, ou da frente da Criação ou do Universo! E isto acontece porque sois criaturas emanadas do Fluido

Eterno da Mente Divina, em vós reside a Vida Eterna dAquele que vos concedeu a glória de vos criar à Sua Semelhança, o que equivale dizer que sereis como Ele é: por toda a Eternidade!

Vede que, possuindo Vida Eterna, finalidade gloriosa reclama vossa presença no seio da Eterna Pátria, onde o Soberano Senhor do Universo mantém a intensidade da Sua Glória!

Para que, pois, haveis de recalcitrar contra vossa origem divina?! Por que se inferiorizar a criatura na desobediência contumaz às leis imutáveis da Criação, se no seu cumprimento é que encontrará os verdadeiros motivos para se sentir honrada, assim como a felicidade por que tanto se empenha e suspira, a alegria, a paz, a glória imorredoura?!... Vosso suicídio, para que vos aproveitou?... Apenas para a vós próprios demonstrar o grau da ignorância e da inferioridade em que laboráveis, presumindo possuir muito saber e muita ciência; apenas para distender vossas amarguras a longitudes incalculáveis para o vosso raciocínio, quando seria muito mais suave, porque meritório, o acomodar-vos aos impositivos da lei que permite as atribulações cotidianas como incentivo ao Espírito para o progresso e para a elaboração das faculdades sublimes de que é depositário.

Que vos sirva a amarga lição da experiência, meus amigos! Que as lágrimas vertidas por vossas almas, inconsoláveis em presença da realidade que vindes contemplando, se perpetuem nos refolhos das vossas consciências como salutar advertência para os dias porvindouros, quando, renovando experiências que deixastes fracassar, praticardes as sublimes tentativas da reabilitação!

Em vos participando a liberdade que por lei vos é outorgada, referimo-nos ao direito que tendes de, por vós mesmos, e sob vossa responsabilidade, tratar dos interesses próprios, presidindo com vosso próprio raciocínio os destinos que vos aguardam! Sim! sois livres de escolher o que melhor vos parecer! Recebestes, onde até agora estagiastes, elucidações convenientes, que vos permitem o critério da escolha:

Quereis retornar à Terra imediatamente, tomando novo fardo corpóreo, vós, cuja razão devidamente esclarecida concluiu pela necessidade imperiosa, indispensável, da terapêutica reencarnacionista, única que vos conduzirá à cura definitiva dos complexos que vos têm afundado nos pantanais de irremediáveis amarguras?...

Tendes liberdade para fazê-lo, uma vez que estais para tanto preparados!

Preferis ficar e cooperar conosco, durante algum tempo, dilatando a época do inevitável retorno ao orbe terráqueo, seja aprendendo a servir no corpo de nossa milícia, seja desenvolvendo faculdades de amor no aprendizado fraterno de catequese às falanges obsessoras que infestam a Terra e o Invisível inferior, ou no auxílio prestativo aos nossos hospitais: enfermagem, isto é, assistência benemérita de caridade e consolo fraternal, vigilância, etc.?...

Tendes autorização para escolher!

Nosso campo de ação é intenso e muito vasto, e nas fileiras da nossa agremiação bem recebido será o voluntário que, amando o Senhor, respeitando suas Leis, desejando trabalhar e servir para progredir, submetendo-se aos nossos princípios e direção, se for inexperiente, quiser colaborar para o engrandecimento do Bem e da Justiça!

Vede Joel, a quem tanto quereis: para aqui entrou em vossas condições. O amor de Jesus converteu-o em ovelha pacífica. E apesar do muito que ainda terá de experimentar na Terra, como resultante do infeliz gesto que preferiu em meio da jornada que convinha vencer, quanto amor aos seus irmãos sofredores sabe ele ofertar, quantos gestos nobres e meritórios todos os dias distribui entre aqueles que lhe são confiados à vigilância!?...

Porventura desejais aqui ficar, sem coisa alguma tentardes para o benefício próprio, perambulando de Departamento em Departamento, observando fatos, presos a um círculo vicioso de contemplação improdutiva, ou entre o Invisível inferior e a Terra, arriscando-se a perigosas tentações, inativos, ociosos, a exercerem a mendicância do astral, sem algo de meritório praticar, conquanto incapazes da prática do mal, uma vez que não sois maus?...

Não nos oporemos tampouco, conquanto, com todas as forças da nossa alma e todo o sincero empenho dos nossos corações, vos aconselhemos que assim não procedais! É que isto redundaria em agravos penosíssimos para a vossa situação, em angústias evitáveis, mas que se prolongariam em estados insustentáveis que vos cumulariam de desvantagens amargosas, de incertezas e responsabilidades que muito conviria evitardes!...

Ou, de outro modo, desejareis prolongar a permanência ao nosso lado, a fim de vos iniciardes nos conhecimentos superiores da Vida, consagrando-vos aos cursos preparatórios para a Verdadeira Iniciação, só possível após os resgates a que vos comprometestes com a própria Consciência?

Sede bem-vindos, ó amigos! E aprenderei com o Mestre dos mestres os primórdios que vos têm faltado! E recebei em Seu Nome os elementos com que vos fortificareis para a consecução dos ideais de Amor, de Justiça e de Verdade!

Muitos de vós, presentes a esta assembléia, se encontram habilitados para esse curso preparatório. Para outros, porém, o momento ainda não chegou! Suas consciências segredar-lhes-ão o caminho a seguir sem que nos constranjamos a proferir-lhes os nomes. Mesmo aos habilitados, todavia, nada obrigará à aceitação do convite que ora foi feito. Aceitá-lo-ão se o quiserem, por livre e espontânea vontade..."

Murmuração discreta percorreu a assistência. Era que admirávamos a caridosa sutileza do método posto em prática, o qual inibia uns e outros, de nossa falange, de se julgarem favorecidos por qualquer superioridade, uma vez que não podíamos avaliar os ditames das consciências uns dos outros, assim como aboliria a suposição de predileção por parte dos mentores. Teócrito continuou, depois de uma pausa:

"– Ser-vos-á concedido prazo de trinta dias para meditardes deliberadamente sobre o que acabais de ouvir; pois, conquanto estejais há bastante tempo doutrinados e esclarecidos para tomardes, por vós mesmos, a decisão que vos convém, a tolerância manda que vos acautelemos com ainda algum tempo de meditação, em torno das tentativas futuras.

Durante esse prazo, diariamente sereis atendidos na sede do Departamento, caso desejeis informações e mais esclarecimentos no que vos disser particularmente respeito... e podereis, sem constrangimentos, expandir-vos com aquele que aqui vos receber, porque falará ele em nome do Divino Pastor, e ainda porque vos conhece em todas as particularidades e sutilezas, lendo em vossas almas como num livro fácil! Outrossim, sois convidados às reuniões que para vós se realizarão neste mesmo local, nas quais trataremos de tudo quanto, de modo geral, vos possa esclarecer, instruir e reanimar para o futuro a que sereis impelidos pelas vossas afinidades pessoais. Esgotado, porém, o prazo concedido, participareis a diretoria da instituição, a que estais filiados, das resoluções tomadas, prontificando-se ela, então, sob nossas vistas, a encaminhar-vos para o destino que *voluntariamente* houverdes escolhido!"

A tão simples quão importantes falas seguiu-se a primeira exposição dos deveres que nos caberiam como Espíritos arrependidos e desejosos de reabilitação. Seria como a primeira conferência da série para que nos convidavam. O próprio Teócrito fora o orador. Falara paternal e conselheiramente, sem arroubos apaixonados de oratória, mas deixando penetrar até o âmago de nossas almas profundas reflexões em torno das particularidades inferiores de cada um. Dir-se-ia que, legítimo conhecedor dos complexos que enredavam nosso ser, trazia o objetivo de ajudar-nos a reconhecê-los, medi-los, esmiuçá-los, a fim de nos animar a dar-lhes combate. Dali nos retiramos, nessa noite memorável, reconfortados, como fortalecidos por benfazeja esperança... E ali voltamos ainda muitas vezes para ouvi-lo expandir-se sobre os mais elevados conceitos que poderíamos conceber, acerca da Vida, das Leis do Universo, das magnificências morais resultantes do cumprimento do Dever, da observação da Justiça, da prática do Amor e da Fraternidade, da obediência à Razão como à Moral e a todos os demais princípios do Bem!

Extinto o prazo estabelecido pelos regulamentos internos, grande movimentação verificou-se na fisionomia pacata do Departamento Hospitalar e da Torre. Turmas de asilados cruzavam as alamedas nevadas dos parques, demandando a sede do Departamento, acompanhadas de seus mentores, a fim de participarem à autoridade máxima da nobre agremiação as resoluções definitivamente tomadas depois das mais graves elucubrações e análises sobre a situação própria, assistidas pelos desvelados conselheiros e educadores e orientadas pelo próprio Teócrito, como vimos.

Agenor Peñalva, assim como vários outros prisioneiros da Torre, suicidas-obsessores que haviam semeado desordem, lágrimas, desgraças incontáveis no decorrer do pretérito, quer na qualidade de homens encarnados, quer, mais tarde, como Espíritos inferiores que eram; Jerônimo de Araújo Silveira, Mário Sobral e outros declararam preferir a reencarnação imediata, tais os incômodos dos remorsos, as angustiosas perspectivas do passado, que obsidiavam suas mentes em flagelações insuportáveis, incapacitando-os para outra qualquer tentativa. Tinham urgência de expiação, a verem se conseguiriam tréguas no esquecimento temporário dos serviços de renovação planetária, para depois, então, cuidarem, mais serenos, de maiores realizações. Vários outros se empenharam pelo estágio nas operosidades da Vigilância, onde poderiam algo aprender para se fortalecerem um pouco mais, pois que, tíbios, indecisos, temiam ainda o contacto com a carne, desconfiados das próprias fraquezas. Algum tempo de contacto com as caravanas heróicas, no serviço de socorro e auxílio aos desgraçados do Vale Sinistro, como da Terra, desempenhando a beneficência, prepará-los-ia com mais segurança, no próprio entender, apontando-lhes caminhos mais amplos na senda da Fraternidade! Eu, Belarmino, João d'Azevedo e bem assim alguns poucos que conosco muito se afinavam, todos do Hospital Maria de Nazaré, atraídos pelos magníficos ensinamentos do preclaro diretor do Departamento, durante suas apreciadas exposições, depois de muitas e cuidadosas investigações adentro de nós mesmos, apresentamo-nos à sua presença, declarando que, caso fôssemos merecedores da honrosa mercê de prosseguir nas sendas preparatórias da Iniciação, a despeito dos deméritos que sabíamos sobrecarregando nossas consciências, nós o preferíamos, porquanto nos seduzia a perspectiva do Conhecimento que nos deixara entrever.

"– Sede bem-vindos, amigos! – foi a resposta. – Amanhã mesmo podereis seguir vosso novo destino... Para que retardar mais?... Não continuareis, porém, sob minha dependência... A missão a mim confiada junto de vós foi culminada, uma vez que sereis encaminhados para a frente, sob os cuidados de novos mentores... Unir-nos-á, no entanto, para sempre, a doce afeição que se estabeleceu em nossos Espíritos durante o tempo que aqui passastes..."

Certos de que logo no dia imediato deixaríamos o Departamento Hospitalar, separando-nos dos generosos amigos que tanto nos consolaram na desgraça, tristeza profunda ensombrou-nos o coração. A permanência num hospital, porém, todos nós o sabíamos, é temporária, geralmente curta.

Procuramos despedir-nos. Começamos pelo próprio Hospital, que nos era vizinho. Joel, abraçando-nos entre um sorriso e um minuto de intervalo nos afazeres que se afiguravam múltiplos naquela manhã em virtude da chegada, dentro de poucas horas, de novo contingente de réprobos apanhados no Vale, disse-nos, confortando--nos ainda uma vez:

"– Não penseis que estareis separados de nós outros... Havemos de ver-nos muitas vezes... Paciência, meus amigos, paciência..."

Carlos e Roberto, como sempre, prontificaram-se a guiar-nos às visitas de despedidas. Revimos e abraçamos todos os nobres mentores, os amigos incansáveis de dedicação, a quem tanto devíamos os amáveis conhecimentos que tivemos a honra de fazer fora do nosso Departamento, os quais se estenderiam através do tempo, solidificando-se em perpétuas afeições!

Achávamo-nos no Departamento de Reencarnação, acompanhados das gentis Irmãs servidoras, Rosália e Celestina, quando ali deram entrada vários pretendentes à matrícula no Recolhimento. Era compugente observá-los maturando sobre os dramas nefastos que assim os impeliam para o futuro acerbo tão depressa, o futuro redentor! Dir-se-iam réprobos expulsos do Paraíso por falta de afinidades para habitá-lo por mais tempo, o triste êxodo de condenados aos infernos, pelas mais graves desobediências às Leis do Senhor Todo Bondade e Misericórdia!

Era, com efeito, tudo isso! Era falange de arrependidos que, por entre as lutas das incompreensões das provas terrenas, iam polir a consciência maculada pelo pecado, batizando-a no fogo redentor do sofrimento e, assim, remindo-a da desonra!

Caminhavam em fila extensa, de dois a dois, subindo as escadarias da sede do Departamento e desaparecendo dentro em pouco no interior do mesmo... Prisioneiros do passado ominoso, escravizados pelo negror da mente, incapacitados, em vista de seus pungentes remorsos, para quaisquer tentativas antes de uma reencarnação expiatória, seguiam cabisbaixos, tristes, constrangidos, temerosos, dando a impressão de que só se submetiam à dura penalidade porque outro remédio não haviam encontrado para lhes restituir a honra espiritual, a serenidade íntima, senão esse providencial recurso que a Lei Magnânima lhes apontava: voltarem a ser homens! Renovarem-se nas lides planetárias através de exercícios reabilitadores do cumprimento do Dever!

Desoladora sensação de pavor fez estremecessem nossas fibras mais sensíveis ao se nos deparar o grupo conduzido por Irmão João, diretor do Manicômio! Incapazes de livremente raciocinar, seguiam para a reencarnação impelidos pela necessidade imperiosa de uma melhoria e algum progresso; e somente as escassas atenuantes que deveriam trazer, como os deméritos que à evidência mostravam, estabeleceriam condições para a existência que buscavam, assim como seus lastimáveis estados vibratórios. Irmão João, o generoso Teócrito, os técnicos do Departamento de Reencarnação, a direção-geral da Colônia, seus Guardiães Maiores, todos criteriosamente inspirados na Justiça e na Misericórdia das Leis Soberanas do Onipotente Criador, eram os mesmos que supriam suas incapacidades de justo discernimento para livremente escolherem o futuro, estabelecendo em conselho o que melhor lhes convinha, e para isso recebendo o beneplácito do Mestre Redentor – Jesus!

Não contivemos as lágrimas ao avistarmos Jerônimo e Mário, nossos pobres companheiros e afins desde as sombrias desesperações do Vale Sinistro. O primeiro, abatido, curvava a cabeça sobre o peito, qual o condenado submisso no momento supremo. Não nos percebeu à distância, tão absorvido seguia nas ondas aflitivas do pensamento! O segundo, porém, sorridente e valoroso, os cabelos revoltos, como no primeiro dia em que o víramos; o peito, no entanto, destemeroso, erguido como a desafiar as lutas porvindouras, olhos vivos postos para a frente, qual sonhador antevendo o ápice honroso de empresa penosamente iniciada entre os sacrifícios exigidos pela Razão e as lágrimas vertidas pelo Coração, ambos conflagrados por sincero arrependimento, que seria preciso expungir! Ao nos avistar, acenou amigavelmente, num adeus que parecia derradeiro, enquanto frêmito de indescritível horror confrangia nossas almas: o desgraçado acenara com dois miseráveis tocos de braços, onde não existiam mãos, ao passo que estas lá estavam, destacadas, encravadas em seu próprio pescoço, como recordando a morte violenta pelo estrangulamento, a mesma por ele dada à infeliz Eulina!

"– Este será bem certo que vencerá – profetizou Irmã Celestina, pensativa. – Sua próxima migração terrena será calvário áspero, próprio das almas corajosas, que se arrependem! E do berço ao túmulo apenas lágrimas e asperezas conhecerá! Arrastar-se-á sem esperanças nem compensações, mutilado, enfermo, humilhado, ridiculizado, traído pela própria mãe, que o repudiará ao dar-lhe a vida, pois só obterá um corpo nos ambientes viciados em que outrora se chafurdou... Mas será preciso que assim seja, ó meu Deus! para que se reconcilie com a consciência própria e se reencontre harmonizado com o progresso natural de cada criatura em procura de Deus! Tão bem assim o compreendeu, que ele mesmo escreveu a sentença que lhe convém e entregou-a a

Irmão Teócrito para encaminhá-la à direção-geral e conseguir aprovação do seu Guardão Maior, isto é, de Maria, governadora da Legião a que pertencemos... Mário impôs-se expiação duríssima, como tantos e tantos irmãos nossos existentes sobre a crosta da Terra, no resgate severo e decisivo!"

...E ao entardecer do dia seguinte deixamos o Departamento Hospitalar...

Veículo modesto, que reconhecemos do tipo usual no interior da Colônia, veio buscar-nos. Silenciosamente, comovidos, tomamos lugar e, confortados pela presença de Romeu e Alceste, que nos deveriam acompanhar ao novo domicílio, observávamos que, enquanto deslizava suavemente, as neves melancólicas se adelgaçavam, a paisagem se coloria de formosos tons de madrepérola, flores surgiam em festividades policrômicas à beira das estradas caprichosamente cuidadas... enquanto os primeiros casarios de magnificente metrópole hindu apareciam aos nossos olhos surpreendidos, que julgavam sonhar!

Louvado seja Deus! Era, pois, verdade, que havíamos progredido!

Branca

Terceira Parte

A Cidade Universitária

A Mansão da Esperança

A primeira noite foi passada em ansiosa expectação. Nossos aposentos deitavam para o jardim e das ogivas que os rodeavam descortinávamos o vasto horizonte da metrópole, marchetado de pavilhões graciosos como construídos em madrepérola, e de cujos caramanchões, que os enfeitavam pitorescamente, evolavam-se fragrâncias delicadas de miríades de arbustos e flores viçosas, não mais insípidas, níveas, como no Departamento Hospitalar.

Tudo indicava que gravitáramos, segundo as nossas afinidades, para uma Cidade Universitária, onde ciclos novos de estudo e aprendizagem se franqueariam para nós, segundo nosso desejo.

Enquanto passeávamos, aos nossos olhos interessados estendia-se paisagem amena e sedutora, onde edifícios soberbos, finamente trabalhados em estilo ideal, que lembraria o padrão de uma civilização que nunca chegaria a se concretizar nas camadas terrestres, nos levaram a meditar sobre a possibilidade de neblinas ignotas, irisadas sob palores também desconhecidos, servirem a artistas para aquelas cúpulas sedutoras, os rendilhados sugestivos, o pitoresco encantamento dos balcões convidando a mente do poeta a devaneios profusos, caminho do Ideal! Avenidas imensas rasgavam-se entre arvoredos majestosos e lagos docemente encrespados, orlados de tufos floridos e perfumosos. E, alinhadas, como em visão inesquecível de uma cidade de fadas, as Academias onde o infeliz que atentara contra o sacrossanto ensejo da existência terrena deveria habilitar-se para as decisivas reformas pessoais que lhe seriam indispensáveis para, mais tarde, depois de nova encarnação terrena, onde testemunhasse os valores adquiridos durante os preparatórios, ser admitido na verdadeira Iniciação.

Não me permitirei a tentativa de descrever o encanto que se irradiava desse bairro onde as cúpulas e torres dos edifícios dir-se-iam filigranas lucilando discretamente, como que orvalhadas, e sobre as quais os raios do Astro Rei, projetados em conjunto com evaporações de gases sublimados, emprestavam tonalidades de efeitos cuja beleza nada sei a que possa comparar!

Em tudo, porém, desenhava-se augusta superioridade, desprendendo sugestões grandiosas, inconcebíveis ao homem encarnado.

E, no entanto, não era residência privilegiada! Apenas um grau a mais acima do triste asilo hospitalar!...

Emocionados, detivemo-nos diante das Escolas que deveríamos cursar. Lá estavam, entestando-as, os letreiros descritivos dos ensinamentos que receberíamos:

– Moral, Filosofia, Ciência, Psicologia, Pedagogia, Cosmogonia, e até um idioma novo, que não seria apenas uma língua a mais, a ser usada na Terra como atavio de abastados, ornamento frívolo de quem tivesse recursos monetários suficientes para comprar o privilégio de aprendê-la. Não! O idioma cuja indicação ali nos surpreendia seria o *Idioma* definitivo, que havia de futuramente estreitar as relações entre os homens e os Espíritos, por lhes facilitar o entendimento, removendo igualmente as barreiras da incompreensão entre os humanos e contribuindo para a confraternização ideada por Jesus de Nazaré:

"*Uma só língua, uma só bandeira, um só pastor!*"

Esse idioma, cuja ausência entre médiuns brasileiros me havia impossibilitado ditar obras como as desejara, contribuindo para que fosse mais penoso o trabalho de minha reabilitação, possuía um nome que se aliava ao doce refrigério que aclarava nossas mentes. Chamava-se, tal como o nosso burgo, *Esperança*, e lá se encontrava, junto aos demais, o majestoso edifício onde era ministrado, acompanhando-se das recomendações fraternais para que foi ideado! Conviria, assim, que o aprendêssemos, para que, ao reencarnarmos, levando-o impresso nos refolhos do Espírito, não nos descurássemos de exercitá-lo sobre a Terra.

O benfazejo frescor matinal trazia-nos ao olfato perfume dulcíssimo, que afirmaríamos ser dos craveiros sangüíneos que as damas portuguesas tanto gostam de cultivar em seus canteiros, das glicínias mimosas, excitadas pelo orvalho saudável da alvorada. E pássaros, como se cantassem ao longe, assobiavam ternas melodias, completando a doçura do painel.

Havíamos chegado na véspera, quando as estrelas começavam a fulgir irradiando carícias luminosas.

Romeu e Alceste, apresentando-nos à direção do novo burgo, despediram-se em seguida, dando por finda a missão junto de nós. Não foi sem profunda emoção que vimos retirarem-se os jovens boníssimos a quem tanto devíamos, e aos quais abraçamos, comovidos, conquanto que, sorrindo, observassem:

"– Não estaremos separados. Apenas mudastes de recinto, dentro do mesmo lar. Porventura o próprio Universo Infinito não é o lar das criaturas de Deus?!..."

Irmão Sóstenes era o diretor da Cidade Esperança. Falou-nos grave, discreto, bondoso, sem que nos animássemos a fitá-lo:

"– Sede bem-vindos, meus caros filhos! Que Jesus, o único Mestre que, em verdade, aqui encontrareis, vos inspire a conduta a seguir na etapa nova que hoje se delineia para vós. Confiai! Aprendei! Trabalhai! – a fim de que possais vencer! Esta mansão vos pertence. Habitais, portanto, um lar que é vosso, e onde encontrareis irmãos, como vós, filhos do Eterno! Maria, sob o beneplácito de seu Augusto Filho, ordenou sua criação para que vos fosse proporcionada ocasião de preparativos honrosos para a reabilitação indispensável. Encontrareis no seu amor de mãe sustentáculo sublime para vencerdes o negror dos erros que vos afastaram das pegadas do Grande Mestre a quem deveis antes amor e obediência! Cumpre, portanto, apressar a marcha, recuperar o tempo perdido! Espero que sabereis compreender com inteligência as vossas próprias necessidades..."

Nada respondemos. Lágrimas umedeceram nossas pálpebras. Éramos como meninos tímidos que se vissem a sós pela primeira vez com o velho e respeitável professor ainda incompreendido. Foi quando, logo após, nos conduziram ao Internato onde deveríamos residir, onde passáramos a noite e de onde, pela manhã, saíramos a passear.

Aqui e ali, pelos parques que bordavam a cidade, deparávamos turmas de alunos ouvindo seus mestres sob a poesia dulcíssima de arvoredos frondosos, atentos e inebriados como outrora teriam sido, na Terra, os discípulos de Sócrates ou de Platão, sob o farfalhar dos plátanos de Atenas; os iniciados do grande Pitágoras e os desgraçados da Galiléia e da Judéia, os sofredores de Cafarnaum ou Genesaré, embevecidos ante a intraduzível magia da palavra messiânica!

Senhoras transitavam pelas alamedas, acompanhadas de vigilantes severas como Marie Numiers, a quem mais tarde conheceríamos mui de perto; ou impenetráveis como Vicência de Guzman[24], jovem religiosa da antiga Ordem de S. Francisco, irmã do nosso antigo benfeitor, Conde Ramiro de Guzman, à qual igualmente passamos a bem-querer tão logo soubemos dos elos imarcescíveis que a ligavam àquele dedicado servidor da Seção das Relações com a Terra.

Absortos, consentíamos que a imaginação se desdobrasse arrastada pelas sugestões, deixando palpitar em nossa mente múltiplas impressões, quando, de mansinho, alguém tocou em meu ombro, produzindo em minha sensibilidade a suave emoção de uma carícia infantil que me despertasse de prolongado torpor. Voltei-me, bem assim meus companheiros mais afins, reduzidos

[24]Personagens de uma narração incluída nos apontamentos concedidos pelo verdadeiro autor destas páginas no decurso de vinte anos de experiências mediúnicas, mas a qual o seu compilador houve por bem omitir no presente volume, reservando-a para novo ensaio literário em moldes espíritas.

agora a João e Belarmino, visto que os demais se haviam internado no Recolhimento. Duas damas achavam-se ao nosso lado, convidando-nos para uma reunião de honra para a qual fora convocada a pequena falange chegada no dia anterior. Diziam as damas que, então, seríamos apresentados aos nossos novos mentores, aqueles que fariam nossa educação definitiva. A eles seríamos entregues como a veros Guardiães que por nós zelariam paternalmente, até findar o curso de experiências renovadoras que urgia levássemos a efeito em próxima encarnação nos planos terrestres.

A primeira dessas damas, justamente a que me tocara, era uma menina loira e mimosa, que andaria pelas quinze primaveras, portadora de gracilidade irresistível. Trajava-se, porém, curiosamente, não nos furtando, nenhum de nós outros, a impertinente reparo. Túnica branca atada à cinta, manto azul trespassado ao antigo uso grego e pequena grinalda de rosas minúsculas ornamentando-lhe a fronte ebúrnea. Dir-se-ia um anjo a quem faltassem as asas. No primeiro instante supus-me vítima de novo gênero de alucinação, que, passado do Vale dos Réprobos para a Cidade da Esperança, teria o condão de criar o oposto do hediondo, isto é, o agradável e o belo. A menina trazia poético e imponente nome de Rita de Cássia de Forjaz Frazão, decassílabo que a teria implicado em círculo familiar aristocrata, na derradeira etapa terrena sofrida em terras de Portugal. Mais alguns dias passados, não sofreando o desejo de me elucidar acerca dos seus interessantes trajes, via-a entristecer-se à minha indiscrição, enquanto lhe ouvia a resposta à interrogativa por mim feita:

"– Sepultaram-me assim, ou melhor, assim vestiram o meu fardo carnal, quando o abandonei pela última vez, na Terra. Tão grata foi ao meu coração a volta ao Invisível, não obstante o desastre que ocasionou a um ser muito querido para mim, que retive na mente a recordação da última 'toilette' terrena..."

A segunda, alta, também loira, deveria ter deixado a vestidura corporal não longe dos cinqüenta anos, conservando ainda as impressões mentais que permitiam tais observações. Simpática e atraente, estendeu-me a destra mui gentilmente, apresentando-se de modo assaz cativante para nós:

"– Tenho certeza que já ouvistes falar de mim... Sou Doris Mary Steel da Costa... e venho de uma existência terrena em que mui gratamente servi de mãe ao meu pobre Joel... vosso amigo do Departamento Hospitalar..."

Confessamo-nos encantados, não dispondo de frases bastante expressivas para traduzir a emoção que nos empolgava. Respeitosamente osculamos a mão que tão democraticamente nos era estendida, mas sinceramente o fizemos, sem a afetação a que nos habituáramos desde muito...

À hora aprazada fomos introduzidos na sala de assembléias, situada na sede central do novo Departamento, por irmãs vigilantes encarregadas do serviço interno.

Nossa turma, que contava cerca de duzentos pecadores, era das mais vultosas que no momento existiam na Cidade, contando em seu conjunto com um grande contingente de damas brasileiras pertencentes a variados planos sociais da Terra, o que muito nos admirou, reconhecendo que as estatísticas de suicídios de mulheres no Brasil avantajavam-se de muito às de Portugal. Presidia à magna reunião o Guardião chefe do burgo, Irmão Sóstenes.

Iniciando-a, exortou-nos à homenagem mental ao Criador, o que fizemos orando intimamente, tal como nos fora possível, impelidos, todavia, por sincero respeito. À sua direita postava-se um ancião, cujas barbas níveas, descendo até à cintura, para terminarem em sentido agudo, imprimiam tal aspecto de venerabilidade à sua personalidade que, emocionados, julgamo-nos em presença de um daqueles patriarcas que os livros sagrados nos retratam ou de um faquir indiano experimentado em virtudes e ciências através das mais austeras disciplinas. À esquerda, outro iniciado despertou-nos a atenção com seu perfil hindu clássico, o que infundiu em nosso espírito singular sentimento de atração. Tão venerável quanto o outro, a nova personagem apresentava, porém, menos idade, refletindo antes a maturidade, com a pujança do seu equilíbrio racional estampada no vigor das feições que nos deixava observar com nitidez. Mais além, um jovem quase adolescente despertou-nos maior atenção, uma vez que ocupava outra cátedra de mestre, e não o local reservado aos adjuntos. Formosíssimo de semblante, de uma feitura por assim dizer angelical, seu perfil hebreu irradiava tão impressionante doçura que suporíamos tratar-se antes de uma aparição de que os livros orientais eram férteis em mencionar, não fora a realidade insofismável de tudo quanto nos cercava. Ladeava Sóstenes à direita, ombreando com o ancião.

A um sinal de Irmão Sóstenes, iniciou-se a chamada dos pacientes. Nossos nomes, registrados no volumoso livro de matrícula onde os assináramos à chegada, ressoavam, um a um, proferidos pela voz possante de um adjunto que, ao lado da tribuna de honra, como que secretariava a reunião. E, ouvindo que nos chamavam, respondíamos timidamente, quais colegiais bisonhos, enquanto a repercussão fazia repetidos nossos nomes mais além, entre salas e galerias, levando-os, através das alamedas distantes, dos parques da cidade que se estendia entre flores e pavilhões grandiosos, para os perpetuarem, quem sabe? ecoando-os através do Infinito e da Eternidade!...

Todos presentes, levantou-se o diretor para o discurso de honra:

"– Iniciais neste momento fase nova em vossa existência de Espíritos delituosos, meus caros amigos! Dentre tantos padecentes que convosco chegaram a esta Colônia, fostes os únicos a atingir condições indispensáveis às lutas do aprendizado espiritual que vos conferirá base sólida para a aquisição de valores pessoais nos dias porvindouros. Sereis matriculados em nossas escolas, uma vez que apresentais o necessário desenvolvimento moral e mental para a aquisição de esclarecimentos que vos permitirão próxima reencarnação recuperadora, capaz de vos fornecer a reabilitação decisiva do erro em que sucumbistes.

Como de há muito deveis ter percebido, não sois condenados irremissíveis aos quais a Lei Universal aplicaria medidas extremas, relegando-vos à eterna inferioridade do presente, ao abandono das angústias inconsoláveis da atualidade, por excluir-vos da harmonia apropriada a toda criatura originada do Sempiterno Amor! Ao contrário, estamos a participar-vos que tendes o direito de muito esperar da bondade paternal do Onipotente Criador, porquanto, a mesma Lei, por Ele estabelecida, que infringistes com o ato desrespeitoso da revolta contraproducente, a todos vós facultará a possibilidade de recomeçar a experiência interrompida pelo suicídio, fornecendo-vos, honrosamente, ensejo de reabilitação certa.

Nada conheceis, entretanto, da Vida Espiritual e urge que a conheçais. Até agora vossos estágios na erraticidade vêm-se verificando em zonas inferiores do Invisível onde pouco tendes aproveitado moralmente, em vista da couraça de animalidade que envolve vossas vibrações mentais chumbadas, particularmente, ao domínio das sensações. Há cerca de um século, porém, chegou a época de se anteporem rigores aos vossos continuados desatinos e despertar-vos do círculo vicioso em que vos deixastes permanecer encaminhando-vos para a alvorada da redenção com Jesus, que vos conduzirá ao verdadeiro alvo que, como criaturas de Deus, deveis forçosamente atingir!

Muitos de vós, doutos que fostes na Terra, lúcidas inteligências que se impuseram na conceituação da sociedade terrena, desconheceis, todavia, os mais rudimentares princípios de espiritualidade, levando mesmo a displicência ao extremo de negá-los e combatê-los, quando os descobríeis exornando o caráter do próximo. Deveis, por isso mesmo, iniciar conosco um curso de reeducação moral-mental-espiritual, que é o que vos tem faltado, já que as predisposições para tão alto feito acudiram aos apelos desesperados dos sofrimentos por que passais!

Não fora o gesto audacioso de precipitação, afrontando leis invariáveis que ainda desconheceis, e hoje estaríeis glorificados por vitória magnífica, laureados pelo cumprimento do Dever, preparados para novos ciclos de aprendizagem. No entanto, o suicídio, que não vos trouxe a morte, porque a morte é ficção neste Universo vivo e regido por leis eternas oriundas da sabedoria de um

Criador Eterno; que não vos concedeu nem repouso, nem olvido, nem aniquilamento, porquanto não atingiu senão o corpo físico-terreno e não, jamais! o espiritual, onde reside vossa personalidade verdadeira e eterna, o suicídio, dizemos, arrebatou todo o mérito que poderíeis ter, precipitando-vos em situação calamitosa, da qual não saireis enquanto restaurações totais não sejam efetivadas. E advirto-vos, meus amigos, que, na luta a empreenderdes para a consecução de tal desiderato, mais de um século presenciará as lágrimas que derramareis sobre as conseqüências do execrado ato de desrespeito a vós mesmos, como a Deus!

Todavia, os ensinamentos que vos ministraremos influirão bastante na vitória que devereis alcançar contra vós próprios. Mas, não saireis deste local, alçando esferas espirituais mais compensadoras, enquanto de nosso Instituto, ou de vossas Consciências, não receberdes certificados de reabilitação, os quais vos conferirão ingresso em habitações normais na hierarquia da evolução, e tais certificados, meus amigos, somente vos serão confiados após a reencarnação que devereis abraçar, uma vez terminado o curso iniciado neste momento..."

Seguiu-se pausa breve, que nos forneceu a impressão de que novas disposições despertavam as fibras de nossas almas. Voltando-se para os três companheiros que o ladeavam, o orador continuou, prendendo porventura ainda mais a nossa atenção:

"– Aqui tendes os vossos educadores. São como anjos-tutelares que sobre vós, como sobre vossos destinos, se debruçarão, amparando-vos na espinhosa jornada! Acompanhar-vos-ão, a partir deste momento, em todos os dias de vossa vida, e só darão por cumprida a nobre missão de que se incumbiram junto de vós, quando, já glorificados pela observação da Lei que infringistes, voltardes da Terra, novamente, para este asilo, recebendo, então, como que passaporte para outra localidade espiritual, onde reapanhareis o fio normal da rota evolutiva interrompida pelo suicídio.

As credenciais dos mestres a quem, neste momento, sois entregues em nome do Pastor Celeste, estendem-se, em virtudes e méritos, a um passado remoto, muitas vezes comprovado nos testemunhos santificantes.

À minha direita, eis Epaminondas de Vigo, o qual, em escala ascensional brilhante, vem desde o antigo Egito até os sombrios dias da Idade Média, na Espanha, servindo a Verdade e exalçando o nome de Deus, sem que seus triunfos se arrefecessem nos planos da Espiritualidade até o momento presente. Nos tempos apostólicos, onde, como discípulo de Simão Pedro, glorificou o Mestre Divino, teve a honra suprema de sofrer o martírio e a morte no circo de Domício Nero. Na Espanha, sob o império das trevas que circundavam as leis impostas pelo chamado Santo-Ofício, brilhou como estrela salvadora, mostrando roteiros sublimes aos desgraçados e perseguidos, como a muitos corações ansiosos pelo ideal divino, empunhando fachos de ciências sublimadas no amor e no respeito aos Evangelhos do Cordeiro Imaculado, ciências que fora buscar, desde muito, em peregrinações devotadas, aos arcanos sagrados da velha Índia, sábia e protetora, na Terra, de verdades imortais! Mas justamente porque brilhara em meio de trevas, sacrificaram-no novamente, não mais atirando seu velho corpo carnal às feras esfaimadas, mas queimando-o em fogueira pública, onde, ainda uma vez, provou ele seu imarcescível devotamento ao Senhor Jesus de Nazaré!

À esquerda tendes Souria-Omar, antigo mestre de iniciação em Alexandria; filósofo na Grécia, logo após o advento de Sócrates, quando fulgores imortais começavam a se acender para o povo, até então arredado dos conhecimentos sublimes, mantidos que eram estes em segredo e apenas para conhecimento e uso de sábios e doutos. Como o eminente precursor do Grande Mestre, ensinou a Doutrina Secreta a discípulos levantados das mais modestas classes sociais, aos deserdados e infelizes; e, à sombra benfazeja dos carvalheiros frondosos ou sob a amenidade poética dos plátanos, fazia-os sorver ensinos cheios de divina magnificência, transportando--os de felicidade na elevação dos pensamentos para o Deus Sempiterno, Criador de Todas as Coisas, aquele Deus desconhecido cuja imagem não constava na coleção dos altares de pedra da antiga Hélade... Mais tarde, ei-lo reencarnado na própria Judéia, atraído pela figura incomparável do Mestre dos mestres, desdobrando-se em atitudes humildes, obscuras, mas generosas e sadias, por seguir as pegadas luminosas do Celeste Pegureiro! Entrado já em idade avançada, conheceu as férreas perseguições de Jerusalém, logo após o apedrejamento de Estêvão. Estóico, fortalecido por uma fé inquebrantável, sofreu longo martírio no fundo sinistro de antigo calabouço; torturado com a cegueira, uma vez considerado varão de muitas letras e, portanto, perigoso, nocivo aos interesses farisaicos; martirizado com espancamentos, mutilações dolorosas, até sucumbir, ignorado da sociedade, irreconhecível pela própria família, mas glorificado pelo Mestre Excelso, por amor de quem tudo suportou com humildade, amor e reconhecimento. Souria-Omar, como Epaminondas, teve a mente voltada, desde muitos séculos, para as altas expressões da Espiritualidade, a alma fervorosamente batizada na pira sagrada da Ciência Divina e do amor a Deus! Hoje, se se encontra operando na região de angústias em que nos encontramos todos, materializado a ponto de ser por vós reconhecido como em sua derradeira estrutura corporal, não será porque lhe escasseiem luzes e merecimentos para alçar locais outros, em harmonia com seus méritos, mas porque fiéis, ambos, a princípios da iniciação cristã, que observam acima de quaisquer outras normas, preferem estender atenções e amor aos mais desgraçados e desprovidos de ânimo, devotando-se a encaminhá-los à redenção inspirados no exemplo do Príncipe Celeste que abandonou seu reino de glórias para dar-se, em sacrifícios continuados, ao bem das ovelhas da Terra...

...E Aníbal, meus caros filhos! Este jovem que conheceu pessoalmente a Jesus de Nazaré, durante suas pregações inesquecíveis através da sofredora Judéia! Aníbal de Silas, um daqueles meninos presentes no grupo que Jesus acariciou quando exclamou, demonstrando a inconfundível ternura que mais uma vez expandia entre as ovelhas ainda vacilantes:

'Deixai vir a mim as criancinhas, que delas é o reino dos Céus...'

Aníbal, que vos ministrará ensinamentos cristãos exatamente como os ouviu do próprio Rabi, a quem ama com arrebatamentos de idealista entusiasta e ardoroso, desde a infância longínqua, passada, então, no Oriente!

Assevera ele que, quando o Senhor pregava sua formosa Doutrina de Amor, quadros explicativos, de maravilhosa precisão e encanto inexprimível, surgiam inesperadamente à visão do ouvinte de boa vontade, elucidando-o de forma inconfundível, por imprimirem nos arcanos do ser de cada um a exemplificação que nunca mais seria olvidada! Que era por isso que, falando, conseguia o grande Enviado conter, em serenidade inalterável, multidões famintas, por longas horas, dominar turbas rebeldes, arrebatar ouvintes, convencer corações que, ou se prostravam à sua passagem, receosos e aturdidos, ou à Sua Doutrina para sempre se prendiam, encantados e fiéis. Os ímpios, porém, cujas mentes viciadas permaneciam desafinadas com as vibrações divinas, nada percebiam, ouvindo apenas relatos cuja excelsitude não eram capazes de alcançar, uma vez que traziam as almas impregnadas do vírus letal da má vontade! Um desses quadros, certamente o mais belo de quantos o Mestre Amado criou para instruir suas ovelhas desgarradas, porque aquele mesmo que o retratava em sua glória de Unigênito do Altíssimo, bastou para que Saulo de Tarso se transformasse em esteio ardente da Doutrina Redentora com que honrara o mundo!

Aníbal cresceu e fez-se homem, sentindo-se sempre envolvido pelas radiações imarcescíveis do Divino Pegureiro, e que nunca mais se apagaram das suas recordações. Trabalhou pela Causa, repetiu aqui como além o que ouvira do Senhor ou de seus Apóstolos, preferindo, porém, instruir crianças e jovens, lembrando-se da doçura inexcedível com que Jesus se dirigia à infância. Viajou e sofreu perseguições, ultrajes, injúrias, injustiças, ainda porque era de bom-gosto social criticar os adeptos do Nazareno, ofendê-los, persegui-los, matá-los! E, uma vez chegado a Roma, viu-se glorificado pelo martírio, por amor do Enviado Celeste: teve o fardo carnal incinerado num daqueles postes de iluminação festiva, na célebre ornamentação dos jardins de Nero, aos trinta e sete anos de idade! Mas, entre a tortura do fogo resinoso, porventura ainda mais atroz, e o espanto por se ver colhido nas redes do sublime testemunho, ele, que se considerava humilde, incapaz de merecer tão elevada honra, reviu novamente as margens do Tiberíades, o lago formoso de Genesaré, as aldeias simples e pitorescas da Galiléia e Jesus pregando docemente a Boa Nova celestial com aqueles arrebatadores quadros que, na hora suprema, se mostravam ainda mais belos e fascinantes à sua alma de adepto humilde e fervoroso, enquanto Sua Voz dulçorosa repetia, como o ósculo da extrema-unção que lhe abençoasse a alma, fadando-a à glória da Imortalidade:

'Vinde a mim, benditos de Meu Pai, passai à minha direita...'

Enamorado sincero da Boa Nova do Cordeiro Imaculado, será a Boa Nova o ensino que vos ministrará, pois, para ele, sois meninos que tudo ignorais em torno dela... E o fará como aprendeu do Mestre Inesquecível: – em quadros demonstrativos que vos apresentem, o mais fielmente possível, o encanto que para sempre o arrebatou e prendeu a Jesus!

A fim de se especializar em tão sublime gênero de confabulação mental hão sido necessárias ao devotado Aníbal vidas sucessivas de renúncias, trabalhos, sacrifícios, experimentações múltiplas e dolorosas no carreiro do progresso, pois somente assim seria possível desenvolver nas faculdades da alma tão precioso dom. Ele o conseguiu, porém, porque jamais em seu coração escasseou a vontade de vencer, jamais esqueceu os dias gloriosos das pregações messiânicas, o momento, sempiterno em seu Espírito, em que sentiu a destra do Celeste Mensageiro pousando sobre sua frágil cabeça de menino, para o convite inesquecível:

'Deixai vir a mim os pequeninos...'

É que Aníbal vinha sendo, para isso, preparado desde eras afastadas!

Viveu nos tempos de Elias, respeitando o nome do verdadeiro Deus! Foi, mais tarde, iniciado nos mistérios augustos das Ciências, pela antiga escola dos Egípcios. O respeito e o devotamento ao Deus Verdadeiro, e a esperança inquebrantável no advento libertador do Messias Divino, iluminavam sua mente desde então, por entre fachos de virtudes que não mais se esmaeceriam!

Não obstante, após o sacrifício em Roma, trabalhador e infatigável, renasceu ainda sobre a crosta do planeta. Seduzia-o a vontade poderosa e insopitável de seguir nas pegadas do Mestre, anuindo aos Seus divinos apelos. Sofreu, por isso, novas perseguições ao tempo de Adriano, e exultou com a vitória de Constantino!

Desde então, dedicou-se particularmente ao amparo e à educação da infância e da juventude. Sacerdote católico na Idade Média, por mais de uma vez se fez anjo-tutelar de pobres crianças abandonadas, esquecidas pela prepotência dos senhores de então, convertendo-as em homens úteis e aproveitáveis para a sociedade, em mulheres honestas, voltadas para o culto do Dever e da Família! E tanto Aníbal se preocupou com a infância e a juventude, tanto fixou energias mentais naqueles rostinhos formosos e meigos, que sua mente imprimiu em si próprio uma eterna feição de adolescente gentil, pois, como vedes, dir-se-ia ainda ser o menino acariciado pelo Mestre Nazareno, na Judéia, há quase dois mil anos!...

... Até que um dia, glorioso para o seu Espírito de servo fiel e amoroso, ordem direta desceu das altas esferas de luz, como graça concedida por tantos séculos de abnegação e amor:

'– Vai, Aníbal... e dá dos teus labores à Legião de Minha Mãe! Socorre com Meus ensinamentos, que tanto prezas, os que mais destituídos de luzes e de forças encontrares, confiados aos teus cuidados... Pensa, de preferência, naqueles cujas mentes hão desfalecido sob as penalidades do suicídio... Entreguei-os, de há muito, à direção de Minha Mãe, porque só a inspiração maternal será bastante caridosa para erguê-los para Deus! Ensina-lhes a Minha palavra! Desperta-os, recordando-lhes os exemplos que deixei! Através de Minhas lições, ensina-os a amar, a servir, a dominar as paixões, apondo sobre elas as forças do Conhecimento, a encontrar as estradas da redenção no cumprimento do Dever, que para os homens tracei, a sofrer com paciência, porque o sofrimento é prenúncio de glória, alavanca poderosa do progresso... Abre-lhes o livro das tuas recordações! Lembra-te de quando me ouvias, na Judéia... e ilumina-os com as claridades do Meu Evangelho, pois é só isso o que lhes falta!...'

E aqui o tendes, meus caros filhos, modesto, pequenino como um adolescente, mas tocado pela flama imortal da inspiração com que o prende a bondade imarcescível do Mestre Excelso... A ele eu vos confio!"

Intensa comoção atingia nossas almas, extraindo do íntimo do nosso ser reais sentimentos de admiração pelos três vultos que nos eram apresentados e que tão estreitamente se ligariam ao nosso destino por um tempo que não poderíamos, absolutamente, prever. Também a inconfundível figura do Nazareno nos fora singularmente apresentada. A verdade era que, até então, Ele nos aparecia às cogitações mais como sublimidade ideal, incompreensível à mente humana, do que personalidade real, capaz de se tornar compreendida e imitada pelas demais criaturas. Nossos três mestres, porém, haviam sido contemporâneos dEle. Conheceram-no. Ouviram-no falar. Falaram, mesmo, com Ele, porquanto era de notar que esse Divino Mestre jamais negou falar a quem o procurasse! Um daqueles mesmos mestres sentira a branda carícia de sua mão afagar-lhe a cabeça. Jesus-Cristo, assim conhecido, assim visto, assim amado, atraía nossas atenções.

Muitos internos presentes haviam baixado a fronte. Outros se abandonavam às lágrimas silenciosas, discretas, que desciam, como orvalhando suas almas, num grato e fervoroso batismo! O silêncio continuou por alguns instantes, após o que Sóstenes continuou, orientador e zeloso:

"– Como jamais será aconselhável a perda de tempo, porquanto, alguns minutos desperdiçados no labor abendiçoado do progresso poderão carrear para o futuro dissabores dificultosamente reparáveis, iniciaremos hoje mesmo medidas favoráveis a vós outros. Sereis novamente divididos em agrupamentos homogêneos de dez individualidades, continuando separadas, como no Hospital, as damas dos cavalheiros. Somente no decorrer das aulas ou em dias fixados para reuniões recreativas, podereis avistar-vos e trocar idéias. Isso acontecerá porque trazeis ainda arrastamentos penosos da matéria, inquietações mentais perturbadoras, que convém educar. Vossos pensamentos deverão habituar-se a disciplina higiênica, encaminhando-se o mais rapidamente possível para as boas expressões do Espírito, para cogitações cujo alvo estará na idéia de Deus! Fareis conosco o exercício mental de elevação do ser para o Infinito; mas para tanto conseguirdes será indispensável que vos desobrigueis de preocupações subalternas. A idéia de sexo é um dos mais incomodativos entraves às conquistas mentais! As inclinações sexuais oprimem a vontade, turbam as energias da alma, entorpecem-lhe as faculdades, arrastando-a a vibrações pesadas e inferiores, que retardam a ação do vero estado de espiritualidade. Por isso, será prudente, enquanto não progredis bastante, o isolamento, bom conselheiro que vos levará ao esquecimento de que fostes homens e mulheres ainda ontem, lembrando-vos, em seguida, de que, agora, vós vos deveis buscar de preferência com o amor espiritual, com o sentimento fraterno imarcescível, inclinação divina, apropriada para os arrebatamentos do Espírito. Não obstante, entidades já educadas nas reais afinidades da alma, e que animaram, na Terra, corpos femininos, são indicadas para acompanhar-vos em missão educativa, como familiar. Escolhidas em o nosso corpo de vigilantes, serão como preceptoras que vos auxiliarão na verdadeira adaptação ao ambiente espiritual, que em verdade desconheceis, visto que vossos estágios no Além têm-se verificado, até agora, apenas entre as camadas inferiores do Invisível, o que não é a mesma coisa... Ouvirão elas as vossas confidências, consolar-vos-ão com seus conselhos e experiências, quando as fadigas ou as possíveis saudades vos ameaçarem o ânimo; atenderão vossos pedidos, transmitindo-os à diretoria desta Mansão, e, assim agindo, manterão ao redor dos vossos corações os doces e sacrossantos sentimentos da Família, impedindo que os olvideis por uma longa separação, pois não podereis prescindir dos sentimentos de família, tal como na Terra são eles experimentados, porque ainda muitas vezes reencarnareis nos seus cenários, reconstituindo lares que nem sempre soubestes prezar, testemunhando ensinamentos que haveis de aprender no plano espiritual, com vossos mestres, prepostos de Jesus. Junto de vós, aqui desempenharão elas como que o papel da solicitude materna, do interesse e da dedicação fraternais!

Como vedes, toda a ajuda que a Lei permite no vosso deplorável caso, a vós será facultada pela magna direção da Colônia Correcional que vos abriga, cujos estatutos, fundamentados na Doutrina Excelsa do Amor e da Fraternidade, têm por ideal o educar para elevar e redimir!

Avante, pois, caros amigos e irmãos! encorajados e decididos, para a batalha que vos concederá a libertação das graves conseqüências que criastes em hora de infeliz e temerária inspiração!"

....

Em um salão que precedia a sala de assembléias, encontramos as Damas da Vigilância, nobre corporação de legionárias que exercitavam aprendizado sublime para as futuras tarefas femininas a serem experimentadas na Terra, e o faziam junto de nós, seus irmãos sofredores carentes de elucidações e consolo. Esperavam pelos seus protegidos, a fim de lhes serem devidamente apresentadas. Ora, o grupo formado desde o Hospital por mim, Belarmino de Queiroz e Sousa e João d'Azevedo, e que se vira enriquecido, àquela mesma hora, por mais alguns outros aprendizes afins, portugueses e brasileiros, recebeu como futuros "bons gênios" as damas que nos haviam encaminhado à reunião de que saíamos, isto é, Doris Mary e Rita de Cássia. Encantados com o acontecimento, pois irresistível simpatia já para elas impelia nossos Espíritos, foi comovidamente que confessamos a satisfação que nos avassalava ao lhes oscularmos a destra que bondosamente nos fora estendida.

Sem perda de tempo, fomos encaminhados para o nobre edifício em que funcionavam as aulas de Filosofia e Moral, um dos magníficos palácios situados na formosa Avenida Acadêmica.

Quando penetramos o recinto das aulas, suave comoção agitou as fibras magoadas do nosso ser. Era um salão imenso, disposto em semicírculo, cujas cômodas arquibancadas acompanhavam traçado idêntico, enquanto ao fundo uma placa luminosa de avantajadas dimensões despertava a atenção do visitante, e, ao centro, junto a ela, a cátedra do expositor, lente do transcendente curso que iniciaríamos. Notamos não nos ser estranho o aparelhamento. Já o víramos, por mais de uma vez, nos serviços hospitalares. Contudo, esse, agora, dir-se-ia aperfeiçoado, apresentando leveza e dimensões diferentes.

Suaves tonalidades branco-azuladas projetavam no ambiente em que penetrávamos pela primeira vez o encanto sugestivo dos santuários. Jamais sentíramos tão profunda a insignificância da nossa personalidade como ao penetrar o estranho anfiteatro onde o primeiro pormenor a nos despertar atenção era o sublime convite do Senhor de Nazaré, escrito em caracteres fulgurantes e figurando acima da tela:

"*Vinde a mim, todos vós que estais aflitos e sobrecarregados, que eu vos aliviarei. Tomai sobre vós o meu jugo e aprendei comigo, que sou brando e humilde de coração, e achareis repouso para vossas almas, pois o meu jugo é suave e leve o meu fardo.*"[25]

---

[25]Mateus, 15:28, 29 e 30.

Eis, porém, que o tilintar macio de uma campainha despertou nossa atenção. O mestre apareceu: – era o jovem Aníbal de Silas, a quem fôramos apresentados havia poucos minutos. Vinha seguido de dois adjuntos, Pedro e Salústio, dois adolescentes, como ele, delicados e atraentes, que imediatamente iniciaram preparativos para o magno desempenho. Pensamentos turbilhonaram precipitadamente pelos refolhos de minha consciência, deixando que recordações queridas da infância me aflorassem gratamente ao coração... e revi-me pequenino, comovido e temeroso ao enfrentar, pela primeira vez, o velho mestre que me dera a conhecer as letras do alfabeto...

Os adjuntos ligaram à cadeira, onde já Aníbal se sentara, fios imperceptíveis, porém, luminosos, e prepararam um como diadema que distinguimos como semelhante ao entrevisto na Torre, para elucidação de Agenor Peñalva. O silêncio era religioso. Percebia-se grande homogeneidade na assembléia, pois a harmonia se impunha, criando bem-estar indefinível a todos nós. Sofredores, excitados, aflitos, angustiados que éramos, aquietamos queixumes e preocupações pessoais, aguardando a seqüência do momento!

Sobre o tablado mais seis irmãos iniciados se apresentaram. Sentaram-se em coxins dispostos em semicírculo, enquanto Aníbal se conservava ao centro e Pedro e Salústio se distanciavam.

Aníbal levantou-se. Dir-se-ia que ósculos maternais rociassem nossas almas caliginosas. Surtos de esperança segredaram misteriosamente em nossos corações obliterados pelo longo desespero, e suspiros se distenderam, aliviando opressões abomináveis. Ouvimos sons longínquos e harmonias de tocante melodia, como um hino sacro, os quais predispuseram nossos Espíritos, alijando do ambiente quaisquer resquícios de preocupações subalternas que ainda permanecessem pela atmosfera. Instintivamente nos vimos presa de profundo e singular respeito, que atingia mesmo as impressões do temor. Arrepios ignotos perpassavam por nossa fibratura psíquica, aquecendo-a docemente, ao passo que estranho borbulhar de lágrimas refrescava nossas pupilas requeimadas pelo pranto afogueado da desgraça! Evidente era que ondas magnéticas preparativas eram conduzidas através dos sons daquele hino mirífico, que unificava nossas mentes aos embalos de acordes irresistíveis, fazendo-nos vibrar favoravelmente, num harmonioso estado de concentração de pensamentos e vontades.

Em meio de silêncio tumular, em que não nos distraíamos sequer com os incômodos provindos dos males que nos afetavam, a voz de Aníbal, grave e carinhosa a um só tempo, espalhou pela sala o convite enternecedor:

"– Vamos orar, meus irmãos! Antes de quaisquer cometimentos que tentemos para fins elevados, cumpre-nos o honroso dever de nos apresentarmos ao Deus Altíssimo através das forças mentais do nosso Espírito, homenageando-o com nossos respeitos e para nós solicitando suas bênçãos divinas..."

As pupilas acesas, no fulgor da inteligência, penetraram o íntimo dos nossos corações, tal se levantassem das sombras interiores do nosso ser o acervo dos pensamentos, no intuito de iluminá-los. Tivemos a impressão perfeita de que aquele olhar faiscante eram tochas vivas que alumiavam nossas almas temerosas e combalidas, uma a uma, e baixamos as míseras frontes, amedrontados em presença da superior força psíquica que nos visitava os refolhos da alma!

Bondoso, prosseguiu, como num prelúdio harmonioso:

"– A prece, meu caros irmãos, será o vigoroso baluarte capaz de manter serenos os vossos pensamentos à frente das tormentas oriundas das experiências e renovações indispensáveis ao progresso que fareis. Aprendendo a alçar a mente ao Infinito, nas suaves e singelas expressões de uma oração sincera e inteligente, estareis de posse da chave áurea que vos levantará o segredo da boa inspiração. Orando, apresentando-vos, confiantes e respeitosos, ao Pai Supremo, como é dever de cada um de nós, dEle recebereis o influxo bendito de forças ignotas, que vos habilitarão para o heroísmo necessário às lutas das realizações cotidianas, próprias daqueles que desejam avançar pelo caminho do progresso e da luz! Impulsionados pela oração bem sentida e compreendida, aprendereis, progressivamente, a mergulhar o pensamento nas regiões festejadas pelas claridades celestes, e voltareis esclarecidos para o desempenho das mais árduas tarefas!

É no intuito de vos iniciar nesse roteiro proveitoso que vos convido a estenderdes o pensamento pelo Infinito, acompanhando o meu... Não importa que a rescaldante lembrança dos delitos cometidos para trás vos pese nas consciências, nem que, por isso, dificuldades de expansões vos entravem o necessário desprendimento. O que é preciso, o que se torna urgente e inadiável é querer iniciar a tentativa, é vos arrojardes, vigorosamente reanimados pela mais viva coragem que puderdes convocar nas profundezas do ser, para a caminhada pelos compensadores canais da prece... porque, sem que vos prepareis nesse curso iniciático de conjugação mental com os planos superiores, como haveis de neles penetrar a fim de vos edificardes?!

E Aníbal orou, então, atraindo nossos míseros pensamentos para aquelas estradas suaves, distribuidoras dos bálsamos consolativos, das forças renovadoras! À proporção que orava, porém, uma faixa fosforescente, de radiação opalina, estendia-se sobre ele, e, abrangendo a assistência, a todos envolvia num como ósculo maravilhoso de bênçãos. O hino acompanhava docemente, em surdina, as palavras ungidas de fé, que Aníbal proferia... e dulcíssimas impressões lenificavam as contusões ainda doloridas do passado...

Aníbal de Silas sentou-se ao centro do semicírculo formado pelos seis iniciados que o acompanhavam. Pedro e Salústio colocaram-lhe na fronte o diadema de luz, ligando-o à tela espelhenta pelos fios argênteos que conhecemos. Um minuto grave de recolhimento e fixação mental predominou entre o grupo de mestres que víamos em ação, concentrando-lhes, harmonizando-lhes a vontade. Logo após, iniciou o catedrático a explanação da sua importante aula.

Pela magnitude do que se passou, então, não apenas naquele dia, como nos subseqüentes, durante essas aulas inesquecíveis; pela capital influência que exerceu sobre nosso destino, nosso desenvolvimento moral e mental e a importância do método pedagógico, absolutamente inédito para nós, dedicaremos capítulo especial à sua exposição, cientes de que, apesar do esforço e da boa vontade que empregarmos, apenas reflexo muito pálido do que presenciamos conseguiremos apresentar ao leitor.

"Vinde a mim"

Aníbal entrou a comentar a urgência de cada um de nós, como da Humanidade inteira, quer do plano físico-terreno ou do Invisível inferior e intermediário, se reeducar sob a orientação das fecundas normas cristãs. Afirmou, em análise sucinta, contrariando idéias que muitos de nós abrigavam, não existir misticismo supersticioso nem fatos miraculosos e anormais na epopéia magnífica do Cristianismo, epopéia que não se limitava do presépio de Belém ao drama do Calvário, mas que se estendia das Esferas de Luz às sombras da Terra, perenemente, em lances patéticos, positivos, sublimes, a que só a cegueira da ignorância deixa de apreciar devidamente. Ao contrário disso, o Cristianismo, doutrina universal cuja origem se fixa nas próprias Leis Sempiternas, possuía bases práticas por excelência, trazendo por finalidade a recuperação moral do homem para si mesmo e a sociedade em que for chamado a viver no seu longo carreiro evolutivo, com vistas ao engrandecimento da Humanidade perante as Leis Sábias do Criador. Lembrou que os homens terrenos projetaram sombras sobre os ensinamentos do Mestre Excelso, envolvendo-os em complexos calamitosos, por empanar-lhes o brilho da essência primitiva com inovações e atavios próprios da inferioridade pessoal de cada um, desfigurando, destarte, a verdade de que são, os mesmos ensinamentos, o expoente máximo. Asseverou com veemência impressionante, da qual não julgaríamos capaz um adolescente, que só os magnos e altruísticos conhecimentos das doutrinas educativas expostas pelo Excelso Catedrático Jesus de Nazaré permitiriam a nós outros, como à Humanidade, ensejo à reabilitação imprescindível, preparando-nos para a aquisição de uma nova e elevada Moral, para a sanidade de ações capazes de levarem a alvorecer em nossos míseros corações horizontes vastíssimos, de ressurgimento pessoal e coletivo, de progresso legítimo, na escala de ascensão para a Vida abundante da Imortalidade! Que, doutos, sábios, gênios que fôssemos, de nada nos aproveitariam tão lustrosos cabedais se ignorantes continuássemos das normas da Moral do Cristo de Deus, em cuja aplicação reside a glória da felicidade eterna, uma vez que Sabedoria sem Amor e sem Fraternidade tem suas factícias glórias apenas no seio das sociedades terrenas...

Participou-nos, em seguida, que sua primeira aula consistiria na apresentação de sua personalidade a nós outros, seus discípulos. Que necessário seria que o conhecêssemos intimamente, a fim de que seus exemplos nos estimulassem na senda espinhosa em que seríamos chamados a solver vultosos débitos, porquanto será sempre de boa pedagogia que o mentor apresente seus próprios exemplos aos alunos, a quem inicie, e também para que aprendêssemos a amá-lo, a nele confiar, tornando-nos seus amigos, considerando-o bastante digno de ser ouvido e acatado. Que pudéssemos, em primeira análise, observar nele próprio os efeitos imarcescíveis de um caráter reedificado pelo amor do Bom Pastor, redimido através dos preceitos que deveríamos, por nossa vez, conhecer para nos reerguermos das sombras da impiedade em que jazíamos, pois a verdade era que desconhecíamos totalmente o Cristianismo legado pelo Mestre Nazareno, não éramos cristãos, senão adversários do Cristo, ovelhas rebeladas que, em verdade, não conheciam o seu Pastor!

Então, o jovem Aníbal contou-nos a sua vida! Não apenas a existência última, testemunhada em terras da Itália durante os ominosos dias da Idade Média, mas as variadas migrações terrenas no giro evolutivo que lhe fora próprio, seus deslizes como Espírito em marcha, que também é, as lutas pela redenção, frente aos sacrifícios e às lágrimas das reparações, os impulsos para o Bem, os incansáveis labores que lhe trouxeram os méritos nas inspirações do vero arrependimento pelo tempo perdido, labores sempre crescentes, cada vez mais árduos, assim também os aprendizados realizados durante a erraticidade, tarefas e missões no plano Astral como no Material, a fim de provar a eficiência dos progressos adquiridos, seu devotamento a Jesus Nazareno, a quem se ligara pelas ardências de uma paixão que nada mais poderia ensombrar ou arrefecer!

No entanto, era com assombro que ouvíamos as palavras de Aníbal traduzidas em imagens e cenas a se refletirem na tela miraculosa que lhe ficava junto. Assim foi que, enquanto falava, a realidade de suas transmigrações terrenas espirituais se reproduziam, ali, com tão verídica nitidez, que nos julgaríamos co-participantes seus através das idades ressuscitadas dos repositórios secretos dos seus pensamentos, pois alta sugestão sobre nós exercida dominava nossas faculdades, ligando-as à vontade do mentor e dos seus cômpares ali presentes, e levando-nos a olvidar de que não passávamos de meros alunos que recebiam a introdução à primeira aula! Positivamente mais real, mais completo e sugestivo do que o cinematógrafo dos dias vigentes, mais convincente que as cenas teatrais que tanto absorvem e arrebatam o observador, porque era a vida em si mesma, natural, humana, realmente vivida, o retrospecto do pensamento de Aníbal foi passando gradativamente pela tela enquanto nem mesmo desta nos lembrávamos, pois não a distinguíamos, senão os fatos empolgantes que se decalcariam em nossas mentes quais estímulos para futuras tentativas! Quando cessou o dramático desfile, o belo instrutor adolescente surgia ao nosso entendimento como um ser amado de quem nunca mais nos desejaríamos apartar! Fora, por assim dizer, um consórcio de nossas almas com a sua o que se verificara através das exposições feitas, porquanto, a mais viva atração afetiva nos impelia para ele, correspondendo, assim, os nossos sentimentos aos seus nobres e fraternos desejos.

Não obstante, observando nossa confusão, pois surpreendia-nos o fato para a explicação do qual não trouxéramos conhecimentos suficientes no acervo dos cabedais intelectuais até então adquiridos, falou ainda o lente, suspendendo, em seguida, os trabalhos, por aquele dia:

"– As cenas a que acabastes de assistir, deslizando sobre esta tela reprodutiva, que não é senão um espelho singular, para vós desconhecido, onde deixei que se refletisse minha própria alma, foram as minhas recordações, caríssimos discípulos, acordadas intactas, vivas, dos refolhos supremos da Consciência!

Todos os filhos do Altíssimo, ao viverem as existências planetárias, como as espirituais, imprimem nos escaninhos da alma, nas camadas profundas da Consciência, toda a grande epopéia das trajetórias testemunhadas, as ações, as obras e até os pensamentos que concebem! Sua longa e tumultuosa história encontra-se neles próprios gravada, como a história do globo, onde já vivemos, se acha arquivada nas camadas geológicas e eternamente reproduzida, fotografada, igualmente arquivada, nas ondas luminosas do éter, através do Infinito do Tempo! Por sua vez o corpo astral, envoltório que trazemos presentemente, como Espíritos livres do fardo material; aparelho delicadíssimo e fiel, cuja maravilhosa constituição ainda não sois capazes de compreender, registra, com nitidez idêntica, os mesmos depósitos que a Consciência armazenou através do tempo, arquiva-os em seus arcanos, reflete-os ou expande-os conforme a necessidade do momento – tal como fiz agora –, bastando para isso a ação da vontade educada! Ora, se tivésseis educadas as faculdades da vossa alma, se, cursando Universidades, na Terra, esclarecendo inteligências como homens que fostes, igualmente houvésseis cultivado os preciosos dons do Espírito, assim vos apossando dos sublimes conhecimentos das Ciências Psíquicas, além de não haver convosco a possibilidade de uma derrota produzida por suicídio, porquanto vos teríeis colocado em planos muitas vezes superiores aos em que medram as paixões e insânias que a este dão causa, agora estaríeis à altura de compreenderdes minhas expressões mentais sem o auxílio, por assim dizer, material, deste aparelhamento que me fotografou e animou os pensamentos, as lembranças e recordações, reproduzindo-as, para vós, tal como se acham arquivadas nos livros secretos do meu Espírito!

É uma operação melindrosa o que acabais de ver! Exige sacrifício por parte de quem a tenta. Meus irmãos de ideal aqui presentes e meus discípulos forneceram-me fluidos magnéticos necessários à corporificação das imagens e à reprodução dos sons, a fim de que meu esforço não fosse demasiado; e, envolvidos no ambiente dominado por ondas especiais, de um magnetismo superior, que é o nosso principal elemento, vós mesmos vos sugeristes a convicção de que comigo vivestes minhas vidas, quando a verdade era, apenas, que assistíeis ao desenrolar do pretérito em meu ser depositado... Participo-vos, em tempo, que não tardareis a conhecer as mesmas experiências, extraindo de vós mesmos o passado que ainda dormita, porque mantendes, embrutecidos pelas repercussões chocantes do vosso estado de suicidas, dons da alma que nas entidades normais despertam com facilidade tão logo ingressam na espiritualidade... Todavia, não competirá a mim o orientar-vos neste áspero e doloroso retrospecto...

O conhecimento que, com o fato agora presenciado, adquiristes, comum nos planos da Espiritualidade, mesmo vulgaríssimo, um dia enriquecerá as aquisições intelectuais e científicas da Terra, para galardão dos homens, através da Ciência Psíquica Transcendental. Até lá, porém, haverá o homem de moralizar-se, desenvolver faculdades preciosas do Espírito, as quais, no momento, ele ignora possuir, a fim de, só então, tornar-se digno de tão sublime aquisição, para que não venha a servir-se de um dom de natureza divina como instrumento de crimes e paixões subalternas, como há acontecido com outros valores sagrados que até hoje há recebido!

Na própria Terra, esse dom, cujo valor inestimável ainda é desconhecido às inteligências vulgares, foi exercido para as altas finalidades da educação das primeiras massas que se fizeram cristãs. Seria difícil fazer compreender o sublime alcance do Evangelho do Reino a criaturas simples e iletradas, apenas com o ardor da oratória, a magia do verbo. O Nazareno, compassivo e amoroso, senhor de poderes psíquicos incalculáveis para nós outros, dono da maior força mental que já nos foi dado conceber, expondo suas formosas lições criava cenas e corporificava-as, dando aos ouvintes maravilhados o esplendor de visões interiores, que o seu pensamento fecundo e poderoso não se cansava de distribuir. É certo, porém, que nem todos aqueles que o ouviam estariam à altura de compreendê-lo. Mesmo dentre os escolhidos para lhe auxiliar o ministério redentor houve quem o não compreendesse. Mas os outros, para quem Ele representava a luz incorruptível da Verdade, os simples, os sofredores sedentos de justiça e de esperança, os de boa vontade, destituídos de vaidade, em quem o egoísmo do século já não medrava, vibrando mais ou menos harmoniosamente com Ele, seguiam-lhe as ondas criadoras do pensamento luminoso e absorviam o ensinamento exemplificado de todas as formas. Seus discípulos, do mesmo modo, ao falarem dEle, inconscientemente projetavam recordações e pensamentos que, recolhidos pelos cooperadores espirituais incumbidos de assisti-los, eram imediatamente corporificados, em sugestões poderosas, para a visão do ouvinte sincero e de boa vontade, o qual passava, então, não apenas a ouvir uma narração, mas a ela assistir, a vê-la como se presente estivesse aos feitos sublimes do Inesquecível Mestre.

Assim também, caros discípulos, realizaremos nossas preleções em torno da Doutrina legada pelo Divino Instrutor, pois muito inspiradamente andou a direção desta Colônia de reclusos adotando tal método para instrução de seus internos, por serem impossíveis, através dele, interpretações pessoais, conceitos errôneos, sofismas ou interpolações!"

....

A partir daquele dia assistíamos periodicamente às aulas de Aníbal, iniciado que foi, definitivamente, o nosso preparo moral à luz das superiores doutrinas expostas pelo verbo imarcescível do Divino Messias.

O catedrático explanou, de princípio, as causas da vinda de Jesus à Terra. Arrebatador desfile de civilizações passou, gradativamente, pela tela mágica, demonstrando aos nossos surpresos testemunhos a mais fecunda exposição das necessidades humanas, muitas das quais jamais havíamos tido ocasião de perceber! Sem a palavra messiânica as sociedades terrenas, então, se nos afiguraram, com efeito, como tão bem conceituava Aníbal de Silas, um mundo sem a aquecedora luz de um globo solar, um coração vazio da força impulsionadora da Esperança! O mestre falava e suas narrativas, suas exposições magistrais, seus exemplos mais que convincentes, irresistíveis, e seu verbo entusiasta e ardente arrancavam do turbilhão poeirento dos séculos mortos, das idades desaparecidas e até dos momentos contemporâneos, imagens e cenas, motivos reais, exemplos coletivos ou individuais, que, sob o calor magnético da sua superior vontade, associada à de seus pares, se humanizavam diante de nós, levando-nos a examiná-los e estudá-los sob o critério elucidativo de suas orientações.

Um curso superior e atraente de Filosofia e Análise comparada foi por nós iniciado, então. E era empolgante, era belo e comovedor, com nosso emérito instrutor ressuscitarmos do silêncio dos séculos a existência das sociedades que se foram na sucessão das idades, seus costumes, suas quedas, seu heroísmo, suas vitórias! Ao nosso entendimento se apresentou a vida da Humanidade desde os primórdios, fornecendo-nos o mais belo estudo que ousaríamos conceber, a mais fecunda elucidação que nossas mentes seriam capazes de abranger, porque a história magnífica do crescimento das sociedades que lutaram sobre a crosta do planeta, de falanges que ali iniciaram o próprio desenvolvimento moral e mental, que nasceram e renasceram muitas vezes e depois se foram, atingindo ciclos melhores em outras moradas do Universo, e, assim, dando lugar a outras falanges, a outras humanidades, suas irmãs, as quais, por sua vez, lutariam também, através dos renascimentos, trabalhando continuadamente em busca do mesmo progresso, enamoradas do mesmo alvo – a Perfeição!

Entretanto, no decurso de tais exames tantas eram as desgraças que descobríamos para estudar, tantos os sofrimentos, as prementes situações, os problemas indefinidos, os desnorteantes complexos engendrados pelo egoísmo com suas múltiplas feições apaixonadas, tão grandes as lutas da humanidade ignorante da própria finalidade, que impossível se tornou permanecermos indiferentes qual o observador frio que estuda apenas o cadáver. Fazendo parte dessa sociedade terrena, dessa humanidade desgraçada, ímpia e sofredora que desconhece Deus por preteri-lo às paixões, éramos solidários com seus mesmos infortúnios, pois que também nossos, e pesada angústia infiltrava-se pelos meandros do nosso espírito, despertando ânsias inexprimíveis, estados mentais e alucinatórios inconcebíveis ao pensamento humano, como desejos sacrossantos de algo que nos libertasse das trevas hiantes em que nos sentíamos tragados...

Até que, em certa aula, por um dia ameno e harmonioso em que palpitavam em nosso imo anseios vagos de esperanças, como promessas benditas que entornassem aleluias pelo nosso ser, Aníbal apresentou-nos a figura inconfundível, a figura inesquecível do Meigo Rabi da Galiléia, através das lembranças reproduzidas na tela magnética com o colorido vivo e sedutor da realidade! Então, a epopéia augusta do Cristianismo, desde a manjedoura humilde de Belém transformada em berço celeste, desenvolveu-se magistralmente, em estudos fecundos para o nosso entendimento, que começou a soletrar, só então, a palavra sacrossanta da redenção! As cenas descritas pelo expositor, que tão bem conhecera a época do advento da Boa Nova do Reino de Deus, mostravam circunstanciadamente, com clareza impressionante, as prédicas inesquecíveis do Divino Mensageiro, os discursos sugestivos, animados pelo colorido vivo dos quadros citados, as lições resplandecentes da mais elevada e pura moral, lançadas aos ares da Judéia humilde e oprimida, mas ecoadas pelos recantos mais longínquos do mundo quais convites amistosos e perenes à regeneração dos costumes para o reinado do verdadeiro

Bem, apelos amorosos de confraternização pessoal e social, para a concretização de uma Pátria ideal na Terra, cujas normas de governo Ele oferecia através de Sua oratória impecável, de Sua exemplificação na vida prática sem precedentes, como nas fulgurações imperecíveis daquela áurea Doutrina cujo alvo era a educação moral do homem, cuja finalidade era sua exaltação para a glória da vida sem ocasos, da Vida Eterna na unidade com Deus! A imagem sedutora do Enviado Celeste gravou-se, por assim dizer, também em nossas mentes, em traços cativantes e indeléveis, tornando cada um de nossos corações sincero enamorado do Cristianismo, predispostos a aquisições morais sob suas benéficas inspirações, pois, enquanto Aníbal narrava fatos, relembrando passagens enternecedoras, enquanto sua palavra vibrava em ondas sonoras de comentários férteis, extraindo essências de ensinamentos capitais para nossa iluminação, víamos os cenários que serviam à ação magnificente do Grande Mestre, ao mesmo tempo que sua figura inconfundível dominava a expressão, exercendo o apostolado sublime! Tínhamos a impressão convincente de o estarmos ouvindo proferir o Sermão da Montanha, enquanto as aragens perfumosas que ondulavam docemente no cimo da colina lhe faziam esvoaçar o manto, desalinhando-lhe os cabelos... De outra vez, era às margens do Tiberíades, era em Genesaré, pelas cidades da Judéia ou pelas aldeias pobres da Galiléia, como se o seguíssemos também, fazendo parte daquela massa de povo ávido de suas palavras consolatórias, de seus favores dulcíssimos!... E por toda a parte: em conversação com partidários, amigos ou discípulos; no Templo, explicando aos exegetas da época as regras áureas da Boa Nova que trazia; ou curando, favorecendo, protegendo, consolando, exaltando, educando, ensinando, redimindo, Aníbal nos levava a ouvi-lo e aprender, com Ele mesmo, os caminhos para nossa urgente reabilitação! Fazia-o, porém, Aníbal, pacientemente, tecendo comentários qual o professor emérito cioso da clareza das teses expostas, para a boa compreensão dos alunos...

Assim foi que fomos informados de que não apenas a Terra recebera as alvíssaras da Boa Nova, através de sua palavra de bondade e redenção, mas também o Astral inferior fora visitado por sua presença, visto possuir Ele poder bastante para em qualquer local se apresentar, tornando-se visível como lhe aprouvesse, e uma vez que se tratava de local onde os infortúnios e as calamidades de ordem moral são, incontestavelmente, mais intensos e profundos que os do planeta, ali também comparecia, convertendo Espíritos que havia séculos permaneciam nas trevas da ignorância ou no declive do ostracismo, tal como na Terra convertia homens, a todos estendendo mão fraterna e redentora! Igualmente nos dizia que o mundo terreno desconhece grande parte dos ensinamentos por Ele trazidos, pois que, destruídos foram muitos aspectos, verdadeiramente feéricos, da Verdade Divina por Ele exposta, rejeitados que foram pela má-fé ou pela ignorância presunçosa dos homens! Mas que, no entanto, soara o momento em que sua Doutrina Grandiosa seria devidamente alçada para o conhecimento de todas as camadas sociais! Para isso, a Terceira Revelação de Deus aos homens era já fornecida à Humanidade em nome do Redentor... e nós mesmos, que éramos Espíritos, estávamos convidados a colaborar nesse empolgante movimento chefiado pelo Mestre, procurando falar com os homens a fim de revelar-lhes estas coisas todas, porquanto a chamada Terceira Revelação mais não era do que um intercâmbio ostensivo, minucioso, de idéias entre os Espíritos e a Humanidade, subordinado aos ditames da Ciência Universal como da Moral Excelente do próprio Cristo de Deus!

Depois, ao findar o drama do Calvário, conhecemos as pelejas ardentes dos discípulos pela difusão do Testamento regenerador do Mestre, o martírio dos humildes e abnegados cristãos, inspirados sempre pela força imanente da fé... e a reforma conseqüente dos indivíduos que se submetiam àqueles princípios regeneradores e educativos! Estudamos, analisamos e investigamos tudo quanto fora possível à nossa mentalidade suportar em torno da Doutrina de Jesus Nazareno. Muitos tomos, complexos, delicados, precisaríamos escrever para que pudéssemos dar contas ao leitor da profundidade e extensão dessa incomparável Doutrina que tem origem no próprio pensamento divino, e que, sendo a Lei mesma estatuída pelo Criador de Todas as Coisas, um dia envolverá em suas imperecíveis fulgurações todos os setores das sociedades terrestres e espirituais!

Sentíamo-nos atraídos e arrebatados. Só então compreendemos a razão da súbita transformação daquela Maria de Magdala, tão sedutoramente apontada no Evangelho do Senhor; daquele Saulo de Tarso, vaso escolhido do Messias Celeste; e o que dantes nos parecia mito, lendas imaginosas de orientais místicos, avultou-se em nosso entendimento como fato lógico e irresistível, que não poderia deixar de existir tal como se deu e as tradições narraram! Apresentado à nossa compreensão assim, naturalmente, com singeleza, desataviado dos mistérios com que os homens teimam em ofuscar-lhe a grandeza, o Enviado Celeste impôs-se à nossa convicção realmente como o Mestre por excelência, o Guia Incomparável, devotado ao superior ideal da regeneração humana através do Amor, da Justiça, do Trabalho! Compreendemo-lo e amamo-lo, então, o necessário para nos abastecermos da Fé e da Esperança, qualidades indispensáveis ao Espírito em marcha de progresso, as quais, havia séculos, faltavam nos cabedais dos nossos corações!

Esse admirável curso requereu de nossa boa vontade e esforços, e da abnegação do nosso preceptor espiritual, longos anos de dedicação e estudos incansáveis, assim como de exemplificação e prática, visto ser a Doutrina Messiânica prática por excelência, confirmando-se invariavelmente através da vida cotidiana de cada adepto. Era a iniciação cristã rigorosamente ministrada, de forma a não nos deixar motivos nem ensejos para futuros deslizes nos campos da Moral!

Mas a caminhada afigurava-se árdua, demasiadamente longa para muitos de nossos cômpares, os quais se deixavam turbar frente ao labor espinhoso e constante, que se tornaria imprescindível desenvolver. Todavia, chegáramos a uma época de nossa existência de Espíritos em que já não era possível estacionar, vergados sob as crenas do desânimo. Reagíamos contra as ameaças da fraqueza, da angústia feraz que nos rondava, compreendendo que urgia prosseguir a despeito do infinito de lutas que acenavam nas dobras do porvir, enquanto que a protetora voz da Consciência nos advertia de que, com o Lente Magnífico de Nazaré, adquiriríamos cabedais justos para a jornada que se delineava ao nosso pávido entendimento de delinqüentes arrependidos!

"*Vinde a mim, vós que sofreis, e eu vos aliviarei...*"

E nós atendíamos ao doce e irresistível chamamento e avançávamos... e seguíamos... Jesus-Cristo, Divino Redentor das almas frágeis e rebeladas cumpria a promessa: atraía-nos com seus ensinamentos sublimes, tomava-nos para seu redil e convencia-nos a perseverar em seus conselhos, provando-nos todos os dias, através da transformação miraculosa que em nosso ser se operava, o caridoso interesse em desviar-nos da desgraça para encaminhar-nos à redenção!

Empolgados por esse curso atraente, que tanto alívio nos trouxera, esquecíamos os dramas penosos, o desequilíbrio das paixões que nos haviam desgraçado, esquecíamos a Terra e dela só lembrávamos graças a outros estudos que alternadamente éramos conduzidos a experimentar, para eficiência da preparação, pois, como afirmamos acima, tínhamos aulas práticas, onde testemunharíamos a eficiência do aprendizado teórico, antes de que as provas reais de uma nova encarnação terrestre nos conferisse a palma da reabilitação.

Não raramente recebíamos a visita, durante as arrebatadoras aulas que palidamente esboçamos, de outros antigos mestres de iniciação, os quais, apresentados pelo nosso catedrático, explanavam conceitos e apreciações em torno das doutrinas e normas cristãs, com uma ardência empolgante e sublime! Novos motivos para instrução obtínhamos então, nunca menos belos nem menos agradáveis do que os que diariamente nos eram expostos. Vivíamos reclusos, era bem verdade. Continuava não existindo permissão para sairmos da Colônia a não ser em grupamentos escoltados, nas turmas de aprendizes, mas também não era menos verdadeiro que vivíamos rodeados de uma assistência seleta, no âmbito social de uma plêiade de educadores e intelectuais cuja elevação de princípios ultrapassava tudo quanto poderíamos conceber! E porque compreendêssemos que tal reclusão era-nos como dádiva magnânima a auxiliar-nos o progresso, a ela nos resignávamos com paciência e boa vontade.

Diariamente, ao entardecer, eram-nos permitidos recreios no grande parque da Universidade. Reuníamo-nos então em grupos homogêneos e nos dávamos a conversações, comentários em torno de nossas vidas e da situação presente. Nossas boas preceptoras, as vigilantes de cada grupo, geralmente tomavam parte em tais recreios, e até nossas irmãs dos Departamentos Femininos, o que nos permitiu alargar intensamente o número de nossas relações de amizade. Seria difícil, ao fim de dez anos de internação no Instituto de Cidade Esperança, reconhecerem em nós outros os vultos enfurecidos e trágicos do Vale Sinistro, aqueles mentecaptos ridículos reproduzindo a cada instante o ato maléfico do suicídio e suas satânicas impressões! Acalentados pela Esperança, aliviados pela magia envolvente do Amor de Jesus, sob a inspiração de cujos ensinamentos ensaiávamos novo surto, éramos entidades que poderiam ser consideradas normais, não fora a consciência que tínhamos da própria inferioridade de trânsfugas do Dever, coisa que muito nos afligia e envergonhava, tornando-nos indignos em nosso próprio conceito, imerecedores do auxílio de que nos rodeavam!

As solenidades do Ângelus encontravam-nos, freqüentemente, ainda no parque. Acentuava-se a penumbra em nossa Cidade e nostalgia dominante envolvia nossos sentimentos. Do Templo, situado na Mansão da Harmonia, região onde se demoravam com freqüência os diretores e educadores da Colônia, partia o convite às homenagens que, naquele momento, seria de bom aviso prestarmos à Protetora da Legião a que pertencíamos todos – Maria de Nazaré. Pelos recantos mais sombrios da Colônia ressoavam então doces acordes, melodias suavíssimas, entoadas pelas vigilantes. Era o momento em que a direção-geral rendia graças ao Eterno pelos favores concedidos a quantos viviam sob o abrigo generoso daquele reduto de corrigendas, bendizendo a solicitude incansável do Bom Pastor em torno das ovelhinhas rebeldes, tuteladas da Legião de sua Mãe amorável e piedosa. E era ainda quando ordens desciam de Mais Alto, orientando os intensos serviços que se movimentavam sob a responsabilidade dos dedicados servos da mesma Legião. Todavia, não éramos obrigados a orar. Fá-lo-íamos se o quiséssemos. Em Cidade Esperança, porém, jamais tivéramos conhecimento de que algum aprendiz ou interno recusasse agradecer ao Nazareno Mestre ou à sua Mãe boníssima, por entre lágrimas de sincera gratidão, as mercês recebidas do seu inapreciável amparo!

A blandícia daquela oração, cuja simplicidade só igualava à sua própria excelsitude, despertava em nossas mentes as mais ternas recordações da existência: – revíamos, levados pelo império de gratas sugestões, os doces, saudosos dias da infância, os vultos carinhosos de nossas mães – ensinando-nos a mimosa saudação do Arcanjo à Virgem de Nazaré, e as palavras inolvidáveis de Gabriel, ungidas de veneração e respeito, repercutiam nas profundidades do nosso "eu" tocadas do saudoso sabor do desvelo materno que, na vida planetária, jamais soubemos devidamente considerar. Chorávamos! E saudades mui pungentes da Família e do berço natal, do lar que havíamos menosprezado e enlutado, dos entes queridos e amigos que feríramos com a deserção da vida, entornavam-se pelo nosso ser, predispondo-nos a grandes pesares sentimentais, como novas fases de remorsos dolorosos. Então orávamos, ali mesmo na quietude envolvente do parque ou recolhidos a local determinado, orávamos sentindo em cada dia o ósculo de benéfico reconforto vivificando nossas almas, tal se misericordiosos bálsamos refrescassem nossas consciências das excessivas ardências que se haviam rasgado em nosso ser pelas garras infames do suicídio que nos deprimira e desgraçara à frente de nós mesmos! E, de envolta com o refrigério, eis que se avolumava a necessidade imperiosa de nos tornarmos dignos dessa misericórdia que nos amparava tanto – a necessidade dos testemunhos que a Deus provassem nosso imenso pesar por nos reconhecermos graves infratores de suas Magníficas Leis!

“Homem, conhece-te a ti mesmo!”

Outros cursos fazíamos, não menos importantes para a nossa reeducação, alternadamente com o da Moral estatuída pelo insigne Mestre Nazareno. Um deles prendia-se à Ciência Universal, cujos rudimentos nos deram, então, a conhecer – dois anos depois de iniciados no curso de Moral Cristã –, através de estudos profundos, análises tão penosas quão sublimes! E nestas mesmas análises entrava a necessidade de estudarmos a nós próprios, aprendendo a nos conhecermos intimamente! Exames pessoais melindrosos eram efetuados com minúcias aterrorizantes para o nosso orgulho e para a nossa vaidade, paixões daninhas que nos haviam ajudado na queda para o abismo, ao mesmo tempo que, sendo as aulas mistas, adquiríamos o duplo ensinamento de dissecar também o caráter, a consciência, a alma, enfim, de nossos pares, como de nossas irmãs de infortúnio, o que nos conferia valioso conhecimento da alma humana!

Era lente dessa cadeira magnífica o venerando educador Epaminondas de Vigo, Espírito cuja rigidez de costumes, virtudes inatacáveis e energia inquebrantável, infundiam-nos mais que respeito, verdadeira impressão de pavor! Em sua presença sentíamos, desnudados dos disfarces de quaisquer atenuantes inventadas pelos sofismas conciliatórios, o peso vergonhoso da inferioridade que nos assinalava, o opróbrio da incômoda situação de responsáveis por delitos degradantes, pois dominava as potencialidades da nossa mente a convicção de que não passávamos de rebeldes cuja insensatez obrigava obreiros abnegados do Mundo Espiritual a sacrifícios permanentes a fim de conseguirem elevar-nos das trevas em que nos precipitáramos. Ora, a vergonha que açoitava nossos Espíritos em presença de Epaminondas era um suplício, novo e inesperado, de natureza absolutamente moral, porém, superlativa, que se apresentava nesta segunda fase da nossa situação de suicidas em preparo de futuras realizações reparadoras.

O emérito educador auxiliava-nos a esfolhar a própria consciência, levando-a a desdobrar-se até às recordações remotas das sucessivas migrações terrenas que tivéramos no pretérito! Quando perscrutava nossa alma, devassando-a com o olhar cintilante de forças psíquicas quais baterias de irresistíveis energias, profundos abalos sacudiam os refolhos do nosso ser, ao passo que desejos aflitivos de fuga precipitada, que nos acobertasse de sua presença, como da nossa própria, alucinavam nossos sentidos! Enquanto Aníbal de Silas, com a ternura consolatória do Evangelho, acendia em nosso seio fachos beneficentes de confiança no porvir, clareando o âmbito de nossas vidas com as alvissareiras possibilidades de redenção, Epaminondas arrancava lágrimas de nossos corações, renovava angústias ao obrigar-nos a estudos no imenso livro da Alma, arrastando-nos a estados de sofrimentos cuja intensidade e aterradora complexidade, absolutamente inconcebível à mente humana, faziam-nos atingir os limites da loucura! Por essa razão o temíamos, e era dominados por um sentimento forte de pavor, a par de angústias irreprimíveis, que subíamos, diariamente, as escadarias da Academia para com ele aprendermos os primórdios da terrível disciplina exigida igualmente de antigos iniciados das Escolas de Filosofia e Ciências do Egito e da Índia: o reconhecimento da inferioridade pessoal para o método da elevação moral pela auto-educação!

No entanto, tais aulas eram tão necessárias ao nosso desenvolvimento psíquico quanto o eram as de Aníbal! Eram mesmo o seu prosseguimento, como passaremos a expor mais adiante.

Havia, porém, um terceiro curso, o qual se resumia no ensaio da aplicação, na vida prática, dos valores adquiridos durante os estudos e observações dos cursos anteriormente mencionados. Em vez, porém, de nos instruírem para uma "prática profissional", como se diria em linguagem terrena, esse terceiro aprendizado, orientado para a prática da observância das Leis da Providência, que, havia séculos, infringíamos, tinha por mentor o lente Souria-Omar e desenvolvia-se, geralmente, fora do santuário, isto é, do recinto da Escola, de preferência na crosta da Terra e nos domínios inferiores do nosso Instituto.

Aos domingos repousávamos. Ainda mais não éramos que indivíduos cujas faculdades espirituais pouco desenvolvidas e, ainda mais, abaladas pelo traumatismo vibratorial provocado pelo suicídio, não permitiam labores continuados, como víamos exercerem nossos devotados instrutores, que jamais se achavam ociosos. Descansávamos, portanto, divertíamo-nos mesmo, tomando parte em reuniões fraternas efetuadas pelas vigilantes ou visitando, em caravanas amistosas, outros Departamentos da Colônia, inferiores ao nosso, assim revendo velhos amigos e antigos mestres, como Teócrito, e, dessa forma, prestando solidariedade e conforto a irmãos mais desditosos do que nós, que se encontrassem, por sua vez, naquelas dependências conhecidas. Nem assim, como vemos, deixávamos totalmente de exercer atividades. Aprendíamos, ainda! Progredíamos em conhecimentos obtendo, nas citadas reuniões, noções de Arte Clássica Transcendental, de que eram dignos expoentes não apenas nossos mestres, como outros que caridosamente nos visitavam, e até nossas vigilantes, que ensaiavam com eles nova modalidade de servir a Deus e à Criação, isto é, utilizando-se do Belo, empregando a Beleza!... pois convém acentuar que nossos mestres, em sendo cientistas, também se revelavam estetas, enamorados da Suprema Beleza que se origina do Sempiterno Artista!

Vejamos, não obstante, em que consistiam as tão importantes quanto apavorantes aulas do eminente preceptor Epaminondas de Vigo, o qual, como sabemos, fora mestre de iniciação em antigas Escolas de Doutrina Secreta, na Índia como no Egito.

....

Em um dos encantadores palácios da Avenida Acadêmica instalava-se a Escola de Ciências da Universidade do Burgo da Esperança.

Majestoso e severo em suas linhas arquitetônicas, ao lhe penetrarmos os umbrais acometia-nos a impressão de que ali se venerava Deus com todas as forças da

Razão, da Lógica e do Conhecimento! Sopros de indefiníveis convicções abalavam nossas potências anímicas, fornecendo-nos a intuição de nossa própria pequenez em face da Sabedoria, ao passo que fortes emoções infundiam-nos singular respeito pelo Desconhecido que ali depararíamos, levando-nos às raias do terror! Lembrávamos então de Aníbal. Sua recordação arrastava para nossas lembranças a imagem dulcíssima do Mestre de Nazaré, a quem em toda a Colônia denominavam o Mestre dos Mestres, o Magnífico Reitor da Espiritualidade! Sentíamo-nos, então, encorajados, certos de que estávamos sob sua dependência, efetivamente abrigados em seu redil, por Ele amados e por ele mesmo protegidos.

Exatamente idêntico ao recinto do Santuário onde se ministrava a Ciência do Evangelho, o novo Sacrário apresentava a diferença de ostentar o célebre preceito grego ornamentando em fulgurações adamantinas o cimo da tela indispensável, em todas as aulas, para a captação das vibrações do pensamento:

"Homem! Conhece-te a ti mesmo!"

antecedendo a uma não menos célebre sentença cristã cuja profundidade e excelsitude ainda revolverá o mundo terrestre e suas sociedades, espécie de autorização do verbo Divino para os trabalhos que se desenvolveriam sob a invocação de suas Leis:

*"Ninguém entrará no reino de Deus
se não renascer de novo."*

Tornava-se evidente que os educadores por que nos víamos dirigidos subordinavam seus métodos às normas estatuídas por Jesus de Nazaré, ao qual inequivocamente demonstravam venerar como orientador e chefe do movimento impetrado não apenas em nosso favor, como da Humanidade toda. Que se tratava de iniciados cristãos de alta classe moral não tínhamos, pois, nenhuma dúvida. E se eram filósofos, cientistas, pesquisadores, sociólogos, pedagogos eméritos, como mais tarde tivemos ocasião de verificar, também era fora de dúvida que era na sublime Escola de Moral e Fraternidade estabelecida pelo Cristo de Deus que extraíam modelos e métodos para exercerem, entre os homens encarnados e os Espíritos em trânsito, as elevadas aptidões que possuíam.

Intrigados com tudo quanto nos era dado observar, acometiam-nos, por vezes, vertigens, ao raciocinarmos sobre a realidade da vida que em além-túmulo deparávamos, quando julgáramos nada mais existir depois que o último bocado de argila ocultasse nosso corpo inerte das vistas humanas!

Pressentindo, porém, logo da primeira vez, acontecimentos importantes em torno de nós próprios, ouvimos que discreto e sugestivo tilintar de uma campainha advertia-nos, atraindo nossa atenção. Respeitoso silêncio dominou o recinto. Dir-se-ia que todos os pensamentos se entrelaçavam na conjugação fraterna de sentimentos homogêneos, enquanto ondas fluídicas harmoniosas de Mais Alto desciam em jorros de bênçãos iluminativas, protegendo, inspirando os sacrossantos trabalhos que se seguiriam.

Levantou-se Epaminondas de Vigo.

Pela primeira vez "ouvimos" sua voz!

Enérgica, positiva, intrépida, imperiosa, a palavra do novo mestre, daquele que afrontara outrora o suplicio da fogueira por amor aos alevantados ideais da Verdade, estendeu-se pelo salão imenso, vibrando sob as abóbadas que nos abrigavam e como que se decalcando para sempre nos meandros de nossas almas, acordando-nos as faculdades para novas conquistas morais, mentais, intelectuais e espirituais!

Franzino, modesto, venerável com suas barbas longas, que traziam a imaculada brancura de luminosidades transcendentes, aquele ancião que nos fora apresentado dois anos antes, e em quem supuséramos a vacilação da decrepitude, agora surgia aos nossos olhos surpresos em atitudes varonis, qual gigante da oratória, expondo as bases de uma Doutrina Renovadora até então desconhecida para nós, e cujos fundamentos se assentavam na Ciência Universal!

Inicialmente explicou-nos que cumpria, com efeito, recebermos, em primeiro lugar, os ensinos morais expostos nos Evangelhos do Redentor, a fim de que, ao encanto de suas palavras remissoras, adquiríssemos critério suficiente para, só então, atingirmos outros esclarecimentos que, ministrados à revelia da reeducação moral fornecida por aqueles, resultariam estéreis senão mesmo nulos, se se não tornassem, antes, prejudiciais! A moral divina do Cristo Jesus, porém, saneando, de algum modo, nossa mente e, portanto, nosso caráter, de muita vileza que nos congestionava as faculdades, havia, naqueles dois anos de aplicação incansável, predisposto nosso "eu" para, agora, receber o prosseguimento do curso que nos favoreceria habilitações para reerguimento moral decisivo! Que, por essa circunstância, somente agora nos fora dado entrar em contacto com ele, Epaminondas. Que faríamos sob sua direção um curso leve, rápido, por assim dizer preparatório, de

Ciência Universal, denominada, em antigas idades – Doutrina Secreta –, e outrora apenas ministrada a mentalidades muito esclarecidas e muito fortes, aptas, portanto, pelas virtudes de que dessem provas, de penetrarem mistérios de ordem divina, que se conservam, invariavelmente, ocultos às inteligências vulgares, ociosas ou presunçosas. Que, nos tempos remotos, anteriores ao advento do Missionário Celeste, os ensinos secretos só eram ministrados a indivíduos que, durante dez anos, pelo menos, dessem as mais rigorosas provas de sanidade moral e mental; que, em idêntico espaço de tempo, demonstrassem, de forma inequívoca, a própria reforma interior, isto é, o domínio das paixões, dos instintos, dos desejos em geral, das emoções, pela Vontade iluminada com as santas aspirações do Bem e os testemunhos das Virtudes. Mas que, com a descida do Mestre Complacente das Esferas de Luz às sombras da Terra e às regiões astrais inferiores do mesmo planeta, fora popularizado o ensino secreto, porquanto sua Doutrina, uma vez firmando-se no coração da criatura, habilitá-la-ia a vôos longos no terreno científico-psíquico! Ainda porque a Doutrina Messiânica trouxe à Humanidade esclarecimentos outros, rejeitados pelos homens, onde expressava Ele os valores imortais da Ciência Psíquica! Que, desde então, decretos divinos haviam ordenado que se desse do ensino secreto a todas as criaturas terrenas como a Espíritos em trânsito nas regiões astrais inferiores que circundam o Planeta, pois o Pai Supremo, condoído das amarguras humanas, oriundas da ignorância, desejava fossem todos os seus filhos iluminados pelo sol das Verdades Eternas! Que lutas insanas começaram então os prepostos da Luz a sustentar com os condutores das paixões inferiores, luta áspera e constante, que se estendia por quase dois mil anos, e que de todos os recursos já haviam lançado mão os obreiros do Messias a fim de instruírem os rebeldes com as Verdades Celestes, que teimam em não aceitar! E que, por isso mesmo, novos decretos haviam descido de Mais Alto, para que o Ensino fosse ministrado mais ostensivamente, com toda a eficiência possível, bem assim a maior clareza, não a um ou a dois de boa vontade, mas à Humanidade toda, como a todos os Espíritos errantes que desejassem aprender, fossem virtuosos ou pecadores, pois que urgia auxiliar a regeneração do gênero humano, já que estava iminente rigorosa seleção, por parte da Providência, entre os Espíritos e os homens pertencentes aos núcleos terrenos, porque o planeta sofreria em breve o seu parto de valores, expulsando para mundos inferiores os incorrigíveis desde há dois mil anos, para conservar em seu seio apenas *os mansos e os pacíficos*[26], os de boa vontade, para, então, estabelecer-se, não só no planeta como em seus continentes astrais, aquela era de progresso sonhada pelo Mestre da Galiléia, presidida pelo socialismo fraterno estatuído nos áureos códigos da sua Doutrina! Que, por isso mesmo, iríamos também receber os rudimentos do Ensino Secreto, *rudimentos*, apenas, o bastante para nos fortalecermos para a eficácia da reparação que devíamos à Lei, pois éramos ainda muito frágeis, mentes traumatizadas pela violência do ato que exorbitara da Lei da Natureza, caracteres viciados pelo abuso de séculos e séculos submersos no demérito da materialidade! Que o Ensino seria concedido gradativamente, de acordo com nossas capacidades, sendo por essa razão que nos dividiam em turmas homogêneas. Que a Doutrina Secreta em sua plenitude só a conheciam o Senhor Jesus de Nazaré, que era Uno com Deus Pai, e seus Arcanjos, falange de auxiliares, como que ministros, que

[26]Mateus, 5:5 – Bem-aventurados os que são brandos, porque possuirão a Terra.

eram unos com Ele! Que, pois, começava esse Ensino na Terra, em parcela diminuta para os homens imersos nas sombras do Princípio, e ascendia em progressão sem limites até o Infinito do Seio Divino! Por isso mesmo, era chamado ao citado Conhecimento – Ciência Universal – e que nós outros, míseros suicidas, ínfimos cidadãos do Universo de Deus, párias das sociedades do Astral, para quem se tornava necessário criar sempre colônias de abrigo, éramos convidados a partilhar da assembléia luminosa da Verdade, porquanto fora justamente a falta dos mesmos ensinamentos que nos levara, de queda em queda, até à calamitosa situação da queda máxima através do suicídio! E que ele, Epaminondas, em nome de Jesus Nazareno, a quem deveríamos o ressurgimento de nossas almas para a redenção, e em nome de Maria, sua Mãe, a quem devíamos o amparo recebido até o momento presente, concitava-nos ao rigor de um ensaio para severa iniciação, mais tarde, nos mistérios, pois, da nossa boa vontade, do nosso valor na aplicação do experimento presente, dependeriam os êxitos futuros.

Vibrante e fecunda até ao deslumbramento, como bem poderá o leitor entrever, essa peça oratória arrebanhou nosso sincero interesse, sendo com legítima admiração que, intimamente, ovacionamos o catedrático apenas suspendera o exórdio magnífico. Exprimindo-se em português clássico, fulgurante para portugueses e brasileiros, e em espanhol sadio e puro para espanhóis, Epaminondas de Vigo fazia fulgir a palavra em inflexões suaves e melodiosas, ou vibrantes e fortes qual se um hino literário, que bem poderia parecer também musicado, se ele o tivesse desejado, nos deliciasse a audição e a sensibilidade. Encantados, eu, Belarmino, João e mais os amigos brasileiros Raul e Amadeu, que se haviam incluído em o nosso antigo grupo, mal chegáramos ao

Burgo da Esperança, logo nos sentimos atraídos para o novo monitor, e ansiosos pelas lições que se seguiriam. E supúnhamos que idênticas impressões animavam os demais colegas, porque percebíamos sorrisos de satisfação e lídimo interesse esvoaçarem pela assistência.

Entretanto, o aprendizado científico seguiu curso normal, alternando-se com o que vínhamos antes recebendo e mais os conhecimentos práticos através das aulas do eminente Souria-Omar.

Assim foi que o respeitável ancião ministrou-nos o encantamento de presenciarmos o nascimento e progressão, lenta e esplendente, do próprio Globo Terrestre! O que superficialmente conhecíamos (permitam-me que assim me expresse ante a magnificência do que, então, me foi concedido apreciar) através dos códigos de Ciência terrestre, isto é, da Geologia, da Arqueologia, da Geografia, da Topografia, o ilustre instrutor levantou da dobagem dos milênios para nos ofertar como o presente descrito em cenas vivas, em atividades reais, como se houvéramos participado, com efeito, do nascimento e crescimento da generosa estância do sistema solar que um dia nos abrigaria, protegendo nossa ascensão para o Infinito, auxiliando-nos no aperfeiçoamento do germe divino que em nós outros, Homens, como nela própria, também palpita! Tudo presenciamos: a centelha em ebulição, as trevas do caos, os aguaceiros e dilúvios aterrorizantes, os grandes cataclismos para a formação dos oceanos e rios, o maravilhoso advento dos continentes como o nascimento das montanhas majestosas, cadeias graníticas eternas como o próprio globo, tão conhecidas e amadas por aqueles que na Terra têm feito ciclo de progresso: os Alpes sobranceiros quais monarcas poderosos desafiando as idades, os Pirineus graciosos, o Himalaia e o Tibet venerandos, a Mantiqueira sombria e majestosa, todos, em épocas diversas, surgiram do berço diante de nossos olhos deslumbrados, arrancando lágrimas de nossas almas, que se prosternavam, tímidas ante tanta grandeza, tanta beleza e majestade! Mas, antes disso, em prosseguimento feérico de maravilhas, a luta dos elementos furiosos para o crescimento do pequeno continente do céu, o oceano conflagrado em convulsões pavorosas, sacudindo o seio nascente do mundo imerso em solidão, o cataclismo dos ventos e tempestades a que nada poderá fornecer ao homem idéia aproximada... assim como os primeiros sinais de movimento e vida no leito imenso das águas convulsas, a vegetação, fabulosa e tétrica, no gigantesco volume das proporções... os dinossauros monstruosos, os lagartos de forma e força inconcebíveis à delicadeza corporal do Homem, os mastodontes, a Pré-História!

Era um livro tenebroso, imenso, magnífico, Epopéia Divina da Criação, desferindo alguns poucos acordes da sua Imortal Sinfonia através do Infinito do Tempo, da Eternidade das Coisas! E nesse livro soletrávamos o *a-bê-cê* da Iniciação, gradativamente, pacientemente, às vezes empolgados até ao delírio; de outras, banhados em lágrimas até ao temor, mas sempre ávidos e encantados, ansiosos por mais conhecimentos, lamentando mais do que nunca nossas diminutas forças de suicidas, que nem a terça parte nos permitia entrever do programa excelso ofertado pela Natureza!

Um desfile indescritível de períodos genesíacos patenteou-se à nossa observação, à análise elucidativa e sadia, durante o qual, diariamente, se radicava em nosso Espírito o respeito, a veneração por Aquele Ser Supremo e Criador a quem havíamos negado, de quem descrêramos pela dobadoura dos séculos, mas a quem agora rendíamos graças, apavorados e ínfimos que nos sentíamos frente à sua Grandeza, ao passo que também felicíssimos ao nos reconhecermos seus filhos, herdeiros da sua glória eterna!

Aqui, eram a flora e a fauna imensa na variedade das espécies; além, a geologia rica de atrações e encantos, povoando o seio do globo com a multiplicidade mirífica dos minerais; acolá, o infindável laboratório do planeta, o oceano com seus infusórios prodigiosos, seus infinitos depósitos de vida, de criação, de espécies, de riqueza incontestavelmente divina, e tudo à mão do Homem, tudo criado para ele, mas que ele despreza conhecer, vivendo, como vive, engolfado nas trevas da animalidade através dos milênios, incapaz, por isso mesmo, de tomar posse desse paraíso que para ele mesmo o Senhor ideou e criou com toda a amabilidade do seu amor infinito de Pai, com toda a força da sua mente poderosa de Supremo Criador!

...E assim surgiu, em lições sempre seqüentes e habilmente parceladas, a idade do Homem, a divisão das raças, a suprema glória do planeta abrigando, finalmente, a parcela divina que, um dia, deverá refletir a imagem e a semelhança do seu Criador!

Durante longos anos ininterruptos, diariamente soletramos esse livro assombroso cuja intensidade e magnificência comumente nos causavam vertigens levando-nos a adoecer e à necessidade de haurirmos novas energias mentais ao contacto dos clínicos incumbidos de nossa vigilância, sendo o próprio Epaminondas um dos mais dedicados à causa do nosso restabelecimento... E hoje, às vésperas de nossa volta aos proscênios dessa mesma estância, que agora conhecemos desde o seu nascimento, apenas averiguamos que nada pudemos aprender ainda, que apenas soletramos as primeiras letras do plano material terreno!

De que forma, porém, poderiam Epaminondas e seus acólitos ministrar tais aulas, tornando visível no presente o que os milênios devoraram no pretérito?!... Como reedificar com tão real pujança, a ponto de apavorar-nos, as idades primitivas do planeta, os períodos devastados pelo Tempo?!...

É que vivemos todos em plena Eternidade, somos cidadãos do Infinito, e para a Eternidade o que existe é o momento presente, sem ocasos, sem lapsos! Ela, a Eternidade, vive dentro do presente, porque justamente é esta a sua particularidade!

Das ondas luminosas do éter invisível, ou seja, dos arquivos do Infinito como dos sacrossantos depósitos da Eternidade, extraía Epaminondas a matéria grandiosa para as aulas fornecidas. As imagens que se eternizaram, retidas nas ondas vibratórias do éter luminoso, a reprodução do que se passara na Terra desde a sua criação, guardada, fotografada, impressa nas vibrações da Luz como a paisagem na fragilidade de uma bolha de sabão, eram selecionadas pelos magos da Ciência Transcendente, captadas e transportadas até nosso conhecimento através de processos e aparelhamentos cuja sensibilidade e potência magnética já hoje o homem não ignora totalmente. Poderia Epaminondas, ao confabular com um igual, reportar-se ao passado dispensando aparelhamentos. Nós outros, no entanto, não os dispensaríamos, a menos que o abnegado monitor apoucasse ainda mais as próprias possibilidades a fim de tornar-se compreensivo, enquanto avolumasse as nossas, torturando-nos até ao sacrifício, o que seria dispensável. O certo era que uma equipe de magos especialistas no serviço e artistas da palavra e da sugestão, vasculhavam o éter com seus poderes de atração científico-transcendente, à procura do que convinha, e estampava-o na tela sensível através de sugestões poderosas, e tudo com perfeição tal que era como se a tudo quanto víamos houvéssemos realmente assistido! Processo vulgar no Mundo Invisível, essa forma de captação da imagem, dos acontecimentos, levará um dia o homem à mesma possibilidade, como ao conhecimento dos próprios planos do Astral intermediário! Uma coisa única acelerará tal conquista da Ciência para a Humanidade: – o domínio da Moral nas suas sociedades, o império da Honradez!

Não deixarei de citar o espetáculo sublime da marcha harmoniosa dos astros, proporcionado que nos foi ele durante o prolongamento dos mesmos estudos, agora, porém, obedecendo não mais aos processos circunscritos a um recinto acadêmico limitado, mas a excursões em pleno Espaço, viajando através do Infinito, como universitários em curso prático. Nossas forças, no entanto, muito limitadas, não nos permitiram a contemplação feérica dos mundos estelares no conjunto surpreendente da sua grandeza. Como estímulo, apenas, facultadas nos foram visões mais ou menos aproximadas dessa esplendente grandeza, através de aparelhamentos diferentes, apropriados para o descortino da Astronomia, de que recebíamos pálidos convites. Nossas observações e estudos, portanto, não ultrapassaram conhecimentos senão relativos aos nossos irmãos de sistema, permitindo-nos as mais belas aquisições a que nosso estado poderia aspirar, o que muito já nos encantava e satisfazia... Até que passamos ao estudo de nós mesmos, jóias que somos, todos nós, as Almas, do escrínio sideral, futuros ornamentos da Corte Universal em que se imprimiu o selo sagrado do Pensamento Supremo, e para quem tudo, tudo foi imaginado e criado pelo Pai Amoroso que de coisa alguma necessita, que nada quer senão que nos amemos uns ao outros!

Explicou-nos o mestre, convincentemente, pelo decorrer do aprendizado, a tríplice natureza humana, provando praticamente sua tese com análises levadas a averiguações em torno de nós mesmos e de outrem, o que surpresas, por vezes muito ríspidas para nossos preconceitos e orgulhos arraigados, nos traziam. Esse mesmo estudo entrevíramos no Departamento Hospitalar, onde o asilado abeberava rudimentos de sua própria qualidade de Espírito, sem, todavia, atingir os pormenores que em Cidade Esperança se desdobravam para nós.

Expôs ele a realidade das vidas sucessivas, suas leis, suas conseqüências benéficas, sua finalidade magistral, sublime, sua inalienável necessidade para a gloriosa evolução do ser! Apontou-nos a jornada espinhosa do Espírito nessa ascensão sublime para o Alto, submetido ao trabalho dos renascimentos e renovações em corpos carnais, dos estágios no Além, dos labores ininterruptos num e noutro plano! Não era, todavia, sem emoções por vezes muito chocantes que víamos rasgarem-se, através de tais estudos, os campos da Vida Espiritual, a qual só então começamos e compreender com a devida eficiência, pois suas realidades, não raro muito amargas, derribavam velhas convicções filosóficas, destruíam arraigados preconceitos religiosos acomodatícios, modificavam conceitos científicos que as tradições e também o orgulho cego do fanatismo materialista haviam ensinado a conservar e homenagear!

A fim de bem conhecermos certas particularidades da personalidade humana partíamos, então, com nossos mestres, em caravanas de estudos práticos. Souria-Omar era o catedrático dessa nova modalidade, fazendo-se acompanhar de adjuntos lúcidos e igualmente versados. Visitávamos os Departamentos Hospitalares, observando, quais acadêmicos de Medicina, a constituição dos corpos astrais dos nossos irmãos ali detidos, coadjuvados por Teócrito, que tudo nos facilitava, fraternalmente assistidos por nossos amigos Roberto e Carlos de Canalejas. Descíamos à Terra, periodicamente, visitando-a durante anos consecutivos, em estágios de algumas horas, pelos hospitais e Casas de Saúde, estudando o fenômeno dos desprendimentos, sempre assistidos por eminentes individualidades da Pátria Espiritual, assim como pelas casas particulares e até prisões, à espera de sentenciados à pena capital, pois devíamos enriquecer a mente com análises em torno de todas as modalidades do fenômeno da separação de um Espírito do seu temporário invólucro carnal, desde o feto, expulso ou não, voluntariamente, do órgão gerador materno, até o condenado pela justiça dos homens à morte no patíbulo! Cada caráter, cada personalidade ou gênero de enfermidade, como a natureza do desprendimento, nova aquisição de esclarecimentos, através de estudos minuciosos e sublimes! Era bem certo que jamais assistimos a qualquer cena de assassínio, ou catástrofe. Chegávamos sempre após o drama, a tempo de colhermos a necessária elucidação. Freqüentemente era-nos imposto o doloroso dever de acompanharmos o desligamento penoso, envolto em trabalhos de repercussões aterradoras, muros adentro de um campo santo! Então, era ali que Souria-Omar discorria suas aulas magistrais, catedrático genial, digno de ser ouvido por discípulos prosternados e reverentes! E, sob o farfalhar das galhadas onde mimosos passarinhos pipilavam à noite, enternecidos a sonharem com a alvorada, ou à sombra augusta dos ciprestes folhudos e majestosos, pela calada da noite bordada de estrelas, como aos resplendores do Astro Rei, eis que recebiamos as anotações do antigo mestre de Alexandria, com ele aprendendo o fenômeno magnífico da Alma que se despoja da armadura que a enclausurava, para retornar à liberdade dos páramos espirituais! Não nos poderíamos, no entanto, muitas vezes, furtar a vivas impressões de sofrimento, durante tão augustos espetáculos! O aprendizado implicava a contemplação de muitas desgraças alheias, dores superlativas, intraduzíveis angústias, misérias e desesperações diante das quais corriam nossas lágrimas, arfava doloridamente nosso seio, compungiam-se nossos corações. Mas era também preciso aprender, com esses espetáculos, o domínio das emoções, impor serenidade às forças mentais como ao sentimento, tratando, antes, de refletir, a fim de aplicar esforços no sentido de auxiliar e remediar situações, sem perder tempo precioso com lamentações estéreis e lágrimas improdutivas. Semelhantes impressões atingiram o seu clímax quando nos vimos obrigados à observação dos desprendimentos prematuros ocasionados por suicídio! Então, a loucura que nos atacara outrora subia das profundidades anímicas para onde haviam sido relegadas e irrompiam a contragosto nosso, afligindo-nos com o espectro de um pretérito que se transmutava em presente! O tono abominável de nossas passadas raivas avolumava-se na febre de reminiscências malvadas, desorientando-nos, fazendo-nos resvalar para a alucinação coletiva! Era quando toda a energia, toda a caridade e sábia assistência de nossos Guardiães entravam em ação, impondo silêncio às nossas emoções, repelindo veementemente nossas truanices alucinatórias, chicoteando, ao contacto benévolo de suas terapêuticas fluídicas, as excitações mentais provenientes das recordações, até que o presente se impusesse!

Voltamos, destarte, ao Vale Sinistro, integrando as caravanas de socorro, fiéis ao aprendizado sublime, e, ali, chorando sobre nossa mesma desgraça, tivemos ocasião de assistir irmãos nossos imersos na mesma situação de calamidade que tão bem conhecíamos, examinando-os, com nossos mestres, a vermos se estariam em condições de alçarem até ao Departamento da Colônia, que lhes caberia. Piedosamente falávamos-lhes, encorajando-os, consolando-os. Mas não éramos compreendidos, passávamos anonimamente... E foi assim que soubemos ter sido nós, outrora, também benevolamente assistidos por outrem, sem que nossas precárias condições o suspeitassem...

De todos os conhecimentos que gradativamente adquiríamos, cumpria-nos apresentar pontos construídos por nós próprios, criar exemplos em teses que muito honrariam os institutos terrenos, caso quisessem adotar os mesmos ensinos para esclarecimento e moralização de seus alunos; extrair análises, tudo o que viesse provar nosso aproveitamento na iniciação do psiquismo. Forneciam-nos para tanto álbuns belíssimos, cadernos e livros lucilantes quais flocos de estrelas, e até aparelhos melindrosos, aos quais nos ensinavam acionar, para que também aprendêssemos a projetar para outrem as exemplificações que criávamos, ou mesmo as análises extraídas dos exemplos fornecidos pelos mestres durante as aulas práticas na Terra ou em outra localidade de nossa Colônia. Daí a criação de minhas novelas e a ansiedade de ditar obras aos médiuns, pois, durante as aulas práticas existia permissão para fazê-lo, sempre que um e outro trabalho por nós composto conseguisse aprovação dos maiorais; daí nosso sacrifício de tentarmos, durante cerca de trinta anos, escrever algo, que a um só tempo testemunhasse a Deus nosso reconhecimento pelo muito que Sua Misericórdia nos permitia e o desejo de relatar aos nossos irmãos de infortúnio, encarcerados nas dores terrenas, o que o Além lhes reservava. Para tal cometimento não haveria necessidade de sermos escritores, porque o aprendizado com nossos mentores nos educava o sentimento, equilibrando-nos o raciocínio de molde a conseguirmos servir à Verdade que nos rodeava!

Muita aplicação e devotamento exigiam esses estudos transcendentes, porquanto eram vastíssimos os campos de observação, como grandiosos os motivos diariamente deparados.

Convém enumerar as palpitantes matérias estudadas e auscultadas por nós outros até onde nos permitiram as forças mentais que possuíamos:

– Gênese planetária ou Cosmogonia – Pré-História

– A evolução do ser

– Imortalidade da alma

– A tríplice natureza humana

– As faculdades da alma

– A lei das vidas sucessivas em corpos carnais terrenos, ou reencarnação

– Medicina Psíquica

- Magnetismo – Noções de magnetismo transcendental

- Moral Cristã

- Psicologia – Civilizações terrenas

Alternados com as aulas de Evangelho, tais estudos apresentavam correlação íntima com aquelas, o que nos impelia a melhor compreender e venerar a sublime personalidade de Jesus Nazareno, ao qual passamos a distinguir, tal como faziam nossos instrutores, como o chefe supremo da Iniciação, pois, com efeito, em todos os compêndios que consultávamos, buscando elucidação na Ciência, deparávamos lições, claros ensinamentos, atos e exemplos daquele Grande Mestre, como padrão máximo de sabedoria e verdade, modelos irresistíveis, bússolas que nos convidavam a seguir para atingirmos a finalidade sem os desvios oriundos do engodo e das falsas interpretações.

Como por mais de uma vez já esclarecemos, nossos estudos eram enriquecidos com a prática e a exemplificação. Esse pormenor, porém, que implicava até mesmo realizações que testemunharíamos futuramente, durante a renovacão imprescindível de um corpo carnal, nem sempre fornecia satisfações ao nosso coração. Ao contrário, freqüentemente ocasionava grandes angústias, arrancando de nosso seio lágrimas pungentíssimas e mesmo momentos tenebrosos de desesperos que nos abatiam, levando-nos a enfermar. Situações críticas, vexames se avolumavam sobre nós, como veremos, sem que a tão desagradáveis resultados nos pudéssemos eximir, porque tudo era seqüência da bagagem moral inferior que conosco transportáramos para o Além-Túmulo.

Logo no primeiro dia de aula, terminada que foi a fulgurante peça oratória, expusera o venerando Epaminondas de Vigo, lançando uma advertência que nunca mais se apagaria do nosso senso íntimo:

"– Nenhuma tentativa para o reerguimento moral será eficiente se continuarmos presos à ignorância de nós mesmos! Será indispensável, primeiramente, averiguarmos quem somos, donde viemos e para onde iremos, a fim de que nos convençamos do valor da nossa própria personalidade e à sua elevação moral nos dediquemos, devotando a nós próprios toda a consideração e o máximo apreço. Até aqui, meus caros discípulos (ao contrário de Aníbal, que nos mimoseava com o terno tratamento de irmão, Epaminondas só nos permitia a cerimônia de um trato disciplinar), tendes caminhado cegamente, pelas etapas das migrações na Terra e estágios no Astral, movimentando-vos em círculo vicioso, sem conhecimentos nem virtudes que vos induzissem a progresso satisfatório. Engolfados nos desejos impuros da matéria, passivos aos impulsos cegos das mais danosas paixões ou embrutecidos na ganga obscura dos instintos, tendes ignorado, propositadamente, graças à má vontade, ou absorvidos por criminosa indiferença, que ao nosso ser o Todo-Poderoso enalteceu com essências que Lhe são próprias, as quais nos é dever cultivar sob as bênçãos do progresso, até que floresçam e frutifiquem na plenitude da vitória para que fomos, por isso mesmo, destinados!..."

Disse-o e, indicando um dos penitentes que se achavam mais próximos, nas arquibancadas, fê-lo penetrar o círculo em que se erguia a sua cátedra e agrupavam-se, concentrados e mudos, os adjuntos.

Determinou o acaso, ou a própria clarividência do lente, que a escolha atingisse nosso companheiro de grupo, Amadeu Ferrari, um brasileiro de origem romana, natural do interior do Estado de S. Paulo, o qual, segundo passamos a conhecer nessa mesma hora, suicidara-se aos trinta e sete anos de idade, julgando possível escapar à vergonha da prisão, devido a certos feitos imprudentes, bem como à ameaça de um câncer que começara a intumescer-lhe a região glótica. Pô-lo à sua frente e interrogou, demonstrando autoridade:

"– O vosso nome, caro discípulo?..."

Súbito mal-estar dominou a assistência, advertindo-a de algo muito grave que a atingira. Quiséramos fugir, furtando-nos à responsabilidade terrível da aprendizagem que se nos afigurou, repentinamente, grandiosa demais e por demais delicada para a ela nos devotarmos para sempre! Tivemos a intuição de que se iriam passar coisas irremediáveis, que marcariam era nova em nossos destinos, e tivemos medo! Epaminondas de Vigo apareceu-nos então qual juiz inflexível que nos julgaria, arrastando-nos até onde depararíamos o tribunal temível de nossa própria consciência, e profundo terror nos inspirou sua presença venerável, enquanto a figura jovial e terna de Aníbal de Silas, com suas exposições alvissareiras em torno da Boa-Nova, que tão bem nos haviam consolado, desenhou-se à nossa imaginação, produzindo funda saudade do seu verbo manso que carinhosamente rememorava os feitos sublimes do Meigo Nazareno. Mas o ancião advertiu-nos, em aparte precioso e enérgico, surpreendendo-nos com o conhecimento, que demonstrou, das impressões em nossa mente suscitadas:

"– Lembrai-vos de que o Senhor Jesus de Nazaré, a quem invocais neste momento, é o Grande Mestre que nos inspira, e que, sob Seus auspícios, é que vos ministramos os Ensinos Sagrados que engrandecerão os vossos Espíritos para a conquista dos méritos futuros, pois é Ele o chefe supremo de nossa Escola e distribuidor de nossa Ciência!..."

Voltou-se para o paciente em expectativa e repetiu:

"– Vosso nome, pois?!..."

"– Amadeu Ferrari..."

"– Onde residíeis antes de ingressardes nestes sítios?..."

"– Na cidade de XXX... no Brasil..."

"– Por que procurastes abandonar vosso destino, cuja finalidade deve ser a unidade com Jesus, nosso Redentor, confiando-o à ilusão de um suicídio?!... Não sabíeis que praticáveis um crime contra Deus Pai, porque contra vós próprio, visto que é certo que todos trazemos centelhas do Criador em nós?... Julgáveis, porventura, poder aniquilar os elementos de Vida existentes em vós, essa Vida que justamente é eterna porque a recebestes do Eterno Criador?..."

Visivelmente contrafeito, esquivou-se Amadeu através do sofisma, único recurso que lhe ocorreu na melindrosa situação:

"– Felizmente, senhor, foi apenas um pesadelo... uma alucinação... Eu não me pude matar, embora o desejasse, pois que estou vivo!... Vivo! Vivo! Louvado seja Deus, estou vivo!... "

Mas, senhor de uma serenidade desconcertante, que a nós outros irritaria se não estivéssemos sinceramente dispostos a nos deixarmos conduzir, insistiu o sábio ancião:

"– Reitero a interrogação, Amadeu Ferrari: – por que desejastes desaparecer da presença de vós mesmo como de vossos semelhantes, quando o poema do Universo cantava ao vosso redor o sacrossanto dever dos compromissos, como a excelsa beleza da existência humana, que deve habilitar a Alma para o reinado da Imortalidade?"

"– Senhor... É que... eu desanimei... eu... sim... Mas responderei aqui, em presença de toda essa assistência?... Estarei, pois, novamente defrontando um tribunal?..."

"– Existe, sim, um tribunal e todos vós o defrontais: é a vossa consciência, que inicia o despertar da longa letargia que há séculos a mantém chumbada às mais deploráveis inconseqüências! E imprescindível é que eu, autorizado pelos poderes máximos do meu e vosso Redentor, vos oriente a fim de que, examinando-a, aprendais a vos despojardes do orgulho que vos tem cegado desde muitos séculos, impedindo que reconheçais a vós próprios e, portanto, a soberania das Leis que regem os destinos da Humanidade!"

"– Senhor, a miséria, a enfermidade, o desânimo, foram a causa... Cometi uma falta grave, frente a tão dolorosas circunstâncias... Não tive outro recurso a não ser o que fiz... A prisão... a doença..."

"– E esse ato – suicídio – lavou a nódoa de que vos havíeis contaminado antes?... Considerais-vos inculpado, honesto, honrado após o mesmo ato?..."

"– Oh! não! Não pude fugir à responsabilidade dos atos que pratiquei! Sinto-me desonrado por ter lançado mão de quantias que me foram confiadas... muito embora o fizesse tentando recuperar a saúde, pois a ameaça tenebrosa de um câncer desorientava-me, justamente quando estava prestes a realizar um consórcio cuja expectativa era a minha razão de ser... A quantia era avultada... eu era bancário... A prisão ou a morte... O câncer, o roubo, pois era roubo... O ideal de amor desmoronado! Preferi o suicídio!... Sei que foram grandes crimes... Mas sinto-me ainda confuso, apesar de muito já me ter esclarecido, ultimamente... Por que, oh! por que fui colocado em tão desgraçadas circunstâncias?... A confusão turbilhona em minha mente... Intuições pavorosas segredam-me um passado do qual tenho pavor... Oh! Jesus de Nazaré! Misericórdia!... Eu tremo e vacilo... Não compreendo bem..."

"– Pois ireis compreender, Amadeu Ferrari! É imprescindível que o compreendais!"

Acenou para dois adjuntos que aguardavam suas ordens. Fizeram sentar o penitente diante da tela espelhenta, colocando-lhe, em seguida, um diadema idêntico ao usado pelo mestre para as dissertações.

Pairava pelo ambiente sincera emoção religiosa. Sentíamos que um grandioso, sacrossanto mistério desvendar-se-ia, naquele instante, ao nosso entendimento, e contritos e temerosos aguardávamos, enquanto benéficas influências envolviam o momento sagrado que vivíamos.

Epaminondas voltou-se para a assembléia de discípulos e conclamou:

"– Ficai atentos! A história desse vosso irmão é também a vossa história! Suas quedas mais não representam que as quedas da própria Humanidade em lutas diárias com as próprias paixões! Pela mesma razão não deveis comentar o que ireis presenciar, antes observai a lição que vos será fornecida como exemplo, do qual extraireis a necessária moral para aplicá-la em vós mesmos... pois será util lembrar que sois todos almas decaídas a quem a iniciação em princípios de moral elevada e redentora trata de conduzir aos pórticos do Dever!"

Postou-se de braços alçados para o Infinito, em atitude de prece e concentração fervorosa. Acercaram-se os adjuntos, como a auxiliarem mentalmente seus intuitos. Poderosa corrente fluídica estabeleceu-se, envolvendo em ondas fortes a assembléia de pecadores, que se deixava estar atenta e respeitosa. Até que, de súbito, ordem singular ressoou em tom enérgico, que não admitiria tergiversação!

Epaminondas de Vigo impunha a Amadeu Ferrari a volta ao pretérito, isto é, minucioso exame de consciência passando em revista os feitos de suas passadas migrações terrenas, a fim de que compreendesse em toda a sua plenitude a razão das circunstâncias dolorosas em que se vira colocado, circunstâncias às quais não se resignara e que, para solvê-las, comprometera-se ainda mais com um ato de desonestidade e suicídio!

Em sentido retrospectivo, passando do suicídio para o início da existência, eis que fomos depará-lo em bem diferentes condições! Era bem verdade, pois, que residiam, em uma encarnação anterior, os motivos daquela pobreza que desafiara todos os esforços para se remediar, de vez que Amadeu fora obstinado no trabalho e na força de vontade; daquele câncer que o torturava com garras invencíveis, corroendo-lhe a língua e a garganta lentamente; daquele repúdio de amor que absorveu suas últimas forças, incompatibilizando-o definitivamente com o desejo de viver!

A cortina do presente descerrou-se... O primeiro véu da Consciência foi suspenso a fim de que, no proscênio de uma outra existência terrena, drama imenso fosse revelado, drama que não atingiu apenas a uma ou duas personalidades, mas a uma coletividade, implicando mesmo uma raça heróica e sofredora!

Amadeu Ferrari apareceu-nos descrito por sua própria mente no ano de 1840, como traficante de escravos negros de Angola para o Brasil... Era, então, de nacionalidade portuguesa, e daí nossa afinidade com ele. Em viagens reiteradas, enriquecia no comércio abominável, não se poupando trabalhos à frente da torpe ambição de retornar milionário à metrópole, infligindo martírios incontáveis aos míseros que arrecadava em sua livre pátria para escravizar a outros tantos ignóbeis comparsas das mesmas desvairadas ambições! Na truculência de instintos desumanos, cevava-se no mau trato aos negros, ordenando chicoteá-los pela mais insignificante falta ou mesmo por nenhuma, infligindo-lhes castigos cuja fereza bradava aos céus, tais como a fome e a sede, a tortura e a separação das famílias, pois que vendia, aqui, os filhos, acolá a mãe, mais além, o pai... os quais nunca mais, nunca mais se encontrariam a não ser mais tarde, no Além-Túmulo, morrendo muitos destes desgraçados atacados pela nostalgia e pelas saudades dos seres amados! Certa vez, na fazenda que lhe era própria, aviltara jovem escrava negra, mal saída da infância. E porque o desventurado pai da desgraçada, velho escravo de sessenta anos, num momento de suprema desesperação, louco de dor, diante do cadáver da filha que procurara na morte encobrir a vergonha de que se sentia possuída, bradasse seu vil procedimento, acusando-o pelo suicídio da moça, mandou que ferozes capatazes queimassem a língua do velho escravo a ferro em brasa, até vê-lo cair exânime, nas convulsões da agonia...

Ora, ao passo que nos elucidávamos na majestosa lição, o paciente reconhecia-se tal como era: portador de paixões inferiores, múltiplos defeitos, vultosos deméritos, e debatia-se violentamente, presa de convulsões indescritíveis, acovardado frente ao flagício que lhe infligia a consciência, desorientada na tortura dos remorsos.

"– Apiedai-vos de mim, Senhor! – bradava em expressões de dor e arrependimento, repetindo em presença da numerosa assembléia a súplica veemente que dera causa à existência expiatória que, afinal, interrompera criminosamente, enredado que se deixara permanecer em complexos desconcertantes. – Desgraçado e miserável que sou! Deixai que eu volte ainda uma vez à qualidade humana e veja minha própria língua, assim como a boca e a garganta desaparecerem sob a trituração de qualquer malefício, reduzidas ao ponto a que reduzi as do desventurado escravo Felício... Dai-me a miséria, Senhor! Que eu sofra o suplício da fome, da sede, e que nem mesmo possa falar a fim de me queixar! Que de mim todos se afastem com asco, deixando-me expungir sozinho esta nódoa infamante que me amesquinha diante de mim próprio!...

O nobre orientador, porém, impôs silêncio ao pecador, balsamizando-o com fluidos apaziguadores. Em seguida, exclamou, como respondendo:

"– É bem certo, é inevitável o vosso retorno às reencarnações expiatórias, Amadeu Ferrari! uma vez que é esse o ensejo abendiçoado para a remissão dos culpados! Outra vez a pobreza, o câncer, o perjúrio... agravados, agora, com os indefiníveis males acumulados pelo suicídio... uma vez que vos não quisestes submeter devidamente... Mas é imprescindível não conserveis ilusões: mais de uma encarnação expiatória será necessária para cobrir as agravantes das ações que recordamos..."

Entrementes, a lição continuava a desenrolar-se, vindo seu arremate estarrecer-nos porventura ainda mais:

Assim foi que, morto o velho escravo, dobraram-se os anos...

O grande senhor esquecera-o, como aos demais, absorvido nos baloiços da boa sorte... Voltara à Europa, feliz, tendo enriquecido à custa do "trabalho honesto", bem-visto e considerado pelos muitos haveres que levara da Terra de Santa Cruz...

Mas... um dia dobraram a finados por ele: – exéquias solenes, cânticos pungentes, grande luto, lágrimas doridas e muitas flores... porque o vil metal adquirido na iniqüidade tudo isso pôde comprar!

Agora, eis que se apresenta o Além-Túmulo! É o momento sagrado da realidade, do cumprimento integral da Justiça Incorruptível! Vimo-lo a debater-se, perdido em pleno sertão africano, atacado por hedionda falange de fantasmas negros sedentos de vingança, os quais vinham pedir-lhe contas dos desgraçados compatriotas por ele escravizados e perdidos para sempre, longe das plagas nativas! Eram os pais que haviam perdido os filhos, por ele arrecadados para longe... Eram as mães destituídas de filhos pequeninos, os quais ele vendera a outrem, qual mercadoria miserável! Eram as filhas ultrajadas e sacrificadas longe dos pais, os filhos que conheceram, por afagos maternais, o látego inclemente do senhor a quem serviam! E todos lhe pediam contas dos martírios que sofreram! Aprisionaram seu Espírito no seio das florestas tenebrosas e martirizaram-no por sua vez! Aterraram-no com a reprodução, que sua presença fornecia, das maldades que contra todos praticara! O silêncio das matas, só interrompido por motivos de pavor; as trevas inalteráveis, o rugir das feras, as acusações perenes do remorso, a raiva e o bramido dos fantasmas alterando-se com todos os demais pavores, acabaram por enlouquecê-lo. Então, deixaram-no entregue a si mesmo, em pleno desamparo, cativo de si próprio, das torpezas que semeara contra indefesos irmãos seus, como ele filhos do mesmo Criador e Pai, portadores da mesma Essência Imortal! A fome, a sede, mil necessidades imperiosas se juntaram a fim de supliciá-lo ainda mais, aferrado à animalidade dos instintos e apetites inferiores, como se conservava ainda... Vagou desesperadamente, presa das mais absurdas alucinações, flagelado pela mente, que só se alimentara do mal! A cada súplica que tentava proferir, o choro dos escravos que morriam de saudades, separados dos seus entes caros, era a lúgubre resposta! Se um brado de misericórdia lhe escamava na incerteza da demência, acudia-o o estalar do chicote sobre o lombo nu dos negros cativos da fazenda; sobre o busto profanado das desgraçadas cativas que lhe amamentaram os filhos, criando-os com amor enquanto os delas próprias eram relegados à fome e aos maus-tratos! A um soluço de remorso, o lamento de agonia de alguém que sucumbia atrelado ao pelourinho da mansão... oh! o grito supremo daqueles que, ingênuos, sofredores, desgraçados, se atiravam aos açudes, às correntezas dos rios, impelidos pelo terror ao trato que recebiam!...

Afastava-se então em loucas correrias através das brenhas selvagens, presa da mais atordoante demência espiritual! Mas, para qualquer lado que se virasse, nas galhadas seculares de arvoredos majestosos, como sobre pântanos lodosos, no espinhoso chão que palmilhava como no cipoal traiçoeiro, encontrava suas vítimas a chorarem, agonizantes, desesperadas...

Até que, certa noite em que se sentia exausto, em pleno terror, e depois de muitos anos... em certa alameda que repentinamente se abriu à sua frente, eis que viu o escravo Felício caminhando ao seu encontro, conduzindo uma tocha feérica, que aclarava os caminhos trevosos, permitindo-lhe orientar-se... Felício vinha lentamente, sereno, grave, não mais torturado pelo ferro em brasa, porém, compassivo, estendendo-lhe a destra, no intuito de erguê-lo:

"– Vem daí, "Nhonhô", levante-se... Vamos embora..."

Ele acompanhou Felício... E através do prosseguimento do intenso drama verificamos que o velho escravo perdoara ao algoz, intercedera por ele junto à Divina Complacência... e partira, a conseguir libertá-lo das garras dos que não lhe haviam perdoado...

Não obstante, tudo isso era por nós outros apreciado intensamente, como se fôramos os próprios que tão dramáticas cenas viveram, graças ao privilégio, que o homem desconhece, das profundas capacidades inerentes ao Espírito alheado da carne, capacidades que o levam a sofrer, sentir, compreender, impressionar-se, comover-se, alegrar-se, etc., a grau superlativo, o qual fulminaria a criatura encarnada, se fora esta suscetível de tentar experimentá-lo. Enquanto o drama se estendia, o mestre emitia conceitos, levantando a psicologia das personagens apresentadas, assim lecionando com sabedoria a tese magnífica à luz da Ciência Sagrada em que nos iniciávamos! E acrescentou, severo, como arrematando a série de pequenos discursos que o passado espiritual de Amadeu provocara, vibrante, no diapasão enérgico que tão bem traduzia o caráter inquebrantável que afrontara o suplício do fogo por amor à Verdade:

"– As sociedades brasileiras, meus caros discípulos, sofrem hoje e sofrerão ainda, por espaço de tempo que estará ao seu alcance o dilatar ou reprimir, as conseqüências das iniqüidades que em pleno domínio da Era Cristã permitiram fossem cometidas em seu seio. Refiro-me, como bem percebeis, à escravização de seres humanos, tratados por elas com maior rigor do que o eram os próprios animais inferiores, para a extração de posses e haveres que lhes facultassem o gozo e o império das paixões! Se não foi crime individual e sim coletivo, será a coletividade que expiará e reparará o grande opróbrio, o grande martírio infligido a uma raça carecedora do amparo fraternal da civilização cristã, a fim de que, por sua vez, também se gloriasse às alvíssaras da educação fornecida através da Boa-Nova do Reino de Deus! Sob os céus assinalados pelo símbolo augusto da Iniciação como do Cristianismo – a Cruz –, ressoam ainda, ecoando aflitivamente na Espiritualidade, os brados angustiosos de milhares de corações torturados que durante o dobar dos decênios se compungiram ante a infâmia de que eram vítimas! Não deixaram de repercutir ainda nas ondas delicadas do etér, onde se assentam as esferas de proteção às sociedades humanas, os rumores trágicos dos látegos sanhudos dos capatazes diabólicos, a vergastarem homens e mulheres indefesos, cujas lágrimas, recolhidas uma a uma pela Incorruptível Justiça do Todo-Poderoso, foram, por lei, espalhadas, em seguida, sobre essa mesma coletividade criminosa, para que, por sua vez, as sorvesse em pelejas posteriores, a se purificarem do acervo de maldades e infâmias praticadas! Por isso, eis a grande Pátria sul-americana debatendo-se contra problemas complexos, suas sociedades em pelejas dolorosas consigo próprias, vitimadas por um acúmulo de agravos que as desorientam, ocupando postos mais bem bafejados aqueles que ontem se viram oprimidos, e vergados sob aflições coletivas, relegados à indiferença das classes favorecidas, os orgulhosos e imprevidentes do passado, os quais a tempo não se abeberaram dos exemplos do Celeste Enviado, renegando a cordura da fraternidade para com os seus semelhantes, a cautela de semearem amor a fim de colherem misericórdia no dia do Supremo Juízo! E assim prosseguirão até que a Voz Celeste dos Missionários do Senhor as oriente para finalidade apaziguadora, no trabalho sublime da reconciliação individual por amor do Cristo de Deus! Ó vós, discípulos que presenciais os dramas – antigo e moderno – vividos por Amadeu Ferrari! Ó vós que presenciastes seu passado como o presente, rematado por um suicídio contraproducente, do qual há de dar igualmente contas ao Senhor das Vidas e das Coisas! Sabei que entre os escravos que, sob os céus do Cruzeiro Sublime, choraram, vergados sob o trabalho excessivo, famintos, rotos, doentes, tristes, saudosos, desesperados frente à opressão, à fadiga, à maldade, nem todos traziam os característicos íntimos da inferioridade, como bastas vezes foi comprovado por testemunhas idôneas; nem todos apresentavam caracteres primitivos! Grandes falanges de romanos ilustres, do império dos Césares; de patrícios orgulhosos, de guerreiros altivos, autoridades das hostes de Diocleciano, como de Adriano e Maxêncio, dolorosamente arrependidas das monstruosas séries de arbitrariedades cometidas em nome da Força e do Poder contra pacíficos adeptos do Cordeiro Imaculado, pediram reencarnações na África infeliz e desolada, a fim de testemunharem novos propósitos ao contacto de expiações decisivas, fustigando, assim, o desmedido orgulho que a raça poderosa dos romanos adquirira com as mentirosas glórias do extermínio da dignidade e dos direitos alheios! Suplicaram, ainda e sempre corajosos e fortes, novas conquistas!

Mas, agora, nas pelejas contra si próprios, no combate ao orgulho daninho que os perdera! Suplicaram disfarce carnal qual armadura redentora, em envoltórios negros, onde peadas fossem suas possibilidades de reação, e arvorada em suas consciências a branca bandeira da paz, flâmula augusta concedida pela reparação do mal! E os escravizadores de tantos povos e tantas gerações dignas! Os desumanos senhores do mundo terráqueo, que gargalhavam enquanto gemiam os oprimidos! Que faziam seus regalos sobre o martírio e o sangue inocente dos cristãos, expungiram sob o cativeiro africano a mancha que lhes enodoava o Espírito!

Daí, meus discípulos queridos, a doce, mesmo sublime resignação dessa raça africana digna, por todos os motivos, da nossa admiração e do nosso respeito, a passividade heróica que nem sempre se estribou na ignorância e na incapacidade oriunda de um estado inferior, mas também no desejo ardente e sublime da própria reabilitação espiritual! E sabei ainda que o escravo Felício, que acabais de contemplar como símbolo entre todos, redimido de uma série de culpas calamitosas, como tantos outros, quando existiu e exerceu autoridade sob as ordens de Adriano, voltou a Roma em Espírito, terminado que foi seu compromisso entre a raça africana, e retornou à sua antiga falange de itálicos e..."

Um murmúrio irrepremível de surpresa desconcertante sacudiu a assistência de pecadores, estarrecida enquanto Amadeu Ferrari caía de joelhos, deixando escapar um grito cujo tono não distinguiríamos se de surpresa também, se de horror, de alegria, vergonha ou de outro qualquer sentimento indefinível, só experimentado por entidades em suas deploráveis condições, enquanto que choro violento o sacudia em agitações indescritíveis:

Abrira-se uma porta lateral silenciosamente, a um sinal de Epaminondas, e Felício aparecera, sereno, grave, encaminhando-se para seu antigo senhor de outras vidas... Estarrecido, Amadeu contemplava-o de olhos pávidos, já agora senhor de todo o seu passado de Espírito... Mas, lentamente, imperceptivelmente, transformara-se Felício sob o poder da vontade, que opera facilmente sobre a configuração do envoltório astral, e deixava-se ver agora, na atual qualidade de Rômulo Ferrari, o genitor de Amadeu!

É que, retornando às falanges que lhe eram próprias, Felício ali reencarnara a fim de prosseguir na peregrinação para a redenção completa, sob os auspícios daquele Meigo Nazareno a quem perseguira ao tempo de Adriano, na pessoa de seus adeptos! Recebera então nova fase de progresso sob a acolhida de outro nome; transportara-se, jovem ainda, para a Terra de Santa Cruz, levado por indefinível sentimento de atração, ali constituindo família e piedosamente consentindo em servir de genitor para o antigo algoz...

Agora, seria bem certo que continuaria auxiliando-o a expurgar da consciência uma nova infração: – a do suicídio!

Quando, pensativos e silenciosos, deixamos o recinto do Santuário, onde tão sublime mistério nos fora desvendado com a primeira lição, repercutia nos refolhos de nossa Alma esta profunda, inenarrável impressão:

– Oh! Deus de Misericórdia! Sede bendito por nos terdes concedido a Lei da Reencarnação!...

O "HOMEM VELHO"

Voltamos à Terra muitas vezes, permanecendo em suas sociedades, com pequenos intervalos, desde os primórdios do ano de 1906. Múltiplos deveres ali nos chamavam. Era o campo vasto de nossas experimentações mais eficientes, porquanto, tendo de reviver ainda muitas vezes em suas arenas, tornava-se de grande utilidade o exercitarmos entre nossos irmãos de Humanidade os conhecimentos gradativamente adquiridos nos serviços da Espiritualidade. Assim foi que, sob os cuidados de Aníbal de Silas, mas tendo por assistente prático a experiência secular de Souria-Omar, dilatamos as lides de beneficência iniciada sob a direção de Teócrito, multiplicando esforços para servir a corações sofredores sob as doces inspirações das lições messiânicas, quer os deparássemos ainda grilhetados nos planos da matéria, quer em lutas permanentes no Invisível. Servimos nos postos de emergência da Colônia a que pertencíamos, como no Hospital Maria de Nazaré e suas filiais; integramos caravanas de socorros a infelizes suicidas perdidos nas solidões do Invisível inferior como nos abismos terrenos, acossados por falanges obsessoras; seguimos no rastro de nossos mestres da Vigilância, aprendendo com eles a caça a chefes temíveis de falanges mistificadoras, perseguidores de míseros mortais, aos quais induziam muitas vezes ao suicídio; visitávamos freqüentemente reuniões organizadas por discípulos de Allan Kardec, com eles colaborando tanto quanto eles próprios permitiam; acudimos a imperativos de muitos sofredores alheios às idéias espiríticas, mas verdadeiramente carecedores de socorro; devassamos prisões e hospitais; descobríamos desolados sertões brasileiros e africanos, cogitando de fortalecer o ânimo e prover socorro material a desgraçados prisioneiros de um mau passado espiritual, agora às voltas com testemunhos recuperadores, em envoltórios carnais desfigurados pela lepra, amesquinhados pela demência ou assinalados pela mutilação; e nos atrevíamos até pelos domicílios dos grandes da Terra, onde, também, possibilidades de dores intensas e de graves ocasiões para o pecado do suicídio enxameavam, não obstante as factícias glórias de que se cercavam! E por toda parte onde existissem lágrimas a enxugar, corações exaustos a reanimar, almas vacilantes e desfalecidas pelos infortúnios a aconselhar, Aníbal levava-nos a fim de nos guiar aos ensinamentos do Mestre Modelar, com os quais aprenderíamos a exercer, por nossa vez, o apostolado sublime da Fraternidade!

Ostensivas através da colaboração mediúnica organizada para fins superiores, ocultas e obscuras através de ações diversas, impossíveis de serem narradas na íntegra ao leitor, nossas atividades multiplicaram-se durante muitos anos nos diferentes setores da Caridade; e, se mais de uma vez indóceis aflições nos surpreenderam ao contacto das angústias alheias, no entanto, mais vezes ainda obtivemos doces consolações ao sentirmos haver nossa boa vontade contribuído para que uma e outra lágrima fosse enxuta, para que um e outro desgraçado acalentasse as próprias ânsias às sugestões santas da Esperança, um e outro coração se aquecesse ao lume sagrado do Amor e da Fé que igualmente aprendíamos a conceituar!

A cada lição do Evangelho do Senhor, esplanada pelo jovem catedrático, a cada exemplo apreciado do Mestre Inesquecível, seguiam-se testemunhos nossos, na prática entre os humanos e os desventurados sofredores, assim como análises através de temas que deveríamos desenvolver e apresentar a uma junta examinadora, a qual verificaria nosso aproveitamento e compreensão da matéria. Freqüentemente, pois, produzíamos peças vazadas em temas elevados e inspirados no Evangelho, na Moral como na Ciência, romances, poemas, noticiários, etc., etc. Uma vez aprovados, estes trabalhos poderiam ser por nós ditados ou revelados aos homens, porquanto instrutivos e educativos, convenientes, por isso mesmo, à sua regeneração; e o faríamos através da operosidade mediúnica, subordinados a uma filosofia, ou servindo-nos de sugestões e inspirações a qualquer mentalidade séria capaz de captar-nos as idéias em torno de assuntos moralizadores ou instrutivos. E quando reprovados repetiríamos a experiência até concordar plenamente o tema com a Verdade que esposávamos e também com as expressões da Arte, de que não poderíamos prescindir.

Os dias consagrados a tais exames eram festivos para todo o Burgo da Esperança. Legítimos certamens de uma Arte Sagrada – a do Bem –, o encanto que de tais reuniões se destacava ultrapassava todas as concepções de beleza que antes poderíamos ter! Esforçavam-se as vigilantes na decoração dos ambientes, na qual entravam jogos e efeitos de luzes transcendentes indescritíveis em linguagem humana, enquanto luminares de nossa Colônia, como Teócrito, Ramiro de Guzman e Aníbal de Silas se revelavam artistas portadores de dons superiores, quer na literatura como na música e oratória descritiva, isto é, na exposição mental, através de imagens, das produções próprias. De outras esferas vizinhas desciam caravanas fraternas a emprestarem brilho artístico e confortativo às nossas experimentações. Nomes que na Terra se pronunciam com respeito e admiração acorriam bondosamente a reanimar-nos para o progresso, ativando em nossos corações humílimos o desejo de prosseguir nas pelejas promissoras. Não faltaram mesmo em tais assembléias o estímulo genial de vultos como Victor Hugo e Frédéric Chopin –, este último considerado suicida na Pátria Espiritual, dado o descaso com que se ativera relativamente à própria saúde corporal; ambos, como muitos outros, cujos nomes surpreenderiam igualmente o leitor, exprimiam a magia dos seus pensamentos, dilatados pelas aquisições de longo período na Espiritualidade, através de criações intraduzíveis para as apreciações humanas do momento! Tivemos, assim, ocasião de ouvir o grande compositor que viveu na Terra mais de uma experiência carnal, sempre consagrando à Arte ou às Belas-Letras as suas melhores energias mentais, traduzir sua música em imagens e narrações, numa variedade atordoadora de temas, enquanto que o gênio de Hugo mostrava em lições inapreciáveis de beleza e instrução a realidade mental de suas criações literárias! O poder criador desta mentalidade, a quem a Terra ainda não esqueceu e que a ela voltará ainda a serviço da Verdade, servindo-a sob prismas surpreendentes, verdadeira missão artística a serviço dAquele que é a Suprema Beleza, deslumbrava nossa sensibilidade até às lágrimas, atraindo-nos para a adoração ao Ser Divino porventura com idêntico fervor, idêntica atração com que a faziam Aníbal de Silas e Epaminondas de Vigo valendo-se do Evangelho da Redenção e da Ciência. Era o pensamento do grande Hugo vivificado pela ação da realidade, concretizado de forma a podermos conhecer devidamente as nuanças primorosas das suas vibrações emotivas transubstanciadas em assuntos encantadores da epopéia do Espírito através de migrações terrenas e estágios no Invisível, o que equivale dizer que também ele colaborava na obra de nossa reeducação. Surpreendeu-nos então a notícia, ali ventilada, de que o gênio de Victor Hugo se confirmava na Terra desde muitos séculos, partindo da Grécia para a Itália e a França, sempre deixando após si um rastro luminoso de cultura superior e de Arte. Seu Espírito, pois, em várias idades diferentes tem sido venerado por muitas gerações, cabendo-lhe positivamente a glória de que se cerca em planos intelectuais. Quanto ao outro, Chopin, alma insatisfeita, que somente agora compreendeu que com o humilde carpinteiro de Nazaré encontrará o segredo dos sublimes ideais que a saciarão, em miríficas expansões de música arrebatadora, transportada da magia dos sons para o deslumbramento da expressão real, deu-nos o dramático poema das suas migrações terrenas, uma delas anterior mesmo ao advento do Grande Emissário, mas já a serviço da Arte, cultivando as Belas-Letras como poeta inesquecível, que viveu em pleno império da força, na Roma dos Césares!

Quanto a nós outros, os ensaios que deveríamos levar a efeito seriam igualmente traduzindo nossas criações mentais em imagens e cenas, como faziam nossos mentores com suas lições e os visitantes com sua gentileza. Para tal desiderato havia o concurso de técnicos incumbidos do melindroso serviço, equipe de eminentes cientistas, senhores do segredo da captação do pensamento para os aparelhamentos transcendentes a que nos temos referido. Alguns médiuns da confiança de nosso Instituto eram atraídos a essas reuniões, sob a tutela de seus Guardiães, e aí entreviam dificultosamente o que para nós outros se revelava com todo o esplendor! Seria para eles um como estímulo ao trabalho mediúnico a que se comprometeram ao reencarnar, instrução inerente ao programa da reeducação conveniente ao seu progresso de intérpretes do Mundo Invisível e meio menos dificultoso de prepará-los para desempenhos que viviam em nossas cogitações de aprendizes. Então, empolgava-nos santo entusiasmo por julgarmos fácil tarefa o inteirar os homens das novidades de que nos íamos apossando, certos de que seriam imediatamente aceitos nossos esforços para bem informar. Não contávamos, porém, com o empeço desconcertante que é o pouco desejo existente no coração dos médiuns de sinceramente se ativarem em torno dos ideais cristãos, que eles julgam defender quando permanecem incapazes para uma só renúncia, avessos aos altos estudos a que será obrigado todo aquele que se julgar iniciado, amornados no desamor à redenção de si próprios e de seus semelhantes, aos quais têm o dever sagrado de defender da ignorância relativa às coisas espirituais, uma vez dotados, como são, de faculdades para tanto apropriadas; e quando, desarmonizados consigo próprios e as esferas iluminadas, traduzem efeitos mentais, conceitos pessoais, convencidos de que interpretam o pensamento dos Espíritos, quando a verdade muitas vezes manda que se afirme que nada fizeram a fim de merecer o alto mandato, nem mesmo a moralizacão da própria mente! E é com a mais profunda tristeza que assinalamos nestas páginas, escritas com o nosso mais ardente desejo de servir, o desgosto de quantos se interessam pelo bem da Humanidade, em Além-Túmulo, ao observar a falta de vigilância mantida pelos médiuns em geral, seus parcos desejos de se desprenderem dos atrativos como das ociosidades imanentes ao plano material, esquivando-se ao dever urgente de se despojarem de muitas atitudes nocivas ao mandato sublime da mediunidade, das quais a voz dulcíssima do Bom Pastor ainda não conseguiu desprendê-los! Valemo-nos, pois, destas divagações, para ressaltar o fato de que eles mesmos, os médiuns, infelizmente dificultam a ação dos Espíritos instrutores do planeta, porquanto muitos aparelhos mediúnicos excelentes em suas disposições físico-psíquicas resvalam para o ostracismo e a improdutividade de coisas sérias, enquanto em torno se acumula o serviço do Senhor por falta de bons obreiros do plano terreno e a Humanidade braceja nas trevas, em pleno século das luzes, prosseguindo desorientada à falta do pão espiritual, faminta da luz do Conhecimento, sedenta daquela Água Viva que lhe desalteraria a alma desconsolada e entristecida pelo acúmulo de desgraças!

....

Dois acontecimentos de alta monta vieram modificar soberanamente certos pormenores de uma situação que se afigurava indecisa e indefinível, conquanto um espaço de dois anos distanciasse a realização de um para outro.

Fora por um daqueles dias festivos franqueados às visitações.

Na véspera, preveniram-nos de que os internos receberiam visitas dos seus "mortos" queridos, isto é, membros da família, entes caros já desencarnados. Alheados, porém, do movimento, supusemo-lo apenas afeto aos mais antigos do que nós no aprendizado do Instituto, e, por isso, limitamo-nos a esperar que algum dia tocaria também a nossa vez de rever os nossos.

Bondosas e caritativas, como toda mulher que tem a educação moral inspirada no ideal divino, as damas vigilantes dispuseram os parques para a grande recepção que se verificaria no dia imediato, utilizando toda a habilidade de que eram capazes; e, com arte e talento, criaram recantos dulcíssimos para nossa sensibilidade, ambientes íntimos encantadores por nos falarem às recordações mais queridas da infância como da juventude, quando as desesperanças da existência ainda não nos haviam dado a sorver o cálice fatal das amarguras. E, criando-os, a nós outros os ofereciam como agradáveis surpresas, a fim de recebermos nossa parentela e amigos, à proporção que chegavam. Criados ao ar livre, isto é, disseminados pelos parques e jardins, de que a cidade era pródiga; à beira dos lagos serenos, sobre as encostas das colinas graciosas que pareciam lucilar, suavemente irisadas sob o reflexo indefinível de revérberos multicores, tais recantos não eram perduráveis, existindo temporariamente, apenas enquanto durassem nossas necessidades de compreensão e consolo. Muitos deles traduziam o lar paterno, aquele recinto sacrossanto em que se passara nossa infância e onde os primeiros anseios da vida, as primeiras esperanças haviam florescido, e o qual tão saudoso e ardentemente recordado e por aquele que apenas trevas e desespero deparou ao se transportar para o Além. Outros lembrariam cenários edificados sob as doçuras da afeição conjugal: um recanto de sala, uma varanda florida, ao passo que mais alguns mostravam certa paisagem mais grata da terra natal: uma ponte bucólica, um trecho sugestivo de praia, uma alameda conhecida, por onde muitas vezes palmilhamos pelo braço protetor de nossas mães...

E foi, pois, no próprio cenário que figurava a casa onde nasci, que tive a inefável satisfação de rever minha mãe querida, a qual ainda na infância eu vira morrer e sepultar, de lhe beijar as mãos como outrora, ao passo que me atirava, soluçando, aos braços protetores de meu velho pai, aliviando o coração de uma saudade que jamais se esfumara do meu coração, torturado sempre pela incompreensão e mil razões adversas!

Revi minha esposa, a quem a morte arrebatara de meu destino em pleno sonho de um matrimônio venturoso, e a qual eu desde muito poderia ter reencontrado no Invisível, não fora a rebeldia do meu gesto nefasto! De todos eles recebi carinhosas advertências, conselhos preciosos, testemunhos de afeto perene, reparando que nenhum me pedia contas do desbarato em que as paixões e as desditas me haviam transformado a vida! E recebi-os como se estivéssemos em nosso antigo lar terreno: os mesmos móveis, a mesma decoração interna, a mesma disposição do ambiente que eu tão bem conhecera... porque Ritinha de Cássia e Doris Mary tudo haviam preparado para que se perpetuassem em meu coração as impressões sacrossantas dos veros laços de família! Ambas asseveraram mais tarde que nós mesmos, sem o percebermos, fornecíamos elementos para que tudo fosse realizado assim, pois que, nossos mestres, que, em sendo instrutores e educadores, eram também lídimos agentes da Caridade, examinando nossos pensamentos e impressões mentais mais caras, descobriam o que de melhor nos calaria no ânimo e lhes transmitiam através de mapas e visões equivalentes, a fim de que a reprodução fosse a mais consoladora possível, porquanto necessitaríamos de toda a serenidade, do maior estado de placidez mental possível ao nosso caso, para que muito aproveitássemos da aprendizagem a fazer! Para maior surpresa, nossos entes caros acrescentaram que nada podiam fazer em nosso benefício devido à situação melindrosa que criáramos com o suicídio, situação equivalente à do sentenciado terrestre, a quem as leis vigentes do país impõem método de vida à parte dos demais cidadãos. Muitas lágrimas derramei então, escondido meu rosto envergonhado no seio compassivo de minha mãe, cujos conselhos salutares reanimaram minhas forças, reavivando em meu ser a esperança de dias menos acres para a consciência! E sob os cortinados olentes dos arvoredos, reunidos todos sob os dosséis floridos que lembravam os pomares e os quintais da velha casa em que vivi, embalado pela amorosa proteção de meus inesquecíveis pais terrenos, demorava-me muitas vezes em doces assembléias com muitos membros de minha família que, como eu, eram falecidos! Por sua vez, meus companheiros de infortúnio tinham direitos idênticos, não havendo ali favores especiais nem predileções, senão rigorosa justiça vazada nas leis de atração e afinidade.

E, finalmente, Belarmino de Queiroz e Sousa pôde encontrar sua mãe, a quem amara com toda as forças do seu coração, recebendo sua visita inesperada naquela mesma tarde. A este, no entanto, participara a senhora de Queiroz e Sousa que dor profunda e inconsolável a atingira com a surpresa de vê-lo sucumbir ao suicídio, afetando-se-lhe a saúde irremediavelmente, sucumbindo ela também, meio ano depois, sem se resignar jamais à desventura de perdê-lo tão tragicamente! Que as mais angustiosas decepções colheram-na depois do trespasse, pois que, julgando encontrar o supremo esquecimento no seio da Natureza, se deparava viva após a morte e ralada de desgostos, visto não possuir quaisquer capacidades mentais e espirituais que a pudessem recomendar às regiões felizes ou consoladoras do Invisível. Que em vão o procurara pelas sombrias regiões por onde transitara acossada por funestas confusões, debatendo-se entre os surpreendentes efeitos do orgulho e do egoísmo que lhe assinalaram a personalidade e o arrependimento por haver renegado as dúlcidas efusões do amor a Deus pelo domínio exclusivo da Ciência Materialista, pois que lhe asseverava a consciência caber-lhe grande dose de responsabilidade pelo desastre do filho, uma vez que fora ela, mãe descrente dos ideais divinos, mãe imprevidente e orgulhosa cujas aspirações não gravitavam além dos gozos e das paixões mundanas, que lhe modelara o caráter, dando-lhe a beber do mesmo vírus mental que a ambos arrastara a tão deploráveis quedas morais! Mas, chegada finalmente à razão, graças aos imperativos da dor educadora, trabalhara, lutara, sofrera resignadamente no Espaço durante vários anos, suplicara, sinceramente convertida à verdade existente na idéia de Deus e suas Leis, e, assim, levado em conta seu ardente desejo de emenda e progresso, recebera concessão para rever o filho, dádiva misericordiosa do Ser Supremo, agora reconhecido com respeito e compunção!

...E Doris Mary e Rita de Cássia à mãe e ao filho forneceram o blandicioso conforto de um gratíssimo e saudoso ambiente: a velha biblioteca da mansão dos de Queiroz e Sousa; a lareira crepitando alegremente; a cadeira de balanço da velha senhora; a pequena poltrona de Belarmino junto ao regaço de sua mãe; como ao tempo da infância...

O segundo acontecimento que, a par do primeiro, conquanto vindo dois anos mais tarde, marcou roteiro decisivo para meu Espírito, foi a ciência que tive de mim mesmo, rebuscando no grande compêndio de minhalma as lembranças do pretérito, as quais há muito jaziam covardemente adormecidas devido à má vontade da consciência em passá-la em revista integral, meticulosa. Assim foi que, alguns dias depois da primeira aula de Ciências ministrada por Epaminondas de Vigo, tocou a minha vez de extrair dos arcanos profundos do ser a memória das encarnações passadas do meu Espírito em lutas pela conquista do progresso, memória que meu orgulho repudiava, confessando-se apavorado com as perspectivas que sentia palpitando em derredor. Epaminondas, porém, incisivo, autoritário, não concedeu moratória no momento exato a mim destinado. Sentei-me, pois, à cadeira que se nos afigurava o venerável tribunal da Suprema Justiça, naqueles momentos terríveis em que enfrentávamos o lúcido instrutor. Silêncio absoluto circundava o recinto, como sempre. Apenas as vibrações mentais de Epaminondas, traduzidas em vocabulário escorreito, enchiam a atmosfera respeitável onde sacrossantos mistérios da Ciência Celeste se desvendavam para nos iluminar o Espírito ensombrado de ignorância. Não ignoravam os circunstantes a espécie de indivíduo por mim acabada de exibir em Portugal, às voltas com um avezado orgulho que me corrompera o caráter, porque tão ruim bagagem moral me rondava ainda os passos, fazendo-me corte acintosa, não obstante a humílima condição a que me via reduzido. O que, porém, talvez nem todos soubessem, porque se tratava de fato que o mesmo orgulho raramente me permitia esclarecer, era que eu fora paupérrimo de fortuna, lutando sempre asperamente contra a adversidade de uma pobreza desorientadora, a qual não só não me dava quartel como até desafiava quaisquer recursos, por meus raciocínios aventados, no intuito de suavizá-la; e que, para fugir à calamidade da cegueira que sobre meus olhos, sem forças de resistência, estendia denso véu de sombras, reduzindo-me à indigência mais desapiedada que, para meu conceito, o mundo poderia abrigar, fora que me precipitara na satânica aventura cujas dolorosas conseqüências me condenavam às circunstâncias que todos conheciam.

Delicadamente os adjuntos prepararam-me, tal como conviria ao réu que, frente a frente com o tribunal da Consciência, vai-se examinar, julgando a si próprio sem as atenuantes acomodatícias dos conceitos e subterfúgios humanos, porque o que ele vai ver é o que ele próprio deixou registrado nos arquivos vibratórios de sua alma através de cada uma das ações que andou praticando durante o existir de Espírito, encarnado ou não encarnado.

Rodearam-me os mestres, desferindo sobre as potencialidades do meu ser inferiorizado poderosos recursos fluídicos, no intuito caridoso de auxiliar. Era como se fossem médicos que me operassem a alma, pondo a descoberto sua anatomia para que eu mesmo a examinasse, descobrindo a origem dos males ferrenhos que me perseguiam, sem mais acusar a Providência!

Intuições de angústia auguravam desesperos em meu seio. Eu me teria certamente banhado em suores gelados, se fora ainda carnal o meu envoltório. Todavia, a sensação penosa do pavor acovardou-me e eu quis resistir, prevendo a vergonhosa situação que me esperava frente aos circunstantes, e, derramando pranto insopitável, pedi súplice, de molde a ser ouvido apenas por Epaminondas:

"– Senhor, por piedade! Compadecei-vos de mim!"

"– Não vaciles! – respondeu naquele tom imperioso que lhe era peculiar, enquanto suas palavras ressoavam pelo anfiteatro, ouvidas por todos. – A fim de operarmos a renovação interior que levará nossas almas à redenção precisaremos apoiar-nos na mais viva coragem! Sem decisão, sem heroísmo, sem valor não conseguiremos progredir, não marcharemos para a glória! Lembra-te de que os pusilânimes são punidos com a própria inferioridade em que se deixam permanecer, com a degradação de que se cercam! Lembra-te de que é a tua reabilitação que se impõe todas as vezes que a dor se acerca de ti, sempre que o sofrimento faz vibrar doridamente as fibras de teu ser! Sê forte, pois, porque o Sumo Criador premia as almas valorosas com a satisfação da Vitória!"

Conformei-me ao influxo daquela mentalidade vigorosa, invocando intimamente o auxílio maternal de Maria de Nazaré, a quem eu aprendera a venerar desde que ingressara no caridoso Instituto, recordando-me de que sob seus amorosos cuidados era que nos asiláramos.

Então, harmonizando minhas próprias vontades com as dos tutelares que me dirigiam, não sei positivamente descrever o que se desenrolou em meu ser! Vi Epaminondas e a equipe de seus auxiliares acercarem-se de mim e me envolverem em estranhos jactos de luz. Invencível delíquio tonteou-me o cérebro como se das potências sagradas do meu "eu" repercussões excepcionais se levantassem, erguendo dos repositórios da alma, para se reanimarem em minha presença, toda a longa série de vidas planetárias que eu tivera no uso da responsabilidade e do livre-arbítrio! Necessariamente, as demoras no Invisível entre uma e outra reencarnação acompanharam os dramas imensos passados na Terra, inseparáveis que são tais estágios das conseqüências acarretadas pelos atos praticados no setor terreno. Tive a impressão extraordinária e magnífica de me achar diante do meu próprio "eu" – ou do meu duplo –, se assim me posso expressar, tal como à frente de um espelho passasse a assistir ao que em minha própria memória se ia sucedendo em revivescência espantosa! A palavra irresistível do instrutor repercutiu, qual clarinada dominadora, pelo interior do meu Espírito apaziguado pela vontade de obedecer, e invadiu todos os escaninhos de minha Consciência, qual a irrupção de vagas que saltassem diques e se projetassem num impulso incoercível, inundando região indefensa:

"– Eu to ordeno, Alma criada para a glória da eleição no Seio Divino: Volta ao ponto de partida e estuda no livro que trazes dentro de ti mesma as lições que as experiências proporcionam! E contigo mesma aprende o cumprimento do Dever e o respeito à Lei dAquele que te criou! Traça, depois, tu mesma, os programas de resgates e edificação que te convêm, a fim de que a ti mesma devas a glória que edificares para alçares vôos redentores até o Seio Eterno de onde partiste!..."

Lentamente, senti-me envolver por singular entorpecimento, como se tudo ao meu redor rodopiasse vertiginosamente... Sombras espessas, quais nuvens ameaçadoras, circundavam-me a fronte... Meu pensamento afastou-se do anfiteatro, de Cidade Esperança, da Colônia Correcional... Já não distinguia Epaminondas, sequer o conhecia, e nem me recordava de meus companheiros de infortúnio... Todavia, eu não adormecera! Continuava lúcido e raciocinava, refletia, pensava, agia, o que indica que me encontrava na posse absoluta de mim mesmo... embora retrocedesse na escala das recordações acumuladas durante os séculos!... Perdi, pois, a lembrança do presente e mergulhei a Consciência no Passado...

Então, senti-me vivendo no ano trinta e três da era cristã! Eu, porém, não recordava, simplesmente: – eu vivia essa época, estava nela como realmente estive!

A velha cidade santa dos judeus – Jerusalém – vivia horas febricitantes nessa manhã ensolarada e quente. Encontrei-me possuído de alegria satânica, indo e vindo pelas ruas regurgitantes de forasteiros, promovendo arruaças, soprando intrigas, derramando boatos inquietadores, incentivando desordens, pois estávamos no grande dia do Calvário e sabia-se que um certo revolucionário, por nome Jesus de Nazaré, fora condenado à morte na cruz pelas autoridades de César, com mais dois outros réus. Corri ao Pretório, sabendo que dali sairia para o patíbulo o sentenciado de quem tanto os judeus maldiziam. Eu era miserável, pobre e mau. Devia favores a muitos judeus de Jerusalém. Comia sobejos de suas mesas. Vestia-me dos trapos que me davam. Diante do Pretório, portanto, ovacionei, frenético, a figura hirsuta e torpe de Barrabás, ao passo que, à suprema tentativa do Procônsul para livrar o carpinteiro nazareno, pedi a execução deste em estertores de demônio enfurecido, pois aprazia-me assistir a tragédias, embebedar-me no sangue alheio, contemplar a desgraça ferindo indefesos e inocentes, aos quais desprezava, considerando-os pulsilânimes... E presenciar aquele delicado jovem, tão belo quanto modesto, galgando pacientemente a encosta pedregosa sob a ardência inclemente do Sol, madeiro pesado aos ombros, atingido pelos açoites dos rudes soldados de Roma contrariados ante o dever de se exporem a subida tão árdua em pleno calor do meio-dia, era espetáculo que me saberia bem à maldade do caráter e a que, de qualquer forma, não poderia deixar de assistir!...

Contudo, revendo-me nesse passado, a mesma Consciência, que guardara este acontecimento, entrou a repudiá-lo, acusando-se violentamente. Como que suores de pavor e agonia empastaram-me a fronte alucinada pelo remorso e bradei enlouquecido, sentindo que meu grito ecoava por todos os recôncavos do meu Espírito:

"– Oh! Jesus Nazareno! Meu Salvador e meu Mestre! Não fui eu, Senhor! Eu estava louco! Eu estava louco! Não me reconheço mais como inimigo Teu! Perdão! Perdão! Jesus!..."

Pranto rescaldante incendiou minhalma e recalcitrei, afastando a lembrança amargosa do pretérito. Mas, vigilante, bradou em seguida o catedrático ilustre, zeloso do progresso do seu pupilo:

"– Avante, ó Alma, criação divina! Prossegue sem esmorecimentos, que da leitura que ora fazes em ti mesma será preciso que saias convertida ao serviço desse Mestre que ontem apedrejaste..."

Eu não me poderia furtar ao impulso vibratório que me arrojava na sondagem desse passado remoto, porque ali estavam, com suas vontades conjugadas piedosamente em meu favor, Epaminondas e seus auxiliares; e prossegui, então, na recapitulação deprimente:

Eis-me à frente do Pretório, em atitude hostil. Não houve insulto que minha palavra felina deixasse de verberar contra o Nazareno. Feroz na minha pertinácia, acompanhei-o na jornada dolorosa gritando apupos e chalaças soezes; e confesso que só não o agredi a pedradas ou mesmo à força do meu braço assassino, por ser severo o policiamento em torno dele. É que eu me sentia inferior e mesquinho em toda parte onde me levavam as aventuras. Nutria inveja e ódio a tudo o que soubesse ou considerasse superior a mim! Feio, hirsuto, ignóbil, mutilado, pois faltava-me um braço, degenerado, ambicioso, de meu coração destilava o vírus da maldade. Eu maldizia e perseguia tudo, tudo o que reconhecesse belo e nobre, cônscio da minha impossibilidade de alcançá-lo!

Integrando o cortejo extenso, entrei a desrespeitar com difamações vis e sarcasmos infames a sua Mãe sofredora e humilde, anjo condutor de ternuras inenarráveis para os homens degredados nos sofrimentos terrenos, já então, a mesma Maria, piedosa e consoladora, que agora me albergava maternalmente, com solicitudes celestes! E depois, em subseqüências sinistras e aterradoras, eis-me a continuar o abominável papel de algoz: denunciando cristãos ao Sinédrio, perseguindo, espionando, flagelando quanto podia por minha conta própria; apedrejando Estêvão, misturando-me à turba sanhuda do poviléu ignaro; atraiçoando os "santos do Senhor" pelo simples prazer de praticar o mal, pois não me assistiam nem mesmo os zelos que impeliam a raça hebraica à suposição de que defendia um patrimônio nacional quando tentava exterminar os cristãos: eu não era filho de Israel! Viera de longe, incrédulo e aventureiro, da Gália distante, foragido de minha tribo, onde fora condenado à morte pelo duplo crime de traição à Pátria e homicídio, tendo aportado na Judéia casualmente, nos últimos meses do apostolado do Salvador!

Fora-me, pois, concedida a oportunidade máxima de regeneração e eu a rejeitara, insurgindo-me contra a "Luz que brilhou no meio das trevas"...

Seguira, não obstante, o curso do tempo arrastando-me a lutas constantes. Reencarnações se sucederam através dos séculos... Eu pertencia às trevas... e durante o intervalo de uma existência a outra, aprazia-me permanecer nas inferiores camadas da animalidade!... Convites reiterados para os trabalhos de regeneração recebia eu em quaisquer planos a que me impelisse a seqüência do existir, fosse na condição de homem ou na de Espírito despido das vestes carnais, porquanto também nas regiões astrais inferiores ecoam as doçuras do Evangelho e a figura sublime do Crucificado é apontada como o modelo generoso a imitar-se! Mas fazia-me surdo, enceguecido pela má vontade dos instintos, tal como sucede a tantos outros... Posso até asseverar que nem mesmo chegava a perceber com a devida clareza a diferença existente entre a encarnação e a estada no Invisível, pois era o meu modo de ser sempre o mesmo: a animalidade! Hoje sei que a lei imanente do Progresso, qual ímã sábio e irresistível, me impelia para novas possibilidades em corpos carnais, sob orientação de devotados obreiros do Senhor, fazendo-me renascer como homem a fim de que os choques da expiação e as lutas incessantes inerentes às condições da vida na Terra, os sofrimentos inevitáveis, oriundos do estado de imperfeição tanto do planeta como da sua Humanidade, me desenvolvessem lentamente as potências da alma embrutecida pela inferioridade. Na época a que me reporto, no entanto, nada disso percebia, e tanto a existência humana como o interregno no Além-Túmulo se me afiguravam uma e a mesma coisa!

Mas através dos séculos experimentei também grandes infortúnios.

Criminoso impenitente, atendo-me às práticas nefastas do mal, sofria, como é natural, o reverso de minhas próprias ações, cujos efeitos em meu próprio estado se refletiam. Subia, por vezes, a alturas famosas da escala social terrena, fato esse que não implica a posse de virtudes, porque eram ilimitadas as ambições que me orientavam! Tais ambições, porém, vis e degradantes, levavam-me a quedas morais retumbantes, chafurdando-me cada vez mais no pântano dos deméritos, e para minha Consciência criando responsabilidades atordoadoras!

Todavia, minhas renovações carnais sempre se realizaram entre povos cristãos. Tudo indica, na vida laboriosa e disciplinada do Invisível, que os Espíritos são registrados em falanges ou colônias, e sob seus auspícios é que se educam e evolvem, sem se desagregarem de sua tutela senão já quando completado o ciclo evolutivo normal, isto é, uma vez adquiridos cabedais que lhes permitam transmutações operosas e úteis ao bem próprio e alheio. O certo é que nunca me desloquei das Gálias ou da Ibéria, até o momento presente.

A idéia da regeneração começou a se insinuar em minhas cogitações à força de percebê-la sussurrada aos meus ouvidos através da fieira do tempo, quer me encontrasse na Terra sob formas humanas ou mergulhado nas penumbras espirituais próprias dos seres da minha inferior categoria. Aceitei-a calculada e interesseiramente, entrando a procurar recursos para solucionar as pesadas adversidades que me perseguiam o destino, através dos séculos, nessa doutrina cristã que, segundo afirmavam, tantos benefícios concedia àquele que à sua tutela se confiasse. O que eu não podia compreender, porém, absorto no meu mundo íntimo inferior, era o alto alcance moral e filosófico de tais conselhos ou convites, repetidos sempre em torno de mim em quaisquer locais terrenos ou astrais a que a vida me levasse... e por isso esperava da Grande Doutrina apenas vantagens pessoais, poderes misteriosos ou supersticiosos, que me levassem a conquistar a satisfação de mil caprichos e paixões...

Não obstante, em ouvindo referências àquele Mestre Nazareno cujas virtudes eram modelo para a regeneração da Humanidade, súbito mal-estar alucinava-me, tal se incômodas repercussões vibrassem em meu íntimo, enquanto corrente hostil se estabelecia em minha consciência, que parecia temer investigações em torno do melindroso assunto. Era portanto concludente que se minha inteligência e meus conhecimentos intelectuais se robusteciam ao embate das lutas pela existência e dos infortúnios sob o impulso poderoso do esforço próprio, como até das ambições, o coração jazia inativo e enregelado, a alma embrutecida para as generosas manifestações do Bem, da Moral e da Justiça!

A primeira metade do século XVII surpreendeu-me em confusões deploráveis, na obscuridade de um cárcere terreno envolvido em trevas, não obstante minha qualidade de habitante do mundo invisível.

Que odiosa série de feitos criminosos, porém, ocasionara tão amarga repressão para a dignidade de um Espírito liberto das cadeias da carne?... Que abomináveis razões haveria eu dado à lei de atração e afinidades para que meu estado mental e consciencial apenas se afinasse com as trevas de uma masmorra de prisão terrena, infecta e martirizante?...

Convém que te inteires do que fiz por aquele tempo, leitor...

A CAUSA DE MINHA CEGUEIRA NO SÉCULO XIX

Transcorriam os primeiros decênios do século XVII quando renasci nos arredores de Toledo, a antiga e nobre capital dos Visigodos, que as águas amigas e marulhentas do velho Tejo margeiam qual incansável sentinela...

Arrojava-me a outro renascimento nos alcantilados proscênios terrestres em busca de possibilidades para urgente aprendizado que me libertasse o Espírito imerso em confusões, o qual deveria aliviar os débitos da consciência perante a Incorruptível Lei, pois impunha-se a necessidade dos testemunhos de resignação na pobreza, de humildade passiva e regeneradora, de conformidade ante um perjúrio de amor até então em débito nos assentamentos do Passado, de devotamento ao instituto da Família.

Pertencia então a uma antiga família de nobres arruinados e, na ocasião, perseguidos por adversidades insuperáveis, tais como rivalidades políticas e religiosas e desavenças com a Coroa.

A primeira juventude deixou-me ainda analfabeto, bracejando nas árduas tarefas do campo. Apascentava ovelhas, arava a terra qual miserável tributário, repartindo-me em múltiplos afazeres sob o olhar severo de meu pai, rude fidalgo provinciano a quem desmedido orgulho religioso, inspirado nas idéias da Reforma, fizera cair em desgraça, no conceito do soberano, suspeitado que fora de infidelidade à fé católica e mantido em vigilância; rigoroso no trato da família como dos servos, qual condestável para os feudos. Os rígidos deveres que me atinham à frente das responsabilidades agrárias, porém, mais ainda atiçavam em meu imo a nostalgia singular que desalentava meu caráter, pois no recesso de minhalma tumultuavam ambições vertiginosas, descabidas em um jovem nas minhas penosas condições. Sonhava, nada menos, do que abandonar o campo, insurgir-me contra o despotismo paterno, tornar-me homem culto e útil como os primos residentes em Madrid, alguns deles militares, cobertos de glórias e condecorações; outros formando na poderosa Companhia de Jesus, eruditos representantes da Igreja por mim considerada única justa e verdadeira, em desajuste com as opiniões paternas, que a repudiavam. Invejava essa parentela rica e poderosa, sentindo-me capaz dos mais pesados sacrifícios a fim de atingir posição social idêntica.

Certo dia revelei à minha mãe o desejo que, com a idade, avultava, tornando-me insatisfeito e infeliz. A pobre senhora que, como os filhos e os servos, também sofria a opressão do tirano doméstico, aconselhou-me prudentemente, como inspirada pelo Céu, a moderação dos anelos pela obediência aos princípios da Família por mim encontrados ao nascer, objetando ainda ser minha presença indispensável na casa paterna, visto não poder prescindir o bom andamento da lavoura do experiente concurso do primogênito, e seu futuro chefe. Não obstante, dadas as minhas instâncias, intercedeu junto ao senhor e pai no sentido de permitir-me instrução, o que me valeu maus-tratos e castigos inconcebíveis num coração paterno! Com a revolta daí conseqüente fortaleceu-se o desejo tornado obsessão irresistível, a qual só com imenso sacrifício era contida por meu gênio impetuoso e rebelde.

Recorri ao pároco da circunscrição, a quem sabia prestativo e amigo das letras. Narrei-lhe as desventuras que me apoucavam, pondo-o a par do desejo de alfabetizar-me, instruir-me quanto possível. Aquiesceu com bondade e desprendimento, passando a ensinar-me quanto sabia. E porque se tratasse de homem culto, intelectualmente avantajado, sorvi a longos haustos as lições que caritativamente a mim concedia, demonstrando sempre tanta lucidez e boa vontade que o digno professor mais ainda se esmerava, encantado com as possibilidades intelectuais deparadas no aluno. A meu pedido, porém, e compreendendo, com alto espírito de colaboração, as razões por mim apresentadas, minha família não foi posta ao corrente de tal acontecimento. Minha freqüência à casa paroquial passou a ser interpretada como auxílio à paróquia para o amanho da terra, favor que meu pai não ousava negar, temeroso de represálias e delações.

Um dia, depois de muito tempo passado em martirizar a mente à procura de solução para o que considerava eu a minha desventura, surgiu nas cogitações desesperadas das minhas ambições a infeliz idéia de fazer-me sacerdote. Seria, pensei, meio seguro e fácil de chegar aos fins de que me enamorava... Não se tratava, certamente, de honrosa vocação para os ideais divinos, como não se cogitava de servir às causas do Bem e da

Justiça através de um apostolado eficiente, pois que, nas manifestações de religiosidade que a mim e a minha mãe impeliam, não entravam a vera crença em Deus nem o respeito devido às suas Leis! Expus ao pároco, meu antigo mestre, o intento considerado louvável por minhas pretensiosas ambições. Para surpresa minha, no entanto, aconselhou-me, bondosa e dignamente, a evitar cometer o sacrilégio de me prevalecer da sombra santificadora do Divino Cordeiro para servir às paixões pessoais que me inquietavam o coração, entenebrecendo-me o senso... pois percebia muito bem, por ver a descoberto o meu caráter, que nenhuma verdadeira inclinação me induzia ao delicado ministério.

"– O Evangelho do Senhor, meu filho – rematou certa vez, após um dos prudentes discursos em que costumava expor as graves responsabilidades que pesam sobre a consciência de um sacerdote –, deverá ser servido com inflamado amor ao bem, renúncias continuadas, durante as quais havemos de muitas vezes morrer para nós mesmos, como para o mundo e suas paixões; com trabalho sempre ativo, incansável, renovador, a benefício alheio e para góría da Verdade, e que se destaque por legítima honestidade, espírito de independência e cooperação, sem nenhum personalismo, porquanto o servidor de Jesus deve dar-se incondicionalmente à Causa, abstraindo-se das opiniões e vontades próprias, que nenhum valor poderão ter diante dos estatutos e das normas da sua doutrina! É caminho áspero, semeado de urzes e percalços, de ininterruptos testemunhos, sobre o qual o peregrino derramará lágrimas e se ferirá continuadamente, ao contacto de desgostos cruciantes! As flores, só mais tarde ele as colherá, quando puder apresentar ao Excelso Senhor da Vinha os preciosos talentos confiados ao seu zelo de servo obediente e prestimoso...

'Quem quiser vir após mim – foi Ele próprio que sentenciou –, *renuncie a si mesmo, tome a sua cruz e siga-me!'*

Fora daí, meu caro filho, apenas servirá o ambicioso ao regalo das ambições pessoais, afastando-se do Senhor com ações reprováveis enquanto finge servi-Lo!

Não tens vocações para a renúncia que se impõe frente ao honroso desempenho?... Deixa-te ficar tranqüilamente, servindo ao próximo com boa vontade e como puderes, mesmo no seio da família, que não andarás mal...

Não te sentes verdadeiramente submisso à palavra de comando dAquele que se deu em sacrifício nos braços de uma Cruz?... Não te precipites, então, querendo arrostar responsabilidades tão grandiosas e pesadas que te poderão comprometer o futuro espiritual! Retorna, filho, às tuas obrigações de cidadão, porfiando no cumprimento dos deveres cotidianos, experimentando a cada passo a decência dos costumes... Volta à tua aldeia, apascenta o teu gado, deixa-te permanecer isento de ambições precipitadas, que te será isso mais meritório do que atraiçoar um ministério para o qual não te encontras ainda preparado... Ara cuidadosamente a terra amiga, zelando alegremente pelo torrão que te serviu de berço... e, espargindo em seu generoso seio as sementes pequeninas e fecundas, bem cedo compreenderás que Deus permanece contigo, porque verás suas bênçãos sempre renovadas nos frutos saborosos dos teus pomares, nas espigas loiras do trigo que alimentará a família toda, no leite criador que robustecerá o corpo de teus filhos... Cria antes o teu lar! Educa filhos no respeito a Deus, no culto da Justiça, no desprendimento do Amor ao próximo! Sê, tu mesmo, amigo de quantos te rodearem, sem esqueceres as tuas plantações e os animais amigos que te servem tão bem como teus próprios servos, que tudo isso é sacerdócio sublime, é serviço santificante do Senhor da Vinha..."

....

A idéia dos esponsais substituiu com rapidez as antigas aspirações, impressionando-me os conselhos do digno servo do Evangelho, que me calaram fortemente. Afoito e apaixonado, entreguei-me ao nobre anelo com grandes arrebatamentos do coração, passando a preparar-me, satisfeito, para a sua consecução. Dada, porém, a situação melindrosa em que me colocara na casa paterna, desarmonizado com o gênio de meu genitor, e a pobreza desconcertante que me tolhia as ações, mantive em segredo os projetos de consórcio elaborados carinhosamente pelo coração, que perdidamente se enamorara...

Dentre as numerosas moçoilas que alindavam nossa aldeia com a graça dos atrativos pessoais e as prendas morais que lhes eram recomendações inesquecíveis, destaquei uma, sobrinha de minha mãe, à qual havia muito admirava, sem contudo ousar externar sequer a mim mesmo os ardores que me avivavam o peito ao avistá-la e com ela falar.

Chamava-se Maria Magda. Era esbelta, linda, corada, com longas tranças negras e perfumadas que lhe iam à cinta, e belo par de olhos lânguidos e sedutores. Como eu, era filha de nobres arruinados, com a vantagem única de ter adquirido boa educação doméstica e mesmo social, graças à boa compreensão de seus pais.

Passei a requestá-la com ardor, muito enamorado desde o início do romance, tal como seria lógico em um caráter violento e revel. Senti-me correspondido, não suspeitando que somente a solidão de uma aldeia isolada entre os arrabaldes tristes de Toledo, onde escasseava rapaziada galante, criara a oportunidade por meus sonhos considerada irresistível! Amei a jovem Magda com indomável fervor, em suas mãos depositando o meu destino. De bom grado ter-me-ia para sempre refugiado na lenidade de um lar honradamente constituído, pondo em prática os ditames do generoso conselheiro. A adversidade, no entanto, rondava-me os passos, arrastando ao meu encontro tentações fortes nos trabalhos dos testemunhos inadiáveis, tentações das quais me não pude livrar, devido ao meu gênio que me infelicitava o caráter, à insubmissão do orgulho ferido como à revolta que desde o berço predominava em minhas atitudes à frente de um desgosto ou de uma simples contrariedade!

Maria Magda, com quem, secretamente, eu concertara aliança matrimonial para ocasião propícia, preteriu-me por um jovem madrileno, primo de meu pai, adepto oculto da Reforma, que visitara nossa humilde mansão, conosco passando a temporada estival! Tratava-se de guapo militar de vinte e cinco anos, a quem muito bem assentavam os cabelos longos, os bigodes luzidios e aprumados, como bom cavalheiro da guarda real que era; a espada de copos reluzentes como ouro, as luvas de camurça, a capa oscilante e bem cheirosa, que lhe dava ares de herói! Chamava-se Jacinto de Ornelas y Ruiz e acreditava-se, ou realmente era, conde provinciano, herdeiro de boas terras e boa fortuna. Entre sua figura reconhecidamente elegante, as vantagens financeiras que arrastava e a minha sombra rústica de lavrador bisonho e paupérrimo, não seria difícil a escolha para uma jovem que não atingira ainda as vinte primaveras!

Jacinto de Ornelas não voltou sozinho à sua mansão de Madrid!

Maria Magda concordou em ligar seu destino ao dele pelos vínculos sagrados do Matrimônio, deixando a aldeia, afastando-se para sempre de mim, risonha e feliz, prevalecendo-se, para a traição infligida aos meus sentimentos de dignidade, do segredo dos nossos projetos, porquanto nossos pais tudo ignoravam a nosso respeito, enquanto eu, humilhado, o coração a sangrar insuportáveis torturas morais, tive, desde então, o futuro irremediavelmente comprometido para aquela existência, falindo nos motivos para que reencarnei, olvidando conselhos e advertências de abnegados amigos, em vista da inconformidade e da revolta que eram o apanágio da minha personalidade!

Jurei ódio eterno a ambos. Rancoroso e despeitado, desejei-lhes toda a sorte de desgraças, enquanto projetos de vingança compeliam minha mente a sugestões contumazes de maldade, tornando-me a existência num inferno sem bálsamos, num deserto de esperanças! Minha aldeia tornou-se-me odiosa! Por toda a parte por onde transitasse era como se defrontasse a imagem graciosa de Magda com suas tranças negras baloiçando ao longo do corpo... A saudade inconsolável apoucava-me o ser, humilhando-me profundamente! Envergonhava-me ante a população local pela traição de que fora vítima. Supunha-me ridiculizado, apontado por antigos companheiros de folguedos, acreditando girar o meu nome em torno de comentários chistosos, pois muitos havia que descobriram o meu segredo. Perdi a atração pelo trabalho. O campo se me tornou intolerável, por humilhar-me ante a recordação do faceiro aspecto do rival que me arrebatara os sonhos de noivado! Em vão compassivos amigos aconselharam-me a escolher outra companheira a fim de associá-la ao meu destino, advertindo-me de que o fato, que tão profundamente me atingira, seria coisa vulgar na vida de qualquer homem menos rigoroso e irascível. Ardente e exageradamente sentimental, porém, aboli o matrimônio de minhas aspirações, encerrando no coração revoltado a saudade do curto romance que me tornara desditoso.

Então sussurraram novamente ao meu raciocínio as antigas tendências para o sacerdócio. Acolhi-as agora com alvoroço, disposto a me não deixar embair pelas cantilenas fosse de quem fosse, encontrando grande serenidade e reconforto à idéia de servir à Igreja enquanto levasse a progredir minha humílima condição social. Não seria certamente difícil: se recursos financeiros escasseavam, havia um nome respeitável e parentes bem-vistos que me não negariam auxílio para a realização do grande intento. Escorei-me ainda na impetuosa esperança de vencer, de ser alguém, de subir fosse por que meio fosse, contando que ultrapassasse Jacinto na sociedade e no poder, fazendo-o curvar-se diante de mim, ao mesmo tempo que de qualquer modo humilhasse Maria Magda, obrigando-a a preocupar-se comigo ainda que apenas para me odiar!

A morte de meu venerando genitor simplificou a realização de meus novos projetos. Afastei as razões apresentadas por minha mãe, tendentes a me deterem na direção da propriedade, substituindo o braço forte que se fora. Inquietação insopitável desvairava meus dias. Idéias ominosas firmavam em meu cérebro um estado permanente de agitação e angústia, estabelecendo-se um complexo em meu ser, difícil de solucionar no decurso de apenas uma existência! Seguidamente presa de pesadelos alucinatórios, sonhava, noites a fio, que meu velho pai, assim outros amigos falecidos, voltavam do túmulo a fim de me aconselharem a deter-me na pretensão adotada com vistas ao futuro, preferindo o consórcio honesto com alguma de minhas companheiras de infância, pois era esse o caminho mais digno para facultar-me tranqüilidade de consciência e ventura certa. Mas o ressentimento por Magda, incompatibilizando-me com novas tentativas sentimentais, desfazia rapidamente as impressões tentadas a meu favor pelos veneráveis amigos espirituais que desejavam impedir praticasse eu novos e deploráveis deslizes frente à Lei da Providência.

Fiz-me sacerdote com grande facilidade!

A Companhia de Jesus, famosa pelo poderio exercido em todos os setores das sociedades regidas pela legislação católico-romana e pelos feitos e realizações que nem sempre primaram pela obediência e o respeito às recomendações do excelso patrono, de cujo nome usou e abusou, proporcionou-me auxílios inestimáveis, vantagens verdadeiramente inapreciáveis! Instruí-me brilhante e rapidamente à sua sombra, como tanto almejara desde a infância! Absorvia, sequioso, o manancial de ilustração que me ofertavam na comunidade ao observarem minhas ambições frementes, fácil instrumento que seria eu para se amoldar sob o férreo domínio de suas garras! Era como se minha inteligência apenas recordasse do que era dado a aprender, tal o poder de assimilação que em minhas faculdades existia! Minha gratidão, por sua vez, não conheceu limites! Prendi-me à Companhia com todas as forças de que dispunha minhalma ardorosa. Obedecia aos superiores com zelo fervoroso, servindo-os a contento, indo mesmo ao encontro dos seus desejos! Os interesses da Igreja, como do clero da organização em foco, aprendi a respeitar e servir acima de todas as demais conveniências, fossem quais fossem, tal como bem assentaria a um vero jesuíta!

Não me referirei à causa divina. Não a esposei, dela não cogitando a fim de edificar minhalma com as claridades da Justiça e da Dever. Tampouco aprendi a amar a Deus ou a servir o Mestre Redentor no seio da comunidade a que me filiara.

Certamente que na Companhia de Jesus existiam servos eminentes, cujos padrões de desempenhos cristãos poder-se-iam equiparar ao dos primeiros obreiros do apostolado messiânico. Com esses, todavia, não me solidarizei. Não os conheci nem suas existências lograram interessar-me. Da poderosa organização religiosa que foi a Companhia de Jesus, eu apenas desejava a posição social que ela me podia proporcionar, a qual me compensasse da obscuridade do meu nascimento: como os deleites do mundo, as loucas satisfações do orgulho, das ambições inferiores, das vaidades soezes, já que o perjúrio da noiva idolatrada cerceara meus nascentes projetos honestos!

Assim sendo, isto é, a fim de todo esse detestável cabedal lograr adquirir, servi com zelos frenéticos às leis da Inquisição! Persegui, denunciei, caluniei, intriguei, menti, condenei, torturei, matei! Denunciaria, meu próprio pai, tal a demência que de mim se apossara, levando-o ao tribunal como agente da Reforma, se, protegido pela misericórdia celeste, não tivesse ele entregado antes a alma ao Criador! Não o fazia, porém, propriamente com requintes de maldade: meu intento era servir os superiores, engrandecer a causa da Companhia, provar com dedicação imorredoura e incondicional a gratidão que me avassalara a alma apaixonada, pelo amparo que me haviam dispensado! Fui, eu mesmo, vítima da mesma instituição, porque, reconhecendo-me submisso, penhorado pelos favores recebidos, exploravam os chefes maiorais tais sentimentos, induzindo-me à prática de crimes abomináveis, certos da minha impossibilidade de tergiversação. Se, ao em vez desta, eu optasse por alguma comunidade franciscana, ter-me-ia certamente educado, transformando-me numa alma de crente, incapaz de práticas danosas. Pelo menos ter-me-ia habituado à honradez dos costumes, ao respeito ao nome do Criador, ao interesse pelas desgraças alheias, pensando em remediá-las. A Companhia de Jesus, no entanto, malgrado o nome excelso do qual se valeu a fim de inspirar-se, converteu-me em réprobo, uma vez que me aliciei justamente ao departamento político-social, que tantos abusos cometeu no seio das sociedades e em nome da religião!

Durante muito tempo esqueci aqueles que me haviam atraiçoado. Não os procurei, não me importou o destino que tinham tomado. A verdade é que se transferiram para a Holanda, onde Jacinto de Ornelas se incumbira de certa missão militar. Mas um dia o acaso me pôs novamente na presença deles! Haviam já passado quinze longos anos que sua execrada visita à mansão de meus pais convertera meu coração sentimental em fornalha de ódios! Os deveres profissionais, que o tinham afastado da Pátria, agora o faziam retornar, gozando de excelente conceito até mesmo nas antecâmaras reais, desfrutando invejável posição social. Ao vê-lo, obrigado a apertar-lhe a mão em certa cerimônia religiosa, fi-lo como a um estranho, sentindo, não obstante, que o coração fremia em meu peito, enquanto a antiga rivalidade, as doridas angústias experimentadas no passado fervilhavam, tumultuosas, à sua vista, prevenindo-me de que, se o sentimento de amor por Maria Magda desaparecera, sufocando-me na vergonha do perjúrio indigno, no entanto, a chaga aberta então sangrava ainda, clamando por desforras e represálias!

Procurei observar a vida de tão odiado varão: seus passos de adepto da Reforma, seu passado como seu presente, o que fazia, o que pretendia, como vivia, o grau de harmonia existente no lar doméstico e até as particularidades de sua existência, graças ao experimentado corpo de espiões que me ficava às ordens, como bom agente do Santo-Ofício que era eu. Jacinto de Ornelas era feliz com a esposa e amavam-se terna e fielmente. Tinham filhos, aos quais procuravam educar nos preceitos de boa moral. Maria Magda, dama formosa e cortejada, que se impunha na sociedade por virtudes inatacáveis, apresentava a beleza altiva e digna das suas trinta e três primaveras, e, desorientado, enlouquecido por mil projetos nefastos e degradantes, ao vê-la pela primeira vez, depois de tantos anos de ausência, senti que não a esquecera como a princípio supusera, que a amava ainda, para desventura de todos nós!

A antiga paixão, a custo sopitada pelo tempo, irrompeu porventura ainda mais ardente desde que comecei a vê-la novamente, todas as semanas, praticando ofícios religiosos numa das igrejas da nossa diocese, como boa católica que desejava parecer, a fim de ocultar as verdadeiras inclinações reformistas que animavam a família toda.

Desejei atraí-la e cativar, agora, as atenções amorosas negadas outrora, e, sob a pressão de tal intento, visitei-a oferecendo préstimos e me desfazendo em amabilidades. Não o consegui, todavia, não obstante as visitas se sucederem. Recrudesceu em meu seio o furor sentimental, compreendendo-me totalmente esquecido, tal como a erupção inesperada e violenta de vulcão adormecido desde séculos! Tentei cativá-la ternamente, rojando-me em mil atitudes servis, apaixonadas e humilhantes. Resistiu-me com dignidade, provando absoluto desinteresse pelo afeto que lhe depunha aos pés, como também pelas vantagens sociais que eu lhe poderia fornecer. Experimentei suborná-la levando-a a compreender o poder de que dispunha, a força que o hábito da Companhia me proporcionava no mundo todo, o acervo de favores que lhe poderia prestar e ao marido, até mesmo garantias para exercer a sua fé religiosa, pois eu saberia protegê-los contra as repressões da lei, desde que concordasse em aquiescer aos meus ansiosos projetos de amor! Repeliu-me, no entanto, sem compaixão nem temor, escudada na mais santificante fidelidade conjugal por mim apreciada até então, deixando-me, aliás, convencido de que mais do que nunca se escancarara supremo abismo entre nossos destinos, que eu tanto quisera unidos para sempre!

Ora, Jacinto de Ornelas y Ruiz, que fora conhecedor da paixão que me infelicitara a existência, agora, vendo-me assediar-lhe o lar com atitudes amistosas, percebeu facilmente a natureza dos intentos que me animavam. Eu, aliás, não procurava dissimulá-los. Agia, ao contrário disso, acintosamente, dado que a pessoa de um jesuíta e, ainda mais, oficial do Santo-Ofício, era inviolável para um leigo! Posto ao corrente dos fatos pela própria esposa, que junto dele procurava forças e conselhos a fim de resistir às minhas insidiosas propostas, encheu-se de temor, desacreditado dos laços de parentesco; e, concertando entendimentos e resoluções com os seus superiores, preparou-se a fim de deixar Madrid, buscando refúgio no estrangeiro para si próprio, como para a família.

Descobri-o, porém, a tempo! Viver sem Magda era tortura que já me não seria possível suportar! Eu quisera antes tornar-me desgraçado, ainda que desprezado por ela com descaso porventura mais chocante, quisera mesmo ser odiado com todas as forças do seu coração, mas que a tivesse ao alcance dos meus olhos, que a visse freqüentemente, que a soubesse junto de mim, embora que em verdade separados estivéssemos por duras e irremediáveis impossibilidades!

Desesperado, pois, desejando o inatingível por qualquer preço, denunciei Jacinto de Ornelas como huguenote, ao Tribunal do Santo-Ofício, pensando livrar-me dele para melhor apossar-me da esposa! Provei com fatos a denúncia: livros heréticos em relação à Virgem Mãe, que sempre foram armas terríveis nas mãos dos denunciantes para perderem vítimas das suas perseguições, espantalhos fabricados, não raramente, pelos próprios que ofereciam a denúncia; farta correspondência comprometedora com luteranos da Alemanha; inteligências com adeptos dispersos pelo país inteiro como pela França; sua ausência sistemática do confessionário, os próprios nomes dos filhos, que lembravam a Alemanha e a Inglaterra, mas não a Espanha, e cujos registros de batismo não pôde apresentar, alegando haverem sido realizadas na Holanda as importantes cerimônias! Tudo provei, não, porém, por zelo à causa da religião que eu pudesse considerar digna de respeito, mas para me vingar do desprezo que por amor dele Maria Magda me votava!

Uma vez preso e processado, Jacinto foi-me entregue por ordem de meus superiores, os quais me não puderam negar a primeira solicitação que no gênero eu lhes fazia, dados os bons serviços por mim prestados à instituição.

Conservei-o desde então no segredo de masmorra infecta, onde o desgraçado passou a suportar longa série de martirizantes privações, de angústias e sofrimentos indescritíveis, por inconcebíveis à mentalidade do homem hodierno, educado sob os auspícios de democracias que, embora bastante imperfeitas ainda, não podem permitir compreensão exata da aplicação das leis férreas e absurdas do passado! Nele cevei a revolta que me estorcia o coração em me sentindo preterido pela mulher amada, em seu favor! Meu despeito inconsolável e o ciúme nefasto que me alucinara desde tantos anos inspiraram-me gêneros de torturas ferazes, as quais eu aplicava possuído de demoníaco prazer, recordando as faces rosadas de Maria Magda, que eu não beijara jamais; as tranças ondulantes cujo perfume não fora eu que aspirara; os braços cariciosos e lindos que a outro que não eu – que a ele! haviam ternamente prendido de encontro ao coração! Cobrei, infame e satanicamente, a Jacinto de Ornelas y Ruiz, na sala de torturas do tribunal da Inquisicão, em Madrid, todos os beijos e carícias que me roubara daquela a quem eu amara até à loucura e ao desespero!

Fiz que lhe arrancassem as unhas e os dentes; que lhe fraturassem os dedos e deslocassem os pulsos; que lhe queimassem a sola dos pés até chagá-las, mas lentamente, pacientemente, com lâminas aquecidas sobre brasas; que lhe açoitassem as carnes, retalhando-as, e tudo a pretexto de salvá-lo do inferno por haver anatematizado, obrigando-o a confissões de supostas conspirações contra a Igreja, sob cujo nome me acobertei para a prática de vilezas!

Presa de enlouquecedoras inquietações, Magda procurou-me...

Suplicou-me, por entre lágrimas, trégua e compaixão! Lembrou-me sua qualidade de parente próximo, como a qualidade de Jacinto, também parente; os dias longínquos da infância encantadora, desfrutados no doce convívio campestre, entre as alegrias do lar doméstico, protegido ambos pela intimidade de quase irmãos...

Cínico e cruel, respondi-lhe, interrogando se fora pensando em todos aqueles detalhes inefáveis de nossa juventude que, consigo mesma, ou certamente com Jacinto, concertara a traição abominável que me infligira...

Falou-me dos filhos, que ficariam à mercê de duríssimas conseqüências, com o pai acusado pelo Santo-Ofício; e, ainda mais, se viesse ele a morrer, em vista do encarceramento prolongado; concluindo por suplicar, banhada em pranto, a vida e a liberdade do marido, como também a minha proteção a fim de se refugiarem na Inglaterra...

Falei então, após lançar-lhe em rosto o odioso fel que extravasava de minhalma, vendo-a à mercê de minhas resoluções:

"– Terás de retorno teu marido, Maria Magda... Mas sob uma condição, da qual não abrirei mão jamais: Entrega-te! Sê minha! Consente em aliar tua existência à minha, ainda que ocultamente... e to restituirei sem mais incomodá-lo!..."

Relutou a desgraçada ainda durante alguns dias. Todos os arrazoados que uma dama virtuosa, fiel à consciência e aos deveres que lhe são próprios, poderia conceber a fim de eximir-se à prevaricação, minha antiga noiva apresentou à minha sanha de conquistador desalmado e inescrupuloso, por entre lágrimas e súplicas, no intuito de demover-me da resolução indigna. Mas eu me fizera irredutível e bárbaro, tal como ela própria, quando outrora lhe suplicara, desesperado ao me reconhecer abandonado, que se amerceasse de mim, não atraiçoando meu amor a benefício de Jacinto! Aquela mulher que eu tanto amara, que teria feito de mim o esposo escravo e humilde, tornara-me feroz com o perjúrio em favor de outro! Levantavam-se, então, das profundezas do meu ser psíquico, as remotas tendências maléficas que, em Jerusalém, no ano de 33, me fizeram condenar Jesus de Nazaré em favor da liberdade do bandoleiro Barrabás! Aliás, existia muito de capricho e vaidade nas atitudes que me levavam a desejar a ruína de Magda; e, enquanto o casal execrado sofria o drama pungente que o homem moderno não compreende senão através do colorido da lenda, eu me rejubilava com a satisfação de vencê-la, despedaçando-lhe a felicidade, que incomodava meu orgulho ferido!

Quando, alguns dias depois do nosso entendimento, a desventurada noiva da minha juventude, descendo à sala de torturas, contemplou o espectro a que se reduzira seu belo oficial de mosqueteiros, não mais trepidou em aceder aos meus ignóbeis caprichos! Eu a conduzira até ali propositadamente, a título de visitá-lo, observando que sua relutância ameaçava prolongar-se!

Para suavizar os sofrimentos do marido, furtando-o às torturas diárias, que o extenuavam; a fim de conservar aquela vida para ela preciosa sobre todos os demais bens, e a qual minha sanha assassina ameaçava exterminar, a infeliz esposa curvou-se ao algoz, imolou-se para que de seu sacrifício resultasse a libertação, a vida do pai dos seus filhos muito queridos!

Não obstante, meu despeito exasperou-se com o triunfo, pois, mais do que nunca, reconheci-me execrado! Eu pretendera convencer Magda a associar-se para sempre ao meu destino, embora lhe concedendo o retorno do esposo. Ela, porém, que se sacrificara às minhas exigências intentando salvar-lhe a vida, não pudera ocultar o desprezo, o ódio que minha desgraçada pessoa lhe inspirava, o que, finalmente, me provocou o cansaço e a revolta. Detive-me então, exausto de lutar por um bem inatingível, e renunciei aos insensatos anelos que me dementavam. Mas, ainda assim, sinistra vindita engendrou-se em meu cérebro inspirado nos poderes do Mal, a qual, realizada com o requinte da mais detestável atrocidade que pode afluir das profundezas de um coração tarjado de inveja, de despeito, de ciúme, de todos os vis testemunhos da inferioridade em que se refocila, deu causa às desgraças que há três séculos me perseguem o Espírito como sombra sinistra de mim mesmo projetada sobre o meu destino, desgraças que os séculos futuros ainda contemplarão em seus dolorosos epílogos!

Maria Magda pedira-me a vida e a liberdade do marido e comprometi-me a conceder-lhas. Esqueceu-se, porém, de fazer-me prometer restituí-lo intacto, sem mutilações! Então, *fiz que lhe vazassem os olhos, perfurando-os com pontas de ferro incandescido, assim barbaramente desgraçando-o, para sempre lançando-o nas trevas de martírio inominável,* sem me aperceber de que existia um Deus Todo-Poderoso a contemplar, do alto da Sua Justiça, o meu ato abominável, que eu arquivara nos refolhos de minha consciência como refletido num espelho, a fim de acusar-me e de mim exigir inapeláveis resgates através dos séculos!

Oh! ainda hoje, três séculos depois destes tristes fatos consumados, recordando tão tenebroso pretérito, fere-me cruciantemente a alma a visão da desgraçada esposa que, indo, a convite meu, receber o pobre companheiro no pátio da prisão, ao constatar a extensão da minha perversidade nada mais fez senão contemplar-me surpreendida para, depois, debulhar-se em pranto, prostrada de joelhos diante do esposo cego, abraçando-lhe as pernas vacilantes, beijando-lhe as mãos com indescritível ternura, recebendo-o maltratado e inválido com inexcedível amor, enquanto entre risos chistosos eu chasqueava:

"– Concedi-lhe a vida e a liberdade do homem amado, senhora, tal como constou do nosso ajuste... Não podereis negar a minha generosidade, para com a noiva perjura de outro tempo, pois que, podendo agora matá-lo, deponho-o nos seus braços..."

Mas estava escrito, ou eu assim o quisera, que Maria Magda continuaria galgando um calvário áspero e tempestuoso, irremediável para aquela desventurada existência: Jacinto de Ornelas y Ruiz, inconformado com a situação inesperada quanto deplorável, não desejando tornar-se um estorvo nefasto à vida de sua dedicada companheira, que passara à chefia do lar, desdobrando-se em atividades heróicas, abandonada pelos amigos, que temiam as suspeitas do mesmo tribunal que julgara seu marido; esquecida até mesmo por mim, que me desinteressara da sua posse, exausto das inúteis tentativas para me tornar amado; Jacinto, que a ela própria, como aos filhos, desejara salvar da perseguição religiosa, que fatalmente se estenderia contra todos os da família, suicidou-se dois meses depois de obter a liberdade, auxiliado no gesto sinistro pelo próprio filho mais jovem, que, na inocência dos seus cinco anos de idade, entregara ao pai o punhal por este solicitado discretamente, e o qual acionou encostando-o à garganta enquanto a outra extremidade era apoiada sobre os rebordos de uma mesa, pondo, assim, termo à existência!

Maria Magda voltou para a aldeia natal com os filhos, desolada e infeliz. Nunca mais, até o momento em que esboço estas páginas, pude vê-la ou dela obter notícias! E já se passaram três séculos, ó meu Deus!...

....

O arrependimento não tardou a iniciar vigorosa reação em meu amesquinhado ser. Nunca mais, desde então, logrei tranqüilidade sequer para conciliar o sono. Indescritível estado de superexcitação nervosa trazia-me invariavelmente atordoado e surpreendido, fazendo-me reconhecer a imagem de Jacinto de Ornelas, martirizado e cego, por toda parte onde me encontrasse, tal se se houvera estampado em minhas retentivas indelevelmente!

Posso mesmo asseverar que meu desejo de emenda teve início no momento justo em que, entregando Jacinto à sua mulher, a esta vi prostrar-se diante dele, cobrindo-lhe as mãos de ósculos e de lágrimas como a testemunhar, no ápice do infortúnio, não sei que sentimento sublime de amor e compaixão, que eu não estava à altura de compreender! Desse momento em diante procurei evitar cumprir as tenebrosas ordens de meus superiores, o que, lentamente me induzindo à inobservância dos deveres à minha guarda confiados, me fez cair das boas graças em que até então vivia e, mais tarde, me levou ao cárcere perpétuo! Da segunda metade, pois, do XVII século até agora, entrei a expiar, quer na Terra como homem ou no Invisível como Espírito, os crimes e perversidades cometidos sob a tutela do Santo-Ofício! Arrependimento sincero e que eu vos garanto, meus amigos, existir inspirando todos os meus atos, há me encorajado a enfrentar situações de todos os matizes do infortúnio, contanto que de minha consciência se apagar venha a nódoa vexatória de me ter prevalecido do nome augusto do Divino Crucificado para a prática de ações criminosas. Narrar o que têm sido tais lutas até hoje, as lágrimas que me têm escaldado a alma repesa e desolada, as insólitas investidas dos remorsos torturantes, impostas pela consciência exacerbada, a série, enfim, dos acontecimentos dramáticos que desde então me perseguem, seria tarefa cansativa, horripilante mesmo, à qual me não exporei. Necessários se fariam, aliás, alguns volumes especiais, para cada etapa...

Até que, na segunda metade do século XIX, eu me preparei, só então! para a última fase das expiações inalienáveis: – a cegueira!

Cumpria-me perder, de qualquer modo, a vista, impossibilitar-me, por essa forma, de garantir a subsistência própria, privar-me do trabalho honroso a fim de aceitar o auxílio, tanto mais vexatório e humilhante para o desmedido orgulho que ainda não pude exterminar do meu caráter revel, quanto mais compassivo e terno fosse; desbaratar ideais, desejos, ambições, contemplando, ao mesmo tempo, ruírem fragorosamente meus valores morais e intelectuais, minha posição social, para aceitar a escuridão inalterável com meus olhos apagados para sempre! Mas também me cumpria fazê-lo resignada e dignamente, testemunhando pesares pelas selvagens ações contra o rival de outrora, como atestando respeito e provando íntimas homenagens àquele mesmo Jesus cuja memória fora por mim ultrajada tantas vezes!

Todos vós sabeis da fraqueza que me assaltou ao reconhecer-me cego! Não tive, absolutamente, forças para o terrível testemunho, na hora culminante da minha reabilitação! Oh! a Justiça imanente do Criador, que nos deixa entregues às nossas próprias responsabilidades, a fim de que nos punamos ou nos glorifiquemos através do enredamento e seqüência, fatídicos ou brilhantes, das ações que cometemos pelo desenrolar das sucessivas existências! O mesmo horror que Jacinto de Ornelas sentiu pela cegueira senti também eu, três séculos depois, ao perceber que perdera a luz dos olhos! As atormentações morais, as angústias, as humilhações insofríveis, o desespero inconsolável, ao se ver à mercê das trevas, e que levaram aquele desgraçado ao funesto erro do suicídio, também em meu ser se acumularam com tão dominadora efervescência que lhe imitei o gesto, tornando-me, em 1890, suicida como ele o fora em meado do século XVII...

Isso tudo foi acontecido assim. Certo, errado ou discutível, assim foi que aconteceu... e tal como foi é que me cumpriria relatar.

Da tessitura deste enredo pavoroso compreender-se-á que a Suprema Lei do Criador me imporia como expiação cometer um suicídio para sofrer-lhe as conseqüências?

Absolutamente não!

A Suprema Lei, cujos dispositivos se firmaram na supremacia do Amor, da Fraternidade, do Bem, da

Justiça, como do Dever e de toda a esteira luminosa de suas gloriosas conseqüências, e que, ao mesmo tempo, previne contra todas as possibilidades de desarmonização e heterogeneidade com suas sublimes vibrações, não estabeleceria como lei, jamais, a infração máxima, por ela mesma condenada! O que se passou comigo foi, antes, o efeito lógico de uma causa por mim criada à revelia da Lei Soberana e Harmoniosa que rege o Universo! Com ela desarmonizado, enredando-me em complexos cada vez mais deprimentes através das escabrosidades perpetradas nos sucessivos ligamentos das existências corporais, fatalmente chegaria ao desastre máximo, tal o bloco de rocha que, se precipitado do alto da montanha, rola rápido e inapelavelmente até ao fundo do abismo...

E a fatalidade é essa criação nossa, gerada dos nossos erros e inconseqüências através das idades e do tempo!

Que tu me acredites ou não, leitor, não destruirás as linhas da verdade palidamente exposta nestas páginas: a triste história da Humanidade com seus carregamentos de desgraças, que tão bem conheces, aí está, diariamente afirmando exemplos idênticos ao que acabo de apresentar...

O ELEMENTO FEMININO

Deixei o santuário onde o mistério sacrossanto de tantas migrações se levantara dos repositórios de minhalma, a mim próprio como a meus pares ofertando elucidações preciosas – amparado pelos braços compassivos de Pedro e de Salústio. Fora exaustivo o esforço para rememorá-las, não obstante a presença e o concurso poderoso dos eméritos instrutores que me assistiam. As recordações do passado delituoso, os sofrimentos experimentados através das idades por mim vividas, e agora aviventadas e carreadas para a apreciação do presente, chocaram-me profundamente, abatendo-me o ânimo, como que traumatizando meus sentimentos e minhas faculdades. Senti-me, pois, doente, uma vez que a mente, como os sentimentos, se haviam entrechocado num cansativo e melindroso serviço de revisão psíquica pessoal; e, assim sendo, fui encaminhado a certo gabinete clínico anexo ao próprio recinto das singulares quão sublimes experiências. Dois iniciados faziam o plantão do dia, pois, acidentes, como o por mim experimentado, eram comuns, mesmo diários entre os discípulos cuja bagagem mental pecaminosa os lançava em crises insopitáveis de alucinação, as quais, por vezes, atingiam as raias da demência.

Bondosamente recebido na dependência em apreço, onde mais uma fragrância da Caridade consoladora era dada a aspirar por nossos Espíritos frágeis e pusilânimes, ministraram-me aqueles operosos servos da Legião tratamento magnético como que balsamizante, para a urgência do momento, seguindo-se depois, nos dias subseqüentes, vigilância clínico-psíquica especializada, eficientíssima.

No fim de alguns dias, tornado à luz da realidade insofismável, completamente lúcido quanto à minha verdadeira personalidade, refleti maduramente e a uma conclusão única cheguei a fim de me poder, algum dia, sentir plenamente reabilitado à frente da consciência própria e da Lei Suprema que, havia tanto, eu vinha infringindo: – Reencarnar! Sim, renascer ainda uma outra vez! Sofrer dignamente, serenamente, o testemunho da perda da visão material, no qual eu fracassara havia pouco, pois a ele me não submetera, preferindo o suicídio a avançar pela vida jungido à incapacidade de enxergar; realizar o contrário do que fizera para trás, isto é, amar compassiva e caridosamente os meus semelhantes, proteger, auxiliar, servir o próximo, utilizando todos os meios lícitos ao meu alcance, lícitos e generosos; indo, se possível e necessário, à abnegação do sacrifício, sob as hecatombes morais do meu passado amarguroso, construindo almos aspectos do Bem Legítimo, os quais me ajudassem a ressarcir as trevas então semeadas!

Tristeza irresistível, porventura ainda mais cruciante do que até aquela data, acobertou de angústias novas as horas que passei a viver; e as impressões ingratas e dominantes de um remorso, a que coisa alguma entre os humanos será capaz de traduzir, cerceavam-me a possibilidade de alcançar qualquer feição de verdadeira felicidade!

Contudo, os bondosos instrutores como os diletos amigos que nos rodeavam e as vigilantes caridosas e afáveis reanimavam minhas forças, como também o faziam aos meus companheiros de lutas e infortúnios, pois os sofrimentos de um espelhavam os dos demais, ofertando o melhor dos seus conselhos e exemplos, insistindo nas lições do aprendizado, que seguia curso normal, encaminhando-nos ao trabalho reconstrutivo desde logo, sem esperar os serviços do renascimento físico-material, os quais ainda nem mesmo se achavam delineados.

Ora, um dos grandes incentivos que nos ofereciam para a conformidade com a situação, eram justamente as reuniões de Arte e Moral a que já tivemos ocasião de nos referir, as quais, no decorrer do tempo, assumiram panorama especial por nos servirem à causa da reabilitação particular, nos exemplos, nas demonstrações, nas análises que nos forneciam, indicando-nos caminhos a seguir, exemplificação a imitar, etc., etc. Assim era, que, nos parques da Cidade, cuja extensão não conseguíramos até então avaliar, existiam recantos portadores de uma espécie de beleza sugestiva inconcebível a um ser humano, tal era a superioridade ideal do conjunto como de cada pormenor, tais as nuanças evocativas que atraíam o pensamento para o domínio da Harmonia na Arte. Tratava-se particularmente de residências, habitações, em que a arquitetura, como a arte decorativa, sobrepujariam tudo quanto os clássicos terrenos têm imaginado de mais nobre e mais belo; de miniaturas de cidades ou aldeamentos pitorescos e lindos, com lagos graciosos marginados de alfombras floridas e odoríferas; de templos consagrados ao cultivo das Belas-Letras como das Artes em geral, notadamente da Música e da Poesia, que ali notamos atingir proporções vertiginosas, inimagináveis para qualquer pensador terreno, como no caso de Frédéric Chopin, a quem tivemos ocasião de assistir transfigurar a magia dos sons, em encantamento de vocabulário poético traduzido em seqüência arrebatadora de visões ideais, as quais ultrapassavam nossas possibilidades quanto à idéia do Belo, arrancando-nos lágrimas de enternecimentos inéditos, assim auxiliando o despertar de faculdades espirituais que em nosso ego jaziam latentes! Dir-se-ia mesmo serem a Música e a Poesia as artes preferidas pelos iniciados – se fora possível afirmar tais predileções em mentes como aquelas, educadas sob os mais adiantados princípios do Ideal que poderíamos conceber! E até reproduções exatas, porém apresentadas em sublime estado de quinta-essência, lidimamente aformoseadas até à reverência, porque construídas fluidicamente, sob pressão de vontades adestradas na superioridade das concepções magnânimas do Amor e do Bem – das paisagens evocativas da peregrinação messiânica, cenários sugestivos e atraentes dos primeiros acordes da palavra imortal que descera das Regiões Celestes para consolo dos sofredores e liberação dos oprimidos!

Foi-nos concedida, assim, a satisfação gratíssima de palmilhar ao longo do lago de Genesaré como de Tiberíades e de outros locais saudosos, testemunhas do divino apostolado do Senhor; e, tais eram as sugestões de que impregnavam essas reproduções, que era como se o Divino Amigo houvesse dali se afastado desde apenas poucos momentos, pois recebíamos ainda, em nossas repercussões mentais, o doce murmúrio de sua voz como que emitindo os últimos acordes, que se diriam vibrando no ar, da melodia inesquecível que tão bem há calado no coração dos deserdados, faz dois mil anos:

"Vinde a mim, vós que sofreis, e eu vos aliviarei. Aprendei comigo, que sou brando e humilde de coração, e achareis repouso para vossas almas..."

Em presença dessas augustas expressões de amor e veneração ao Mestre, concedidas pelas nobres entidades executoras da beleza do burgo onde vivíamos, muitas vezes abismei-me em meditações profundas e enternecedoras, enquanto deixava rolar doridas lágrimas de arrependimento à evocação daquele ano 33, que, agora, eu poderia recordar com facilidade –, quando, madeiro ao ombro, paciente, humilde, resignado, o Messias, agora venerado em meu coração, então galgava a encosta rumando ao Calvário, ao passo que eu vociferava demoniacamente, exigindo com presteza o seu suplício!

No entanto, à entrada de cada um desses locais via-se o distintivo da Legião e o nome das servidoras que os imaginavam e realizavam, pois convém esclarecer serem todas essas minúcias realizadas pela mente feminina sediada nos serviços educativos do nosso Instituto.

Em cada dia de reunião, eram oferecidas aos circunstantes, como em particular aos internos, horas gratíssimas de sublime aprendizado, durante o qual nos ofertavam comoventes exemplos de abnegação, de dedicação ao próximo, de humildade e paciência, como de heroísmo e valor moral frente à adversidade, os quais caíam em nosso âmago como generoso estímulo ao progresso que necessitávamos tentar. Esse aprendizado, concedido pela empolgante elucidação extraída da própria história da Humanidade com suas lutas e dores inumeráveis, suas vitórias e reabilitações, era-nos ministrado, conforme foi esclarecido, por nossos próprios mestres e mentores ou pelas caravanas visitadoras que até nós desciam no intuito fraterno de contribuir para nosso conforto e progresso. Porém, muitos dramas fortes, vividos pelas próprias damas da Vigilância, assim como por personagens destacadas de nossa Colônia, como Ramiro de Guzman e os dois de Canalejas, foram-nos permitidos conhecer como exemplificação e advertência, muitos apresentados mesmo como modelos dignos de serem imitados. E esses dramas mais não eram do que a narrativa, que faziam, das lutas sustentadas durante as experiências do progresso, dos sacrifícios testemunhados na encarnação ou através de labores incansáveis no Espaço. Sobre o que nos davam a conhecer, éramos convidados, depois, a opinar e fazer apreciações e comentários morais e artísticos, observando nós outros, entre muitas outras coisas importantes para o nosso reajuste nos campos da Moral, o fato surpreendente de encontrar-se o homem rodeado das mais formosas expressões de uma Arte superior entre todas, durante as lides profundas de cada dia: – a Arte gloriosa de aprender a desenvolver em si mesmo os valores espirituais que se encontram latentes em suas profundezas anímicas!

Um dia, finalmente, fomos informados de que tocara a vez de nossas bondosas vigilantes apresentarem o fruto de suas meditações fulgentes, de sua sensibilidade nobremente inclinada para os ideais superiores. Grande alvoroço agitou nosso grupo, como seria natural; a expectativa emocionava-nos, e foi apossados de incontida satisfação que, no dia aprazado, nos dirigimos para os locais criados por aquelas ternas amigas, cujo fraternal desvelo mantinha sempre acesa em nosso imo a chama do afeto sacrossanto da Família, o desejo do lar, o respeito de nós mesmos.

Rita de Cássia era poetisa. Seu sensível feitio de crente convicta e seu formoso caráter fortalecido no fervor diário de atos de amor e dedicação ao próximo, quer no seio da sociedade em que espiritualmente vivia ou no desempenho de tarefas ao seu cuidado confiadas para as operosidades em planos terrenos, deixavam-se embalar ao ritmo de legítima inspiração. Ela própria viera ao Internato requisitar nossa presença, conduzindo-nos à sua residência, onde então entramos pela primeira vez. Tratava-se de mimoso santuário arquitetado sob domínio de sugestões comovedoras da sua grande piedade filial, pois ela o imaginara através de saudades santificadoras e resignadas daqueles que foram seus pais na Terra, os quais muito a haviam amado, pois Ritinha era modelo de filha amorosa e terna, agradecida e respeitadora! À sua residência de Cidade Esperança ela imprimira, portanto, o conjunto minucioso, porém elevado por singular aformoseamento, do lar paterno, sob cujos desvelos vivera sua curta existência planetária, a última vez, em Portugal, extinta lá pelos idos de 1790...

...Entardecia suavemente. Tonalidades mansas mesclavam de reverberações variegadas a atmosfera melancólica da Cidade Universitária, que se diria penetrada de fluidos lucilantes e regeneradores, os quais, alindando-a, lenificando-a, a todas as mentes ali aquarteladas induziam a vibrações ternas, a todos os corações mobilizando para ritmos superiores.

Eram em número diminuto os convidados da formosa entidade que recepcionava aquela tarde. Seus pupilos, alguns amigos mais íntimos e os mestres iniciados, cuja presença seria indispensável – pois que também ela aprendia ao contacto das lúcidas mentalidades que a nós outros educavam –, era toda a assistência. Entre os amigos notamos com prazer os dois de Canalejas, Joel Steel, a quem a menina parecia render culto fraterno fervoroso, e Ramiro de Guzman.

Todos reunidos, a jovem poetisa chamou-nos para certo recanto ameno do jardim, onde o efeito dos últimos raios do Astro Rei, casando-se aos fluidos ambientes, realizavam arrebatador matiz, coisa que, para nós outros, pobres desconhecedores dos fascinantes motivos comuns ao mundo espiritual, se afigurou um retalho do céu para ali transplantado como bênção encantadora e consolativa. Penetramos, porém, então, como que numa câmara de dimensões amplas e agradáveis, verdadeiro escrínio de sonho, cuja graciosidade e doce beleza seriam como atestados mimosos da gentileza da sua criadora, menina cuja mente, não obstante muito esclarecida, aprazia-se em conservar a delicada sensibilidade das quinze primaveras. Tratava-se de pequeno salão ao ar livre, engrinaldado de rosas trepadeiras cujo aroma deliciava, estimulando o senso do Belo, o anseio pelo melhor. Artísticas e originais poltronas alinhavam-se em semicírculo, as quais, como estruturadas em ramarias de arbustos floridos, predispunham graciosamente o recinto, qual se esperassem anjos ou fadas para reunião seleta, enquanto acima o firmamento docemente azulado deixava escorrer a claridade longínqua dos planetas e dos sóis multicores, entornando também com ela a harmonia esplendente da sua celestial beleza.

Uma harpa, que se diria estruturada com essências aurifulgentes, muito belas e translúcidas, destacava-se ao lado de pequena mesa de construção idêntica, artística qual jóia de filigrana, e sobre ela um livro – um grande álbum –, primor fluídico, luminoso qual pequena estrela azul, despertando imediatamente a atenção dos presentes.

Sentou-se Ritinha de Cássia à mesa, depois de haver disposto os convidados nas poltronas, permanecendo nós outros, os tutelados, em primeiro plano. Tomou do livro a gentil preceptora, abrindo-o em seguida. Tratava-se da mais recente coleção de suas composições poéticas, ilibadas criações de sua mente voltada para ideais superiores, nos campos da nobre e meritória arte de bem versejar. Os caracteres luminosos, como acionados por almo e indefinível magnetismo, cintilavam como decalcados em estrias beijadas pelos revérberos das estrelas distantes que, conosco, partilhavam da harmonia do entardecer.

Solicitou a jovem anfitriã ao irmão Ramiro de Guzman que a acompanhasse ao som da harpa, no que foi gentilmente atendida. Acordes clássicos de suave melodia ondularam pelo recinto florido e perfumado, dando a estranha impressão, porém, de que orquestração completa fazia-se ouvir apoiada somente na proteção sugestiva oferecida pelo divinal instrumento.

Então, no silêncio harmonioso da formosa Cidade Universitária, sob o flóreo dossel das rosas cintilantes e a bênção fulgurante das estrelas, Ritinha entrou a declamar suas produções poéticas. E nós, que, por essa época, apenas acabávamos de ambientar-nos ao local; nós, que, apesar disso, já recebêramos formosas lições de Moral, de Filosofia e de Ciência, fomos também agraciados com visões inéditas de indescritível beleza literária, até então inconcebíveis às nossas mentes! Ritinha lia no seu álbum. Mas, sua leitura superior, sua declamação mais do que maravilhosa – divina! –, artisticamente entonada por vibrações cuja arrebatadora doçura ultrapassava a possibilidade de uma descrição em linguagem terrena, sugeriam encantamentos, emoções inimagináveis, enquanto de Guzman completava a fascinação da peça com os acordes da música elevada e pura!

Espírito habilitado já para os carreiros do progresso franco, Rita de Cássia de Forjaz Frazão, cujo nome era, por si mesmo, poesia, também era das poucas vigilantes que sabiam plenamente criar as cenas do pensamento, coordená-las, dar-lhes vida, contornando-as de feição moral e pedagógica, realizando, num mesmo trabalho mental, o belo da Arte, a moral da Lei, a Utilidade da lição que prenda por apontar o sagrado dever de cada um servir à causa da Verdade com os dotes intelectuais e mentais que possuir! Nós outros, o grupo dos dez delinqüentes presentes, havíamos cultivado as Belas-Letras quando encarnados no globo terráqueo. Nenhum de nós, porém, soubera enobrecer o dom magnânimo conferido pelo labor continuado do Pensamento, aplicando-o a serviço regenerador dos leitores. Servíramos, quando muito, à nossa própria bolsa, à vaidade e ao orgulho, satisfeitos, por nos julgarmos privilegiados, senhores de situação especial, à parte dos demais homens, mas em verdade apenas produzindo banalidades fadadas ao olvido, quando, com teorias errôneas, não virulássemos a mente impressionável de um ou outro leitor, tão frívolo quanto nós, que nos levasse a sério.

Eis, porém, que, Além-Túmulo, uma menina de apenas quinze anos apresentava-nos o padrão do intelectual moralizado, ensinando-nos a servir à nobre causa da redenção própria e alheia enquanto cultivava o que fosse agradável e lindo, oferecendo-nos, assim, a proveitosa lição que caiu nas sutilezas do nosso entendimento, confundindo-nos e envergonhando-nos à lembrança do desperdício dos valores intelectuais que possuímos.

Entrementes, enquanto declamava a gentil poetisa, lendo em seu álbum cor de estrelas, de sua mente ebúrnea evolavam ondas luminosas, que, atingindo todo o recinto ornamentado de rosas, absorvia-o em suas vibrações dulcíssimas, a tudo impregnando do seu franco poder sugestivo. As cenas descritas nos versos cantantes e deliciosos corporificavam-se ao redor de nós, estabeleciam vida e movimento arrastando-nos à ilusão inefável de estarmos presentes em todos os cenários e passagens, assistindo, quais comparsas fabulosos, às elegias ou epopéias, aos doces romances de amor magnificamente contados através dos mais lindos e perfeitos poemas que até aquela data pudemos conceber! O desfile poético que a Terra venera como patrimônio imortal, legado pelos gênios que a têm visitado, daria pálida idéia do que presenciamos naquele entardecer lenificante do Burgo da Esperança! Os versos cantavam de preferência a Natureza, assim da Terra que do Espaço, e de alguns outros planetas habitados, já por ela estudados atenciosamente, louvando em arrebatados haustos ou glorificando em doçuras de prece a obra da Divina Sabedoria, envolta sempre nas miríficas expressões da Beleza e da Perfeição!

Aqui, eram os mares e oceanos deslumbrantes, retratados habilmente à nossa vista, à proporção que declamava a poetisa, positivando a suntuosa beleza que lhes é própria. À página seguinte vinham as odes triunfais às montanhas altaneiras e imponentes, monumentos eternos da Natureza à glória da Criação, ricas depositárias de valores inestimáveis, como escrínios sagrados onde o Onipotente ocultou tesouros até que os homens, por si mesmos, dignamente deles se apossem, como herdeiros que são da divina herança! Mais adiante, a exuberância das selvas, mundos ignotos diante dos quais a criatura medíocre se intimida e recua, mas que ao idealista emociona e revigora de fervor no respeito a Deus. As selvas! Sacrário fecundo e profuso, como o oceano, em cujo seio turbilhões de seres iniciam o giro multimilenar na ascensão para os pináculos do Existir, e seres, como toda a Criação, batizados nas bênçãos vivificadoras do Sempiterno, que os dirige através da perfeição suprema de suas leis! Mas não era tudo: – acolá, em mais outra página, floresciam elegias dizendo dos panoramas humanos em demanda da redenção; histórias emocionantes, atraentes, de amigos da própria poetisa, e que perlustraram caminhos sacrificiais, por atingirem ditosos planos na escala espiritual!...

Ao arrebatador anseio poético de Ritinha, nossas mentes com ela vibravam, captando suas mesmas emoções, as quais penetravam nossas fibras espirituais quais refrigerantes bálsamos propiciadores de tréguas às constantes penúrias pessoais que nos diminuíam. E era como se estivéssemos presentes, com seu pensamento, em todo aquele fastígio imaginado: – vogando pelos mares imensos, galgando montanhas suntuosas para descortinar horizontes arrebatadores; alçando espaços estelíferos, mergulhando no éter irisado para o êxtase da contemplação harmoniosa da marcha dos astros; co-participando de dramas e acontecimentos narrados eloqüentemente, nas altas, sublimes expressões a que só a legítima poesia será capaz de nos arrastar!

Em verdade, os temas apresentados não nos eram desconhecidos.

Ela falara, simplesmente, de assuntos existentes em nossos conhecimentos. Justamente por isso era que podíamos sorver até ao deslumbramento a grandiosa beleza que de tudo irradiava. Todavia, suas análises de ordem superior revelavam feições inéditas para a nossa percepção, traduzindo o fato novidade empolgante para nossos espíritos engolfados nas conjeturas simplesmente humanas, quando o que presenciávamos agora era a classe elevada com que, literariamente, se poderia reportar ao plano divino! Quando sua voz silenciou e os sons da harpa esmaeceram nos acordes finais, nós outros, que desde muito nos desabituáramos de sorrir, deixamos expandir do seio reconfortado o sorriso bom de salutar satisfação. Ela própria usou da palavra, dirigindo-se a nós:

"– Conforme tendes compreendido, meus caros irmãos, procurei associar a idéia do divino às minhas humildes composições. Convidei-vos, como zeladora que também sou do progresso do sentimento moral-religioso nos vossos corações, a fim de vos recordar de que esquecestes de laurear vossos ensaios literários, quando homens fostes, com as benéficas ilações em torno das magnificências que o Universo oferece ao legítimo pensador... Tínheis Deus a se revelar aos vossos olhos, representado nos fastos inconfundíveis da Natureza! Poderíeis glorificá-lo fazendo das vossas produções oblatas e exaltações à Verdade, assim auxiliando a outrem, menos esclarecido do que vós, a encontrar também o Pensamento Divino esparso na gloriosa história da Criação!... Mas preferistes o negativismo destruidor, formas e análises insulsas, conceitos puramente humanos, eivados, portanto, de prejuízos, e fadados ao olvido, porque nem sequer a vós próprios foram capazes de edificar, preparando-vos para qualquer setor de vitória!... O que apresentei na tarde de hoje, recebestes como a mais elevada e sublime expressão literária que poderíeis conceber. Sabei, no entanto, que, para nós, é apenas o ponto inicial, simples abecedário de conhecimentos artísticos, pois sou apenas uma aprendiz humilde e ainda titubeante, da Ciência Universal..."

....

Não finalizaremos estas exposições sem darmos contas ao leitor do que se desenrolava nos Departamentos Femininos. Tratamos até agora dos casos de suicídio atinente ao elemento masculino. Sabei, no entanto, que bem pouco terei a acrescentar sobre o que ficou descrito neste volume, e assim mesmo ponderando, apenas, quanto a certas particularidades de instrução e reeducação íntima, algo diferente em torno de Espíritos que deveriam insistir em renascimentos, sob aparência carnal feminina, a fim de renovarem esforços fracassados ou repararem delitos graves, deslustrosos para o sexo como para a entidade que os cometera.

Espíritos que são, todas as criaturas têm grau idêntico de responsabilidade nos atos que praticam dentro ou exteriormente dos dispositivos da Lei Soberana que tudo rege, o que será o mesmo que declarar que nossas irmãs, as mulheres que se deixam absorver pela desesperação do suicídio, estão sujeitas aos mesmos efeitos resultantes da causa sinistra que criaram com um ato da própria vontade, efeitos já bastante indicados nestas páginas. São, pois, tão responsáveis pelas próprias ações, pensamentos, estados mentais, como nós outros, os homens. Daí se concluirá que a bagagem moral que possuírem, boa ou péssima, influirá sobremodo no estado a que se verão reduzidas pelo suicídio, estado já de si mesmo calamitoso e, por isso mesmo, digno de ser evitado com a aplicação da coragem moral, frente aos embates comuns à existência, e com resignação ante o inevitável. Ora, no decorrer do nosso aprendizado prático, o qual tinha por instrutor responsável o insigne mestre Souria-Omar, entidade extraordinária, cujas reencarnações haviam abrangido todos os setores sociais terrenos e que, por isso mesmo, obtivera latos conhecimentos sociológicos, em experiências incomuns no terreno psicológico, Souria-Omar, cujas aulas só eram ministradas em sentido prático, levou-nos de uma feita a observações muito interessantes nas dependências onde se asilavam nossas irmãs de infortúnio, infelizes mulheres que, fugindo ao nobre papel de depositárias de virtudes sublimadas, no mundo, deixaram-se arrastar para o mesmo abismo das paixões desordenadas, que nos tragou. Lembremo-nos de que, em chegando do Vale Sinistro, ainda no Departamento de Vigilância, ao sermos inscritos como tutelados da Legião dos Servos de Maria, separamo-nos delas, em virtude da necessidade de ocuparmos locais indicados para a nossa recuperação. Fazíamos, pois, reajuste espiritual em setores diversos, conquanto dirigidos por normas idênticas e sob tutela da mesma instituição.

Jamais nos fora dado convívio com o elemento feminino suicida. Ingressando na Cidade Universitária, porém, passamos a entrevê-lo, porquanto havia também várias senhoras suicidas cursando a mesma aprendizagem renovadora e, tal como nós, ali mesmo habitando até o momento do retorno à encarnação, continuando, não obstante, completamente separado do nosso o seu modo de existir.

Manhã clara e fresca orlava de tonalidades áureo--azuladas as avenidas imensas do cantão da Esperança, as quais observamos insolitamente movimentadas. Era extenso grupo de acadêmicos que partiam, com seus preceptores, em visita de instrução aos Departamentos Femininos, situados na outra extremidade da Colônia. Partíamos todos não sem dilatarmos as sensibilidades para um estado de real satisfação, reconfortados pela inefável atração da seleta companhia que nos honrava com sua proteção, porquanto também Aníbal de Silas, Epaminondas de Vigo e várias vigilantes tomavam parte na caravana.

Havia, então, precisamente dez anos que nos internáramos em Cidade Esperança. Já não nos arrastávamos, caminhando pelo solo ou obrigado ao socorro de uma viatura, como outrora. Progredíramos! Tornáramo-nos menos densos, menos sujeitos às atrações planetárias. Aprendêramos a planar pelo espaço, transportando-nos por um impulso da vontade, em volitações suaves que muito nos aprazíam, mormente no perímetro de nossa Colônia, onde tudo parecia mais fácil, como o seria na casa paterna. Esse o modo comum a um Espírito de transportar-se, mas que nosso estado amesquinhado de réprobos interceptara por longo tempo.

A fim de atingirmos os Departamentos Femininos, porém, iniciamos caminhada partindo das divisas da Vigilância com os Departamentos Hospitalares, pois lá estavam os marcos na magnífica avenida divisionária, indicando rumos para os variados grupamentos em que se resumia a solitária Colônia Correcional do astral intermediário.

Ao penetrarmos, surpresos, no Departamento Hospitalar Feminino, julgamos encontrar-nos em o nosso próprio, aquele que nos abrigara à chegada, tal a semelhança existente em ambos! As mesmas filiais, tais como o Isolamento, o Manicômio; características idênticas no estado moral e mental das irmãs delinqüentes, feitura semelhante nas disposições internas do burgo! Todavia, se a direção dos estabelecimentos anexos era a mesma, pois fomos deparar Teócrito como chefe geral dos hospitais, Irmão João à testa do Manicômio, padre Miguel de Santarém nos serviços do Isolamento, e padre Anselmo com um apêndice da Torre, os funcionários internos, como enfermeiros, vigilantes, guardas etc., já não eram os mesmos por nós conhecidos nos setores masculinos. Preenchiam tais cargos, ali, irmãs cujos méritos e virtudes nada ficariam a dever aos varões dos Departamentos Masculinos. Ao contrário, no altruístico afã de instruir, consolar, acompanhar, zelar, dirigir as atividades internas daquele burgo, encontramos vultos femininos tão respeitáveis e virtuosos que não é sem dilatada emoção perpassando por nossa sensibilidade espiritual que os recordamos, procurando retratá-los nestas páginas. No primeiro momento, como na sucessão das conclusões a que nos levaram as observações, a grande verdade ressaltou aos nossos olhos, chocando-nos até às lágrimas, ao passo que em nosso ego se iniciou a construção de um legítimo respeito pela mulher, a qual passamos a julgar com mais subida consideração, maior dose de boa vontade: – é que o Espírito muitas vezes reencarnado para tarefas e missões femininas adquire com muito mais presteza e eficiência as virtudes sólidas e redentoras, engrandecendo-se moralmente em menos tempo! As funcionárias dos burgos femininos, pois, auxiliares dos chefes iniciados, indispensável será confessá-lo, portavam muito mais elevadas qualidades morais e espirituais do que os nossos de Canalejas, Joel Steel, Irmão

Ambrósio, etc., etc., aos quais tanto devíamos pelo zelo incansável com que nos assistiram. O corpo clínico, composto, como sabemos, de cientistas iniciados, era o único representante de atividades masculinas a exercer tarefas ali. Ainda assim, discretos, apenas entrevistos nos curtos minutos em que operavam, também eram para nossas companheiras de Colônia o mesmo enigma que haviam sido para nós. Não lhes conhecêramos jamais os nomes, sequer ouvíramos algum dia o timbre das suas vibrações vocais! No entanto, que de favores lhes devíamos! que de bênçãos celestiais atraíram para nos lenificar as dores íntimas, graças aos fecundos poderes psíquico-magnéticos de que eram depositários! Com quanto devotamento os vimos dedicarem-se à causa do nosso reajuste, consolando-nos as exaltações mentais ao influxo de bálsamos fluídicos poderosos, refrigerando as ardências das repercussões ferazes que durante tantos anos perseguiram nossos perispíritos abalados pelo choque derivado do suicídio!

Sorridente, irmão Teócrito, recebendo-nos na sede do Departamento, franqueou os hospitais à visitação. Lembramo-nos então de que, quando debaixo de sua jurisdição, muitas vezes fôramos visitados por caravanas idênticas, e sorrimos agora, compreendendo o que fora passado...

Havia uma vice-diretora, a qual se incumbia de transmitir as ordens dos iniciados às funcionárias que sob sua direção desempenhavam nobres e santificantes labores. Chamava-se Hortênsia de Queluz, aparentava trinta anos de idade e vimo-la irradiando singular beleza fisionômica, atestado do sereno equilíbrio dos seus pensamentos voltados para o Bem e das vibrações harmoniosas da mente fortalecida por incorruptíveis diretrizes. Bondosamente ofereceu-se a acompanhar-nos, e, enquanto caminhávamos, oscilando brandamente sobre as longas avenidas recobertas pelo sudário branco tão nosso conhecido, que ali, como em nosso antigo burgo hospitalar, apresentava o característico das zonas astrais muito densas, Hortênsia de Queluz falava, dando a perceber elevados conhecimentos referentes ao caráter feminino:

"– Encaminhar-vos-ei primeiramente, conforme orientação dos vossos mestres, a um dos mais trágicos quartéis do nosso Instituto, onde vereis o inconcebível refletir-se em efeitos inesperados, em torno de nossas infelizes irmãs delinqüentes... Será oportuno recordar, meus irmãos, antes que vossos mentores iniciem os esclarecimentos que vos serão necessários, de que a mulher, em sua grande maioria, infelizmente, na Terra, ainda não chegou a compreender o verdadeiro móvel por que reencarna como mulher, o papel que lhe está afeto no concerto das nações terrenas, no seio da Humanidade, que é chamada a servir, tanto quanto o homem! Habituado a trato como a julgamento inferior através dos séculos, o elemento feminino terreno acabou por acomodar-se à inferioridade, sem ânimo para elevar-se virtuosamente do opróbrio que suporta... e a tal ponto que, nos dias correntes, como no passado, ele apenas se limita à orientação do servilismo em prol do elemento masculino, descrendo dos ideais redentores, incapacitando-se para o preenchimento dos intuitos do Criador, diminuindo-se mais ainda quando julga ao homem equiparar-se, por lhe imitar as ações com as paixões e atos deslustrosos, o que, afinal de contas, se aos representantes do primeiro gênero desdoura, aos do segundo implica em labirinto de deméritos perante a Soberana Lei. Daí as desgraças que vêm sobrecarregando a mulher, as quais seriam certamente insolúveis se a Providência não estabelecesse necessários corretivos através de suas leis tão misericordiosas quanto sábias, corretivos que tenderão sempre à reabilitação justa e rápida da mulher, nos campos da Moral Espiritual!... Observai, porém, com vossos próprios olhos... Vossos preceptores saberão o que apresentar para a lição do dia..."

Chegáramos ao Manicômio. Uma religiosa recebeu-nos. Era Vicência de Guzman, a nobre irmã do nosso amigo da Vigilância.

Depois dos fraternais cumprimentos e apresentações, Hortênsia recomendou-nos à irmã Vicência, a quem deu autorização para conduzir-nos aos recintos interditados às visitas comuns, pois tratava-se, no caso vigente, das instruções programadas para os aprendizes universitários, retirando-se em seguida. Amável e delicada, a jovem religiosa que respondia pelo expediente, na ausência de irmão João, levou-nos a um pátio de enormes dimensões, pitoresco e agradável, para o qual deitavam numerosas janelas, todas gradeadas, pertencentes a câmaras secretas, ou melhor, a celas individuais onde se debatiam Espíritos de mulheres suicidas atacados do mais abominável gênero de demência que me foi dado observar durante o longo tempo que passei no Além-Túmulo. Gritos desesperados, gemidos aterrorizantes invadiam o local de ondas trágicas, tornando-o repulsivo e agoirento, como verdadeira morada de loucos! Malgrado o tempo que fazia do nosso ingresso na benfazeja Colônia, recordamo-nos do Vale Sinistro e admiramos profundamente ali ouvirmos o coro nefasto próprio daquelas paragens de trevas. Nada indagamos, no entanto, certos de que as elucidações viriam a tempo.

Realmente, como que compreendendo nosso interesse, a própria religiosa esclareceu a dúvida que nos assaltara, ao mesmo tempo que nos fazia aproximar das janelas a fim de examinarmos o interior das ditas câmaras, porquanto impossível seria ali penetrarmos por outra forma:

"– São as suicidas que apresentam maior grau de responsabilidade na prática do delito e que, por isso mesmo, arrastam o maior cabedal de prejuízos para o futuro, enfrentando através do tempo situações atrozes, que requisitarão períodos seculares a fim de serem modificadas, completamente sanadas! Estas infelizes, meus caros irmãos, deixaram-se escravizar por complexos sinistros, os quais se desdobram em seqüências tão desastrosas que, moralmente, é como se se debatessem elas à semelhança de quem, naufragando no lodo, mais se revolve em lama, aviltando-se para libertar-se... Um traço destes pavorosos complexos é o vergonhoso motivo que as arrancou da existência terrena antes da época determinada pela ação da lei natural... Muitas, além do mais, conspurcaram as leis do Matrimônio, atraiçoando a moral do compromisso conjugal, esquecidas de que, ao reencarnarem, haviam prometido à Lei, como a seus Guardiães, servirem de fiéis zeladoras do instituto sagrado da Família, educando os filhos nas leis do Dever e da Justiça, procurando torná-los cidadãos úteis à Pátria e à Humanidade e, portanto, à Causa Divina e à lei de Deus! Pois bem! Com semelhantes compromissos a lhes pesarem na consciência e à face da Suprema Lei, eis que, não só profanaram os vínculos santos do Matrimônio como também as leis da Criação, negando-se às funções da Maternidade e entregando-se às paixões e aos vícios terrenos, absorvidas que preferiram ficar pelo descaso no cumprimento de sacrossantos deveres, dominadas pelas vaidades letais próprias das esferas sociais viciadas e seguindo pelos caminhos da inferioridade moral! Expulsavam das próprias entranhas, furtando-se aos compromissos meritórios e sublimes da Maternidade, os corpos em gestação, apropriados para habitação temporária de pobres Espíritos que tinham compromissos a desempenharem a seu lado como no seio da mesma família, os quais precisavam urgentemente renascer delas mesmas, a fim de progredirem no seu âmbito familiar e social, e tal crime praticavam, muitas vezes, anulando abendiçoados labores levados a efeito, nos planos espirituais, por obreiros devotados da Vinha do Senhor, os quais haviam preparado o sublime feito da reencarnação do Espírito carente de progresso, com todo o zelo para que o êxito compensasse os esforços, e, o que é mais grave ainda, depois que a entidade reencarnante já se encontrava ligada ao seu novo fardo em preparação, o que equivale dizer que, cientes do que faziam, cometiam infanticídios abomináveis! Acontece que, ao fim de tantos e tão graves desatinos à luz da Razão, da Consciência, do Dever, da Moral, como do pudor pertinente ao estado feminino, deixaram prematuramente o corpo carnal, morrendo, elas próprias, para o mundo físico-material, num dos vergonhosos ultrajes cometidos contra os sagrados direitos da Natureza; outras, depois de luta ímproba e aviltante, durante a qual, à custa de criminosos deméritos, extinguindo em si mesmas as fontes sublimes da reprodutividade, próprias da condição humana, adquiriram, como seqüência natural, enfermidades lastimáveis, tais como a tuberculose, o câncer, infecções repulsivas, etc., etc., que as fizeram prematuramente atingir o plano invisível, sacrificando com o corpo carnal também o futuro espiritual e a paz da consciência, maculando, além do mais, o envoltório físico-astral – o perispírito – com estigmas degradantes, conforme podereis examinar... e rodeando-se de ondas vibratórias tão desarmoniosas e densas que o deformaram completamente, reduzindo-o à expressão vil das próprias mentes... "

Aproximamo-nos, temerosos do que contemplaríamos, enquanto a irmã de Ramiro de Guzman acrescentava:

"– Pertencem a todas as classes sociais terrenas, mas aqui se nivelam por idêntica inferioridade moral e mental! Das classes elevadas, porém, acorre o maior contingente, com agravantes insolúveis dentro de dois ou três séculos e até mais... pois que, infelizmente, meus irmãos, sou obrigada a declarar existirem algumas que, a fim de se libertarem das garras de tanto opróbrio, em menos tempo, estarão na terrível necessidade de estagiarem em mundos inferiores à Terra, durante algum tempo, pois que não é em vão que a criatura ousará impedir a marcha dos desígnios divinos, com a Lei Suprema abrindo tão inglória luta!..."

A um gesto da zelosa servidora investigamos o interior das celas, mas recuamos imediatamente, com involuntário gesto de horror.

Acercou-se Souria-Omar, obrigando-nos a atitude digna e respeitosa, enquanto se retirava Vicência para um ângulo.

Voltamos à observação, e, enquanto dissertava o elucidador, fornecendo a ciência dentro do exame prático em torno do que víamos, e cuja contextura caberia num volume, destacavam-se aos nossos olhos espirituais as aviltadas figuras das infanticidas, também consideradas suicidas.

Oh, Senhor Deus de todas as Misericórdias! Como se verificariam tais monstruosidades sob a luz sacrossanta do Universo que criaste para que o Homem nele se glorificasse, aos seus embalos progredindo em Amor, Virtude e Sabedoria até atingir a Tua imagem e semelhança?!... Que formas repelentes e abomináveis se apresentaram, então, ante nossos olhos pávidos de Espíritos que pretendiam soletrar as primeiras frases do majestoso livro da Vida?!... Como poderia a mulher, ser mimoso e lindo, rodeado de encantos e atrativos incontestáveis, moralmente amesquinhar-se tanto, para chegar a tão funestos resultados?!... O que víamos, então, ali?... Seria mulher?!!! Porventura um monstro primitivo?...

Não! Víamos – isso sim! – um Espírito defraudador da mais sublime quanto respeitável lei do Criador, a lei da reprodução da espécie para a finalidade suntuosa do Progresso! A lei divina da procriação!

Vultos negros, esgrenhados, como envolvidos em farrapos, padrão trágico da Ruína, bracejavam contra mil formas perseguidoras que superlotavam o recinto rodeando-lhes a personalidade. Ao longo dos seus corpos entenebrecidos pelas impurezas mentais, notavam-se placas quais chagas generalizadas, sobre as quais desenhos singulares apareciam como decalcados em fogo ou sangue! Firmamos a atenção, procurando observar melhor, a um sinal do instrutor. Tratava-se da reprodução mental de embriões humanos que tenderiam a se desenvolver outrora, nos aparelhos procriadores carnais, mas que se viram repelidos do sagrado óvulo materno por ato de desrespeito à Natureza como à paternidade divina, permanecendo, todavia, sua imagem refletida no perispírito da genitora infiel, como produto mental de um crime cometido contra um ser indefenso e merecedor de todo o amparo e da máxima dedicação!

Várias daquelas criminosas entidades viam-se desfiguradas por três, por cinco, dez imagens pequeninas, o que lhes alterava sobremodo as vibrações, desarmonizando-lhes completamente o estado mental. Cenas deploráveis, fiéis produtos da mente que só se alimentou da ociosidade nociva do pensamento; recordações luxuriosas, esmagadoras provas de conduta infiel à Moral povoavam o lúgubre recinto, transformando-o em habitacão de uma coletividade execrável, enlouquecedora! Lutavam as desgraçadas, bracejando sem tréguas, no intuito de repelirem as visões macabras oriundas dos próprios pensamentos! Os pequeninos seres, outrora por elas sacrificados em suas entranhas, esvoaçavam em torno, levados das repercussões do perispírito para as ondas vibratórias da mente, já irradiadas, e aí refletidas através de magnífico, sublime serviço consciencial, castigando a infratora na seqüência de leis naturalíssimas, por elas mesmas acionadas ao cometerem a infração! Eram quais moscas a zumbirem inalteravelmente em torno de mísero canceroso, desorientando-o até à loucura em vista dos inevitáveis desequilíbrios daí derivados! Apresentavam-se algumas, além do mais, plenamente obsidiadas pelas individualidades que deveriam habitar aqueles corpos repudiados; individualidades que, não lhes perdoando as deslustrosas ações, que redundaram em prejuízos para seus urgentes interesses espirituais, passaram a persegui-las com ódios e revoltas, afinados os seus perispíritos com os delas próprias pelas cadeias magnéticas naturais aos processos criadores do renascimento carnal; unificados ainda, como se continuasse no Além-Túmulo o processo de gestação fetal iniciado no estado humano-terreno que o infanticídio interrompera! Estas, dir-se-iam monstros fabulosos e nenhuma expressão da linguagem humana haverá que possa descrever a fealdade que arrastavam! Renasceriam, expiando o erro fatídico, calamitoso, consoante explicara o insigne catedrático, loucas irremediáveis, na tentativa de corrigenda para as desarmonias vibratórias, uma vez que tais casos são irremediáveis na situação espiritual; seriam repulsivos monstrengos, deformados, enfermos, cujo grau de anormalidade levaria os homens a duvidar da Sabedoria de um Deus Onipotente, quando justamente estariam estes diante de formosa página da Excelsa Sabedoria! E outras marchariam para *as trevas exteriores, onde rangeriam os dentes e chorariam* até que se pudessem libertar do maior opróbrio que pode deprimir o Espírito de uma mulher à frente do seu Criador e Pai! As *trevas exteriores*, porém, mais não eram do que o estágio terrível em habitações planetárias inferiores à Terra, o degredo vergonhoso daquele que não mereceu acato entre as sociedades civilizadas de um planeta que tende a se elevar no concerto do progresso, rumo à Fraternidade e à Moral!

Horrorizados do que víamos e de tudo quanto dizia o elucidador, e não isentos de surpresa, observamos serem os casos do Manicômio Feminino profundamente mais dolorosos e graves do que os da mesma instituição reservada a nós outros, os homens, porquanto a estes ultrapassam na tragédia das conseqüências!

Sentíamo-nos impressionados diante de tanta miséria, a qual, não obstante também culpados como éramos, jamais pudéramos conceber! Bem preferiríamos o verbo enternecido de Aníbal, repleto da magia suave do Evangelho e das visões encantadoras do apostolado messiânico... Mas cumpria-nos aprender, porque firmáramos o propósito de progredir, e tudo quanto víamos seria labor de reeducação, experiência a enriquecer-nos a mente e o coração!

Um dos aprendizes aventou a pergunta que bailava na mente dos demais:

"– A estas não nos lembramos de ver no Vale Sinistro... O estado em que se apresentam não será antes próprio de locais como aquele?..."

"– Supondes porventura que a generalidade dos delinqüentes será obrigada, por força da lei, a permanecer em uma única e determinada região do Invisível? – esclareceu o mentor, condescendendo. – Ou ignoráveis, que também se arrastam pelas baixas camadas sociais terrenas, em contacto com âmbitos viciosos com os quais se afinavam mesmo antes da desencarnação?... Seu inferno, o abrasamento que lhes requeima a consciência, antes não se estabelece, de preferência, nas fornalhas dos remorsos por eles mesmos acesas na própria mente?...

Não! Estas, que aí vedes, não estiveram no Vale Sinistro, porquanto, o fato de gravitar para ali a entidade considerada suicida, já traduz algo que implicará afinidades para o progresso normal no caso... Estas infelizes irmãs, porém, totalmente afinadas com as trevas, a consciência virulada por tremendas responsabilidades, e acompanhadas, todas, desde muito, por sinistro cortejo de entidades inferiorizadas na prática do mal, a cujas sugestões se prendiam através de laços mentais idênticos, ao expirarem, na vida carnal, foram envolvidas nas ondas vibratórias maléficas que lhes eram afins, assim permanecendo até agora e assim mesmo prosseguindo pelo futuro afora, até que expiações duríssimas, existências férteis nos serviços a prol do bem legítimo, venham a desatar os liames que ao mal as escravizaram, expungindo de suas consciências todo esse cabedal sinistro que as desfiguram no momento... Na deplorável situação em que as contemplamos, é bem verdade que se encontram em melhor estado do que já estiveram... Pelo menos estão sob dedicada proteção de fiéis amigos do Bem, abrigadas em local seguro onde não mais as perturbarão os odientos comparsas adquiridos na prática do mal, tampouco os inimigos que desde muito lhes seguiam os passos, quais os corvos farejando a podridão. Muitas desgraçadas que aí vemos – ao desencarnarem foram arrebatadas pelos componentes da falange perversa a que fizeram jus com os desatinos que praticaram e aprisionadas em localidades tétricas do Invisível e mesmo da própria Terra, sendo ali submetidas a maus-tratos e vexames inconcebíveis, indescritíveis! Casos existem em que as individualidades que delas deveriam renascer, mas foram repelidas com muito acervo de prejuízos e sofrimentos, associam-se aos seres perversos que as rodeiam para também castigá-las, com atos de execráveis vinganças. Outras, levadas por antigos pendores, permaneceram em antros de perversão e imoralidade, da sociedade terrena, durante longo tempo, aí vivendo animalizadas, mentalmente escravizadas a soezes instintos; ao passo que ainda outras, desesperadas, maldosas, acercavam-se de outras mulheres, ainda encarnadas, e que lhes permitissem acesso, para sugerirem a prática de ações idênticas às que as perderam, tecendo, assim, ação perfeitamente demoníaca por inspirar-se nos mais degradantes testemunhos da inveja e do despeito, por não mais usarem também um envoltório carnal! Dizer-vos dos exaustivos trabalhos a que se impõem, os servidores da Seção de Relações Externas e demais voluntários, a fim de libertá-las das garras de tamanha degradação, será supérfluo neste momento, uma vez que deles tendes algumas noções, graças à vossa colaboração nos serviços da Vigilância, colaboração que faz parte, como sabeis, do aprendizado que entre nós sois chamados a experimentar. Reencarnarão tal como se encontram e todas as providências já foram tomadas para a volta delas ao renascimento... Não estando em condições de alguma coisa escolherem voluntariamente, a Lei impõe-lhes a renovação carnal, para conquista de melhor situação, concordando com o grau de responsabilidade que trazem, ou melhor, o demérito acumulado pelos erros praticados impele-as a reencarnações expiatórias terríveis, o que quer dizer que, quando delinqüiram outrora traçavam, elas mesmas, esse destino de trevas, lágrimas e expiações, a que não poderão escapar! Os complexos de que se rodearam são insolúveis no Além-Túmulo e, urgentemente necessitadas de melhorias vibratórias, renascerão em qualquer meio familiar terreno onde igualmente haja resgates dolorosos a se confirmarem ou bastante cristãos e abnegados para que queiram fazer a caridade de recebê-las por amor de Deus... o que não será assim tão fácil..."

As demais dependências do Manicômio, assim como as filiais do Isolamento e da Torre apresentaram, ao nosso exame, dramaticidade comparável à que já foi por nós exposta, não nos permitindo, por isso mesmo, uma repetição descritiva. Tudo isso nos provou, entretanto, uma grande e esplendente verdade: – a mulher é tão responsável quanto o homem, espiritualmente, à face da Grande Lei, porquanto, antes de ser mulher, é ela, acima de tudo, um Espírito que se deverá afinar com o Bem, com a Justiça e com a Luz, concordando de boa mente a desempenhar as nobres e santificantes tarefas que lhe são confiadas pela lei do Criador, se não quiser incorrer nos mesmos deméritos e responsabilidades!

Todavia, descobrimos ainda no Departamento Feminino uma seção inexistente nos parques residenciais masculinos, e que convirá descrever. Era o Internato das Moças – como lhe chamavam as boas vigilantes –, espécie de educandário modelar para jovens suicidas, levadas ao sinistro ato por desequilíbrios sentimentais ou não, desilusões amorosas, etc., etc. Tal dependência existia tanto no parque hospitalar como na Cidade Esperança, o que veio explicar-me não viverem estas em promiscuidade com os demais casos femininos, desde a internação na Colônia. Durante o estágio no parque hospitalar, sujeitas a severo tratamento psíquico, sob os cuidados dos mesmos abnegados médicos que a nós outros assistiam, as que, no entanto, conseguiam melhoras vibratórias suficientes para o ingresso no parque reeducativo da Cidade Universitária eram dirigidas por virtuosos Espíritos femininos, que tratavam de prepará-las para o retorno aos testemunhos na Terra, tendo em vista deveres que acabavam de desacatar através da grave infração cometida com o suicídio, e mais tarefas apropriadas aos desvelos da mulher. A iniciação, então, era realizada à sombra dos mesmos mestres que a nós outros atendiam, bem como o aprendizado nos setores da cooperação aos serviços internos e externos da Colônia, conforme ficou esclarecido. Cursavam, enfim, uma Academia Feminina, onde deveriam aprender o legítimo papel a que é chamada a mulher a exercer em contacto com as sociedades terrenas, isto é, o papel da mulher virtuosa e cristã, porquanto fora justamente a deficiência desse ajuste o móvel dos arrastamentos que redundaram na temerosa infração em que se precipitaram! Não obstante, do Manicômio jamais saíram contingentes para os cursos da referida Academia, assim como raras foram as individualidades fornecidas pelo Isolamento para os mesmos magnos preparativos. Geralmente, tais contingentes eram pequenos e, tal como a nós outros, os homens, sucedia, partiam do Hospital Matriz. Do Internato das Moças, porém, acudia sempre a maior percentagem para os variados cursos da Cidade Universitária.

ÚLTIMOS TRAÇOS

Faz precisamente cinqüenta e dois anos que habito o mundo astral. Tendo-o atingido através da violência de um suicídio, ainda hoje não logrei alcançar a felicidade, bem como a paz íntima que é o beneplácito imortal dos justos e obedientes à Lei. Durante tão longo tempo tenho voluntariamente adiado o sagrado dever de renascer no plano físico-material envolvido na armadura de um novo corpo, o que já agora me vem amargurando sobremodo os dias, não obstante tê-lo feito desejoso de sorver ainda, junto dos nobres instrutores, o elemento educativo capaz de, uma vez mergulhado na carne, proteger-me bastante, o suficiente para me tornar vitorioso nas grandes lutas que enfrentarei rumo à reabilitação moral-espiritual.

Muito aprendi durante este meio século em que permaneci internado nesta Colônia Correcional que me abrigou nos dias em que eram mais ardentes as lágrimas que minhalma chorava, mais dolorosos os estiletes que me feriam o coração vacilante, mais atrozes e desanimadoras as decepções que surpreenderam o meu Espírito, muros adentro do túmulo cavado pelo ato insano do suicídio! Mas, se algo aprendi do que ignorava e me era necessário para a reabilitação, também muito sofri e chorei, debruçado sobre a perspectiva das responsabilidades dos atos por mim praticados! Mesmo desfrutando o convívio confortativo de tantos amigos devotados, tantos mentores zelosos do progresso de seus pupilos, derramei pranto pungentíssimo, enquanto, muitas vezes, o desânimo, essa hidra avassaladora e maldita, tentava deter-me os passos nas vias do programa que me tracei.

Aprendi, porém, a respeitar a idéia de Deus, o que já era uma força vigorosa a me escudar, auxiliando-me no combate a mim mesmo. Aprendi a orar, confabulando com o Mestre Amado nas asas luminosas e consoladoras da prece lídima e proveitosa! Muito trabalhei, esforçando-me diariamente, durante quarenta anos, ao contacto de lições sublimes de mestres virtuosos e sábios, a fim de que, das profundezas ignotas do meu ser, a imagem linda da Humildade surgisse para combater a figura perniciosa e malfazeja do Orgulho que durante tantos séculos me vem conservando entre as urzes do mal, soçobrado nos baixios da animalidade! Ao influxo caridoso dos legionários de Maria também comecei a soletrar as primeiras letras do divino alfabeto do Amor, e com eles colaborei nos serviços de auxílio e assistência ao próximo, desenvolvendo-me em labores de dedicação àqueles que sofrem, como jamais me julgara capaz! Lutei pelo bem, guiado por essas nobres entidades, estendi atividades tanto nos parques de trabalhos espirituais acessíveis à minha humílima capacidade como levando-as ao plano material, onde me foi permitido contribuir para que em vários corações maternos a tranqüilidade voltasse a luzir, em muitos rostinhos infantis, lindos e graciosos, o sorriso despontasse novamente, depois de dias e noites de insofrida expectativa, durante os quais a febre ou a tosse e a bronquite os haviam esmaecido, e até no coração dos moços, desesperançados ante a realidade adversa, pude colocar a lâmpada bendita da Esperança que hoje norteia meus passos, desviando-os da rota perigosa e traiçoeira do desânimo, que os teria impelido a abismos idênticos aos por mim conhecidos! Durante quarenta anos trabalhei, pois, denodadamente, ao lado de meus bem-amados Guardiães! Não servi tão-só ao Bem, experimentando atitudes fraternas, mas também ao Belo, aprendendo com insignes artistas e "virtuoses" a homenagear a Verdade e respeitar a Lei, dando à Arte o que de melhor e mais digno foi possível extrair das profundezas sinceras de minhalma.

Não obstante, jamais me senti satisfeito e tranqüilo comigo mesmo! Existe um vácuo em meu ser que não será preenchido senão depois da renovação em corpo carnal, depois de plenamente testemunhado a mim mesmo o dever que não foi perfeitamente cumprido na última romagem terrena, abreviada pelo suicídio! A recordação dolorosa daquele Jacinto de Ornelas y Ruiz, por mim desgraçado com a cegueira irremediável, num gesto de despeito e ciúme, permanece indelével, impondo-se às cordas sensíveis do meu ser como estigma trágico do Remorso inconsolável, requisitando de meu destino futuro penalidade idêntica, ou seja – a cegueira, já que a prova máxima de ser cego fora por mim, anulada à frente do primeiro ensejo ofertado pela Providência, mediante o suicídio com que julgara poder libertar-me dela, ficando, portanto, com esse débito na consciência!

De há muito devera eu ter voltado à reencarnação. O que fora lícito aprender nas Academias da Cidade

Esperança foi-me facultado generosamente, pela magnânima diretoria da Colônia, a qual não interpôs dificuldades ao longo aprendizado que desejei fazer. Até mesmo avantajados elementos da medicina psíquica adquiri ao contacto dos mestres, durante aulas de Ciência e no desempenho de tarefas junto às enfermarias do Hospital Maria de Nazaré, onde sirvo há doze anos, substituindo Joel, que partiu para novas experiências terrenas, no testemunho que à Lei devia, como suicida que também era. Tal aptidão valer-me-á o poder tornar-me "médium curador", mais tarde, quando novamente habitar a crosta do planeta onde tantas e tão graves expressões de sofrimento existem para flagelar a Humanidade culposa de erros constantes!

Faltava-me, todavia, o idioma fraterno do futuro, aquele penhor inestimável da Humanidade, e que tenderá a envolvê-la no amplexo unificador das raças e dos povos confraternizados para a conquista do mesmo ideal: – o progresso, a harmonia, a civilização iluminada pelo Amor! Era estudo facultativo esse, como, aliás, todos os demais deveres que tenderíamos a abraçar, mas que os iniciados, particularmente, aconselhavam a fazermos, a ele emprestando grande importância, porquanto esse idioma, cujo nome simbólico é o mesmo de nossa Cidade Universitária, isto é, Esperança – Esperanto –, resolverá problemas até mesmo no Além-Túmulo, facultando aos Espíritos elevados o se comunicarem eficiente e brilhantemente, através de obras literárias e científicas, as quais o mundo terreno tende a receber do Invisível nos dias porvindouros – servindo-se de aparelhos mediúnicos que também se hajam habilitado com mais essa faculdade a fim de bem atenderem aos imperativos da missão que, em nome do Cristo e por amor da Verdade e da redenção do gênero humano, deverão exercer.

Ora, convinha extraordinariamente aos meus interesses em geral e aos espirituais em particular, a aquisição, no plano invisível, desse novo conhecimento, ou seja, do idioma "Esperanto". Ao reencarnar, levando-o decalcado nas fibras luminosas do cérebro perispiritual, em ocasião oportuna advir-me-ia a intuição de reaprendê-lo ao contacto de mestres terrenos. Eu fora, aliás, informado de que seria médium na existência porvindoura e comprometera-me a trabalhar, uma vez reencarnado, pela difusão das verdades celestes entre a Humanidade, não obstante o fantasma da cegueira que se postou à minha espera nas estradas do futuro. Meditei profundamente na conveniência que adviria da ciência de um idioma universal entre os homens e os Espíritos, do quanto eu mesmo, como médium que serei, poderei produzir em prol da causa da Fraternidade – a mesma do Cristo –, uma vez o meu intelecto de posse de tal tesouro! Obtida, pois, a permissão para mais esse curso, matriculei-me na Academia que lhe era afeta e me dediquei fervorosamente ao nobre estudo.

Não era simplesmente um edifício a mais, figurando na extensa Avenida Acadêmica onde suntuosos palácios se alinhavam em magistral efeito de arte pura, mas escrínio de beleza arquitetônica, que levaria o pensador ao sonho e ao deslumbramento! Era também um templo, como as demais edificações, e nos seus majestosos recintos interiores a Fraternidade Universal era homenageada sem esmorecimentos, e sob as mais sadias inspirações da Esperança, por ministros do Bem, incansáveis em operosidades tendentes ao benefício e progresso da Humanidade. Localizado num extremo da artéria principal da nobre e graciosa cidade do Astral, elevava-se sobre ligeiro planalto circulado de jardins cujos tabuleiros profusos também se multiplicavam em matizes suaves, evolando oblatas de perfumes ao ar fresco, que se impregnava de essências agradáveis e puras. Arvoredos floridos, caprichosamente mesclados de tonalidades verde-gaio e como que translúcidas, ora esguios, de galhadas festivas, ou frondosos, orlados de festões garridos onde doces virações salmodiavam queixumes enternecidos, alinhavam as alamedas e pequenas praças do jardim, emprestando ao encantador recanto o idealismo augusto dos ambientes criados sob o fulgor das inspirações de mais elevadas esferas.

Não foi sem sentir vibrar nas cordas sutis do meu Espírito um frêmito de insólita emoção que lentamente galguei as escadarias que levavam à alameda principal, acompanhado, a primeira vez, de Pedro e Salústio, representantes que eram da direção do movimento universitário do cantão, isto é, espécie de inspetores escolares.

Ao longe, o edifício fulgia docemente, como estruturado em esmeraldinos tons de delicada quinta-essência do Astral. Dir-se-ia que os revérberos do Astro Rei, que muito de mansinho penetrava os horizontes do nosso burgo, resvalando brandamente pelos zimbórios e pelas cornijas rendilhadas e graciosas, o envolviam em bênçãos diárias, aquecendo com ósculos de fraterno estímulo a idéia genial processada no seu interior augusto por um pugilo de entidades esclarecidas, enamoradas do progresso da Humanidade, de realizações transcendentes entre as sociedades da Terra como do Espaço. Era, todavia, a única edificação refulgindo tonalidades esmeraldinas e flavas, em desacordo com suas congêneres, que lucilavam nuanças azuladas e brancas, e que não obedecia ao clássico estilo hindu. Lembraria antes o estilo gótico, evocando mesmo certas construções famosas da Europa, como a catedral de Colônia, com suas divisões e reentrâncias bordadas quais jóias de filigrana, suas torres apontando graciosamente para o alto entre flamejamentos que se diriam ondas transmissoras de perenes inspirações para o exterior. Os recintos interiores não decepcionavam, porquanto eram o que de mais belo e mais nobre pude apreciar nos interiores da Cidade Esperança. Feição de catedral, com efeitos de luzes surpreendentes e um acento de arte fluídica da mais fina classe que me seria possível conceber, compreendia-se imediatamente não serem orientais e tampouco iniciados os seus idealizadores; que não pertenceriam à falange sob cujos cuidados nos reeducávamos e que antes deveria tratar-se de realização transplantada de outras falanges, como que uma embaixada especial, sediada em outras plagas, mas com elevadas missões entre nós outros, e cuja finalidade seria, sem sombra de dúvidas, igualmente altruística.

Com efeito! A uma interrogação minha, Pedro e Salústio responderam tratar-se de uma filial da grande Universidade Esperantista do Astral, com sede em outra esfera mais elevada, a qual irradiava inspiração para suas dependências do Invisível, como até da Terra, onde já se iniciava apreciável movimentação em torno do nobilíssimo certame, entre intelectuais e pensadores de todas as raças planetárias!

Igualmente não era, como as demais Escolas do nosso burgo, dirigida por iniciados em Doutrinas Secretas. Seus diretores seriam neutros, na Terra como no Além, em matéria de conhecimentos filosóficos ou crenças religiosas em geral. Seriam antes renovadores por excelência, idealistas a pugnarem por um melhor estado nas relações sociais, comerciais, culturais, etc., etc., que tanto interessam a Humanidade. Ali destacamos grandes vultos reformadores do Passado emprestando do seu valioso concurso à formosa causa, alguns deles tendo vivido na Terra aureolados por insuspeitáveis virtudes, e com os próprios nomes registrados na História como mártires do Progresso, porquanto trabalharam em várias etapas terrenas, nobre e heroicamente, pela melhoria da situação humana e da confraternização das sociedades. Surpreendido, ali encontrei plêiade cintilante de intelectuais de toda a Europa aderidos ao movimento, entre muitos o grande Victor Hugo, para só me referir a um representante do continente francês, ainda e sempre genial e trabalhador, dando de suas vastas energias à idéia da difusão de um inapreciável patrimônio entre a Humanidade. Quando, por isso mesmo, tomei lugar no amplo e bem iluminado salão para o advento das primeiras aulas, confessava-me grandemente atraído para essa nova e admirável falange de servidores da Luz. Uma vez no recinto, onde nuanças docemente esmeraldinas se casavam ao rendilhado dourado da arquitetura fluídica e sutil, emprestando-lhe sugestões encantadoras, não me pude furtar à surpresa de averiguar ser o elemento feminino superior em número ao masculino, referência feita aos aprendizes. E, durante o prosseguimento de todo o interessante curso, pude verificar com que fervor minhas gentis colegas de aprendizado, as mulheres, se dedicavam à vultosa conquista de armazenarem no refolho do cérebro perispirítico as bases espirituais de um idioma que, uma vez reencarnadas, lhes seria grato lenitivo no futuro, afã generoso a lhes descortinar horizontes mais vastos, assim para a mente como para o coração, dilatando ainda possibilidades muito mais ricas de suavizar críticas situações, remover empecilhos, solucionar problemas com que porventura viessem a deparar no trajeto das reparações e testemunhos inalienáveis do porvir. E que de afeições puríssimas e blandiciosas, durante o mencionado labor?!... Ao amável aconchego dos meus companheiros de ideal esperantista, desde os primeiros dias harmonizadas as cordas do meu ser às suas vibrações gêmeas da minha, encheu-se o meu Espírito de indizível satisfação, o coração se me dilatando para o advento da mais viva e consoladora Esperança de melhores dias presidindo às sociedades terrenas do futuro, no seio das quais tantas vezes ainda renasceríamos, rumando para as alcandoradas plagas do Progresso!

Tal como no desenrolar das lições ministradas pelos antigos mestres Aníbal e Epaminondas, desde o primeiro dia de aula na Academia de Esperanto verificou-se magistral desfile de civilizações terrenas. Suas dificuldades, muitas até hoje insanadas, muitos dos seus mais graves impasses foram analisados sob nossas vistas interessadas, em quadros expositivos e seqüentes como o cinematógrafo, mostrando a Humanidade a debater-se contra as ondas até hoje insuperáveis da multiplicidade de idiomas e dialetos, dificuldades que figuravam ali como um dos flagelos que assolam a atribulada Humanidade, complicando até mesmo o seu futuro espiritual, porquanto no próprio Mundo Invisível se luta contra estorvos motivados pela diferença de linguagem, nas zonas inferiores ou de transição, onde prolifera o elemento espiritual pouco evolvido ou ainda muito materializado. Minúcias, ramificações, conseqüências surpreendentes até mesmo dentro do lar doméstico, empeços desanimadores, no alongamento das relações e até do amor, entre as nações, os povos e os indivíduos, tudo foi magistralmente examinado desde as primeiras civilizações contempladas no planeta até ao século XX, que eu próprio não alcançara no plano material. E, depois, a simplificação dos mesmos casos, a remoção das mesmas dificuldades, a aurora de um progresso franco, também alicerçado na clareza de um idioma que será patrimônio universal, da mesma forma que a Fraternidade e o Amor, unindo idéias, mentes, corações e esforços para um único movimento geral, uma gloriosa conquista: – a difusão da cultura em geral, a aproximação dos povos para o triunfo da unidade de vistas, a felicidade das criaturas!

Soletramos, então, os vocábulos. Eram-nos apresentados artística e gentilmente, através de quadros vivos e inteligentes. Sobrepunham-se estes em seqüências admiráveis de leitura, fornecendo-nos o de que necessitávamos para nos apossarmos dos segredos que nos permitiriam mais tarde até mesmo discursar fluentemente, em assembléias seletas. Eram, portanto, álbuns, livros móveis, inteligentes, como que animados por fluido singular, a nos ensinarem a conversação, a escrita, toda a esplendente irradiação de um idioma que se ia decalcando em nosso intelecto, permitindo-nos, quando reencarnados, a explosão de intuições brilhantes tão logo nos encontrássemos na pista do assunto! E tais eram as perspectivas que nos acenavam os fatos do cimo glorioso daquela conquista, que nos sentimos triplicemente irmanados a toda a Humanidade: pelos laços amoráveis da Doutrina do Cristo; pelo beneplácito da Ciência que nos iluminava o coração e pela finalidade a que nos arrastaria o exercício de um idioma que futuramente nos habilitaria a nos reconhecermos como em nossa própria casa, estivéssemos em nossa Pátria ou vivendo no seio de nações situadas nas mais diferentes plagas do globo terrestre, como até no seio do mundo invisível!

Ora, a Embaixada Esperantista em nossa Colônia não se limitava a facultar-nos elementos lingüísticos capazes de nos confraternizar com os demais cidadãos terrenos, com quem seríamos compelidos a viver nos arraiais da crosta planetária, em futuro próximo.

De quando em quando, das esferas mais elevadas desciam visitas de confraternização, no intuito generoso de encorajarem os irmãos de ideal ainda ergastulados nas dificuldades de antigas delinqüências. Verdadeiros congressos que eram, tais visitas à nossa Academia tratavam, em assembléias brilhantes, do interesse da Causa, das atividades para a vitória do Ideal, dos sacrifícios e lutas de muitos pares do novo empreendimento para a sua difusão e progresso! Era quando tínhamos ocasião de avaliar a colaboração daqueles vultos eminentes que viveram na Terra e cujos nomes a História registrou, e dos quais falamos mais atrás. Grandes turmas de alunos, aprendizes do mesmo movimento, e pertencentes a outras esferas, aderiam a tais congressos, piedosamente colaborando para o reconforto de seus pobres irmãos prisioneiros do suicídio.

Então, eram dias festivos em Cidade Esperança! Nas suntuosas praças ajardinadas que circundavam o majestoso palácio da Embaixada Esperantista, sobre tapetes de relvas cetinosas, garridamente mescladas de miosótis azuis, de azáleas níveas ou róseas, realizavam--se os jogos florais, perfeitos torneios de Arte Clássica, durante os quais a alma do espectador se deixava transportar ao ápice das emoções gloriosas, deslumbrada diante da majestade do Belo, que então se revelava em todos os delicados e maviosos matizes possíveis à sua compreensão! Destacavam-se os bailados coreográficos e mesmo individuais, levados a cena por jovens e operosas esperantistas, cujas almas reeducadas à luz benfazeja da Fraternidade não desdenhavam testemunhar a seus irmãos cativos do pecado o apreço e a consideração que lhes votavam, descendo das paragens luminosas e felizes em que viviam para a visitação amistosa, com que lhes concediam tréguas para as ominosas preocupações através do refrigério de magnificentes expressões artísticas!

Então, a beleza do espetáculo atingia o indescritível, quando, deslizando graciosamente pelo relvado florido, pairando no ar quais libélulas multicores, os formosos conjuntos evolucionavam traduzindo a formosa arte de Terpsícore através do tempo e dos característicos das falanges que melhor souberam interpretá-la; agora, eram jovens que viveram outrora na Grécia, interpretando a beleza ideal dos "ballets" de seu antigo berço natal; depois, eram egípcias, persas, hebraicas, hindus, européias, extensa falange de cultivadores do Belo a encantar-nos com a graça e a gentileza de que eram portadoras, cada grupo alçando ao sublime o talento que lhes enriquecia o ser, enquanto suntuosos efeitos de luz inundavam o cenário como se feéricos, singulares fogos de artifício descessem dos confins do firmamento para irradiar em bênçãos de luzes sobre a cidade, que toda se engalanava de esbatidos multicores, nuanças delicadas e lindas, que se transmudavam de momento a momento em raios que se entrechocavam, indescritivelmente, em artísticos jogos de cores, entrecruzando-se, transfundindo-se em cintilações sempre novas e surpreendentes! E todo esse empolgante e intraduzível espetáculo de arte, que por si mesmo seria uma oblata ao Supremo Detentor da Beleza, verificado ao ar livre e não no recinto sacrossanto dos Templos, fazia-se acompanhar de orquestrações maviosas onde os sons mais delicados, os acordes flébeis de poderosos conjuntos de harpas e violinos, que eram como pássaros garganteando modulações siderais, arrancavam de nossos olhos deslumbrados, de nossos corações enternecidos, haustos de emoções generosas que vinham para tonificar nossos Espíritos, alimentando nossas tendências para o melhor, ao nosso ser ainda frágil descortinando horizontes jamais entrevistos para o plano intelectual! Quantas vezes músicos célebres que viveram na Terra acompanharam as caravanas esperantistas à nossa Colônia, colaborando com suas sublimes inspirações, agora muito mais ricas e nobres, nessas fraternas festividades que o Amor ao próximo e o culto à Beleza promoviam! Mas tudo isso era manifestado em um estado de superioridade e grandiosa moral que os humanos estão longe de conceber!

Sucediam-se, porém, os concertos: cânticos orfeônicos atingiam expressões miríficas; peças musicais perante as quais as mais arrebatadas melodias terrenas empalideceriam; certamens poéticos em cenas de declamação cuja suntuosidade tocava o inimaginável, arrebatando-nos até ao êxtase! E o idioma seleto de que se utilizava esse pugilo magnífico de artistas pertencentes a falanges que viveram e progrediram sob a bandeira de todos os climas, de todas as Pátrias do globo terrestre, era o Esperanto, aquele que iria coroar a iniciação que fizéramos, reeducando-nos aos conceitos da Moral, da Ciência e do Amor!

Só se admitia, no entanto, a Arte Clássica. Em nossa Cidade Universitária jamais presenciamos o regionalismo de qualquer espécie. E depois que as lágrimas banhavam nossas faces, empolgadas nossas almas ante tanto esplendor e maravilhas, diziam nossas boas vigilantes, acompanhando-nos ao internato para o repouso noturno: – Não vos admireis, meus amigos! O que vistes é apenas o início da Arte no Além-Túmulo... Trata-se da expressão mais simples do Belo, a única que vossas mentalidades poderão alcançar, por enquanto... Em esferas mais bem-dotadas que a nossa existe mais, muito mais!... Cumpre, porém, à alma pecadora refazer-se das quedas em que incorreu, virtualizando-se através da renúncia, do trabalho, do amor, a fim de merecer o gravitar para elas...

....

O sentimento do dever leva-me a pensar seriamente na necessidade de volver aos páramos terrestres para testemunhar o desejo de me afinar definitivamente com a Ciência da Verdade que acabo de entrever durante meu estágio nesta Colônia. Não mais deverei permanecer em Cidade Esperança, a menos que pretenda agravar minhas responsabilidades com um estado de estacionamento incompatível com os códigos que acabo de estudar e aceitar. Incorreria em grave falta dilatando por mais tempo a reparação que a mim mesmo devo, bem como à lei do Sempiterno, por mim espezinhada desde muitos séculos. Dos antigos companheiros e amigos que imigraram do Vale Sinistro e que do Hospital ingressaram na Cidade Universitária, sou eu o único que até hoje aqui permanece, desencorajado de experimentar as próprias forças nos embates expiatórios das arenas terrestres. Belarmino de Queiroz e Souza, o nobre amigo cuja preciosa afeição me era dos mais gratos lenitivos durante as difíceis pelejas espirituais a caminho da reabilitação, há dez anos que partiu para novas experimentações, tendo preferido renascer no Brasil, por maior facilidade lhe oferecer, ali, o amparo da protetora Doutrina que abraçou durante os preparatórios nas Academias. Debrucei-me, comovido e afetuoso, sobre seu triste berço de órfão pobre, pois perdeu a mãe, tuberculosa, um ano depois do nascimento. Muitas vezes tenho sussurrado protestos de sempiterna ternura aos seus ouvidos infantis, durante as horas desoladas em que se põe a meditar, pequenino e infeliz, nos espinhos que já lhe ferem o coração. E muito hei chorado de compaixão e tristeza em contemplando sua infância angustiosa: – o braço semiparalítico, herança inevitável do suicídio no século XIX; mirrado e enfermo filho de tuberculosa, com idêntico futuro a aguardá-lo na maioridade! Desejei partir com ele, servir-lhe de irmão, vivendo a seu lado a fim de ampará-lo, consolá-lo, a mim mesmo reanimando ao contacto de sua leal afeição. Impossível fazê-lo, porém! Seria missão de amor que não estaria ao alcance de um réprobo como eu, carente dos mesmos socorros e atenções! Na Terra, nossos destinos e situações serão diversos. Somente mais tarde, após a vitória dos testemunhos bem suportados, reencontrar-nos-emos, aqui mesmo, a fim de reiniciarmos a marcha para o Melhor. Doris Mary igualmente se apresentou em seu favor. Desejava segui-lo no círculo familiar, pois que o amava ternamente, predispondo-se a sacrifícios por desejar suavizar-lhe as mesmas amarguras com os desvelos de um sentimento vazado na fraternidade cristã. Não lhe foi, porém, concedida permissão para tanto, porquanto tal abnegação implicaria círculo de infortúnios sucessivos e Doris possui méritos, tem direitos e compensações concedidas pela Lei, no panorama social terreno, por ter vindo de uma existência em que palmilhou áspera trilha de amarguras bem suportadas ao lado de um esposo incompreensível e brutal, trilha que o suicídio de Joel infelicitou ainda mais. Agora, seus guias não aconselharam novos sacrifícios pelo filho nos testemunhos que seria chamada a fazer e tampouco por

Belarmino, que idêntico desgosto causara à sua velha e dedicada mãe! Ela velaria, antes, por ambos, qual sombra luminosa e protetora que do Além projetasse, sobre o trajeto a realizarem, inspiração e consolo nas horas decisivas!

Como vemos, não só Belarmino, mas também Joel descera às renovações reparadoras. João d'Azevedo e Amadeu Ferrari igualmente voltaram ao dever de renovar as experiências fracassadas, e há oito anos já que os vi ingressar no Recolhimento para os devidos preparativos. Este último, presa de desgostos e inconsoláveis remorsos, nem mesmo terminou o curso de preparatórios que conviria a todos nós. Muniu-se de ardente coragem à luz dos ensinamentos do Divino Emissário e partiu, para o Brasil ainda, solicitando a mercê de um envoltório corporal negro e humílimo, onde positivasse pacientemente o duplo pesar que o afligia: – o suicídio de ontem e a tirania de outrora, como senhor de escravatura que fora! E não sei, Deus meu, por que me não encorajei ainda a lhes imitar o gesto nobre, quando até mesmo Roberto de Canalejas não mais faz parte do corpo de médicos aprendizes do Departamento Hospitalar, pois acaba de tomar novas vestes carnais em formosa incumbência nos Campos da Terceira Revelação, e quando Ritinha de Cássia, a linda e encantadora vigilante que tantas lágrimas enxugou aos meus olhos torturados de penitente, Ritinha, a quem me afeiçoara com a mais doce ternura fraternal possível ao meu coração, imitou o gesto de Roberto! Nas pelejas planetárias não existirá a tarefa matrimonial nas cogitações deste amigo admirável. Fiel ao antigo sentimento pela consorte adorada, preferiu antes servir a causas mais vastas, desdobrando-se em atividades a prol da coletividade. Rita, porém, caráter adamantino, coração evolvido para as altas aspirações, capaz, por isso mesmo, de positivar missões femininas de grande responsabilidade, pediu e obteve permissão de seguir no encalço de Joel, desposando-o após o testemunho que a este será indispensável frente à repetição das experiências em que fracassou, surgindo em sua vida como radiosa aleluia depois que ele se reabilitar perante a própria consciência! Amavam-se! Bem cedo percebi-o! E, enquanto traço estas linhas, ponho-me a pensar sobre a excelsitude da bondade do Senhor dos Mundos e das Criaturas, que permite à alma humana tais compensações, depois do ressurgimento das trevas do pecado!...[28]

Rita será, na Terra, como foi no Espaço, a vigilante amorosa e gentil que, no círculo familiar terreno, se rodeará de almas ainda carentes de amparo, consolando-as, reanimando-as, aquecendo-as sob as doçuras dos seus afetos, ao mesmo tempo que, através de virtuosos exemplos, as impulsiona para os caminhos da Vitória!

No vasto dormitório do Internato de Cidade Esperança, onde habito desde os alvores do ano de 1910, só existem "novatos". Às vezes profunda desolação vem acabrunhar minhalma, como alguém que, vivendo na Terra muitas décadas, se visse deserdado da presença dos amigos e familiares mais queridos, contemplando as

[28]Quantas vezes, nas efervescências de um sofrimento parecido irremediável, desespera-se a criatura, atirando-se à aventura sinistra de um suicídio, quando, dentro de curto espaço de tempo, encontraria a solução para o seu problema, a compensação, o auxílio da Providência como o consolo de que carecia! Faltou-lhe a paciência, porém, a necessária calma para refletir e esperar a melhoria da situação, e por isso um abismo de trevas, em séculos de lutas e renovações idênticas às fracassadas, positivou-se para o seu destino, ensinando que o que convém à criatura é a fortaleza e a paciência na adversidade, mas jamais a revolta e o desespero, que para nada aproveitam!

ruínas que a ausência dos seres amados, tragados pela morte, cavaram em torno de sua velhice, onde o gelo das íntimas agonias se aquartela, tornando-o incompreensível e intolerável no conceito dos moços que agora lhe povoam os dias. Os leitos dos meus velhos amigos são hoje ocupados por entidades outras que, conquanto também afinadas por idênticos princípios e ideais, não estão a mim tão ternamente estreitadas pelas cadeias forjadas no tempo e nos infortúnios em comum... Ali está a janela de balaústres bordados, ampla, dividida em três arcos de fino lavor astístico, lembrando construções hindus sublimadas por uma classe superior. Ao amanhecer, Belarmino se debruçava no seu peitoril para saudar a alvorada e comungar com o Alto na patena augusta da Prece! Aqui, a mesa singela em que me parece ainda ver debruçado o vulto constrangido e triste de João d'Azevedo exercitando a programação das atividades convenientes ao seu caso, nos campos carnais. Acolá, dispostos pitorescamente sob os cortinados olentes das galhadas do parque, os bancos onde eu e meus velhos companheiros de infortúnio nos recreávamos, falando das esperanças que acendiam energias novas em nosso imo! Contemplo esses pequenos nadas e as lágrimas me acorrem aos olhos. São as saudades que sussurram angústias no recesso de minhalma, dizendo que devo imitá-los sem detença, à procura de solver as dívidas incômodas da consciência! Jamais, no entanto, me deixei ficar ocioso. Procuro serenar o coração entristecido, ao lado de meus caros conselheiros, dando-me ao afã de servir aos mais sofredores do que eu. Reparto-me entre as tarefas do Hospital e variadas outras incumbências ao meu alcance, tanto na crosta do planeta como no perímetro de nossa Colônia, únicos limites em que poderei transitar enquanto não apresentar à Grande

Lei os testemunhos devidos! Mas nada disso será capaz de arredar das minhas ansiosas preocupações o juízo que de mim mesmo faço, juízo depreciativo daquele que sabe que principia a incorrer em novas faltas, agravando voluntariamente as responsabilidades que já lhe pesam. Dir-se-ia que não passo de um inescrupuloso parasito, a ocupar locais que melhor caberiam a outrem! E o rubor me cobre as faces sempre que, pelas alamedas pitorescas da Cidade, me entrecruzo com Aníbal de Silas, Epaminondas de Vigo e Souria-Omar, os quais há muito me dispensaram de suas aulas, até que, com a experiência do renascimento, possa eu dignamente provar os valores adquiridos. Sorriem-me bondosamente, contemplam-me com interesse. Mas os olhares que me dirigem são como flechas de fogo a perquirirem em minha consciência a razão por que me não animei ainda ao cumprimento do dever!

Carlos de Canalejas e Ramiro de Guzman muito me têm aconselhado nestes últimos tempos. Antes de partir para a reencarnação, fez Roberto que se estreitassem minhas relações de amizade com seu antigo sogro e amigo, recomendando-lhe ainda que se não olvidasse de a mim narrar, algum dia, a história dramática de Leila, cujo amor transportou às culminâncias da dor o coração de ambos. Tenho servido sob sua assistência freqüentemente, o que me forneceu vasto campo de trabalhos no setor terreno, pois, como sabemos, é ele o chefe da Seção de Relações Externas. Sob sua orientação tenho visitado os amigos de outrora, agora de volta ao cárcere carnal. Há cerca de dois meses regressei de um estágio de doze semanas nas plagas brasileiras, onde serviços de experiências, no campo da propaganda das verdades sublimes que hoje me edificam, absorveram minhas preocupações. Levou-me o bom mentor a visitar Mário

Sobral, reencarnado em certa capital tumultuosa do Brasil. Não me contive e deixei-me prorromper em copioso pranto à beira do grabato em que vi repousando o corpo mutilado do desgraçado amante e assassino da formosa Eulina. Sua habitação miserável, construída em frágeis tábuas de pinho e folhas de zinco arruinado pelo tempo, é a expressão da mais sórdida miséria dos brasileiros jungidos aos fogos de expiações dolorosas, na reconstrução sublime de si mesmos. Mas é também o único lar que convém à reencarnação de um antigo boêmio vaidoso dos dotes físicos, que, pelos antros de vadiagem brilhante e pela infâmia dos lupanares, desbaratou a herança paterna honrada e dificultosamente adquirida nos labores campestres!

Andrajosamente vestido, pés descalços crestados pela continuação do contacto com as pedras e poeiras das estradas em que transita; mutilado das mãos, cabelos ainda revoltos, despenteados, tal qual o víamos desde o Vale Sinistro, no Invisível; traços fisionômicos semelhantes aos que conhecíamos no Além; enfermo e nervoso, atacado de estranha enfermidade que lhe torturara a traquéia como os canais faríngeos, o que o leva freqüentemente a crises penosas, atraindo febre alta e tornando-o afônico; sem família, porque outrora, em Lisboa, ultrajou o círculo familiar em que havia nascido, honrado e amorável, que a Providência lhe permitira a fim de que ao seu contacto virtuoso se munisse de boa vontade para realizações honestas; pobre, miserável, mesmo faminto, porque não foi depositário fiel no pretérito, dos bens materiais que o Céu lhe confiara, antes dissipou-os, deles se valendo para a perversão dos costumes; analfabeto, uma vez que, universitário em Coimbra na existência pregressa, não aproveitara para nenhuma finalidade nobre a rica cultura intelectual com que a ciência das letras o dotara, antes deixou-se resvalar para a improdutividade, conturbando-se na bruteza dos costumes e incapacidades morais para a edificação de si mesmo como dos semelhantes; o que eu tinha agora sob meu olhar apavorado já não era aquele Mário cujo verbo brilhante e farto vocabulário encantava os companheiros de enfermaria, mas um infeliz mendicante, que estendia súplicas à caridade dos transeuntes! Era a ruína social reduzida ao mais baixo e amarguroso nível que me fora possível contemplar, e, por isso mesmo, prorrompi em pranto compadecido e angustiado. Mas ao meu lado Ramiro de Guzman sorria enternecido, tentando reconfortar-me com a luminosidade consoladora das sábias apreciações emitidas:

"– Exageras, Camilo! Não contemplamos um repositório de ruínas neste casebre ou neste fardo corporal mutilado, mas trabalho de reerguimento de uma Alma pertencente à Imortalidade, a quem os fogos de sinceros remorsos fustigaram, impelindo-a a conquistas enobrecedoras! Profundamente arrependido do passado mau, como deves recordar, Mário traçou – ele mesmo! – o mapa de expiações que aí vês, enquanto o suicídio por enforcamento forneceu a origem da enfermidade nervosa e da insuficiência vibratória dos aparelhos faríngeos, uma vez que seu organismo perispiritual se viu grandemente atingido pelas repercussões dali advindas... o que vem demonstrar ser todo este lamentável presente obra do seu próprio passado e não punição provinda de um juiz austero ou inclemente que se desejaria vingar.

Contemplas ruínas, dizes?... Pois bem, destes escombros ruinosos, cuja visão te amargura, despontará para teu amigo Mário Sobral a alvorada de progressos novos, porquanto, aqui se refazendo, estará solvida a dívida desonrosa que o atava às galés do remorso, reabilitando-o perante si mesmo e perante as leis que infringiu... Aliás, julgas, porventura, vê-lo aqui abandonado, à mercê tão-somente da caridade das criaturas humanas?... Enganas-te!... Pois não é, antes, pupilo da Legião dos Servos de Maria?... Não se encontra registrado no Hospital Maria de Nazaré? Deves recordar que tal encarnação é o tratamento conveniente a casos gravosos como o dele, sublime cirurgia que o levará bem cedo à convalescença... Irmão Teócrito não estará, porventura, à testa dos seus passos?... Vigilantes e enfermeiros do Hospital, como do Departamento a que pertenço, não o assistem carinhosamente, por ele velando como por enfermo grave, diariamente transfundindo energias, coragem, esperanças, sempre novas e mais sólidas, na sublime preocupação de ajudá-lo a remover as pesadas montanhas das iniqüidades levantadas em seu destino pelos atos por ele próprio cometidos à revelia do Bem?... Freqüentemente, eu mesmo não o visito, como neste momento o faço, fiel às incumbências que me dizem respeito, e não encaminho seu Espírito, muitas vezes, aos nossos postos de emergência do Astral, no intuito de reconfortá-lo, avivando energias fluídicas no seu envoltório físico-espiritual, a fim de que suporte a amarga sentença que se traçou sem demasiados desfalecimentos?... Não sabes, ao demais, que se arrasta entre sorrisos de uma conformidade que vem construindo vitória insofismável no ciclo expiatório inapelável que lhe cumpre vencer?... Sente-se ele mesmo feliz, pois, nas profundezas da consciência, existe a iluminá-lo a certeza alvissareira de que assim, tal qual o vês, está cumprindo o sagrado dever de cidadão imortal, cujo destino será afinar-se com os ritmos harmoniosos da lei do Bem e da Justiça universais!"

Calei-me, resignado e pensativo, pondo-me a meditar nas resoluções urgentes que eu mesmo deveria tomar. De Guzman apôs as mãos translúcidas sobre a fronte escaldante do antigo pupilo de Teócrito, transmitindo virtudes fluídicas que lhe beneficiassem a acabrunhadora dispnéia. Detive-me em concentração respeitosa, suplicando à Governadora Amorosa de nossa Legião concedesse alívio ao mísero comparsa de minhas antigas desventuras, ao passo que, terminada a operação generosa, virou-se novamente o nobre amigo, consolativo:

"– A Providência nos enseja caminhos de glórias, meu caro amigo, em lutas fecundas entre lágrimas e oportunidades de redenção... E, no trajeto, concede aos penitentes arrependidos compensações que freqüentemente não estarão à altura de apreciar, dados os impositivos criados pelo estágio em um fardo carnal..."

Virou-se para um ângulo sombrio do casebre, que eu deixara de examinar, preocupado com o quadro apresentado pela presença de Mário reencarnado, e apontou para uma forma que, humilde e silenciosa, velava o doente, enquanto costurava remendos em fatos já rotos, e disse:

"– Vês esta pobre mulher?... Não poderás sequer avaliar o excelente trabalho de redenção que, sob as vistas do Excelso Mestre, se opera nos refolhos de sua alma, tão arrependida quanto a de Mário, entre os espinhos de pobreza extrema, de lutas tão árduas quanto dignamente suportadas!..."

Busquei orientar-me, interessado e comovido ante o acento enternecido do nobre pensador que me acompanhava. Ao lado da porta de entrada, única existente no paupérrimo domicílio, procurando um pouco de claridade que a auxiliasse no trabalho humílimo em que se entretinha, destaquei uma mulher de cor negra, pobremente vestida, porém, asseada, aparentando cerca de cinqüenta anos. De sua fisionomia serena transpareciam singeleza e humildade. Admirado, interpelei o caridoso mentor:

"– Não a conheço... De quem se trata?..."

"– Faze tu mesmo um esforço, Camilo... Penetra as ondas vibratórias do seu pensamento, que progride no trabalho das recordações, e vê o que sucedeu há cerca de quarenta anos, ou seja, na época em que retornou Mário ao círculo carnal terreno..."

Obedeci, intrigado, enquanto a mulher negra se aproximava do enfermo, ministrando-lhe certa medicamentação homeopata, carinhosamente levantando-lhe a cabeça para, em seguida, retornar ao trabalho. Em derredor, o silêncio convidava à eclosão das recordações. Entardecia lá fora e o Sol feérico do Brasil esbraseava o ocidente com seus raios ardentes de ouro festivo, iluminando o firmamento com mil reflexos coralinos. Cá dentro a mulher pensava, pensava... Em torno do seu cérebro as imagens se erguiam em agitações e seqüências caprichosas, enquanto, apavorado e comovido, eu lia e compreendia como num edificante livro aberto diante de meus olhos:

– Mário renascera em um lupanar... Sua mãe, inconformada com a maternidade, observando, para cúmulo de desgraça, a mutilação deprimente, e vendo o filho sem forças para soltar os álacres vagidos do recém-nascido, meio sufocado por contrações espasmódicas qual se mãos férreas o desejassem prematuramente estrangular, encheu-se de horror e prorrompeu em excruciante pranto, repelindo o monstrengo que concebera.

Tratava-se de infeliz pecadora, a quem a maternidade seria empecilho à continuação da liberdade que se permitia. Contrafeita, pois, confiou o miserável rebento a uma pobre lavadeira que vivia pelas imediações, honestamente curvada sobre as duras tarefas impostas pela pobreza, prometendo gratificá-la mensalmente pelos serviços prestados ao pequenito. Aquiesceu a boa operária, não visando tão-só ao acréscimo do rendimento para sua desprovida bolsa, mas, principalmente, obedecendo aos impulsos caritativos do bem formado coração que trazia, porquanto, adepta de um farto manancial de luzes e esclarecimentos – a Terceira Revelação –, não obstante a condição obscura que ocupava no plano social, sabia que a adoção daquele entezinho que assim entrava na vida terrena, rodeado de tão sombrios informes do passado e tão desoladoras perspectivas no presente, seria certamente desígnio traçado pelo Alto! Recebeu-o, pois, em sua humilde choça, procurando amá-lo quanto possível, já que à sua porta batia ao nascer. Tinha ainda uma filha, menina de dez anos, pensativa e trabalhadora, e que obedientemente cooperava com a mãe nas lides difíceis de cada dia. Afeiçoou-se ao irmãozinho que o destino lançara em seus braços e, para auxiliar o esforço materno, criou pacientemente o desgraçado enfermo, dedicando-se durante quarenta anos à desvanecedora missão – como jamais o faria uma grande dama! Morrendo-lhe a genitora havia mais de quinze anos e falhando bem cedo a promessa da gratificação pela mãe irresponsável, feita no momento do repúdio ao filho infeliz, ali estava ainda, fiel no posto de abnegação, trabalhando para que o desventurado irmão tivesse de esmolar pelas ruas o menos possível!...

Aproximei-me da mulher e, num gesto de agradecimento pelo muito que vinha concedendo ao meu amigo querido, descansei a destra sobre aquela fronte negra que, para mim, naquele momento, era como se se aureolasse de adamantinos fulgores:

"– Que Jesus a abençoe, minha irmã, pelo muito que faz pelo pobre Mário, a quem sempre conheci tão sofredor!" – murmurei, sentindo lágrimas doloridas invadirem meus pobres olhos espirituais.

D. Ramiro de Guzman, aproximando-se grave, como reverenciando a Lei Sublime cujo magnânimo esplendor cintilava naquele tugúrio propício à redenção, sussurrou, surpreendendo-me até ao assombro:

"– Talvez ainda não adivinhaste quem aí está, encoberta neste envoltório corporal de cor negra, desdobrando-se em atividades cristãs a serviço do próprio reerguimento espiritual?..."

E porque eu o fitasse, interrogativo:

"– Eulina!..."

....

Tomei a resolução inadiável: – seguirei amanhã para o Departamento de Reencarnação, a caminho do Recolhimento, para tratar do esboço corporal físico-terreno, cuidando de pesquisas para o ambiente mais propício ao renascimento reparador. Consultei todas as autoridades da Colônia afetas ao meu caso e foram unânimes em me reanimar para o indispensável e proveitoso certame. Desejei levantar, eu mesmo, o programa para minhas tarefas de reajustamento às leis infringidas pelo suicídio, pois que possuo lucidez suficiente para tomar responsabilidade de tal vulto. Hei de cegar aos quarenta anos, mas cegar irremediavelmente, como se as órbitas vazias de Jacinto de Ornelas se transferissem para minha máscara fisionômica depois de três séculos de expectativa do meu Espírito dolorosamente apavorado diante da imagem incorruptível da Justiça! Consultei, todavia, pedindo inspiração e auxílio, os mestres queridos – Aníbal de Silas, Epaminondas de Vigo, Souria-Omar e Teócrito –, os quais carinhosamente atenderam minha solicitação por me ajudarem a equilibrar as linhas gerais da programação com os dispositivos da Lei. Todavia, só após minha internação no Recolhimento subirão os informes para o beneplácito do Templo. Afiançaram-me, aqueles amigos queridos, que se debruçarão sobre meus passos, guiando-me na senda do dever, inspirando-me nas horas decisivas quais tutelares incumbidos da minha guarda enquanto durar meu estágio neste generoso Instituto. Disseram-me que a assistência médica aquartelada no Departamento Hospitalar acompanhará a evolução do meu próximo futuro envoltório carnal desde o embrião, no sagrado escrínio genético, até os derradeiros instantes da agonia e da separação do meu Espírito do fardo que arrastarei para recuperação do tempo perdido com o suicídio! Dar-se-á minha libertação dos liames físico-terrenos aos sessenta anos de idade, tendo, portanto, vinte anos para olhar só para dentro de mim mesmo, a realizar trabalho fecundo e glorioso de auto-educação por domar manifestações do orgulho que em meu ser não se extinguiu ainda! Freqüentemente assalta-me o receio de uma nova queda, do olvido dos deveres e tarefas a cumprir uma vez submerso no oceano de uma reedição corporal, olvido tão comum ao Espírito que ensaia a própria reabilitação. Mas meus instrutores advertiram-me de que levarei sólidos elementos de vitória adquiridos no longo estágio reeducativo, e que por isso mesmo será bem pouco provável que a minha vontade se corrompa ao ponto de me arrastar a maiores e mais graves responsabilidades.

Despedi-me de todos os amigos e companheiros, em peregrinação fraterna pelos Departamentos da Colônia, a começar pela Vigilância, com Olivier de Guzman e Padre Anselmo. Todos foram unânimes em me prometerem assistência durante o exílio irremediável, através de rogativas ao Senhor de Todas as Coisas. Sinto-me, prematuramente, saudoso deste suave reduto que por espaço tão longo de tempo me abrigou, e onde tantos e preciosos esclarecimentos adquiri para o reinício de atividades nos meios sociais em que serei chamado a provar novos valores morais. Há alguns dias verdadeira romaria de amigos acorre a este Internato, a fim de visitar-me. Chefes de seção, enfermeiros, vigilantes, e até psiquistas e instrutores abraçam-me, felicitando-me pela resolução tomada e augurando dias gloriosos para o meu Espírito nos serviços de reabilitação. Apresentam-me ainda, cheios de bondade e estímulo, votos de vitória e aquisição de méritos. E por tudo me sinto agradecido, certo de que, nos testemunhos novos que me esperam às margens pitorescas do velho e querido Tejo que tanto tenho amado e do qual ainda agora me não desejo separar, falange luminosa de entidades amigas estará presente a fim de me reanimar com sua desvanecedora inspiração. E ontem me ofereceram um festim de despedida! Surpresa confortadora esperava-me em meio dessa reunião onde a fraternidade e a beleza mais uma vez ditavam suas intraduzíveis expressões: – através dos nossos possantes aparelhamentos de visão a distância pude contemplar, pela primeira vez, a formosa Mansão do Templo, na plenitude da sua harmoniosa e intraduzível beleza ambiente! Assisti, assim, a uma assembléia de iniciados, ouvi-lhes os discursos sublimes, inspirados nas mais altas expressões da Moral, da Filosofia, da Ciência, do Belo – da Verdade, enfim – que me fora possível suportar! No santuário onde se reuniam, lá estavam – a mesa augusta da comunhão com o Alto e os doze varões responsáveis por toda a Colônia unidos em identidade de vistas e ideais para o solene momento da Prece! E depois o panorama arrebatador do burgo que eu não poderei penetrar senão de volta da encarnação que me espera, a sucessão de residências, os vastos horizontes floridos esbatidos por delicadas nuanças azuladas a que os revérberos do Astro Rei transfundem cintilações douradas... As lágrimas inundaram-me as faces, enquanto, decalcando a augusta visão nos refolhos da consciência, como benfazejo estímulo para as lides ásperas do futuro, minhalma murmurava a si própria:

– Coragem, peregrino do pecado! Volta ao ponto de partida e reconstrói o teu destino e virtualiza o teu caráter aos embates remissores da Dor Educadora! Sofre e chora resignado, porque tuas lágrimas serão o manancial bendito onde se irá dessedentar tua consciência sequiosa de paz! Deixa que teus pés sangrem entre os cardos e as arestas dos infortúnios das reparações terrenas; que teu coração se despedace nas forjas da adversidade; que tuas horas se envolvam no negro manto das desilusões, calcadas de angústias e solidão! Mas tem paciência e sê humilde, lembrando-te de que tudo isso é passageiro, tende a se modificar com o teu reajustamento às sagradas leis que infringiste... e aprende, de uma vez para sempre, que – és imortal e que não será pelos desvios temerários do suicídio que a criatura humana encontrará o porto da verdadeira felicidade...

•

YVONNE A. PEREIRA

Made in the USA
Lexington, KY
25 October 2015